P9-API-987

АМ
АЛЕКСАНДРА МАРИНИНА

Александра
МАРИНИНА

Черный список
Посмертный образ

ЭКСМО-ПРЕСС
Москва, 2000

УДК 882
ББК 84(2 Рос-Рус)6-4
М26

Разработка серийного оформления
художников *А. Старикова, С. Курбатова («ДГЖ»)*

Маринина А. Б.

М 26 Черный список. Посмертный образ: Романы. — М.: Изд-во ЭКСМО-Пресс, Изд-во ЭКСМО-МАРКЕТ, 2000. — 416 с.

ISBN 5-04-004306-6
ISBN 5-04-000412-5

Во время проведения фестиваля при таинственных обстоятельствах погибают кинозвезды. Поиск преступников ведется среди тех, кто заинтересован устранить конкурентов и получить главный приз. Однако разгадка четырех убийств приходит к главному герою, подполковнику Стасову, после того как едва не погибает его собственная дочь...

УДК 882
ББК 84(2 Рос-Рус)6-4

ISBN 5-04-004306-6
ISBN 5-04-000412-5

НЕ ТОЛЬКО КАМЕНСКАЯ

Сейчас уже трудно в это поверить, но были времена, когда женщина, ведущая расследование, вызывала у издателей (а возможно и у читателей) аллергию. Считалось, что герой-сыщик непременно должен быть мужчиной, — высоким — под метр девяносто, мускулистым — почти как Сталлоне, и вдобавок очень интеллектуальным, как... ну, скажем, Дэвид Духовны. А Александра Маринина в те времена еще не была русской Агатой Кристи, и ей приходилось подлаживаться под чужие требования. В результате увидел свет роман «Черный список», в котором действовал Владислав Стасов — высокий, мускулистый и интеллектуальный, как раз именно такой, какой нравился издателям. Но Маринина не была бы Марининой, если бы не проявила своеволие и не дала в пару Стасову детектива-женщину, вдребезги разбивающую все издательские «стандарты». Потому что ни лицом, ни (тем более) фигурой она отнюдь не походила на голливудскую красотку, но совсем не уступала главному герою романа силой интеллекта.

Татьяна Томилина, на первый взгляд, полная противоположность любимой героине А. Марининой — Насте Каменской. Каменская — худощавая блондинка, которая равно может быть и красавицей и дурнушкой; этакая царевна-ля-

гушка, сбрасывающая безобразную лягушачью кожу и преображающаяся в царевну исключительно по собственному желанию. Татьяна Томилина же, казалось бы, прикладывает массу усилий, чтобы выглядеть царевной, и отнюдь не всегда это у нее получается (начав читать «Черный список», вы ни за что не угадаете, какой из двух появившихся на первых же страницах девушек суждено стать героиней). Но на самом деле Томилина и Каменская — не единство и борьба противоположностей, а скорее две ипостаси единой героини, несущие те или иные ее черты. И обе они в какой-то степени — Александра Маринина.

Однако «Черный список» замечателен и примечателен не только тем, что в нем нет Анастасии Каменской и что следствие ведет мужчина. Здесь Маринина впервые вводит читателя в мишурно-блестящий мир кино. Светская жизнь кинофестиваля, кинокумиры, известные режиссеры, богатые продюсеры, — словом, море, пальмы, Сочи. И на этом кинематографически-бутафорском фоне — серия загадочных убийств, грозящих превратиться в «громкие», но так и не раскрытые дела. Если бы... Если бы, на беду злодеев, в этот момент в южном городке не оказались случайно Владислав Стасов и Татьяна Томилина.

Мир кино — место действия и другого детектива, «Посмертный образ». Собственно, эти романы можно рассматривать как своеобразную дилогию: то, что осталось «за кадром» в «Черном списке», проявляется в «Посмертном образе». Нам показали изнанку кинофестиваля, показательного и пышного кинопраздника, а теперь нас приглашают заглянуть за кулисы крупной столичной киностудии, где и проистекает будничная жизнь современных «властителей дум».

Подчиненным Гордеева-Колобка — Насте Каменской,

Юре Короткову, Коле Селуянову и другим предстоит нелегкая работа. Убита молодая талантливая актриса, секс-символ и стремительно восходящая звезда, и им надо шаг за шагом проследить всю жизнь несчастной Алины Вазнис, чтобы разобраться с мотивами ее убийства. А заодно исследовать и жизнь ее киноокружения: режиссера, продюсера, других актрис... Разгадка преступления, как всегда у Марининой, совершенно неожиданна и находится отнюдь не там, где все искали.

В этом одна из примет творчества А. Марининой. Детективный сюжет для нее не самоцель, гораздо интереснее будничная жизнь, будь то мир кино или мир крупного книгоиздательства («Стилист»). Именно здесь, в «черных буднях», как говаривали когда-то, «есть место подвигу». Здесь испытывается человеческий характер, здесь кроются причины всех его поступков, как героических, так и преступных.

Кстати, в «Посмертном образе» Насте активно помогает вести следствие все тот же красавец Владислав Стасов... Впрочем, рассказывать содержание детектива — оказывать читателю медвежью услугу. Скажу только, что книги Марининой, в отличие от многих прочих детективов, написанных дамами и в основном для дам, нельзя определять по «половому признаку». У Александры Марининой детективы для всех — и для мужчин, и для женщин. Мужчина будет следить за развитием сюжета, так до конца и не понимая, кто же убийца, а женщина, помимо захватывающей интриги, найдет у Марининой еще множество увлекательных и бодрящих мелочей, помогающих в непростой женской жизни. Множество практических жизненных наблюдений, ненавязчивых советов, как, например, справляться с личными и прочими трудностями. И в «Черном списке», и в «По-

смертном образе» одна из таких мелочей — и немаловажная — вполне аргументированное утверждение, что любят всяких женщин: и красивых, и некрасивых, и умных, и закомплексованных. А женщин «больших размеров», вопреки навязываемому нам рекламному стандарту, тоже любят, и любят не только бросовые мужички, но и статные красавцы. Потому что не в размерах дело...

Наталья ТАТЬЯНИНА

Черный список

Роман

Глава 1

Я — счастливчик. Наверное, это оттого, что на самом деле нас двое: я и мой ангел-хранитель. Славный такой парнишка, с крылышками за спиной и стеклянным барабаном в руках. В этот барабан насыпаны свернутые в трубочки бумажки, на которых написано «повезет» или «не повезет». И ни он, ни я не знаем, сколько в барабане счастливых и несчастливых билетиков. Просто он каждый раз открывает заслонку, засовывает туда свой пухлый пальчик и одну бумажку выковыривает. А я каждый раз думаю: а вдруг все удачные билетики уже кончились и теперь начнется сплошная невезуха? И раз от разу этот страх все сильнее, потому что «везучие» бумажки до сих пор попадались чаще и, по идее, они уже давно должны были кончиться. Так что начало полосы невезенья я ожидаю каждый день, а до сих пор, видит бог, мне жаловаться было не на что. Даже после того, как я развелся с Ритой и начал себе позволять крутить романы с двумя-тремя дамами одновременно, ни разу они не столкнулись на моем пороге, хотя, надо признать, «люфт» между их визитами порой бывал минимальным, минут в пять. Но все-таки был. Как говорится, беда уже дышала в затылок, но в последний момент отступала.

И в этой поездке мне тоже везло с самого начала. И самолет вылетел вовремя, и место в салоне досталось в задних рядах, где разрешалось курить, и сосед всю дорогу проспал и не приставал с глупыми дорожными разговорами. И Лиля не капризничала, что, вообще-то, дело обычное и к везению причисляться не может, ибо Лиля — ребенок самостоятельный и очень спокойный. Когда она родилась, мы с Риткой были молодые и резвые, нам хотелось не только сделать карьеру, но и сбегать в гости или на какую-нибудь тусовку, а бабушек, с которыми можно оставить Лилю, у нас не было. То есть чисто теоретически бабушки, конечно, были, но они тоже были ещё относительно молодыми и достаточно резвыми для своих лет, и им тоже интереснее было работать и общаться, нежели сидеть взаперти и развлекать дитятю. Поэтому в три года наша дочь уже умела читать, а в пять мы спокойно оставляли ее дома в компании Элли, Тотошек, Железных Дровосеков и Трусливых Львов. Нужно было только уложить ее в постель, дать книжки, поставить рядом большую тарелку с фруктами и графин с компотом. Может, если бы мы больше бывали дома, Лиля стала бы обычным капризным ребенком, но характер ее сформировался именно под влиянием нашего с Риткой постоянного отсутствия. Как там было у Корнея Чуковского? «Я не тебе пла́чу, а тете Симе». Кому ей было капризничать, если все равно никто не слышит? Но во всем этом наряду с множеством маленьких плюсиков был один огромный минус: Лиля привыкла быть скрытной. Не потому, что ей было что скрывать, а просто потому, что она не привыкла ни с кем делиться. И плоды этой скрытности, взращенной нашими с Ритой неумелыми легкомысленными руками, мне еще предстояло вкусить в полной мере.

Сейчас Лиле было уже восемь, и она, пользуясь полной бесконтрольностью, перечитала всего имеющегося дома Мопассана и настырно подбиралась к Бальзаку. Получив таким образом весьма полное представление о взаимоотношениях полов, она выработала собственную версию развода родителей, в соответствии с которой факт нашего с Ритой раздельного проживания означал именно раздельное проживание и ничего больше. Конечно, отношения у нас остались нормальные, и ни о каких проявлениях враждебности и речь не шла. Ну удобно людям жить врозь, что тут такого? Тем более что, учитывая характер деятельности моей бывшей супруги, видела нас девочка одинаково часто: по два часа в неделю.

Рита всю жизнь работала в кино. Нет, она не актриса, Боже упаси, она кинокритик, причем с таким злым и язвительным языком, что врагов у нее больше, чем вообще знакомых. Как ни странно, ее этот факт совершенно не огорчал, напротив, она сшила из него элегантный наряд, в котором щеголяла направо и налево. Когда кто-то выказывал ей симпатию или дружеское расположение, она томно говорила:

— Вы такой оригинал, голубчик. Меня обычно не любят. У меня столько врагов!

Впрочем, с чувством юмора у моей благоверной всегда было все в порядке.

Два дня назад она укатила в курортный город готовить

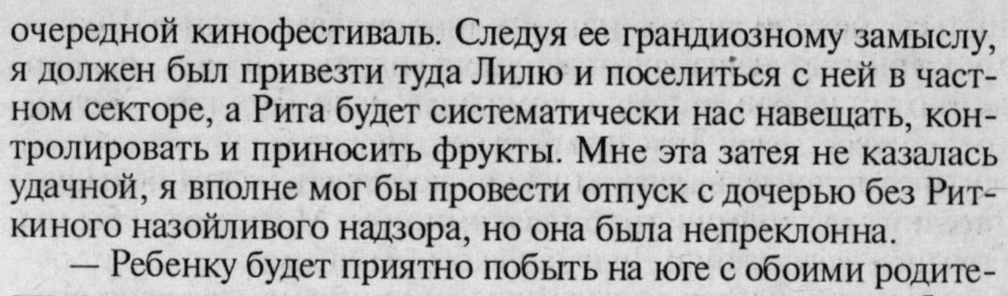

очередной кинофестиваль. Следуя ее грандиозному замыслу, я должен был привезти туда Лилю и поселиться с ней в частном секторе, а Рита будет систематически нас навещать, контролировать и приносить фрукты. Мне эта затея не казалась удачной, я вполне мог бы провести отпуск с дочерью без Риткиного назойливого надзора, но она была непреклонна.

— Ребенку будет приятно побыть на юге с обоими родителями, — говорила она, и мне, честно признаться, нечего было ей возразить.

Я снял комнату у милейших супругов-пенсионеров и целые дни проводил с Лилей на пляже. Удивительно, но приближение Риты девочка чувствовала еще тогда, когда ее не было видно, а уж на зрение я никогда не жаловался.

— Сейчас мама придет, — задумчиво тянула она, не обращая внимания на мои скептические ухмылки.

И действительно, минут через пять на пляже показывалась Рита в своей неизменной юбке «лохмутиками». Знаете, модная такая юбка, на которой разрезов больше, чем самой ткани. Слово «лохмутики» придумала Лиля, и я в который уже раз подивился тому, как хорошо она чувствует русский язык. Нет, что ни говори, а ребенок у меня совершенно замечательный.

Ритка шла через забитый голыми телами пляж, сверкая своими изумительными ногами в «лохмутных» разрезах, и казалась еще более обнаженной, чем одетые в купальники загорающие дамы. Лежащие на песке мужики таращились на ее обалденные ноги, не обращая внимания на лицо, на котором все прожитые годы были в наличии: все тридцать два, до копейки. Она не выглядела ни на день моложе, но ее, судя по всему, это совершенно не заботило, потому что на ее потрясные ноги и вообще на ее фигуру «покупались» все мужчины, независимо от возраста.

Она подходила к нам, облизывала Лилю с ног до головы, небрежно чмокала меня в щеку и начинала выкладывать из огромной белой сумки полиэтиленовые пакеты с абрикосами, персиками, сливами и виноградом.

— А колбаски? — робко спрашивала Лиля, которая, наевшись фруктов в те долгие вечера, когда мы с Риткой бросали ее дома одну, теперь смотреть не могла ни на них, ни вообще на сладкое.

Рита в ответ разражалась длинной нравоучительной тирадой о пользе даров юга и необходимости витаминов для юного растущего организма. Лиля делала вид, что слушает, покорно вздыхала и исподтишка поглядывала на меня, а я, в свою очередь, тоже делал вид, что согласно киваю в такт вдохновенным словесным пассажам моей экс-супруги, и одновременно подмигивал дочери, что означало твердое обещание купить ей вечером вожделенной сырокопченой колбаски.

Почему-то Рита никогда не брала с собой купальник, когда приходила к нам на пляж. Наверное, она предпочитала плавать в бассейне, где на бортике сервируют шампанское и легкую закуску: устроители фестиваля на антураж в этом году не поскупились. Она опускалась на наше большое пляжное полотенце, при этом «лохмутики» вообще исчезали неведомо куда и ноги ее представали перед желающими «посмотреть на красивое» во всем длинно-округлом великолепии, увенчанном тщательным педикюром, и начинала торопливо жаловаться на козни конкурсантов, духоту в номере и вообще полную неорганизованность. Сценка «Я делюсь с папой своими проблемами» была рассчитана ровно на четырнадцать минут, после чего Маргарита Мезенцева, по бывшему мужу Стасова, повторяла ритуал облизывания дочери, махала нам рукой и царственно удалялась. Навещала нас она дважды в день, утром и вечером, перед тем, как мы уходили с пляжа.

Сегодня утром все начиналось как обычно. Лиля задумчиво посмотрела на болтавшийся в волнах буек и сказала:

— Сейчас мама придет.

Но на этом сходство эпизода со всеми предыдущими закончилось. Рита появилась гораздо быстрее, чем я ожидал после традиционной реплики восьмилетнего ребенка, из чего можно было сделать вывод, что она почти бежала. Вид у нее был, прямо скажем, не самый лучший, и, глядя, как она пробирается к нам между плотно лежащими телами, я начал было сомневаться, правильно ли я помню год ее рождения. Вчера ей было тридцать два, а сегодня уже под сорок.

Облизывание было пропущено, фруктовое изобилие из белой сумки почему-то не появилось. Рита с размаху плюхнулась на полотенце и подняла на меня измученное лицо.

— Ой, Владик, какой кошмар... Ольгу убили.

Я оторопел настолько, что даже не понял, о какой Ольге идет речь.

— Ольгу?

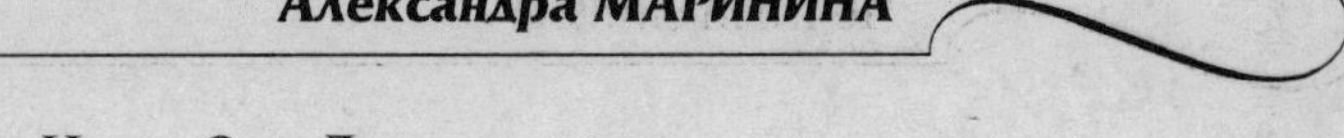

— Ну да. Олю Доренко.

— Как убили? — глупо спросил я.

— Зарезали ножом.

— Кто?

Этот вопрос мог бы, пожалуй, достойно конкурировать с предыдущим. Он не был ни умным, ни оригинальным.

— А я знаю? Меня всю ночь в милиции продержали.

— Почему? Ты-то при чем?

— Ой, Владик, ну все же знали, что у тебя с ней был роман, вот и подумали, что это я ее... Из ревности.

— Да какой роман? Что ты несешь? — разозлился я, но тут же вспомнил, что рядом с нами сидит Лиля, при которой надо делать хорошую мину и по возможности следить за речью.

— Ты же знаешь, что с Ольгой у меня никогда ничего не было, — продолжал я уже спокойнее. — Тебе же сто раз объясняли.

— Ну да, конечно, поэтому я и сказала в милиции, что это скорее всего Гарик.

— Что — Гарик?

— Убил ее.

— О Господи! Этого только не хватало!

— А что? Он ее любовник, ты сам мне говорил.

Это была классическая ситуация, когда человек попадает в сети собственной лжи. У меня никогда не было ни романа, ни даже легкого флирта с Олей Доренко. Но и известный кинорежиссер Игорь Литвак никогда не был ее любовником. Это была ложь, которую мы с Олей сочинили специально для Риты, когда ее беспочвенная ревность стала переходить всякие разумные границы.

Ольга и Рита были давними подругами, и вполне естественно, что мы постоянно встречались в компаниях и ходили друг к другу в гости. Ольга нравилась мне гораздо больше всех прочих Риткиных подруг, она была очень славной и неглупой женщиной, по-настоящему талантливой актрисой, но с личной жизнью у нее катастрофически не складывалось. Есть такие женщины, которых мужчины всегда бросают. Чем это вызвано, какими их особенностями, никто сказать не может. И умницы, и красавицы (а Оля Доренко была красивой), и прекрасные хозяйки, а мужикам все чего-то в них не хватает. Может быть, изюминки? Чего уж там Рите показалось, я не знаю, но только в один прекрасный день она начала нервничать и весьма прозрачно намекать мне на мои слишком теплые отношения с Олей. Я бы стерпел, но беда в том, что она начала доставать и Ольгу. Язычок у моей благоверной, как я уже говорил, был достаточно острым, чтобы подруга сначала стала недоумевать, а потом и всерьез обижаться. Дальше — больше. Ритка с лицом оскорбленной мадонны стала рассказывать всем кому не лень, что ее муж заигрывает с восходящей звездой экрана Доренко. Идея ревности превратилась в навязчивую, Ритка потеряла покой и даже несколько раз пыталась выследить меня. Один раз она сделала это крайне неудачно. Мы тогда разрабатывали группу, работавшую в подпольной лаборатории по изготовлению наркотиков, и Ритка своим появлением сорвала хитро задуманную операцию. Огромные усилия пошли псу под хвост, я схлопотал крупные неприятности на работе и понял, что против ее болезни нужно придумывать радикальное лекарство. И тогда мы с Олей, посоветовавшись, решили выдать Рите историю про тайный роман с Игорем Литваком. Это был как раз тот случай, когда самая невероятная ложь легко сходит за правду.

Дело в том, что Игорь Литвак был белой вороной в кинематографических кругах. Он славился тем, что был предан своей семье, обожал четырех детей и толстую некрасивую жену и ни разу за двадцать лет работы в кино не был замечен ни в каких даже подобиях флирта. Именно этим мы и объяснили тот факт, что о романе Ольги и Гарика никто не знал: это хранилось в строжайшей тайне, ибо жена Литвака была родом из Тбилиси, воспитана в жестких правилах и при малейших слухах немедленно забрала бы детей и уехала в Грузию, где имела многочисленную родню. Разлука с детьми была бы для него трагедией, поэтому первый (после жены, разумеется) свой роман Игорь охранял от посторонних глаз как зеницу ока.

— Почему Оля мне ничего не рассказывала? — недоумевала Рита.

— Потому что она вообще никому об этом не говорит. Никому, понимаешь? Ни единой живой душе. Гарик ее просил, — убежденно врал я.

— Но тебе-то сказала, — упиралась жена.

— Она и мне не говорила. Я узнал случайно. В ее доме было совершено преступление, участковый пошел с поквартир-

ным обходом искать свидетелей, а Игорь в это время был у Ольги. Так и выплыло.

Рита с пониманием отнеслась к нашей душераздирающей истории, сразу же успокоилась и, к ее чести надо признать, никому не проболталась. И вот теперь наша милая шутка грозила обернуться для ничего не подозревающего Игоря Литвака огромными неприятностями.

— А Гарик здесь, на фестивале? — осторожно спросил я.

— Конечно. Он председатель жюри. А Ольгу представили в номинации на лучшую женскую роль. Я не сомневалась, что она получит приз.

— Она прекрасная актриса, — поддакнул я, лихорадочно соображая, что делать.

— Да при чем тут прекрасная актриса, — отмахнулась Рита. — Гарик же председатель жюри, неужели он бы ей приз не выбил.

Нет, Маргариту уже ничто не исправит. Даже об убитой подруге она не может не сказать колкость. Иногда, когда я смотрю на Риту и вижу ее необыкновенные ноги, я раздумываю о том, не ошибся ли я, разведясь с ней. Но в такие минуты, как сейчас, я понимаю, что не ошибся. Ритка с ее вечной злостью и нервозностью была мне противопоказана, как маринованный перец больному язвой желудка.

В течение следующих пятнадцати минут я узнал, что Оля вчера присутствовала на пресс-конференции, которую устроили после просмотра того фильма, где она сыграла главную роль. Потом имела место обычная коллективная пьянка в ресторане гостиницы, когда уследить друг за другом совершенно невозможно, все ходят и бродят куда глаз глянет, поднимаются в свои и чужие номера, возвращаются, купаются в бассейне с подсветкой и шампанским и занимаются торопливой, но от этого не менее страстной любовью под окружающими гостиницу пышными тропическими кустами. Ольга жила в номере вместе с актрисой Люсей Довжук. И вот, когда Люся около трех часов ночи вернулась в номер, она увидела лежавшую на полу в луже крови Ольгу.

Прибежали мальчики из службы безопасности, вызвали милицию, а кто-то возьми и скажи (с пьяных глаз чего не ляпнешь), что Маргарита Мезенцева давно уже ревновала своего мужа, хоть и бывшего, к Ольге Доренко, а муж-то этот примчался сюда, на фестиваль, хотя раньше никогда ничего подобного за ним не замечалось. Не иначе как ради Ольгиных прекрасных глаз. Пока были женаты, ни на один фестиваль вслед за женой не приезжал, а после развода — нате вам, пожалуйста, прикатил. И как только Риточка это терпела!

Местные милиционеры вполне разумно решили, что Риточка терпела это с трудом. То есть с таким огромным трудом, что в один прекрасный момент не выдержала и убила проклятую разлучницу. Риточку тут же попросили «пройти» и стали дотошно выяснять, была ли у нее возможность зарезать подругу. К сожалению, выяснить ничего им не удалось, потому что все были в таком подпитии, что ничего толком не помнили. Где находилась Мезенцева в период с 23 часов до 3 часов ночи? Куда она выходила? Где и с кем ее видели? Поднималась ли она на 16-й этаж, где находится номер Доренко? Не выглядела ли подавленной или, наоборот, возбужденной? Разгневанной? Раздраженной? Много ли пила? И так далее... Вопросы остались открытыми, но Риту отпустили, попросив, естественно, из города не уезжать. На прощание она кинула им кость — сказала про Литвака.

И я понял, что должен как-то помочь бедняге Игорю. Я остро чувствовал свою вину перед ним и ни в коем случае не хотел, чтобы он пострадал из-за истории, корни которой тянутся из идиотской ревности моей бывшей жены.

* * *

Городское управление внутренних дел выглядело недавно отремонтированным и свеженьким, как только что выкупанный младенец. Я оставил Лилю на лавочке в обществе книжки про Мумми-тролля, дав ей пятитысячную купюру на тот случай, если она захочет мороженого или воды. Впрочем, я не сомневался, что как только я исчезну в проеме двери, она тут же подойдет к книжному киоску, который я приметил неподалеку, и купит очередной «женский» роман Барбары Картленд. Я никак не мог выяснить, что же ей удается понять в этих книжках, подозреваю, что очень немногое, но читала она их с упоением.

В здании управления было сумрачно и тихо. Постовой мельком взглянул на мое удостоверение и молча кивнул, разрешая пройти. Дежурная часть была с виду самой обычной, но, присмотревшись, я увидел, что электроники туда напиха-

ли не на одну тысячу долларов, и позавидовал городу, который может себе позволить вкладывать деньги в правоохранительную систему. Дежурный, толстый потный майор, долго делал вид, что не видит меня, а я так же долго делал вид, что терпеливо жду. Мне всегда интересно, как в дежурной части относятся к посетителям, когда еще не знают, кто они и зачем пришли. Если театр начинается с вешалки, то милиция — с дежурки. Она — лицо учреждения, не в смысле чистоты и компьютеризации, а в смысле отношения к гражданам. Какой стиль царит в «управе», такой и в дежурке.

Майор не выдержал первым.

— Слушаю вас, гражданин. Что у вас?

Я протянул ему свое удостоверение.

— Мне нужен опер, который работает по убийству актрисы Доренко. Поможете?

Майор молча вернул мне красную книжечку и стал куда-то названивать.

— Двенадцатый кабинет, — наконец после нескольких звонков произнес он. — По лестнице на второй этаж и направо.

То, что я увидел в кабинете, на котором значился номер 12, меня озадачило. Там никак не мог находиться оперативник, которого я искал. Это был типичный кабинет начальника, роскошный, обставленный добротной мебелью. И человек, который восседал во главе письменного стола, тоже смотрелся начальником. Хорошо за пятьдесят, жесткие глаза, грузная фигура.

— Подполковник Стасов, Управление уголовного розыска, ГУВД Москвы, — представился я, пытаясь справиться с недоумением.

— Мне о вас не звонили, — сообщил мне хозяин кабинета, глядя куда-то в сторону.

Я с ужасом подумал, что не знаю, кто он, как его зовут, и вообще произошло какое-то недоразумение. На кителе я увидел полковничьи погоны, которые с равным успехом могли принадлежать и начальнику управления, и любому из его заместителей. Правда, вход в кабинет был из коридора, а не из приемной, и это позволяло надеяться, что я попал все-таки не к начальнику, а к кому-то из замов.

— Дежурный сказал, что я должен пройти в двенадцатый кабинет.

— Правильно. Но из Москвы о вас не звонили. Что вы хотите?

Тут я сообразил, что дежурный принял меня за сыщика, который приехал из Москвы в связи с убийством Ольги. Вероятно, поэтому он и направил меня к руководству, так сказать, представиться и доложиться по команде. А руководство, естественно, ни сном ни духом ни про какого сыщика и знать не знает.

— Товарищ полковник, я хотел бы встретиться с сотрудниками, которые занимаются убийством Ольги Доренко.

— Зачем? Кто вас уполномочил?

Вопрос мне не понравился. Где ты, прославленное милицейское братство! Где ты, воспетое в книгах и фильмах чувство локтя, дружеская помощь и своевременная поддержка! Полковник вел себя так, словно ему было глубоко наплевать на сам факт убийства актрисы и больше всего его заботит вопрос о том, чтобы в светлые ряды городских милиционеров не проник московский шпион с его грязным разлагающим влиянием.

— Меня никто не уполномочил. Но я могу оказаться полезным в расследовании убийства. Я хорошо знал потерпевшую.

— Кто вас прислал?

— Никто меня не присылал, я нахожусь в вашем городе на отдыхе, узнал об убийстве и пришел.

— Откуда вы узнали об убийстве?

Все это больше походило на допрос, словно я обманным путем пытаюсь втереться в процесс расследования, преследуя свои темные интересы.

— Мне сообщила моя жена, она работает на кинофестивале.

Я не стал упоминать о том, что жена — бывшая, потому что тогда пришлось бы долго объяснять ему про Лилю и про Ритины педагогические экзерсисы.

— Фамилия жены?

— Мезенцева. Маргарита Мезенцева.

— А ваша фамилия — Стасов? Очень интересно.

Я вдруг понял, что стою перед ним, вытянувшись по стойке «смирно». Видимо, его недоброжелательность оказывала на меня гипнотическое воздействие.

— Если у вас есть информация, проливающая свет на убийство Доренко, вы можете поделиться ею со мной, — холодно

произнес полковник, занимающий так и не установленную мною должность. — Я не сторонник подключения посторонних лиц к работе, это часто мешает и создает дополнительные трудности.

— Но я профессионал, а не посторонний, — попытался возразить я.

— Насколько я понял из ваших слов, вы можете быть потенциальным свидетелем, и в этом смысле вы, безусловно, посторонний. Мы используем вас в качестве свидетеля. Пожалуйста, я готов выслушать все, что вы знаете о Доренко. Но привлекать вас к работе я не позволю. Вы находитесь в данный момент не на службе, и как профессионал вы для меня не существуете.

— А если вам позвонят насчет меня из Москвы, вы допустите меня к работе?

На самом деле я вовсе не хотел, чтобы меня допускали к работе. Наверное, я закоренелый эгоист, но у меня никогда не бывает потребности влезать в чужое дело и помогать изо всех сил. Каждый должен тянуть свой воз. Мой визит сюда был продиктован не стремлением подключиться к работе по разоблачению убийцы, а единственно желанием поговорить по-мужски с оперативниками, объяснить им, что Гарик Литвак не имеет к убийству ни малейшего отношения, потому что его связь с убитой является чистейшей воды плодом воображения. Вот и все. Мои благие намерения не шли ни на сантиметр дальше. Но мне стало любопытно, отчего этот полковник, восседающий в роскошном кабинете, так меня невзлюбил и почему он не хочет допускать меня к расследованию убийства. У него больное самолюбие? Он не любит, когда ему приказывают? Его приводит в бешенство само слово «Москва»?

— Я допущу вас к работе только в том случае, если будет письменное указание из Главного управления уголовного розыска МВД России, — четко ответил он. — Я подчиняюсь только им. Руководство Управления внутренних дел столицы ко мне никакого отношения не имеет, мы с ними равны по рангу, и они могут только просить меня.

— Но если они попросят? — настаивал я.

— Это будет зависеть от ситуации. Обычно я такие просьбы не выполняю. Ваши коллеги только путаются под ногами и вносят сумятицу в нашу работу. Если в министерстве принимается решение о создании следственно-оперативной группы совместно с ГУВД Москвы, тогда другое дело. Будет решение — будем разговаривать. Я вас больше не задерживаю, господин Стасов.

Так. Из начальственного кабинета меня выперли, причем даже не очень вежливо. Но я не обидчивый. Вернее, обидчивый, но привычный и умеющий не обращать внимания. Поэтому я не заплакал горючими слезами, но злобу затаил. Я поднялся на третий этаж, где все было как-то попроще: и дорожки на полу не было, и стены не обшиты деревом, как на втором этаже, а покрыты масляной краской, и двери не обиты дерматином. Прислушиваясь к голосам, доносящимся из-за дверей, я выбрал комнату, в которой, судя по шуму, народу было много.

— Извините, — робко сказал я, делая глупое лицо. — Меня вызывали в связи с убийством актрисы Доренко, а я забыл, в какую комнату.

— В тридцатую, — тут же ответили мне, и я тихонько ретировался.

Возле тридцатой комнаты сидела очередь, и я сообразил, что если здесь сидят те, кто занимается ночным убийством, то все эти люди вызваны для дачи объяснений. Занять очередь означало бы добраться до нужных мне сотрудников не раньше чем в конце дня. Объясняться же с этой очередью, рассказывая им, что я «свой» и «мне по делу надо», мне не хотелось. Можно было бы, конечно, просто войти в кабинет, никому ничего не объясняя, но была реальная опасность нарваться на такого же поборника суверенитета, с которым я только что общался в комнате 12. Врываться в чужой кабинет посреди допроса, требовать к себе внимания — так можно вылететь из родной милиции в пять секунд. Вылететь-то не жалко, но на мне камнем висел долг перед Игорем Литваком, и выполнить свою задачу я должен был во что бы то ни стало.

— Кто следующий? — спросил я нахальным уверенным тоном.

— Я, — откликнулась молоденькая девушка в бирюзовом сарафанчике, открывавшем крупные веснушки на молочно-белой груди.

— Я напишу записку, вы передайте сотрудникам.

Я достал из сумки с пляжными принадлежностями ручку и записную книжку, вырвал листок и нацарапал: «Стасов, МУР. Срочно».

— А кому отдать? — спросила веснушчатая, забирая у меня записку.

— Все равно. Кто есть в кабинете, тому и отдайте.

Минут через десять из кабинета вышел человек, взглянув на которого я помертвел. Это был Игорь Литвак, и лицо его было перекошено до полной неузнаваемости. Похоже, я опоздал. Но с другой стороны, я пришел как нельзя вовремя, потому что если меня прямо сейчас пригласят в заветный тридцатый кабинет, то я все успею объяснить, и тогда сыщики не будут задавать всем следующим посетителям вопросы, из которых те сделают вполне определенный вывод о имевшем место романе убитой актрисы с председателем кинематографического жюри.

Девушка вошла в дверь и почти сразу же вышла назад.

— Идите, — процедила она сквозь зубы.

Я ее понимал. Наверное, сидела здесь с раннего утра, а сейчас уже полдень. А тут какой-то хмырь без очереди лезет...

В комнате было жарко и накурено, как будто в ней дымила рота солдат, хотя за столом я увидел только одного симпатичного паренька. Вид у него был усталый, глаза — голодные, но волосы почему-то оказались идеально уложенными, как будто он только что причесался. Может, и вправду привел быстренько себя в порядок, прочитав записку. Если это так, то мне повезло: к МУРу у мальчика еще сохранилось некое подобие уважения.

— Добрый день, — вежливо поздоровался я. — Моя фамилия Стасов.

— Я понял, — кивнул паренек. — Какие у вас проблемы?

— Сугубо мужские. Меня зовут Владислав Николаевич.

— Сергей Лисицын, — представился он, пожимая руку.

На его ладони я почувствовал жесткие мозоли, выдававшие в нем постоянно тренирующегося спортсмена.

— Так вот, Сергей, я по поводу убийства Ольги Доренко. Только что из твоего кабинета вышел Игорь Аркадьевич Литвак. Тебе сказали, что он был любовником Ольги?

— Я не понял, Владислав Николаевич, какой у вас интерес.

— Я же тебе сказал, мужской.

— Официальный? Вы откомандированы к нам?

И этот туда же. Вот Крым отделился, а скоро и эти захотят

собственную валюту ввести и границы установить. Республика Курорт. Все с ума посходили.

— Нет, интерес у меня неофициальный. — Я был терпелив, как опытная сиделка у постели тяжелобольного. — Я нахожусь здесь на отдыхе, а на кинофестивале работает моя жена, которая сообщила мне сегодня утром об убийстве Доренко. И я пришел к тебе, Сережа, как мужик к мужику, чтобы объяснить, что Игорь Аркадьевич никогда не был любовником Ольги, поэтому все твои подозрения в его адрес напрасны.

— Но если Литвак не был ее любовником, то почему вы решили, что мы его в связи с этим подозреваем? Откуда такие сведения?

— От моей жены. Ведь это она первая сказала вам о Литваке, верно? Первая и единственная.

Сергей молча открыл папку и стал листать бумаги. Я понял, что он ищет показания свидетельницы Стасовой. И пока он будет их искать, я успею состариться, а Лиля выйдет замуж и нарожает мне внуков. Но я не хотел его торопить. Мальчик был совсем молоденький и требовал к себе уважения.

— Фамилия вашей жены Стасова? — наконец спросил он, не отрывая глаз от лежавших в папке бумаг.

— Мезенцева. Маргарита Мезенцева.

— Ах вот как!

Черт возьми, ну чего Ритке не жилось с моей фамилией! Сменила ее на девичью сразу же после развода. Вот теперь и объясняйся с каждым встречным.

Он нашел нужный документ и бегло его просмотрел, потом едва заметно улыбнулся.

— Забавно получается. Первые свидетели в один голос утверждали, что ваша жена давно ревновала вас к убитой. А она, словно оправдываясь, подбрасывает нам Литвака. Литвак же, в свою очередь, категорически все отрицает. И как вы это объясните, Владислав Николаевич?

Я рассказал ему про наш с Ольгой обман и про девственно-чистую репутацию Игоря. Сергей слушал с интересом, весело хмыкал и кивал головой. Но в конце моего покаянного повествования вдруг посерьезнел.

— Почему я должен вам верить? Может быть, вы — друг Литвака и говорите сейчас неправду, чтобы выгородить его.

— Может быть, — сердито откликнулся я. — Попробуйте опросить всех участников фестиваля, и если хоть одна живая

душа заикнется о романе Ольги и Игоря — можете плюнуть мне в лицо. Потому что этого романа не было, это плод нашей фантазии. Вам назовут с десяток любовников и поклонников Ольги, но среди этих имен не будет имени Литвака, это я вам гарантирую.

От злости я даже не заметил, как стал обращаться к нему на «вы». Внезапно Сергей улыбнулся открыто и весело, хотя глаза его по-прежнему были голодными и какими-то грустными.

— Хорошо, что вы пришли, Владислав Николаевич, а то я уже совсем замучился. Работаю первый год, опыта мало, а тут такое... Звезда, претендентка на первую премию.

Он умолк и поглядел куда-то за окно. Я проследил за его взглядом и не увидел ничего интересного, кроме розового фасада большого здания, напоминавшего обком партии.

— Владислав Николаевич, мне сложно говорить... Одним словом, наше начальство залетных помощников не жалует. Я бы хотел спросить вашего совета, тем более что вы хорошо знали Доренко и ее окружение, но мне за это голову снимут. Советчик у нас один.

— Это который в двенадцатой комнате сидит? — догадался я.

— Он самый, — усмехнулся Сергей.

— И какой же выход? Сделать вид, что я сюда не приходил и ты меня не знаешь?

— Нет. Я включаю вас в список свидетелей и на этом основании могу общаться с вами сколько угодно. Только для этого вам придется хотя бы иногда приходить сюда. Вы располагаете ценной информацией...

— Нет, Сережа, этот фокус у тебя не пройдет. Твое начальство меня видело и весьма нелюбезно выставило вон. Если ты попробуешь выдать меня за свидетеля, завтра же я окажусь в двенадцатом кабинете, и допрашивать меня будет его хозяин, а не ты. И вообще, с чего ты взял, что я собираюсь тебе помогать, а? Я, между прочим, в отпуске.

Лицо его вмиг осунулось и окаменело. Конечно, я был груб, но после странного разговора с его начальником у меня не было оснований для благодушия.

— Если вы сюда пришли, чтобы рассказать о Литваке, значит, вы хотели помочь нам, чтобы мы не тратили напрасно силы и время на эту версию.

— Я хотел помочь не вам, а Игорю. У него очень ревнивая жена, которой он ни разу в жизни не изменял. Если будет скандал, ему вовек не отмыться, ты это понимаешь? Можно всю жизнь ему искалечить, и его жене, кстати, тоже, не говоря уже о детях.

— Значит, я не могу на вас рассчитывать?

Он смотрел на меня, как смотрят больные щенки, выброшенные на улицу безжалостными хозяевами. И я вдруг подумал о том, что он всю ночь не спал, что таких преступлений, как убийство кинозвезды Ольги Доренко, в его небогатой практике еще не было, что он безумно боится «провалить» работу и наплевать ему в этом случае на самолюбие. Ему действительно нужна помощь. Проведя полночи в компании полупьяных киношников, он, наверное, пришел в ужас от того количества сплетен, домыслов, грязи и откровенной злобы, которое вылилось на него. Кино — это свой мир, и, чтобы разобраться в связывающих людей взаимоотношениях, нужно покрутиться в этом мире не один год. И я дрогнул.

— Сколько человек работает по этому делу?

— Все, кто свободен и есть в наличии. Но у нас завал, на все времени не хватает, поэтому работать будут все понемногу.

— Основные есть? Или у вас дитя без глазу окажется?

— Боюсь, что окажется. Но основных — трое.

— Кто еще, кроме тебя?

— Паша Яковчик и Валентин Иванович Кузьмин. Они сейчас в гостинице людей опрашивают.

— Паша, стало быть, молодой, а Кузьмин — постарше? — хмыкнул я.

— Валентин Иванович мой наставник, — вздохнул Сергей. — У него стаж больше двадцати пяти лет.

— А чего вздыхаешь так тяжело? Не помогает наставник, что ли?

Он посмотрел на меня своими щенячьими глазами, и мне захотелось погладить его по голове и почесать за ухом.

— Пьет он. Ему уже ни до чего дела нет.

— Так, понятно. С наставником мы кашу не сварим. А Паша? Он что за человек?

— Паша хороший парень, но у него контракт кончается. Он, когда в школу милиции поступал, подписал контракт на пять лет. После окончания школы уже четыре с лишним года прошло. Он уж и место себе присмотрел, начальником служ-

бы безопасности какого-то банка уходит. Тоже за лаврами не гонится.

— А ты, выходит, гонишься?

— Я для коммерции не гожусь. Буду здесь работать, пока не выгонят.

Да, парень, не повезло тебе, подумал я сочувственно. Из двоих напарников один — престарелый алкаш, другой равнодушно дослуживает оставшиеся месяцы. За нераскрытое убийство их из органов не уволят, а благодарности в приказе им не нужны. Короче, задницу рвать на этом убийстве придется только тебе одному.

— А что у нас со следователем? — поинтересовался я.

— Нормальный мужик, — как-то неопределенно ответил Лисицын. — Я его мало знаю.

Я посмотрел на часы. Лиля сидит на скамейке в ожидании нерадивого папаши уже час. Я, конечно, могу дать руку на отсечение, что она никуда с этой скамейки не сдвинется и с чужим дядей не уйдет, она у меня вышколена в этом отношении. Но совесть-то родительскую надо иметь!

— Значит, так, Сергей Лисицын, — сказал я, вставая. — Первомайская, дом восемь. До десяти утра и после шести вечера. Нужен будет совет — приходи.

Лиля, как и ожидалось, сидела неподвижно, уткнувшись в книжку. Даже издали было видно, что это совершенно не «Мумми-тролль», ну просто ничего общего. Но и не Барбара Картленд, которую я узнавал с любого расстояния по карманному формату и красно-желто-зеленому оформлению обложки. Книжка, которую держала в руках Лиля, была обычного формата, очень толстая. Подойдя ближе, я прочитал название «Украденные сны» и разглядел рисунок, на котором была изображена стройная блондинка с сигаретой в руках. Очередное любовное чтиво.

— Что читаешь? — спросил я, усаживаясь рядом и забирая у нее из рук книгу. — Опять какие-то страсти? Откуда деньги на такую книжку?

— У меня еще со вчера осталось, я не все потратила, — ответила Лиля, пряча глаза.

Значит, ни вчера, ни позавчера, ни три дня назад она не покупала мороженое, деньги на которое исправно просила дважды в день. Ах, хитрюга! Уходила, зажав в маленьком кулачке пятитысячную бумажку, а через пятнадцать минут возвращалась и говорила, что было вкусно. Куда же она их прятала? Наверное, в книжки, с которыми не расставалась ни на минуту, даже когда ходила «за мороженым». «Я посижу на лавочке, почитаю и съем мороженое, — говорила она мне. — А то пока я его сюда донесу, оно растает». В этом был резон, и мне, старому сыщику, и в голову не могло прийти, что меня легко и изящно дурит собственная восьмилетняя дочь.

Я осмотрел толстую голубую книгу и заметил сзади написанную шариковой ручкой цену «15.000». В конце концов, три порции мороженого, которые можно было купить за 15 тысяч рублей, приносили удовольствия ровно на тридцать минут, а пятисотстраничную любовную историю девочка будет смаковать по меньшей мере дня три. Стоит того. Надо только проверить, нет ли там какой-нибудь порнухи.

Я открыл страницу с рекламной аннотацией и страшно удивился.

— Лиля, но это же детектив! Это не любовный роман.

— Я знаю, папа, — виновато ответила она. — Мне стало интересно.

— Тебе еще рано читать детективы, — авторитетно заявил я. — Ты ничего здесь не поймешь.

— Неправда, я прочитала уже двадцать страниц и все поняла. Можешь проверить. Хочешь, расскажу, про что там написано?

— Не хочу, — буркнул я. — Мне на работе детективов хватает. Пойдем обедать.

Глава 2

Когда к шести часам Рита на пляже не появилась, я понял, что ее что-то задержало и ждать дольше смысла нет.

— Собирайся, котенок, — сказал я Лиле, натягивая джинсы и складывая в большую сумку наши пожитки.

— А мама? — спросила она, поднимая голову от толстых «Украденных снов». Ее большие темно-серые глаза смотрели обиженно и недоумевающе.

— Лилечка, ты же слышала, что мама рассказывала утром. У них в гостинице произошло убийство, и теперь там работает милиция. Может быть, маму попросили никуда не отлучаться.

— Ее что, подозревают?

Так. Ребенок в первый раз в жизни взял в руки детектив, и вот вам, пожалуйста.

— Нет, солнышко, но мама хорошо знала ту тетеньку, которую убили, и ее, наверное, просят рассказать о ней поподробнее.

Лиля молча кивнула и стала одеваться. По-видимому, мое объяснение ее вполне удовлетворило.

По дороге к дому на Первомайской улице мы зашли в магазин купить что-нибудь на ужин. Наши хозяева разрешали пользоваться кухней, что означало, что можно брать две тарелки, две вилки, нож, кастрюлю или сковородку, включать газ на плите и открывать водопроводный кран. Хранить же купленные продукты было негде, потому что холодильник, как это часто бывает в семьях, где принято сдавать комнаты и углы, стоял в хозяйской горнице. О том, чтобы заходить туда, и помыслить было нельзя. Поэтому продукты, которые нужно хранить в холоде, мы покупали в микроскопических дозах, то есть ровно столько, сколько можно было немедленно съесть.

— Что возьмем? — демократично спросил я Лилю. — Сосиски куриные, копченые или голландские?

— Копченые, — не раздумывая откликнулась она, с вожделением впиваясь глазами в витрину с разнообразными колбасами.

— А на гарнир? Сварим картошку или макароны? Или хочешь, купим пакет гречки, она быстро варится.

— Все равно, пап, что хочешь.

Я хотел картофель фри с хрустящей золотистой корочкой и квашеной капусты. Но все равно выбирать приходилось между вареной картошкой, макаронами и гречкой, а Лиля была мне в этом трудном деле не советчица. Когда мой ребенок видел сырокопченую колбасу, мир переставал для нее существовать. Можно было в этот момент добиться от нее согласия на любую экзекуцию вплоть до глотания желудочного зонда, можно было даже вырвать у нее обещание не читать лежа и за едой. Не знаю, почему Рита ограничивала девочку в том, что она любила больше всего на свете (после книжек, конечно), я лично никакого вреда здоровью от колбасы не вижу. Но Рита — это Рита, она не удостаивает окружающих объяснениями своих поступков и оценок. Ребенку это вредно — и все. Поэтому все, в чем я не согласен с матерью Лили, я делаю по-своему, но тайком. Плохо только, что к этим «тайным» действиям приобщается и сама Лиля.

Купив пять копченых сосисок, пачку сметаны и попросив нарезать тоненькими ломтиками колбасы «Преображенская», мы вышли из магазина и поплелись на маленький базарчик, где выбрали восемь средних картофелин, три помидора, четыре огурца и одну луковицу. Продавцы морщились и ворчали, им было неудобно взвешивать такие смешные порции овощей, но я стоял с каменным лицом, делая вид, что все это ко мне не относится. Пусть хоть изворчатся все, но я буду покупать ровно столько продуктов, сколько нужно для ужина, иначе на этой чудовищной жаре да без холодильника все протухнет. Более того, неиспользованные продукты придется держать в нашей комнате, и утром над ними уже будет виться стайка омерзительных мелких мушек. Нет уж, увольте.

Сегодня мне не повезло, на кухне кроме хозяйки, Веры Ильиничны, толклись две девушки из Петербурга, которые тоже снимали комнату. Мое появление было воспринято без восторга, в кухне было все-таки тесновато. Ну что ж, можно поужинать и попозже, решил я, быстро ретируясь и поднимаясь по лестнице в свою каморку.

— Ты очень голодная? — заботливо спросил я Лилю, которая уже улеглась на кровать и уткнулась в свои «Сны».

— Нет еще, — машинально ответила она, не поворачивая головы.

Дом у стариков Вишняковых был очень маленький, но двухэтажный. На первом этаже были две хозяйские комнаты, на втором — две другие, которые в летнее время сдавались по безбожной цене. Хозяйские «покои» были гораздо более просторными, потому что занимали всю площадь, отведенную под дом, в то время как на втором этаже жилые помещения опоясывались чем-то средним между галереей, верандой и балконом. Я понял, что дом строился в те времена, когда курортники могли селиться только в частном секторе, гостиницы были им недоступны, а ехать они тоже могли только сюда, на Черноморское побережье, ибо никаких курортов Турции, Греции, Испании и Италии тогда и в помине не было. Спрос был на каждый квадратный метр, на котором стояла койка. Делить площадь верхнего этажа на три или четыре комнаты оказалось невыгодным, потому что каморки получались крохотными, а в каждую из них нужно было поставить как минимум две кровати, стол, тумбочку и пару стульев. Чтобы не тратиться на мебель, они сделали две комнаты, обставленные точно так же скудно, а для желающих ставили раскладушки на галерее. И пусть там не было никакой другой мебели, бледнолицые изможденные горожане бывали счастливы, что есть хотя бы раскладушка и постель, все равно они целый день проводили на море.

Пережидая наплыв народа на кухне, я вынес стул на эту увитую диким виноградом галерею, уселся, закинув ноги на перила, с наслаждением закурил и погрузился в грустные мысли об убитой Оле Доренко. Мысли из грустных очень скоро превратились в неприятные, ибо в них стало закрадываться подозрение, уж не Маргарита ли Мезенцева тут замешана. Конечно, она уже не должна была ревновать: во-первых, история с Литваком ее вполне успокоила, а во-вторых, мы все-таки были в разводе. Но Рита при всех своих недостатках простушкой никогда не была. Она могла узнать о том, что роман с Гариком — чистейшей воды вранье, а раз вранье, значит, мы с Ольгой хотели скрыть от нее правду. И правда эта очень даже могла Рите не понравиться. Тем более что она действительно ездила на всякие курортные фестивали каждый год и каждый год просила меня взять Лилю и приехать, а я всегда отказывался. В этом году я сделал так, как она просила, только лишь потому, что выслужил свои законные двадцать лет и собрался увольняться на пенсию, в связи с чем мне предоставили возможность отгулять отпуск не только за текущий год, но и все остатки прежних лет. Сразу же по возвращении в Москву я должен буду пройти медкомиссию, после чего получу свои пенсионные бумажки и стану свободным, как нищий бродяга. Но мои резоны Рите могли не показаться убедительными. Узнав об обмане, она могла решить, что я по-прежнему кручу с Олей, что сюда приехал исключительно из-за нее, и прошлая, угасшая было ревность могла вспыхнуть с новой силой. Более того, при таких обстоятельствах она могла подумать, что и развелся я с ней тоже из-за Оли. Совершить убийство, свалить подозрения на ничего не подозревающего безвинного Игоря Литвака, при этом искать утешения и поддержки у бывшего мужа, который сам работает в уголовном розыске и в обиду ее не даст... Коварно, подло, но вполне в духе Маргариты Мезенцевой.

— Владик, почему вы ушли? — раздался снизу голосок одной из девушек-квартиранток.

Я глянул вниз и увидел черненькую симпатичную Иру, которая с самого первого дня строила мне глазки и пыталась подружиться с Лилей.

— Не хочу наступать вам на пятки, — ответил я. — Подожду, пока вы закончите, я не тороплюсь.

— Но ведь ребенок голодный, — возмущенно произнесла Ирочка. — Спускайтесь, Владик, мы с Татьяной уже все сделали и освобождаем вам территорию.

Я взял из комнаты пластиковые сумки с продуктами и спустился в пристройку, где была устроена кухня.

— Владик, присоединяйтесь к нам, — гостеприимно предложила Ира, расставляя на большом столе под навесом тарелки с аппетитно пахнущей едой.

Я всегда восхищался умением женщин приготовить в походных условиях и при отсутствии холодильника самые экзотические блюда. Ирочка, похоже, была девицей домовитой, если так старалась не для любимого мужа, а для себя самой.

Ее подруга Татьяна была полной противоположностью черноволосой смуглой Ирочке. Дебелая блондинка, телеса которой вываливались из купальника, как квашня из кадки, она не только не пыталась строить мне глазки, но, казалось, вообще меня не замечала. Зато она очень дружила с Лилей. Самое странное заключалось в том, что Лиля сама тянулась к ней, и белокожая девица вела с ней по вечерам какие-то долгие беседы. При этом складывалось впечатление, что Таня принимает девочку за круглую сироту, потому что она ни разу не сделала ничего такого, из чего можно было бы понять, что она знает: у Лили есть отец, более того, этот отец спит в соседней комнате, за стенкой, каждое утро здоровается, кипятит в кухне воду для кофе, и вообще, вот он, собственной персоной, метр девяносто, волосы темно-русые, глаза зеленые. Ирочка стреляла в меня глазками так выразительно, что я не верил, чтобы она не обсуждала меня со своей подругой. И тем не менее...

От приглашения разделить трапезу я вежливо отказался, почистил свои восемь картофелин, поставил кастрюлю на огонь, бросив туда изрядный кусок сливочного масла, чтобы быстрее сварилась, и принялся за приготовление салата из помидоров, лука, огурцов и сметаны. В глубине души я надеялся, что к тому времени, как поспеет мой ужин, девушки уже поедят и освободят мне стол. Стол был огромным, за ним свободно умещались не меньше десяти человек. Такие столы под навесами стоят в каждом южном дворе, по вечерам за ними собираются большие семьи хозяев, иногда в посиделках принимают участие и курортники-отдыхающие. Места хватает всем, и дело не в том, что я боялся тесноты за столом. Я просто не хотел вступать с девушками в неформальные отношения, да и настроение было не такое, чтобы заниматься пустой болтовней с малознакомыми людьми.

Мои надежды не оправдались. Ужин был готов, а Ира с Татьяной продолжали сидеть за столом, лениво ковыряясь вилками в тарелках и ведя неспешную беседу. Выхода не было, пришлось присоединяться.

Татьяна по-прежнему меня не видела, но когда пришла Лиля, между ними тут же вспыхнул оживленный разговор, и я подумал, что если уж не удалось поесть в покое и одиночестве, то я хотя бы узнаю, что может быть общего у этих двух существ женского пола.

— Я сегодня начала новую книжку, — сообщила Лиля, ловко орудуя ножом и вилкой и лихо расправляясь с парой копченых сосисок. — Называется «Украденные сны».

Атмосфера за столом резко изменилась. Лица девушек напряглись, словно они набрали полный рот воды и боятся сделать малейшее движение, чтобы вода не брызнула из губ.

— И как тебе? Нравится? — каким-то странным голосом спросила Ирочка, положив вилку на стол.

— Класс! — восторженно произнесла моя дочь с набитым ртом. — Все, как в жизни.

— Что — как в жизни? — переспросила Ирочка еще более странным голосом.

Я насторожился, потому что никак не мог понять, что особенного увидели петербургские девицы в том, что Лиля читает детективный роман.

— Там главная героиня приехала в отпуск в санаторий, а в санатории произошло убийство, и вот героиня, а она в милиции работает, предлагает местной милиции свою помощь, а они от нее отказались, и она обиделась.

— Кто обиделась, милиция или помощь? — поддел я, подумав, что надо будет в свободное время потренировать Лилю в части изложения прочитанного, чтобы не забывала об име-

2 Зак. 689

нах собственных и существительных и не пользовалась бесконечными «она», «он», «этот».

— Героиня обиделась, — деловито пояснила Лиля, не замечая моего сарказма. — А тут ее мафия собралась нанять, а дальше я еще не прочитала.

Девушки хохотали как безумные. Татьяна еще как-то держала себя в руках, а Ира сползла со скамейки на землю, уткнулась лицом в колени и тряслась, издавая какие-то сдавленные всхлипы. Я молча пережидал взрыв непонятного веселья.

Наконец девушки успокоились, Татьяна вытерла платочком слезы, Ира снова села на скамейку.

— Простите, Владик, — сказала она, с трудом переводя дыхание. — Вам, наверное, кажется, что мы — идиотки. Дело в том, что книгу «Украденные сны» написала Таня.

— Что?!

От изумления я дернул рукой, и кусок замечательной копченой сосиски соскочил с вилки и упал на землю. Тут же под стол метнулся жирный хозяйский кот, который до сих пор терпеливо сидел рядом и с укоризной глядел на уставленный едой стол, ожидая, когда же хоть в ком-нибудь из гостей проснется сознательность.

— Да-да, Владик, Танечка пишет книжки, и их, между прочим, охотно публикуют. У нас в Питере она очень известна. Татьяна Томилина.

Я ошеломленно молчал. Эта толстая корова с поросячьими глазками — известная писательница, автор детективных романов? Сколько же ей лет? Двадцать пять? Тридцать? Ну уж точно, не больше.

Но Лиля в очередной раз выступила с блеском. Дети никогда ничему не удивляются, потому что их жизненный опыт еще настолько мал, что они просто не знают, что может быть, а чего быть не может, что бывает, а чего не бывает. Я в свои тридцать восемь был твердо убежден, что, во-первых, писательница, которая пишет детективы, не может выглядеть так, как Татьяна, и во-вторых, что писатели, у которых выходят такие толстые книжки, не снимают в частном секторе жалкие углы, в которых нет ни санузла, ни горячей воды. Но Лиля, конечно, такого рода убеждений иметь не могла, потому и верила всему и сразу. Поэтому ее следующая реплика не содержала в себе ни грамма удивления, а была деловитой и обыденной.

— Тетя Таня, только вы мне не рассказывайте, чем кончится, а то мне неинтересно будет.

Ирочку сотряс новый приступ хохота, Татьяна же на этот раз только скупо улыбнулась и виновато поглядела на меня. Внезапно я похолодел. Что имел в виду мой ребенок, когда сказал, что в романе «все как в жизни»? Героиня приехала в отпуск, в санатории произошло убийство, она предложила свои услуги милиции, ей отказали. Я тоже приехал в отпуск, и в среде моих знакомых совершено убийство, и я тоже ходил в милицию, правда, не услуги предлагать, но все-таки. И меня тоже выгнали, хотя и не из всех кабинетов... Господи, но как же Лиля-то могла уловить это сходство? Или она имела в виду что-то другое? Надо будет прочитать эти «Украденные сны».

— Лиля, а ты знала, что тетя Таня пишет книги? — подозрительно спросил я.

— Конечно, — кивнула она, засовывая в рот очередной кусочек колбасы. — С самого первого дня. Тетя Таня сейчас пишет новую повесть, у нее там есть мальчик моего возраста, и она меня все время спрашивает, что в школе проходят, в какие игры играют.

— Почему же ты мне ничего не рассказывала? — упрекнул я ее.

— А ты про это не спрашивал.

Так. Получай, Стасов, все, что тебе причитается за родительское разгильдяйство. Запомни, наконец, что твой ребенок по собственной инициативе ничего не рассказывает, что обо всем надо расспрашивать подробно и дотошно.

— У вас чудесная дочка, — произнесла Татьяна свои первые слова, и я удивился тому, какой приятный у нее оказался голос — низкий, звучный, без малейших признаков хрипотцы, как бывает у курильщиков. — Она мне очень помогает. У меня, видите ли, своих детей нет, поэтому я не очень-то разбираюсь в жизни младших школьников. А Лиля рассказывает мне много интересного.

— Было бы неплохо, если бы она и мне рассказывала побольше интересного, — буркнул я, сознавая в душе свою грубость и бестактность и не имея ни малейшего желания притворяться.

— Приятного аппетита! — раздался чей-то голос со стороны калитки.

Я повернул голову и увидел Сергея Лисицына, входившего во двор. Ирочка окинула гостя все схватывающим взглядом и очаровательно улыбнулась. Видимо, спортивность фигуры и хорошая стрижка не укрылись от ее зоркого ока, хотя уже стемнело, а свет под навесом хозяева еще не включали.

— Садитесь, — пригласила она Сергея. — Будете с нами ужинать?

Интересно, чьим ужином она собралась потчевать моего гостя? Своим кулинарным шедевром или моей жалкой картошкой с сосисками?

Но Сергей деликатно отказался от еды, сказав, что чаю выпьет с удовольствием. Я, признаться, несколько растерялся. Он что же, собирается сидеть тут в обществе девиц? Или он намерен обсуждать убийство Оли Доренко в их присутствии? Странный малый.

Пришлось брать инициативу на себя.

— Ты поела? — строго спросил я Лилю.

— Да, спасибо, папа, — вежливо ответила она.

— Тогда марш наверх, дочитывай свои «Украденные сны».

— А тетя Таня? Я ей обещала рассказать про игру в подземелье.

— Пойдем, Лилечка, — пришла мне на помощь Татьяна. — Им наши с тобой разговоры неинтересны, а нам с тобой публика не нужна, верно?

Она тяжело поднялась со скамьи и протянула Лиле пухлую руку, за которую та тут же уцепилась, вызвав во мне болезненный укол отцовской ревности. Полдела сделано, осталось избавиться от Ирочки, которая явно не собиралась никуда уходить. Да куда же уходить-то, когда за столом сидят два вполне годящихся для флирта мужика, один — помоложе, другой — постарше, один — русый, другой — брюнет, одним словом, выбор на любой вкус, как на ярмарке в Коньково.

— Вы откуда? — обратилась девушка к Сергею, приняв его, очевидно, за отдыхающего.

— Я здешний. А вы откуда приехали?

— Из Питера. Вам чай крепкий наливать?

— Средний.

— Сахар?

— Спасибо, я сам.

Лисицын медленно помешивал ложечкой в стакане, а я судорожно пытался придумать, как бы повежливее отделаться от черноволосой кокетки.

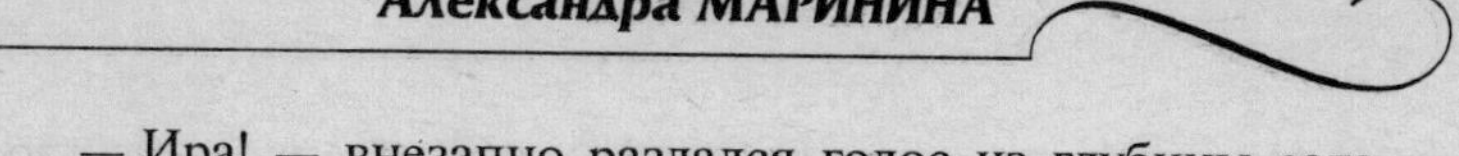

— Ира! — внезапно раздался голос из глубины сада. — Иди сюда на минутку.

Ирочка обворожительно улыбнулась Сергею и вскочила.

— Я сейчас вернусь, — пообещала она и пошла в сад, при этом бедра ее, обтянутые короткими джинсовыми шортиками, покачивались весьма и весьма многообещающе.

— Ты поговорить пришел или чаю попить? — раздраженно спросил я.

— Поговорить, — ответил он, делая большой глоток из стакана. — Они что, не знают, кто вы такой?

— Да я вообще в первый раз с ними разговариваю за одним столом. Пошли отсюда в темпе, пока Ира не вернулась.

— А она хорошенькая, — задумчиво заметил Сергей, вставая из-за стола.

Мы быстро вышли из калитки и начали прогуливаться взад и вперед по длинной темной улице.

Сергей мне поведал, что среди участников фестиваля находятся по меньшей мере четыре бывших любовника Ольги и один, так сказать, действующий. Версия убийства по любовно-ревностным мотивам стояла, таким образом, на первом месте. На втором же оказалась версия убийства из корыстных побуждений.

— Видите ли, Владислав Николаевич, вокруг призов идет самая настоящая мышиная возня. Это раньше первое место было только первым местом и ничего, кроме славы и почета, не давало. А теперь призы вручаются конкурсантам в толстых конвертах, набитых твердой валютой. У этого фестиваля очень богатые спонсоры, поэтому призы большие. Лучшая женская роль оценивается, например, в пятьдесят тысяч долларов. В этой номинации представлены шесть актрис, Доренко была самым реальным претендентом, ну а при ее отсутствии приз будет вручен другой актрисе. Понимаете? Фокус в том, что если в конкурсе участвует фильм, весь фильм целиком, как таковой, то при отсутствии режиссера приз может получить сценарист, продюсер, оператор, любой из актеров, кто угодно, понимаете? Лишь бы это был представитель съемочной группы данного фильма. А на этом фестивале в конкурсе участвуют не фильмы целиком, а конкретные люди, которые получают свои призы за лучшую режиссуру, лучшую роль первого и второго плана, за операторскую работу, за музыку. Нет того, кто, по мнению жюри, должен получить приз? Получит следующий в списке.

— И кто следующий в списке актрис после Доренко?

— Людмила Довжук. Та, которая жила с Доренко в одном номере.

— Та, которая ее и нашла?

— Вот именно, Владислав Николаевич. Никто не обратил бы внимания на то, что Довжук идет по шестнадцатому этажу, потому что она там живет. И никто не удивится, увидев, что она входит в собственный номер. А вы с ней знакомы?

— Шапочно. Я мало что о ней знаю.

— Жаль, — огорчился Сергей. — Понимаете, мне сегодня сказали, что около этой Довжук постоянно крутятся какие-то темные личности. Я подумал, вы мне что-то подскажете в этом направлении.

Подсказать я, к сожалению, не мог ничего, но слухи о Люсиной неразборчивости в связях долетали и до меня, в основном, конечно, через Риту, которая обожала позлословить. Но и по служебной линии информация просачивалась. Например, год назад мы задерживали одного шантажиста-вымогателя как раз в тот момент, когда он вместе с Люсей выходил из ресторана. А несколько месяцев назад хозяин разгромленного нами притона с обидой заявил, что его травка всегда была самой чистой и приличные люди не гнушались у него отовариваться. Перечень этих «приличных» людей включал и Люсю Довжук. Если окажется, что она — наркоманка, то деньги, особенно такие большие, как пятьдесят тысяч долларов, ей были бы весьма кстати. Наркоманы и за меньшее убивают.

— А где нож, которым убили Ольгу? — спросил я.

— На экспертизу отправили. Но ручка протерта, ничьих пальцев там нет.

— Еще вопрос. Каков режим входа в гостиницу?

— Да никакого режима там нет. Стоит швейцар, стоят ребята из службы безопасности, а толку-то? Практически у каждого участника фестиваля сейчас здесь отдыхает кто-нибудь из знакомых или родственников. Конечно, они их приводят на киношные посиделки. Проституток приводят, это само собой. У гостиницы один центральный вход, с площади, и несколько боковых, которые выходят в парк. Народ из ресторана постоянно туда и обратно шастает. Разве охранник может запомнить, кто выходил и входил? Идет себе парочка, обни-

мается, в руках бокалы держат, словно только что из ресторана пообжиматься выходили, а теперь возвращаются.

— Стало быть, убийца мог быть и не из числа проживающих, — уныло уточнил я. — Швах дело, Серега. Не вытянем мы его. Тут другие силы нужны, не наши с тобой.

Сергей остановился и упрямо наклонил голову.

— Я сдаваться раньше времени не привык.

— Спортсмен? — усмехнулся я.

— А что? Жизнь в спорте сильно укрепляет веру в чудо. Если ты плохой писатель, то на конкурсе литературных произведений твоя повесть никогда не займет первое место, если в конкурсе участвуют хорошие писатели, а жюри честно и неподкупно. А если ты плохой спортсмен, то может случиться чудо — и ты станешь первым на соревновании, потому что один твой соперник сломает ногу, другого дисквалифицируют за допинг, у третьего схватит живот в самый ответственный момент. Другое дело, что рекорд ты не поставишь, но первым будешь. Вы вспомните, как Карпов стал чемпионом мира.

— И тебя устроила бы такая победа? — Я не смог скрыть разочарования.

— Нет, конечно. — Он улыбнулся. — Но тут есть другой момент. Вы слышали, сколько говорят о непознанных и неиспользованных резервах человеческого организма? О том, что человек в минуту смертельной опасности может проявлять такую физическую мощь, которую невозможно себе представить? Поднимает огромные тяжести, бежит с невероятной скоростью, прыгает на большую дистанцию. И каждый раз, выходя на площадку, надеешься, что случится чудо и включится этот неведомый механизм, освободит дремлющие в тебе резервы. А вы в чудеса не верите?

— Нет, Сережа, не верю. Я старый усталый циник, который верит только в собственный опыт. И опыт этот мне подсказывает, что убийство Доренко раскрыть можно, но для этого нужно человек десять крепких оперов здесь и столько же в Москве. Реально это?

— Нереально, — вздохнул Лисицын. — Значит, вы отступаете?

— Слушай, парень, — рассердился я. — Ты меня не впутывай в это дело. Мы как с тобой договорились? Если тебе нужен совет, ты приходишь ко мне и спрашиваешь, а я рассказываю тебе все, что знаю. А работать по делу вместе с тобой я не подписывался. Мне разборки с твоим начальником ни к чему, своих хватает.

— Чего, начальников?

— И разборок тоже. Повтори-ка мне еще раз, что делала Ольга вчера вечером.

— В 21.00 началась пресс-конференция по фильму «Армейская жена», Доренко опоздала на двадцать минут, потом всю пресс-конференцию просидела на сцене вместе со съемочной группой, отвечала на вопросы журналистов. После пресс-конференции все пошли в ресторан, это было в 22.30. Доренко была за столиком с Виктором Бабаяном. К ним то и дело подсаживались разные люди, но Бабаян был постоянно. Ольга много пила, несколько раз выходила в сад подышать воздухом, то с Виктором, то одна. После очередной такой отлучки она не вернулась за столик, но Бабаян не хватился ее, потому что тоже к тому времени изрядно набрался и пару раз выходил в сад с какой-то цыпочкой. Цыпочку эту мы пока не нашли, потому что даже сам Бабаян ее плохо помнит. Вот, собственно, и все.

— А что рассказывает Бабаян? О чем они разговаривали за столом?

— Ничего интересного припомнить не может. Говорили о том, кто из членов жюри берет взятки, кто с кем спит, насколько велик шанс получить премию. Обычные разговоры.

Кое-что показалось мне любопытным в этом рассказе. Ольга опоздала на пресс-конференцию на двадцать минут. На это мог не обратить внимания только тот, кто совсем ее не знал. Да, Оля подчас бывала крайне легкомысленна, да, она не умела обращаться со своими любовниками так, чтобы они не сбегали от нее, но во всем, что касалось дела, профессиональных обязанностей, она была чрезвычайно аккуратна и обязательна. Никогда никуда не опаздывала и даже, по-моему, никогда внезапно не заболевала. Режиссеры любили с ней работать, потому что Оля Доренко была надежна, как каменная скала, у нее не бывало нервных срывов и истерик на съемочной площадке, она не забывала текст и ни на что не жаловалась. Почему же она вчера опоздала? Да еще на целых двадцать минут...

— Поговори с Людмилой Довжук. Выясни по минутам, чем вчера занималась Доренко, куда ходила, с кем разговаривала. Она не могла опоздать просто так, ни с того ни с сего.

Если окажется, что тянешь пустышку, убьешь другого зайца — завяжешь знакомство с Люсей. Тогда она не будет нервничать, если ты начнешь ковыряться в ее связях с темными личностями. Только имей в виду, Люся обожает стройных брюнетов, вроде тебя, и имеет неприятную привычку ловить на слове и вцепляться в глотку. Не вздумай дать ей понять, что она тебе нравится, даже из чистой вежливости, иначе сам не заметишь, как окажешься в койке у Довжук, и не будешь знать потом, как оттуда вылезти. Наша Людмила — дамочка цепкая.

— Спасибо, Владислав Николаевич. А скажите, у председателя жюри могут быть мотивы убрать ведущую актрису, претендентку на первый приз за лучшую женскую роль?

— Опять-обратно-снова! Да ты что, Серега, не понял, о чем я тебе сегодня рассказывал? Председатель жюри Игорь Аркадьевич Литвак не имеет к Ольге ни малейшего отношения. Не было между ними ничего, понимаешь ты это? Или ты мне не веришь?

— Верю, Владислав Николаевич, но я имел в виду другое. Меня интересует не Литвак — любовник Доренко, а Литвак — председатель жюри. Может здесь быть какой-то интерес?

— Мне не совсем понятен твой вопрос, Сережа. Чего ты темнишь? Что-то узнал?

— Мне стало известно, что Литваку предлагали очень большую взятку за то, чтобы Ольга не получила эту премию.

— Интересное кино, — протянул я, невольно останавливаясь. — А кто, если не Ольга? За кого платили такие большие деньги?

— В том-то и дело... Неизвестно. И вот о чем я подумал. Предположим, Литвак согласился эти деньги взять. Но с остальными членами жюри он ничего сделать не смог. То есть, может быть, кого-то ему удалось убедить, кого-то — нет, но расстановка сил была явно в пользу Доренко. А денег-то хочется! Вот он и убивает Ольгу или нанимает кого-нибудь ее убить. Может такое быть?

Его рассуждения мне понравились, они были стройными и какими-то незашоренными, нестандартными. Сразу было видно, что мальчик в детстве много читал. Но подумать так про Игоря... В голове не укладывалось. Я почему-то был твердо убежден, что о порядочности и принципиальности любого мужика можно судить по его отношениям с женщинами. И не мог поверить, что Игорь, к которому за двадцать лет не прилипла ни одна «романтическая» сплетня, мог взять взятку, да еще пойти из-за этого на убийство. Впрочем, тут напрашивалось и другое объяснение, которым во имя справедливости и объективности пренебречь я не мог. Если Игорь, как говорится, «не был замечен», это могло оказаться свидетельством того, что он чрезвычайно осторожен и предусмотрителен и умеет как следует хранить свои тайны. А коль так, то история, предложенная Лисицыным, вполне реальна. Только непонятно, каким образом при всей его осмотрительности и осторожности информация все-таки просочилась и дошла до Сергея. Что-то не вяжется. Хотя, конечно, утечка могла произойти не со стороны Игоря, а со стороны того, кто давал взятку. Поэтому вместо ответа на вопрос Сергея я задал ему встречный вопрос:

— От кого пришла информация?

— Владислав Николаевич...

— Понял, понял, не дурак. Меня интересует, на кого ссылался твой информатор. На самого Литвака или на кого-то другого?

— Нет, Литвака не упоминали. Было сказано примерно так: «К председателю жюри подкатывались насчет Доренко, чтобы не давал ей приз».

— Ладно, я подумаю, что тут можно сделать. Давай, Сережа, двигай к Люсе и потряси ее хорошенько насчет вчерашнего дня. Опроси всех, кого найдешь, но мы с тобой должны понять, почему Ольга опоздала на пресс-конференцию. И обязательно поговори с Бабаяном еще раз. Знаешь, люди, беседующие вечером, очень часто упоминают о том, что произошло в течение дня.

Мы дошли до калитки дома номер восемь. За большим столом под навесом сидели Вера Ильинична и ее муж Григорий Филиппович в обществе хохотушки Ирочки. Посреди стола красовался огромный разрезанный арбуз. Все трое сосредоточенно поедали красную сочную мякоть, не обращая внимания на роящихся над их головами мух. Ни Татьяны, ни Лили с ними не было. Интересно, о чем можно так долго болтать?

— А где ваш друг? — спросила Ирочка, когда я проходил мимо них.

— Пошел домой. Просил поблагодарить за чай.

— Он очень симпатичный.

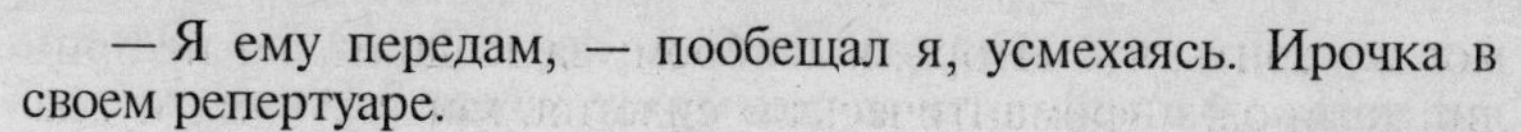

— Я ему передам, — пообещал я, усмехаясь. Ирочка в своем репертуаре.

— Передайте, пожалуйста, не забудьте. Пусть заходит.

Лилю и Татьяну я нашел на галерее возле нашей комнаты. Они вынесли второй стул и уселись рядом с открытым окном, чтобы свет падал на переносной компьютер «Note-book», который Татьяна держала на коленях. Пальцы пышнотелой блондинки бегали по клавиатуре с такой скоростью, что у меня в глазах зарябило. Мягкое щелканье клавиш слилось в один непрерывный звук.

— Приспосабливаете техническую революцию к писательскому труду? — пошутил я.

Мне показалось, что Татьяна смутилась.

— Это очень удобно, — сказала она, словно оправдываясь. — Я такая растеряха, ни одной бумажки найти не могу, все куда-то рассовываю и забываю потом куда. А так все в одном месте, и искать легко.

— Вот вместо того, чтобы читать любовные романы, училась бы у тети Тани работать на компьютере, — назидательно сказал я, обращаясь к дочери.

Лиля молчала, только глядела на меня укоризненно своими огромными темно-серыми глазищами.

— Она учится, — ответила вместо нее Татьяна. — У нас все на основе взаимности. Она мне — сведения о жизни школьников, я ей — навыки работы с текстовым редактором. Разве Лиля вам не говорила?

Я получил очередной щелчок по носу. В самом деле, каждый вечер я спрашивал Лилю, чем она занималась, и она коротко отвечала: «С тетей Таней разговаривала». В подробности я не вдавался, и, видимо, напрасно. Надо будет сегодня же начать наверстывать упущенное.

— А почему вы не пошли есть арбуз?

— Я еще свою норму не выполнила.

— Самодисциплина?

— А как же. Без этого нельзя, иначе я вообще ничего не напишу. Я поспать люблю, в постели поваляться.

— И какая у вас норма?

— Десять страниц в день. Триста пятьдесят строк. Пока не сделаю — спать не ложусь.

— Вот видишь, Лиля, — строго обратился я к дочери. — У тети Тани норма триста пятьдесят строк, а ты ей мешаешь, отвлекаешь. Она из-за тебя спать не ложится. Даже арбуз есть не пошла. Кстати, а ты-то почему его не ешь? Ты же любишь арбузы.

— Мне с тетей Таней интереснее, — тихо проговорила Лиля, и ее бездонные глазищи наполнились слезами.

— Зачем вы так, Владислав, — упрекнула меня Татьяна. — Лиля нисколько мне не мешает. Она сидит тихонечко и смотрит, как я пишу.

— Разве вас это не отвлекает?

— Ничуть. Я привыкла работать в присутствии людей, отдельного кабинета мне пока не полагается.

— Танечка, а кем вы работаете?

Ее имя сорвалось у меня с языка раньше, чем я успел сообразить, что вообще впервые обращаюсь к ней по имени и впервые разговариваю с ней. И сразу «Танечка». Стасов, ты зарываешься. Какая она тебе Танечка? Она же тебя в упор несколько дней не видела. Но ее звучный голос действовал на меня завораживающе, и я уже забыл обо всем, кроме непосредственного предмета нашей с ней беседы.

— Я юрист.

— А точнее?

— Следователь.

Я бросил на Лилю уничтожающий взгляд. Интересно, сказала ли она Татьяне, кем работает ее родной папенька? И уж не этим ли обстоятельством объясняется отсутствие у Татьяны желания поближе познакомиться с отцом девочки, с которой она проводит так много времени?

Внезапно мне бросилось в глаза удивительное внешнее сходство их обеих. Ростом Лиля пошла в меня, и в свои восемь лет уже имела сто пятьдесят два сантиметра. Да и килограммами ее бог не обидел, они планомерно наращивались с того самого времени, как она стала проводить все вечера на диване с книжкой, фруктами и сладостями. Правда, волосы у Лили были такие же, как у меня, темно-русые, а у Татьяны — какие-то платиновые, зато глаза у обеих были совершенно одинакового цвета. Я поймал себя на том, что не далее как два часа назад мысленно назвал Татьяну «толстой коровой с поросячьими глазками», но ведь в тот момент она смеялась. Покажите-ка мне человека, у которого глаза остаются большими и выразительными, когда он хохочет, и можете бросить в меня камень. На самом деле глаза у девушки были нормального размера, не такие, конечно, как у Лили, но и не поросячьи. И потом, видел я ее по утрам, когда она расхаживала по двору в купальнике, а сейчас, вечером, на ней была надета длинная свободная юбка и трикотажная майка с глубоким вырезом, и выглядела Татьяна в этом наряде очень даже прилично. Во всяком случае, «коровой» я бы ее уже не назвал. Вообще, я привык всех женщин сравнивать с Ритой, у которой была безупречная фигура, хоть сейчас на конкурс красоты. Но ведь, в конце концов, даже это не удержало меня от развода. К тридцати пяти годам я хоть и несколько запоздало, но понял, что с фигурой ты только в постели лежишь, а живешь-то с человеком. И если к тому времени мне еще не надоело ложиться в постель с Риткиным роскошным телом, то жить в одной квартире с ее, мягко говоря, спорным характером я больше не мог.

И теперь, глядя на них, удобно устроившихся на стульях под ветвями дикого винограда, таких похожих друг на друга, я вдруг с болью осознал, как не хватало все эти годы моему ребенку спокойного доверительного контакта со взрослыми, когда можно по вечерам долго и неторопливо разговаривать, делиться своими проблемами, спрашивать совета. Нам так нравилось, что наша дочь спокойная и самостоятельная, не нуждающаяся в нашем постоянном присутствии, в мелочной опеке, что мы совершенно забыли поинтересоваться, а нравится ли это ей самой.

Я почувствовал себя лишним, хотя Татьяна прервала работу и выжидательно смотрела на меня, готовая продолжить беседу.

— О чем ваша новая книга? — спросил я, превозмогая желание уйти в комнату и лечь и стараясь быть вежливым, чтобы Лиле не было за меня неловко.

— Об этом городе. Знаете, я не люблю писать о том, чего не знаю, и о местах, где никогда не бывала. Я, вообще-то, езжу мало, на подъем тяжела, но уж если где оказываюсь, обязательно «совершаю преступление» в этом месте. Раз оказалась здесь на отдыхе, значит, надо это использовать.

— И что вы собираетесь здесь натворить? Мафиозную разборку в войне за прибрежные территории под постройку роскошного пансионата?

— Это интересная мысль, — оживилась Татьяна. — Я об этом как-то не подумала. Нет, мой замысел проще. Вы, наверное, знаете, сейчас здесь проходит кинофестиваль, вот я и хочу привязать к нему сюжет своей повести.

— Лиля, — скомандовал я. — Время. Пора в постель.

— Папа, — жалобно промычала она. — Пожалуйста, папа...

В меня словно бес вселился. Я сам не понимал, что со мной происходит, я не узнавал себя.

— Хорошо, можешь читать. Но в постели.

— Но папа...

— Котенок, ты взрослый человек, поэтому тебе я скажу открытым текстом: мне нужно поговорить с тетей Таней. Наедине.

— Папочка... — Лиля готова была расплакаться.

Но я был непреклонен, в глубине души понимая, что строгость надо проявлять в другом месте, в другое время и совсем по другому поводу. Я же говорю, меня как подменили.

— На-е-ди-не, — отчеканил я, наклоняясь и поднимая девочку на руки. Она ткнулась лицом мне в шею, и я почувствовал влагу на коже.

— Танечка, пять минут подождете? — спросил я, выглядывая из-за копны Лилиных кудряшек.

Я унес Лилю в комнату, усадил к себе на колени и крепко обнял.

— Не сердись, котенок, — прошептал я. — У меня к тете Тане очень серьезный разговор, служебный, понимаешь? По поводу ее повести. Хочу рассказать ей кое-что из своей практики, вдруг пригодится. И кроме того, дядя Сережа, который ко мне приходил, просил передать ей один секрет. А секрет — он и есть секрет, для него нет исключений, даже если ты — моя дочка, правильно?

Она кивнула и всхлипнула.

— Тогда все. На горшок, чистить зубы и в постель. Можешь читать до тех пор, пока я не вернусь.

Через десять минут я шел по длинной темной улице в сторону людного освещенного центра. Ничто уже не напоминало здесь тот курортный город, к которому я привык, когда меня еще пятилетним привозили сюда родители. Я бывал здесь много раз, хорошо ориентировался в улицах и переулках, но все равно чувство было такое, что я никогда в этом городе не был. Последние пять лет изменили его до неузнаваемости.

Рядом со мной шла Татьяна, которая внимательно слушала мой рассказ об убийстве Ольги Доренко. Странное чувство

не покидало меня. Много раз в своей двадцатилетней служебной жизни я сталкивался с женщинами-следователями, с некоторыми из них спал, с остальными сотрудничал. Но если они становились моими любовницами, я в их присутствии не произносил ни слова о работе. Если же обсуждал что-то служебное, они мгновенно превращались для меня в бесполых существ. Сейчас же я говорил на сугубо профессиональные темы с женщиной-следователем, отдавая дань ее хватке и юридической грамотности и в то же время необыкновенно остро чувствуя, что она — Женщина. Именно так, с большой буквы.

Глава 3

Я пригласил Татьяну в ресторан, но она со смехом напомнила мне об обильном ужине, поэтому мы решили скромно посидеть в каком-нибудь баре. Подходящее заведение мы нашли довольно быстро, правда, музыка там была оглушительная, но с этим пришлось мириться: баров без музыки в этом курортном городе вообще не было.

Войдя, я сразу начал оглядываться, ища глазами знакомых киношников, чтобы ненароком не выбрать место рядом с ними. Прямо у входа я увидел двоих операторов, работавших в объединении «Звезда» у Игоря Литвака, а в глубине у окошка заметил журналиста, с которым у моей бывшей супруги был скоротечный роман сразу после нашего развода. Журналист сидел в обществе бесполого существа с пышными кудрями и тщательно выбритым лицом, облик которого наводил на вполне определенные мысли, окрашенные легким налетом «голубизны». Я подумал, что это, наверное, и есть знаменитый Руслан — актер, проходивший в титрах без фамилии, наподобие певиц Виктории или Элеоноры. Ритка говорила, что Руслан — убежденный гомосексуалист, не скрывающий своих сексуальных пристрастий и ничуть их не стесняющийся.

Татьяна проследила за моим взглядом и тоже увидела кудрявое чудо с капризно изогнутыми губами.

— Вы его знаете? — спросила она тихонько, пробираясь вслед за мной к стойке, где как раз освободились два места возле включенного телевизора.

— Не уверен. Мне кажется, что это Руслан.

— Руслан? Тот, который играл в «Опасных страстях»?

— Он самый. Но, повторяю, я не уверен. Может, просто похож.

Мы заняли удачно подвернувшиеся места, и тут же к нам подлетел маленький черноусый бармен в брусничного цвета пиджаке, белоснежной рубашке и галстуке-бабочке. Я заказал коньяк для Татьяны и джин с тоником для себя.

— Жаль, что я уже почти до половины написала свою «нетленку», — вздохнула она, делая первый маленький глоточек. — Теперь отступать некуда, надо дописывать в соответствии с первоначальным планом. Ваша история с убийством Доренко кажется мне намного привлекательнее. Представляете, какой разворот можно было бы сделать! Борьба конкурсантов, интриги, ревность, месть, корысть — полный спектр, от мелкой пакости и беспробудного пьяного блуда до взятки и «заказного» убийства. Блеск!

— А о чем ваша повесть? — вежливо поинтересовался я, хотя на самом деле мне было на это глубоко наплевать. Мне нужна была Татьянина голова — голова юриста-профессионала, следователя с хорошим знанием женской психологии (по части мужской я и сам не промах), но главное — со свободным полетом фантазии, как у любого писателя. У меня самого с фантазией всегда было бедновато, может, поэтому я и не стал великим сыщиком, прославленным на все министерство. Зато я был, как говорили мне самые разные начальники, прекрасным исполнителем. Если поставить передо мной задачу, то я из-под себя вывернусь, но придумаю, как ее решить, и сумею организовать выполнение. Именно поэтому я дорос до начальника среднего звена: стратегические задачи за меня придумывали руководители повыше рангом, а передо мной их только ставили.

— Моя повесть о конкурсе красоты. Помните, в сводках проходил пожар в здешнем Летнем театре во время конкурса «Мисс Побережье»? Тогда погибло несколько девушек-конкурсанток.

— Что-то припоминаю, — неуверенно ответил я. — Это было, кажется, месяца два назад?

— Если точнее — три. Это было в апреле. Деталей я не знаю, но одна газета разразилась статьей о пожаре, и там, в частности, была любопытная деталь. Будто бы, со слов каких-то очевидцев, которых в интересах следствия не называют, во время конкурса вокруг театра видели группу подростков, оде-

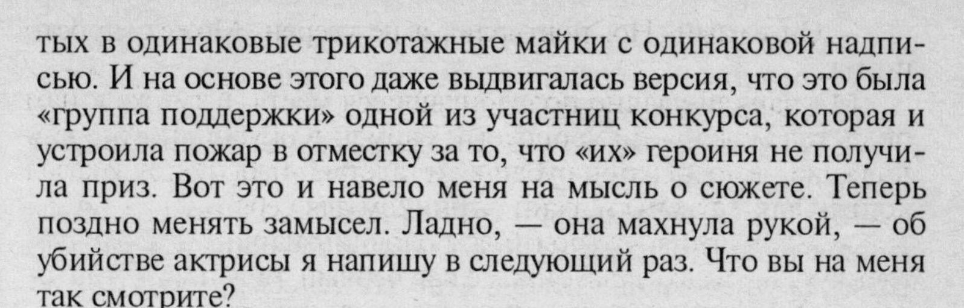

тых в одинаковые трикотажные майки с одинаковой надписью. И на основе этого даже выдвигалась версия, что это была «группа поддержки» одной из участниц конкурса, которая и устроила пожар в отместку за то, что «их» героиня не получила приз. Вот это и навело меня на мысль о сюжете. Теперь поздно менять замысел. Ладно, — она махнула рукой, — об убийстве актрисы я напишу в следующий раз. Что вы на меня так смотрите?

— Пытаюсь понять, волосы у вас крашеные или натуральные?

Она рассмеялась, при этом ее серые глаза снова стали маленькими, зато обнажились красивые белые зубы.

— Владислав, вы напоминаете мне моего первого мужа. Он никогда не изучал криминалистику, и ему и в голову не приходило, что при разном освещении один и тот же цвет воспринимается по-разному. И сколько я ему ни объясняла, что никогда не крашу волосы, он никак не мог привыкнуть к тому, что при дневном и вечернем освещении, в солнечную и пасмурную погоду, зимой и летом цвет волос выглядит чуть-чуть по-другому. И он регулярно спрашивал меня, не покрасила ли я волосы, что-то у них оттенок другой.

Первый муж. Это любопытно. Сколько же их у Танечки? Семнадцать? Она совершенно не производила впечатления женщины, идущей у мужиков нарасхват. Но я тут же вспомнил, какое гипнотизирующее воздействие оказывает на меня ее низкий звучный голос. И вспомнил острое ощущение волнующей женственности, исходящее от нее... Черт ее знает, эту Татьяну, может, она и вправду пользуется успехом. Не у всех же эталоном служит фигура Маргариты Мезенцевой.

— А сколько у вас всего мужей?

— Два. Первый и второй. Может быть, через полтора-два года будет и третий.

— Вы так загодя можете планировать? — удивился я. — А вдруг за полтора-два года он вам надоест?

— Но я же сказала: может быть. И потом, я его еще не встретила.

— Еще не встретили, но уже уверены, что за полтора-два года это произойдет? Вы ясновидящая?

— Ни за что. Я очень практичная. И знаю, что мой временной лимит увлеченности не превышает шести-восьми ме-

сяцев. Потом, если за это время не возникают теплые дружеские отношения, наступает логический конец.

— А если возникают?

— Тогда я выхожу замуж. Во всяком случае, два раза я этот фокус проделала.

Она снова засмеялась и отпила коньяк. Ее полная обнаженная рука была прямо перед моими глазами, и я увидел, что кожа у нее очень гладкая. Мне захотелось дотронуться до нее, чтобы выяснить, какая она на ощупь — атласная или бархатистая.

— Как же вы все успеваете — и следствие, и книги, и замуж выходить? Кстати, вы много книг написали?

— Восемь. Сейчас пишу девятую. А что касается всего остального, то у меня есть Ирочка, вот она и следит, чтобы я все успевала.

— Ирочка? Ваша подруга вам бескорыстно служит? — съязвил я, поскольку в женскую дружбу после шести лет жизни с Ритой верил весьма слабо.

— Ирочка — сестра моего первого мужа. Он, видите ли, решил строить свой бизнес в Канаде, ну я и отпустила его на все четыре стороны. Мы заключили джентльменское соглашение: нашу большую квартиру делить при разводе не стали, он оставил ее мне, а поскольку первоначальный капитал ему все-таки был нужен, он прибавил к тому, что у него было, деньги за квартиру, в которой жила Ира. Ира переехала ко мне на правах моего секретаря и экономки. И мне удобно, и все довольны. Она за мной ходит не хуже няньки. Все свои гонорары за книги я откладываю, чтобы скопить на квартиру для Иры, если она решит отделиться от меня. Поэтому и пишу так много.

— Получается, Ирочка работает вашей домработницей, а вы за это покупаете ей квартиру?

— Ну, примерно. Она создает мне условия, чтобы я могла спокойно зарабатывать деньги. Без нее я писала бы по одной книге в год, только во время отпуска.

— Здорово вы устроились. А если она захочет замуж?

— Да пусть выходит. Квартира огромная, все поместимся, и я со своим мужем, и она со своим. Но хозяйство все равно будет на ней.

— Вы и в самом деле практичная, — сказал я одобрительно, хотя в глубине души не мог справиться с удивлением. Обычно

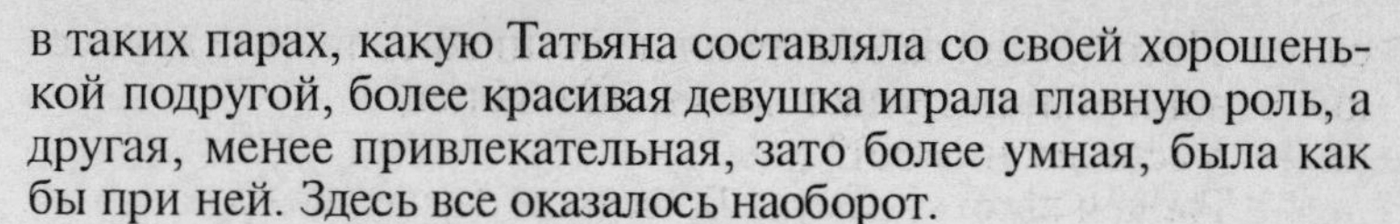

в таких парах, какую Татьяна составляла со своей хорошенькой подругой, более красивая девушка играла главную роль, а другая, менее привлекательная, зато более умная, была как бы при ней. Здесь все оказалось наоборот.

Из телевизора донеслись знакомые звуки, сопровождающие заставку к информационной программе. Я заказал себе еще выпивку и повернулся поудобнее, чтобы послушать новости. Переговоры в Чечне... Заседание правительства... Дума в первом чтении приняла закон...

— Открывшийся два дня назад кинофестиваль «Золотой орел» был омрачен трагедией, — услышал я голос диктора. — Сегодня ночью в своем гостиничном номере была убита популярная актриса Ольга Доренко, известная по фильмам «Любовница героя», «Прошлое во мраке», «Армейская жена». Ведется следствие.

На экране в это время появилась фотография Ольги в траурной рамке.

— Значит, вот она какая, — тихо произнесла Татьяна. — А я ни одного фильма с ее участием не видела. Я за последние три года ни разу в кино не была.

— А телевизор? — удивился я. — Все эти фильмы показывали по телевизору, кроме «Армейской жены».

— За этим следит Ирочка, у меня времени нет. Она начинает смотреть и сама решает, нужно звать меня или нет. Приходится выбирать между фильмами и работой.

— Похоже, без своей Ирочки вы пропадете.

— Пропаду, — согласилась Татьяна.

Из телевизора снова донеслись сообщения о Боснийском конфликте, о повышении цен на энергоносители... Внезапно диктор поднес к уху трубку стоящего перед ним телефона.

— Только что мы получили новое сообщение с кинофестиваля, — произнес он каким-то странным голосом. — Произошла еще одна трагедия. Наш корреспондент на фестивале сообщает, что сегодня около 22 часов от руки неизвестных преступников погибла актриса Людмила Довжук. Организаторы фестиваля в ближайшие часы примут решение о том, продолжать ли работу или в связи с чрезвычайными обстоятельствами закрыть фестиваль, перенеся его на другое время.

Я непроизвольно вцепился в руку Татьяны. Люська! Краем глаза я увидел, что оба оператора, журналист и тип, похожий на Руслана, вскочили со своих мест и ринулись к выходу.

— Вы со мной пойдете? — спросил я Татьяну, даже не считая нужным объяснять, куда именно. Сама должна понимать.

— Обязательно.

Она подняла свою рюмку и одним глотком допила коньяк.

— Пошли, — сказала она, ловко слезая с высокого стула. — У вас стратегия есть?

— Какая стратегия?

— Поведения там, куда мы идем. Вы уже решили, как себя вести?

— На месте сориентируюсь, — бросил я через плечо, протискиваясь к выходу.

Мы вышли на улицу, где после душного бара показалось прохладно почти до озноба. Я взял Татьяну под руку и быстро повел ее в сторону гостиницы.

— Так не годится, Владислав, — говорила она, чуть задыхаясь от быстрой ходьбы. — Я не люблю экспромты. Все, что можно, нужно планировать заранее. Что мы будем там делать? Изображать зевак? Или играть в профессионалов? Что будете делать вы? Что делать мне?

— Танечка, я ничего не знаю. Придем — увидим. Если я сразу найду Лисицына, одна картина, если нет — другая.

— А если вы встретите свою жену? Я для нее кто? Соседка по дому? Следователь из Питера? Случайная знакомая?

— Вы — моя женщина. Любовница. Вас это не оскорбляет?

— Зачем вы так, Владислав. Вы хотите ее обидеть?

— Она не обидчивая. Танечка, не забивайте себе голову всякой ерундой. Как выйдет — так и выйдет.

Она замолчала и всю дальнейшую дорогу не произнесла ни слова. Но я был уверен, что она меня не одобряет.

* * *

Выходило, что Татьяна все-таки оказалась права. Единственное, чего я не учел, было появление возле места преступления того полковника, с которым я так мило беседовал не далее как сегодня днем. Было бы верхом наивности полагать, что он меня не узнает или не заметит. Итак, подход к гостинице был для меня перекрыт.

Я устроился в темноте под раскидистым деревом и издале-

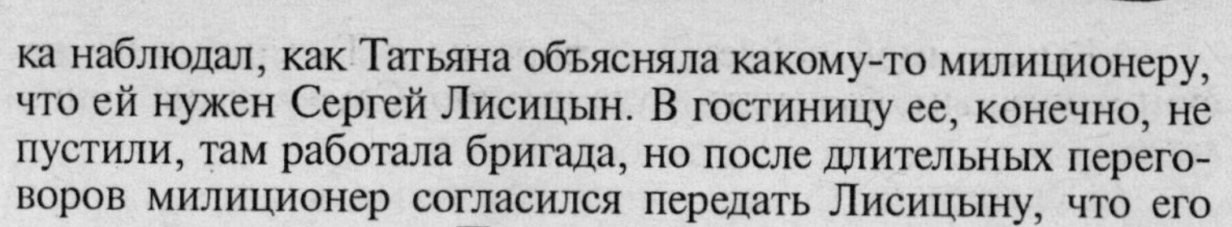

ка наблюдал, как Татьяна объясняла какому-то милиционеру, что ей нужен Сергей Лисицын. В гостиницу ее, конечно, не пустили, там работала бригада, но после длительных переговоров милиционер согласился передать Лисицыну, что его спрашивает девушка с Первомайской, восемь.

Ждать пришлось долго. Наконец в освещенном проеме двери появилась знакомая фигура Сергея. Он остановился на широком крыльце и стал искать глазами того, кто его вызвал. Татьяна помахала ему рукой, привлекая внимание. Видно, он ее сразу узнал, потому что кивнул и быстро подошел. О чем они разговаривали, мне не было слышно, я только видел, как Татьяна изредка кивала и ритмично притоптывала ногой. В какой-то момент мне показалось, что Сережа хочет оглянуться, чтобы найти меня, но Татьяна, словно уловив его намерение, тронула парня за плечо и отвлекла на себя. Правильно, нечего башкой крутить, когда с тобой о деле разговаривают. Любой сторонний наблюдатель сразу догадается, что речь идет о человеке, который находится где-то поблизости. А мне бы не хотелось, чтобы таким сторонним наблюдателем оказался тот полковник, которому я сильно не понравился.

Возле гостиницы стояли четыре милицейские машины с мигалками, собралась толпа, состоявшая как из проживающих, так и из любопытствующих прохожих. Подозреваю, что еще полчаса назад народу здесь было куда меньше, но после сообщения в выпуске новостей многие прибежали сюда понюхать, чем пахнет беда. Беда пахла близким морем, какими-то тропическими цветами и ненавистью. Да-да, именно ненависть читалась на лицах милиционеров, оцепивших здание гостиницы. В течение только одних суток на их плечах «повисло» второе убийство, виновником которого был этот дурацкий фестиваль.

Я прислушивался к себе и старался понять, хочу ли я оказаться сейчас там, внутри, в освещенном холле, отдавая команды, опрашивая свидетелей, делая первые неотложные шаги по раскрытию убийства. И с горечью признавался себе, что — нет. Не хочу. Я устал. Мне надоело. Я ухожу из милиции. Я больше не могу.

Татьяна наконец вернулась ко мне, а Сергей Лисицын торопливо ушел обратно в гостиницу.

— Пойдемте, Владислав, — сказала она, беря меня под руку. — Не будем здесь отсвечивать. По дороге все расскажу.

Мы шли совсем медленно, потому что до нашей Первомайской улицы было не больше двадцати минут ходу, а вести разговоры дома мне не хотелось.

От Лисицына Татьяна узнала, что после ночного убийства Ольги Доренко Людмилу Довжук переселили в другой номер, который до того единолично занимала весьма капризная особа — генеральный директор кинообъединения «Веста» Алла Казальская. Алла занимала двухкомнатный «люкс», за который платили, разумеется, спонсоры кинофестиваля. Но именно это обстоятельство и позволило оргкомитету, не выходя за рамки количества забронированных для участников фестиваля номеров, подселить к ней Люсю. Если бы Казальская сама оплачивала свои хоромы, она погнала бы просителей поганой метлой. Но поскольку ни одного свободного номера в гостинице больше не было, ее попытки покапризничать были пресечены на корню, и она, скрипнув зубами и злобно скривив губы, стала убирать с дивана сваленные кучей дорогие тряпки, которые она навезла с собой в немыслимых количествах.

Переселение состоялось сегодня рано утром. Днем прошли плановые просмотры, вечером должна была состояться очередная пресс-конференция с творческими группами, чьи фильмы сегодня были представлены на суд жюри. Казальская неизменно приходила на все пресс-конференции, а вот Люсиного присутствия сегодня не требовалось, и она, сославшись на головную боль и усталость после страшной бессонной ночи, осталась в «люксе». Как всегда, в 22.30 пресс-конференция закончилась, и Алла поднялась в номер переодеться перед тем, как идти в ресторан. Картина, которую она застала, сильно напоминала ту, что предстала перед глазами бедной Люси менее суток назад. Люся лежала на полу в луже крови с огнестрельной раной в области сердца. Отличие состояло лишь в том, что если в номере Доренко и Довжук порядок не был нарушен, то в «люксе» Казальской все было перевернуто вверх дном. По-видимому, убийца искал ценности, которых у Аллы всегда было в избытке как на шее и руках, так и в шкатулке. Украшения она меняла столь же старательно, как и платья.

Я много слышал об Алле Казальской, и дурного, и хорошего. Например, она была одним из самых щедрых благотворителей, регулярно жертвуя деньги на детские больницы. Она обладала бесспорным вкусом на кинопродукцию и чутьем на актерские таланты, и, если ей казалось, что из этого мальчика выйдет звезда, она не жалела средств, чтобы сделать фильм, где он мог бы показать себя во всем блеске. Но с другой стороны, такое патронирование распространялось только на молодых мужчин. Даже самая талантливая девушка-актриса не могла бы рассчитывать на помощь и покровительство Казальской. Алла была нимфоманкой, при этом мужчины старше тридцати лет ее не интересовали. Самой же ей было за сорок.

Ясно было одно: если убить хотели ее, то убийцу следовало искать за пределами круга проживающих в гостинице участников фестиваля, ибо о переселении Люси в «люкс» знали абсолютно все, так же как о том, что Алла не пропускала ни одной пресс-конференции. Более того, нашлись такие, которые специально поднялись на этаж, где жила Казальская, чтобы послушать, с каким скандалом будет проходить переезд. Об умении Казальской закатывать сцены ходили легенды. Если же убить хотели именно Люсю Довжук, то убийца, скорее всего, жил в гостинице и знал, что она не пошла на пресс-конференцию и осталась в номере.

Еще Татьяна мне поведала, что, по словам Сергея, его начальник, тот самый, с которым у меня почему-то не складывались отношения, строго предупредил его насчет «настырного москвича», то есть меня. Общий смысл его высказываний сводился к тому, что, дескать, московская киномафия устроила у них в городе свою разборку, а у «этого москвича» жена самым прямым образом во все это завязана, поэтому он будет стремиться навязать следствию свою версию, и ни в коем случае нельзя ему (мне то есть) этого позволять и прислушиваться к его тенденциозным показаниям.

— Знаете, Владислав, этот Сережа мне кажется славным мальчиком. Он какой-то удивительно непохожий на сыщиков, которых я знала.

— Чем же?

— А у него гонора нет. Может, он просто молодой еще. Он ведь работает всего восемь месяцев, и за все это время у него не было ни одного серьезного раскрытого преступления. Так, по мелочи, он, конечно, что-то раскрывает, но все, что было серьезного, у него «висит». Он ужасно переживает из-за этого. Зверское убийство двух проституток — не раскрыто. Взрыв в ночном ресторане с казино — не раскрыт. А ему так хочется, чтобы у него хоть что-то получилось.

— Господи, Таня, откуда вы все это знаете? — изумился я. — Вы же разговаривали минут десять от силы.

— Ну, это смотря как разговаривать, — усмехнулась она. — Некоторым на сбор таких сведений и двух часов не хватит. Не забывайте, я же следователь, у меня все беседы по графику проходят. Один человек вызван на десять часов, а следующий — на одиннадцать. И будь любезна, Татьяна Григорьевна, уложиться в отведенное время. Не сумела получить нужную информацию — грош тебе цена. Человек, который тебя ждет в коридоре, понимает, что ты растяпа.

— Да бросьте, Танечка. Спокон веку считалось полезным помариновать допрашиваемого под дверью, чтобы страху понюхал. А если их всех вовремя принимать, то они, чего доброго, подумают, что у вас и забот-то других нет, кроме как их ждать и с ними разговаривать.

— Не знаю, не знаю. — Она покачала головой. — У меня другая позиция по этому вопросу.

— И какая же?

— Если человек умеет правильно распоряжаться временем, это означает, что он — четкий, строгий, обязательный, собранный, его ни заболтать, ни отвлечь, ни лапшу ему навешать невозможно. Я, во всяком случае, создала себе именно такую репутацию и очень ее берегу.

— И помогает в работе? — Я не сумел сдержать скепсис, прорвавшийся в интонации, и Татьяна поморщилась.

— Представьте себе. Я не имею права забывать о своей внешности, поэтому, если я не буду создавать себе соответствующую репутацию, меня вообще всерьез воспринимать не будут. Вам, Владислав, повезло, вы высоченный и широкоплечий, а я толстая...

— Танечка, — укоризненно перебил я ее, хотя самому было ужасно неловко, как всегда бывает, когда другие не просто читают твои мысли, но и произносят их вслух.

— Что — Танечка? Вы же не станете утверждать, что я — миниатюрная и стройная. Во мне как минимум двадцать лишних килограммов веса. Так вот, если женщина с моей внешностью будет демонстрировать нечеткость и несобранность, иначе как глупой курицей ее не назовут. В моем случае обязывает не только положение.

Я, к своему ужасу, почувствовал, что у меня горят щеки, и с радостью подумал, что, слава богу, на улице совсем темно.

Мы уже ушли от освещенной центральной части и сейчас подходили к своей тихой Первомайской улице, застроенной одно- и двухэтажными домиками в окружении пышных садов. Навстречу нам не попадалось ни одного человека, и не мудрено — первый час ночи. Только за спиной я слышал шаги запоздалых прохожих, двигавшихся в том же направлении, что и мы.

Развивать тему о внешних данных моей спутницы мне не хотелось, поэтому я снова перевел разговор на убийства.

— Сергей не сказал, удалось ему выяснить что-нибудь о том, как Ольга провела вчерашний день? — спросил я.

— Очень немногое. Поговорить с Довжук он не успел: когда он пришел в гостиницу, пресс-конференция уже началась, и ему сказали, что Людмила отдыхает и просила не беспокоить. Зато он нашел сотрудника оргкомитета, который ждал опаздывавшую Ольгу в холле. Этот человек рассказал, что, когда к началу пресс-конференции по «Армейской жене» Доренко не появилась, его послали встречать ее. Ольга прибежала запыхавшаяся минут через пятнадцать после начала. «Ты с ума сошла! — заорал на нее оргкомитетчик. — Где тебя носит?! Давай быстро в зал». У Доренко в руках была пластиковая сумка, знаете, похабная такая, с фиолетовым рисунком и желтыми ручками, их в каждом магазине продают для продуктов. Она кинулась было в зал, потом глянула на этот шедевр оформительства и побежала к лифту. «Куда!» — снова закричал оргкомитетчик. Она ему ответила, что сейчас быстренько отнесет пакет в номер и вернется. «Ну куда мне в таком костюме и с этой сумкой. Две минуты, Геночка!» В общем, она была права: одетая в элегантный дорогой костюм, она с этой сумкой выглядела бы вызывающе нелепо. А назавтра в «Вестнике кинофестиваля» появилась бы фотография кинозвезды Ольги Доренко, входящей в конференц-зал с этой чудовищной сумкой. И надпись соответствующая, что-нибудь о том, что она явилась на ответственную пресс-конференцию прямо с рынка, с сумкой, набитой помидорами и зеленью. Представляете, какой удар по имиджу? Короче, она прыгнула в лифт и действительно очень быстро вернулась уже без сумки.

— А в сумке в самом деле были помидоры и зелень?

— Нет, там было что-то небольшое, вроде книги. Геночка, разумеется, в сумку не заглядывал, на глазок прикинул. Он помнит, что у Ольги через плечо висела крохотная дамская сумочка на ремешке-цепочке, в нее, кроме кошелька и пудреницы, ничего больше не помещается, поэтому он и не удивился, что предметы чуть покрупнее она носит в пластиковой сумке.

— Очень странно. Куда же она ходила? Откуда принесла эту книгу? Да еще и опоздала, что на нее совсем не похоже.

— Может быть, она ходила на пляж, посидеть у моря, подышать воздухом, почитать. Книгу с собой брала, зачиталась, не заметила, как время пробежало, — предположила Татьяна, но не очень уверенным тоном. Видно, и ей такое объяснение показалось смешным.

— Танечка, вы перепутали Ольгу с моей дочерью, — засмеялся я.

Шаги за спиной послышались совсем близко, и я вдруг вспомнил о том, что мы идем очень медленно. Но у нас на то были свои причины, а почему же эти запоздалые прохожие нас не обгоняют? Заслушались нашим разговором, поняли, что мы обсуждаем сенсационные убийства? Этого еще не хватало!

Я крепче сжал локоть Татьяны и увлек ее к забору, над которым возвышались густые ветки какого-то плодового дерева, свешиваясь прямо на улицу.

— Обнимите меня, — прошептал я ей на ухо. — Давайте сделаем вид, что мы целуемся. Пусть они пройдут мимо.

Она послушно встала рядом и закинула свои полные руки мне на шею. Шаги затихли метрах в трех от нас, я различил в темноте три фигуры, кажется, это были подростки или очень невысокие молодые мужчины. Судя по всему, они и не собирались проходить мимо. Мне стало не по себе.

Я обнял Таню и стал осторожно ее целовать, с удивлением отмечая, что это оказалось очень приятным делом. Кожа у нее была бархатистой, а губы — сладкими, словно она только что съела конфету. Темные фигуры стояли неподвижно. Черт возьми, чего они тут дожидаются? Послушали умные разговоры, а теперь надеются, что мы им покажем половой акт в натуре?

— Мужики, проходите мимо, не смущайте даму, — сказал я, отрываясь от упругих Таниных губ.

В ответ раздалось фырканье, потом парни заржали и демонстративно медленно удалились. Мы постояли обнявшись еще некоторое время, пока их шаги не стихли в конце улицы.

— Вы не сердитесь? — спросил я, снова беря Татьяну под руку и ведя ее к дому номер восемь.

— Это было приятно, — откликнулась она. В темноте я не видел выражения ее лица, но по голосу мне показалось, что она улыбается.

Войдя во двор, я сразу посмотрел на окна второго этажа. Так и есть, Лиля еще не спит, воспользовавшись моим опрометчивым разрешением читать, пока я не вернусь. Но я же не рассчитывал, что буду отсутствовать так долго.

— Я вам сорвал сегодня творческий процесс, — сказал я виноватым шепотом: мы стояли прямо под окнами хозяйской спальни.

— Ничего, зато было много впечатлений, я их использую. Спокойной ночи, Владислав.

— Таня, вы сломаете язык, каждый раз произнося мое имя полностью. Будьте проще.

— А как вас обычно называют?

— Кто как. Владик, Стасик, Слава, даже иногда Дима. Выбирайте, что понравится.

— Тогда Дима. Спокойной ночи, Дима.

— До завтра.

Я поднялся по своей лестнице, а Татьяна стала обходить дом кругом. На противоположной стороне находилась вторая точно такая же лестница, ведущая в комнату девушек.

Конечно, Лиля лежала в постели на животе и читала «Украденные сны».

— У тебя совесть есть? — строго спросил я, отнимая у нее книжку. — Ты знаешь, который час?

— Ты мне разрешил сам... Ой, пап, у тебя все лицо в губной помаде. Ты что, с тетей Таней целовался?

Вот черт! То-то я удивлялся, что ее губы имеют вкус сладкой конфеты. Оказывается, это была помада. Какой-то новый сорт, такую мне сцеловывать еще не приходилось. Я молча подошел к висевшему на стене маленькому зеркальцу. Да, видок тот еще. Не для детских глаз. По-видимому, мой ангел-хранитель, доставая из своего стеклянного барабана бумажку для сегодняшнего дня, вытащил ту, на которой было написано «дурацкое положение». Такие билетики тоже были, их было мало, но выпадали они, как обычно, в самые неподходящие моменты.

* * *

Утром я встал пораньше, разбудил Лилю и потащил ее на пляж, даже не покормив завтраком.

— Пойдем есть горячие чебуреки, — пообещал я, быстро снимая с бельевой веревки ее купальник, свои плавки и большое пляжное полотенце.

Лиля молча смотрела на мои поспешные сборы и не задала ни одного вопроса. От этого мне стало неловко. Лучше бы она спросила, в чем дело, я бы ей сплел какую-нибудь легенду. А так она следила за мной своими темно-серыми глазищами, и мне казалось, что она все понимает. Да, я боялся встретиться с Татьяной. То, что вчера вечером, на темной тихой улице казалось совершенно естественным, сегодня, при солнечном свете, представало совсем по-другому. Я не очень хорошо представлял себе, как должен после вчерашнего разговаривать с Таней. Делать вид, что ничего не было? Или, наоборот, незаметными улыбками и полунамеками давать ей понять, что между нами теперь есть маленькая, пусть смешная, но тайна?

И еще одно не давало мне покоя. Вчера я, чтобы спасти репутацию Гарика Литвака, сунулся в местную «управу», а в результате оказался в роли лица, оказывающего помощь в раскрытии убийства. Более того, своим появлением возле гостиницы сразу после второго убийства я вольно или невольно заставил Сергей Лисицына думать, что всерьез включаюсь в работу. Сегодня утром я уже не смог бы членораздельно объяснить, чего меня понесло к гостинице, да еще вместе с Татьяной. Это был порыв, необдуманный и глупый, грозящий испортить мне первый за многие годы свободный от служебных забот отпуск. Разве имею я право втягиваться в какое бы то ни было расследование, когда у меня на руках восьмилетний ребенок? Конечно, я не самый лучший отец, но не до такой же степени! Никак я не мог решить, что же мне делать, ввязываться в игру или нет. В то же время я прекрасно отдавал себе отчет в том, что если я решаю активно помогать Сереже Лисицыну, то без Татьяны мне не обойтись, потому что я глупо и бездарно «засветился» перед местным замом по розыску, который быстренько перекроет мне кислород, ежели что не так выйдет. Но в этом случае я должен вести себя с Таней соответствующим образом и уж ни в коем случае не делать вид, что вчерашнего дня вообще не было.

Короче говоря, в голове моей была полнейшая сумятица, поэтому я и решил смыться из дома до того, как девушки встанут. К вечеру я должен принять какое-то решение, но до вечера еще есть время, а сейчас я был к решению не готов.

Когда мы с Лилей подошли к тому заведению, где кормили горячими чебуреками, дверь, к моему изумлению, оказалась запертой. С досадным опозданием я сообразил, что проходил здесь каждое утро около десяти часов, а сейчас только четверть восьмого. Так и есть, табличка на двери гласила, что чебуречная работает с 9.00 до 22.00.

— Чебуреки отменяются, — сказал я преувеличенно бодрым тоном, сгорая от стыда перед разбуженным ни свет ни заря голодным чадом. — Какие есть предложения? Мороженое? Или хочешь, дойдем до базара и купим персиков?

— Папа, еще рано, мороженое не продают, — сказала моя умная дочь, глядя на меня с жалостью, как на инвалида умственного труда. — И магазины все закрыты. Пойдем лучше в парк, посидим на лавочке до восьми часов, а потом магазины откроются, и мы купим хлеба и чего-нибудь для бутерброда. И бутылку воды.

Это показалось мне разумным. Конечно, Лиля преследовала свои цели: «посидеть на лавочке» означало «почитать книжку», а под «чем-нибудь для бутерброда» подразумевалась, несомненно, очередная порция сырокопченой колбаски. Но в любом случае в такую рань ничего лучшего в плане завтрака мы бы не придумали.

Мы доплелись до парка и уселись на зеленой тенистой аллее. Лиля тут же уткнулась в толстую голубую книгу, а я занялся своими эгоистическими расчетами, не спеша покуривая и разглядывая какие-то экзотические цветочки на клумбах. За этим занятием нас и нашел невесть откуда взявшийся Сережа Лисицын.

— Доброе утро, Владислав Николаевич, — произнес он, усаживаясь рядом с нами на скамейку.

— Какими судьбами? — хмуро откликнулся я. Сегодняшний день мой ангел-хранитель бодро начал с двух несчастливых билетиков. Сначала мне не повезло с завтраком, теперь еще вот это...

— Искал и нашел.

Он обезоруживающе улыбнулся, но глаза у него были грустные и еще более щенячьи, чем вчера днем. Я подумал, что он не спал две ночи подряд, занимаясь убийствами в гостинице, и вдруг испытал острую жалость к этому совсем молоденькому пареньку, которого бросили, как кутенка в воду, на такие сложные преступления, дав ему в напарники двоих помощников, от которых толку как от козла молока. Как вчера сказала Таня? Он работает восемь месяцев, и за это время ни одного раскрытия, которым можно гордиться, все по мелочи. И учить его некому, наставником назначили пьющего пенсионера, за показатели голову не снимают, теперь ведь, наоборот, модным стало кичиться количеством нераскрытых тяжких преступлений. Дескать, посмотрите, в какой невыносимой оперативной обстановке мы живем, каждый день по десять трупов и пять взрывов, людей не хватает, все толковые сыщики поувольнялись на гражданку и в коммерцию или в частную охрану подались, раскрывать ничего не успеваем. И бьется бедный парень Серега Лисыцын как рыба об лед, и ничего-то у него не получается, и поплакаться в жилетку некому, и помощи ждать неоткуда. И вдобавок начальник такой специфический... А сыщицкая хватка у него, похоже, есть, если он нашел меня в этом парке.

— Чем порадуешь? — спросил я, искоса поглядывая на Лилю. Она была целиком поглощена изучением Татьяниного творения, но я подозревал, что ушки у нее настроены на нашу волну. Сергей перехватил мой взгляд и едва заметно кивнул.

— Лиля, нам с дядей Сережей нужно поговорить. Сиди здесь, никуда не уходи, а мы походим по аллее.

— Хорошо, папа, — пробормотала она, не отрывая глаз от раскрытой книги.

Мы поднялись и начали прохаживаться взад и вперед по тенистой, наполненной утренней прохладой аллее. Сергей поведал мне, что, когда бригада закончила работать в номере Казальской, ту попросили посмотреть, все ли вещи на месте. Оказалось, что пропала шкатулка с драгоценностями. Самое забавное, что несколько очень дорогих украшений лежали на самом виду, на туалетном столике, но преступник (или преступники?) их обошел своим вниманием, а позарился на запертую на ключик шкатулку. В этом была своя логика: если цацки на много тысяч долларов валяются без присмотра на столе, то не исключено, что это — хорошая подделка, а вот то, что находится в запертой шкатулке, наверняка стоит того, чтобы оказаться запертым на ключ и лежать не на виду, а в

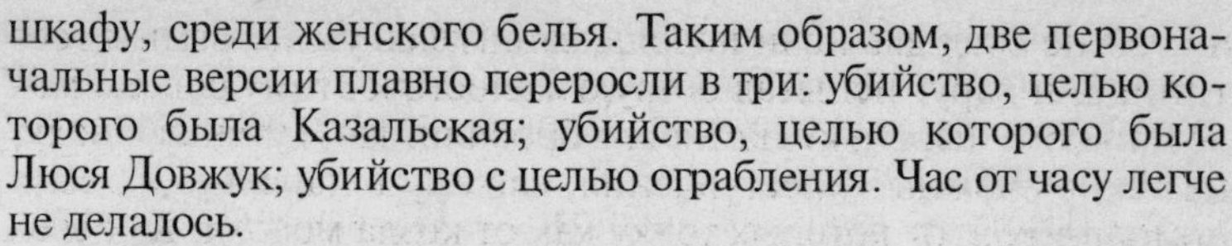

шкафу, среди женского белья. Таким образом, две первоначальные версии плавно переросли в три: убийство, целью которого была Казальская; убийство, целью которого была Люся Довжук; убийство с целью ограбления. Час от часу легче не делалось.

— Кто осматривал вещи Доренко после ее убийства? — спросил я. Мне не давала покоя мысль о том, куда же ходила Ольга перед пресс-конференцией и откуда она принесла уродливый пакет, фиолетовый с желтыми ручками.

— Яковчик и я. А что?

— Ты не помнишь, была ли среди ее вещей пластиковая сумка, фиолетовая, желтые ручки, внутри что-то, по габаритам похожее на книгу. Книга, коробка конфет или печенья, небольшой сверток.

— Не помню. Кажется, не было.

— Где сейчас ее вещи?

— В номере Казальской. Довжук, когда переезжала, сложила все вещи убитой и перенесла вместе со своими. Хотите, чтобы я еще раз посмотрел?

— Хочу. Вернее, это ты сам должен хотеть, — тут же поправился я. Нельзя говорить «хочу»: это означало бы, что я согласился взять на себя функцию помощника-руководителя. А я еще не согласился. И не соглашусь ни за что. — Я тебе просто советую. Я знал Ольгу несколько лет и могу сказать тебе совершенно точно: для того, чтобы она опоздала на деловое мероприятие, нужны очень веские причины. Очень. Покопайся здесь. Может быть, ее шантажировали, и она ходила на переговоры с шантажистом. Может быть, ее даже шантажировали какими-нибудь пикантными фотографиями, и она ходила их выкупать. Ушла с деньгами в сумочке, а вернулась с пачкой фотоснимков, которые по габаритам в сумочку не поместились, поэтому пришлось купить пакет в первом попавшемся магазине. Может быть, она завела роман с кем-нибудь вне гостиницы, бегала к нему на свидание, а возлюбленный возьми и сделай ей подарок. Отказаться — обидеть, выбросить по дороге — жалко, а в сумку не влезает. Короче, Сережа, я советую тебе порыться в позавчерашнем дне. Тут что-то не так.

— Значит, вы уверены, что оба убийства между собой не связаны?

— Ни в чем я не уверен. В случае с Довжук есть три объяснения, в случае с Ольгой — только одно. Пока. Если убийства связаны, то убийцу надо искать среди женщин, которые могут получить пятьдесят тысяч долларов за лучшую женскую роль. Их всего было сколько?

— Шесть, — вздохнул Лисицын. — И с исчезновением тех, кто возглавляет список, шансы остальных увеличиваются. Премию-то все равно надо вручать.

— И кто у нас там остался?

— Остались четверо.

Он достал из кармана блокнот и заглянул в него.

— Первая — Регина Голетиани, литовка, замужем за грузином, семья очень обеспеченная, за пятьдесят тысяч долларов мараться вряд ли станет.

— А слава? Серега, для артиста слава дороже денег, потому что первая премия на фестивале обеспечивает кассовость будущих фильмов с его участием, а это — тоже деньги, прибыли, причем зачастую огромные. Кто следующий?

— Екатерина Иванникова, двадцать один год, заканчивает ВГИК. Знаете, такой ангелочек, глазки большие, зелененькие, волосы белокурые, голосок нежненький. Я таких больше всего боюсь.

— Почему?

— Потому что при нашей поганой жизни ангелом быть невозможно. Неоткуда взяться ангельскому нутру, условия не способствуют. Поэтому женщина, которая производит впечатление ангелочка, вызывает у меня ужас. Она мало того, что притворщица, так еще, скорее всего, и стерва первостатейная.

Я с любопытством глянул на Сергея. Надо же, в его-то годы — и уже такой печальный, но полезный опыт. Интересно было бы посмотреть на ту красавицу, которая так обошлась с симпатягой Лисицыным. О Кате Иванниковой я слышал от Риты, разумеется, только плохое, но это не было показателем. Еще не родился человек, о котором моя экс-супруга отзывалась бы хорошо. Среди того, что говорила Ритка, были и факты, свидетельствующие об абсолютной безнравственности молоденькой старлетки, о ее готовности «обслужить» в любой форме кого угодно, где угодно и когда угодно, лишь бы получить роль. Не знаю, в какой мере можно было верить этим рассказам, ну, с учетом особенностей характера Маргариты Мезенцевой, конечно, не на сто процентов, но вот на семьдесят или на двадцать — сказать трудно. В каком-то смысле Катя была полной противоположностью Алле Казальской: если Аллу ненавидели в основном женщины, которым она нагло и без всяких пристойных объяснений отказывала в работе, то Катю, как ни странно, ненавидели в основном мужики. Женщины относились к ее откровенному блядству совершенно равнодушно, считая ее дешевкой, не способной разрушить мало-мальски крепкие отношения. А вот мужчины таких сучек всегда ненавидят, потому что доступное, быстрое, дешевое и острое удовольствие является для них наркотиком, против которого они бессильны. Сама мысль о том, что можно в любую минуту поставить это белокурое создание на колени и заставить открыть рот, будоражит, греет самолюбие, воздействует на уровне подсознания на глубинное инстинктивное стремление любого мужика быть хозяином и повелевать женщиной. И попадая в зависимость от такой вот поблядушки, мы ненавидим ее за то, что не можем от нее отказаться. Мы ее презираем, порой она нам бывает просто отвратительна. Часто возникает желание убить ее и никогда больше не видеть. А отказаться не можем. Вот такие мы дураки.

Могла ли Катя Иванникова, двадцати одного года, образование незаконченное высшее, за плечами — около десятка довольно заметных ролей, так вот, могла ли она убить или организовать убийство двух соперниц, чтобы получить первую премию? По степени сволочизма души — вполне могла. А по стереотипу действий — вряд ли, она привыкла все свои проблемы решать при помощи губ и языка. Так что в этом случае она, скорее, стала бы подкатываться к членам жюри.

Тут меня осенило.

— А список членов жюри у тебя есть?

Сергей открыл другую страницу в этом же блокноте и прочел мне список, состоявший из семи фамилий. Так и есть, из семи человек — три женщины плюс девственный Игорь Литвак, которого Катиным знаменитым минетом не проймешь. Даже если обработать привычным ей способом оставшихся троих мужчин, они не смогут обеспечить ей большинства голосов. Но в таком случае убийство становилось вполне реальным.

В списке номинантов на приз за лучшую женскую роль стояла и фамилия Сауле Ибрайбековой, которая к своим двадцати пяти годам имела кинематографический стаж лет в двадцать. Я помню, как двадцать лет назад, когда я еще учил-

3 Зак. 689

ся в школе милиции в Караганде (в Московскую школу в те времена принимали только после армии, а в Карагандинскую можно было поступать сразу со школьной скамьи), на экранах гремел фильм «Маленькие взрослые», где пятилетняя Сауле, смуглая куколка с раскосыми глазами и изумительной красоты личиком, блистательно сыграла главную роль пятилетней же девочки, глазами которой в фильме показан чудовищный и нелепый мир взрослых, наполненный мелочным и ненужным враньем, плохо скрываемым лицемерием и рвущейся наружу злобой. С тех пор Сауле снимали все кому не лень, и в хороших картинах, и в слабых, а порой и просто в кошмарных. В девочке был от природы заложен талант актрисы, а бесконечные съемки шлифовали его, позволяя наращивать профессионализм. Для меня было очевидным, что из всех шести номинантов Сауле — самая талантливая, и на конкурсе актеров вообще она несомненно была бы на первом месте. Но здесь был конкурс ролей, причем ролей не всяких, а сыгранных в течение последнего года. К сожалению, роль, которую прекрасная москвичка казахского происхождения сыграла в своем последнем фильме, была далеко не самой удачной.

И завершала список претенденток на премию некая Марина Целяева, о которой почти ничего не было известно. Это была начинающая актриса, сыграла она совсем мало, в ее биографии были две проходные роли и одна плохонькая, но главная, за которую ее и представили к премии. Как она попала в список номинантов — одному богу известно, даже невооруженным глазом было видно, что она не смогла бы тягаться ни с крепкой профессионалкой Сауле Ибрайбековой, ни с несомненно талантливой и яркой актрисой Ольгой Доренко, ни даже с очаровательной стервочкой-потаскушкой Катюшей Иванниковой. И они, и Регина Голетиани, и погибшая Люся Довжук, при всех их недостатках, были опытными актрисами, в разной степени, но владели ремеслом и даже обладали мастерством и, опять же в разной степени, талантом. У Марины же Целяевой не было ничего: ни опыта, ни мастерства, ни таланта. Зато, наверное, у нее была толстая волосатая лапа, не столько мощная, сколько денежная, которая захотела купить своей девочке первую премию. А может, и не девочке, а главным образом себе: сделать девочку победительницей, а

потом тешить себя тем, что имеет в любовницах кинозвезду. Не хуже, чем у них там, на Западе.

Итак, Марина Целяева. И эти разговоры о том, что Игорю Литваку кто-то предлагал большую взятку за то, чтобы не присуждать первую премию Ольге Доренко. И устранение двух главных претенденток на первое место. А исчезновение шкатулки с драгоценностями Казальской — не более чем примитивный камуфляж, чтобы отвлечь внимание от Люси Довжук. В списке актрис Марина была на последнем месте. В списке же подозреваемых она оказалась на первом.

Я посмотрел на часы и почувствовал угрызения совести. Уже половина девятого, а я расхаживаю по аллее с умным видом усталого комиссара Мегрэ, учу жизни молоденького сыщика и совершенно не думаю о том, что вон на той скамеечке меня терпеливо дожидается голодный ребенок, которого я выдернул ни свет ни заря из теплой постели.

— Сережа, где тут поблизости можно позавтракать?

— Пойдемте, я покажу.

Мы отправились куда-то в сторону базара, где Лисицын показал нам прелестное маленькое кафе, чистенькое и уютное, со столами, на которых красовались скатерти в белосинюю клетку и вазочки с цветами. В воздухе витал запах свежей выпечки, ванили и только что смолотого кофе.

— Я вам очень советую, возьмите струдель, — сказал Лисицын, усаживаясь за столик вместе с нами. — Это что-то невероятное. Здесь работает знаменитый Эдик, и весь город ходит сюда именно за струделями.

— Кто такой Эдик?

— Эдик — это местная достопримечательность. Он много лет работал поваром на круизном теплоходе, готовит так, что можно сойти с ума. Но специализируется на кондитерке. Попробуйте, не пожалеете.

Сергей не обманул. Кофе в этом кафе был хороший, крепкий и сладкий, а от горячего, только что снятого с противня струделя возникло чувство, словно ангелочек в бархатных штанишках проехался по пищеводу. Это действительно был кулинарный шедевр. Лиля пила чай с молоком, причем я заметил, что официантка готовила его по особым правилам: сначала налила в красивую большую чашку с розочками топленое молоко, которое на наших глазах вытащила из печки, где оно томилось в керамическом горшочке, и только потом стала вливать в молоко крепко заваренный чай, не разбавляя водой. Судя по выражению лица моей дочери, чай тоже был на уровне не ниже фантастического струделя. Вкусный завтрак заставил меня размякнуть, и я ухитрился совершить глупость, о которой потом много раз жалел.

— Сережа, у тебя есть шанс сделать доброе дело для одного хорошего человека. У тебя есть какие-нибудь материалы по пожару в Летнем театре?

Он удивленно посмотрел на меня и поставил чашку с кофе на блюдце.

— А зачем вам?

— Ты ответь — есть или нет?

— Ну, есть, конечно. Полно.

— Ты можешь их показать человеку, который пишет детективный роман об этом?

Сергей нахмурился.

— Но дело еще не закрыто, идет следствие. За разглашение тайны, знаете, что со мной сделают? И потом, как человек может писать роман о преступлении, которое неизвестно еще будет ли раскрыто?

— Ты не понял. Этот человек пишет не документальную повесть, а художественную. Ваш пожар — это только толчок для творческой мысли. Там все выдумка от начала и до конца, реален только сам факт пожара во время конкурса красоты. Все остальное — из головы.

— Тогда зачем этому писателю мои материалы?

Сережа оказался недоверчивым занудой, и это было хорошо. Пусть у него нет полета фантазии, который необходим в сыщицком деле, но зато его на кривой козе не объедешь.

— Материалы нужны для того, чтобы творческая мысль получила новый толчок. Серега, ну не упирайся, давай баш на баш: я же тебе помогаю, ну и ты помоги хорошему человеку. Я гарантирую тебе, что в заинтересованные преступные руки материал не попадет, человек надежный.

— Кто он?

— Я же сказал — писатель.

— Владислав Николаевич, я должен знать — кто он.

— Ну хорошо. Это Татьяна Томилина.

— Кто?!

Я подумал, что мне сегодня все-таки повезло: если бы Лисицын в этот момент держал чашку с горячим кофе в руке, ароматная темно-коричневая жидкость непременно оказалась

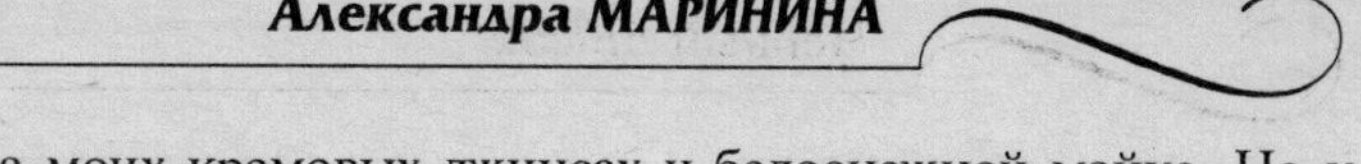

бы на моих кремовых джинсах и белоснежной майке. Но к счастью, чашка спокойно стояла на столе, и от Сережиного резкого движения всем корпусом выплеснувшийся кофе дальше блюдечка не убежал.

— Чего ты так возбудился? Ты что, знаешь ее?

— Конечно. Все женщины нашего города зачитываются ее детективами. И моя мама, и сестра тоже. А вы с ней знакомы?

— И ты, кстати, тоже. Это с ней ты вчера разговаривал возле гостиницы.

— Да вы что?!

И я в который уже раз подумал о том, какой же он, в сущности, еще молоденький, этот опер Сережа Лисицын. Совсем ребенок. Только дети умеют так искренне удивляться. Но больше всего меня поразило, что Лиля на протяжении всего разговора сидела с каменным лицом, как будто не знала никакую Татьяну Томилину, не читала полчаса назад ее книгу и вообще все это ее не касается. Иногда моя девочка поражала меня своей способностью так глубоко уходить в какие-то малышовые мысли, что с виду казалась глухонемой.

Мы закончили завтракать и вышли на улицу, которая уже успела стать жаркой и душной. Сергей проводил нас до пляжа, где мы и расстались, обменявшись взаимными обещаниями: он даст Татьяне посмотреть все материалы по пожару, кроме тех, конечно, которые находятся у следователя, а мы с Татьяной и Лилей придем к нему в гости, чтобы порадовать маму и сестру личным знакомством со знаменитой (как оказалось, а я и не предполагал!) писательницей.

Глава 4

Рита появилась, как обычно, ближе к полудню. Сегодня ей снова было тридцать два, по-видимому, первый шок, вызванный убийством ее подруги Ольги, уже прошел, а смерть Люси Довжук как бы говорила: началась полоса кошмаров, теперь так будет всегда, привыкайте, граждане. Во всяком случае, судя по ее внешнему виду, Маргарита воспринимала ситуацию именно так. Она шла к нам через пляж, сверкая округлыми коленками в разрезах «лохмутиков», и вид у нее был не подавленный, как вчера, а вполне деловой.

— Ты представляешь, — возбужденно начала она, выкладывая из сумки абрикосы и виноград, но я предостерегающе тронул ее за локоть.

— Лиля, ты не хочешь пойти в воду? — сказал я, полагая, что ребенку совершенно ни к чему слушать страшные истории.

— Нет, пап, я почитаю, — ответила она, не поднимая глаз от раскрытой книги. Но я готов был поклясться, что она будет не читать, а слушать наши разговоры.

— А что ты читаешь, доченька?

Рита ни с того ни с сего решила поиграть в педагогику и поинтересоваться, чем развлекает себя ее восьмилетняя дочь. Но я при этих словах похолодел. Сейчас она увидит обложку детективного романа, и Лиля непременно скажет ей про тетю Таню, которая написала эту книгу, с которой мы живем в одном доме и с которой я вчера поздно вечером уходил гулять. И вернулся весь в губной помаде. Совсем я утратил бдительность. Нужно было, как только Лиля заявила свое обычное «сейчас мама придет», посоветовать ей убрать голубую книгу в сумку и достать «Мумми-тролля». Хотя нет, наверное, это тоже было бы неправильным — учить ребенка обманывать мать.

И тут Лиля (в который уже раз за сегодняшний день?) снова поразила меня. Она сделала вид, что не слышит вопроса, и продолжала сидеть, поджав под себя ноги и уткнувшись в книгу. Слава Богу, порыв Риты заняться воспитанием дочери угас так же быстро и внезапно, как и возник, и она сразу же переключилась на обсуждение вчерашней трагедии.

— Ты уже слышал?

— Да, по телевизору сообщали, — осторожно ответил я, надеясь, что у Риты хватит сообразительности не называть вещи своими именами.

— Ты представляешь, пропали все драгоценности Казальской. Она же с ума сойдет, она пописать не ходит, не нацепив на себя килограмм золота.

Ну, Маргарита! Я уж думал, что за шесть лет совместной жизни плюс два года знакомства до свадьбы я изучил ее достаточно хорошо и собственными руками промерил всю глубину ее злословия, но она постоянно превосходила сама себя. Сергей мне сказал сегодня, что пропали не все драгоценности, а только те, что лежали в запертой шкатулке.

— Неужели тебе не жалко ее соседку по номеру? — с упреком спросил я.

— Жалко, — охотно согласилась Рита, но по ее лицу было видно, что она об этом как-то не задумывалась. Ей было интересно. Она уже представляла себе, как приедет в Москву и будет всем рассказывать о страшных событиях, очевидцем которых ей посчастливилось стать. — Я думаю, все дело здесь в председателе жюри. — Она многозначительно посмотрела на меня. — Поскольку первую премию наверняка получила бы Оля, кому-то это очень не понравилось.

— И как ты думаешь кому?

— Я знаю, а не думаю, — уверенно ответила она. — Чего тут думать-то? Все же очевидно.

— Ну так кому же?

— Этой миллионерше, кому ж еще! — фыркнула Рита. — У кого хватит денег оплатить все это? Сама-то она оба раза крутилась на глазах у всех, так что совершенно очевидно, что она кого-то наняла.

Я понял, что Рита имеет в виду Регину Голетиани. А в самом деле, почему я так с ходу отверг ее кандидатуру? Почему, собственно говоря, я решил, что ей не нужны пятьдесят тысяч долларов? Потому что ее отец — председатель правления крупнейшего в Литве банка, а муж имеет огромные валютные счета по меньшей мере в четырех зарубежных странах? Но ведь хорошо известно, что среди миллионеров весьма часто попадаются люди расчетливые и бережливые, которые охотно вкладывают миллиардные суммы в проекты, сулящие прибыль, и в то же время экономят на мелочах и не дают жене денег на новое платье, потому что у нее и так есть что надеть. Может быть, Регине надоело постоянно просить у мужа деньги? Может быть, он держит ее на голодном финансовом пайке? Надо осторожненько поспрашивать у Риты.

— Да зачем ей деньги? У них такая богатая семья, — забросил я леску и стал с интересом ждать, попадется ли что-нибудь на крючок.

— Как это зачем? А мальчик? На него, знаешь, сколько денег уходит? А муж не дает ни копейки.

— Какой мальчик? — удивился я.

— Я же тебе рассказывала, только ты никогда меня не слушаешь, — с раздражением сказала Рита. — У нее есть мальчик, три годика. Вылитый Ален Делон, ну, ты понимаешь, о ком я говорю.

Да, я понимал. Вернее, я вдруг вспомнил, что Рита действительно рассказывала мне о том, что Регина Голетиани родила ребенка от известнейшего киноактера Владимира Ковача, который был внешне страшно похож на Алена Делона. Но почему-то я не задумывался о том, а что же по этому поводу сказал ее муж. Только теперь до меня дошло, что муж не выгнал ее, потому что был тесно завязан в финансовых вопросах с тестем, отцом Регины, и боялся разрушать налаженную и отработанную годами машину совместного бизнеса. Регина осталась при муже-миллионере, но с условием: мальчик должен воспитываться не в их семье. И как она будет решать этот вопрос — это ее проблема. Он — грузин, гордый и самолюбивый, и он не потерпит в своем доме живое свидетельство грехопадения собственной жены. Я думаю, что на самом деле для Жоры Голетиани этот ребенок был бы зеркалом, в котором каждый раз при взгляде на него отражались бы Жорины ветвистые рога.

— А где сам мальчик-то? — спросил я, втайне надеясь, что Лиля, увлеченная детективом, не вникает в суть наших разговоров.

— Его воспитывает ее сестра, она одинокая.

Ситуация приобретала новые оттенки. Надо было срочно решать, кому отдавать предпочтение в списке подозреваемых: Марине Целяевой или Регине Голетиани. Если бы сил было побольше, вопрос бы так не стоял, отрабатывали бы сразу обеих. Но с силами в нашем стане была некоторая напряженка, рассчитывать можно было только на Сергея Лисицына и двух его напарников, которые все вместе тянули на семьдесят пять процентов одного хорошего сыщика, не больше. Но уж удить рыбу — так удить, решил я, забрасывая леску во второй раз.

— А разве больше никому из претенденток деньги не нужны? Почему именно Регина?

— Ох, Владик, ну что ты спрашиваешь! Конечно, деньги нужны всем. Но Регине — в первую очередь. Этой пеструшке Целяевой, например, спонсоры снимают отдельный «люкс», точно такой же, как у Казальской. Ты понимаешь, что это значит? Это значит, что она подружка кого-то из спонсоров. Так если у человека хватает свободных денег, чтобы организовать кинофестиваль и добиться, чтобы его бездарную знакомую статистку включили в список номинантов, то станет ли

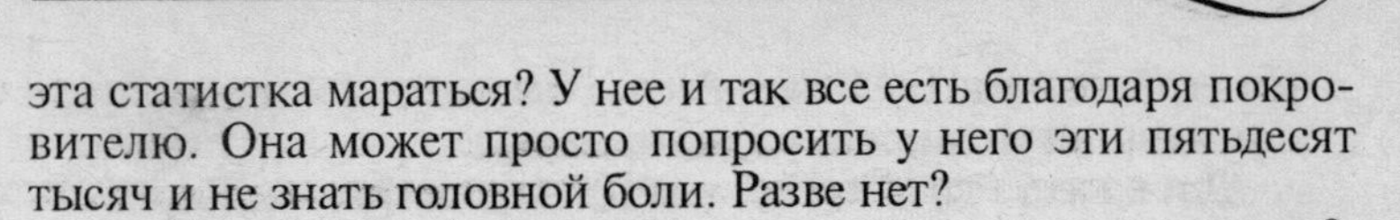

эта статистка мараться? У нее и так все есть благодаря покровителю. Она может просто попросить у него эти пятьдесят тысяч и не знать головной боли. Разве нет?

— Может быть. А другие? У них тоже богатые покровители?

Мы старательно избегали в присутствии Лили таких слов, как «любовник», «любовница», заменяя их на эвфемизмы «покровитель» и «подруга».

— У блондиночки — наверняка, у нее в покровителях ходит все одетое в штаны население Москвы. А Сауле — нищая, это я точно знаю. У нее же родители в Казахстане, отец — казах, а мать — русская. Когда начались гонения на русских, мать выгнали с работы. А она, знаешь, кем была?

— Не знаю. Кем?

— Проректором крупнейшего технического вуза Казахстана. И она всегда стеной стояла, чтобы в институт принимали только тех, кто действительно знает предметы и сдает экзамены. Конечно, в прежние времена была обязательная квота национальных кадров, за этим партия следила, а года с восемьдесят шестого, как начали играть в равенство и демократию, мать Сауле твердой рукой все спецсписки разорвала на глазах у изумленной публики. И сама лично сидела на всех вступительных экзаменах по физике и математике. Представляешь, сколько яблочно-мандариновых королей послали своих чадушек поступать в этот институт и получили фигу под нос? Они же заплатили всем, кому надо: секретарю приемной комиссии, преподавателям, принимающим экзамен, — ну всем. Кроме проректора, которая взяток не брала. Так длилось пять-шесть лет, а потом ее уволили, да мало того, сожгли квартиру в Алма-Ате. Сауле срочно пришлось перевозить родителей в Москву, искать им жилье, покупать мебель, одежду. В квартире-то все сгорело дотла. Хорошо хоть сами живы остались. Короче, она на них все свои сбережения угрохала.

— Ну вот видишь, а ты говоришь — ей деньги не нужны. Еще как нужны.

— Ты не понимаешь, — снова рассердилась Рита. — Для того, чтобы это сделать, — она сделала ударение на слове «это», — нужно кого-то нанять. Регина может себе позволить заплатить десять тысяч, чтобы получить пятьдесят. Понимаешь? А у Сауле нет таких денег. Она иногда вынуждена ходить в зашитых колготках, вместо того чтобы купить новые.

— Но ведь не обязательно нанимать, — возразил я. — У каждой женщины есть хоть один друг, который может сделать это для нее бесплатно. Может быть, ты могла бы подумать и вспомнить, есть ли такие бескорыстные друзья у Регины и Сауле? А может быть, и у остальных двух актрис. А, Рита?

— Зачем тебе? — Она подозрительно уставилась на меня. — Ты же не на работе. Опять хочешь влезть не в свое дело?

Иногда Рита совершенно забывала о том, что мы уже три года в разводе, и вела себя как собственница-жена. Меня это ужасно забавляло.

— Тренирую мозги, — ответил я ей. — А вдруг мне удастся, сидя на пляжном полотенце и не поднимая задницы, сделать то, что не смогли сделать местные официальные органы? Так все-таки, Рита, можешь ты мне назвать таких друзей?

— Вряд ли. — Она покачала головой. — У Сауле их, пожалуй, нет. Она, знаешь ли, не по этой части. По-моему, она до сих пор девица. Если только сама все сделала... У блондиночки наверняка полно знакомых с темным прошлым, которые могли бы это сделать просто ради развлечения. Да, ты, наверное, прав, у нее такой круг знакомых, что там можно найти подходящие личности, которые и денег не потребуют.

На этот раз на крючок не попалось ничего. Ритины рассуждения были в целом верными, но ужасно неконкретными. Единственное, чего удалось добиться, это исключения из списка Сауле Ибрайбековой. Оставались трое.

Марина Целяева, у которой не было ни единого шанса на первое место, пока жива хоть одна из претенденток на премию, но у которой был, по-видимому, очень богатый дружок, и дружок этот смерть как хотел иметь в любовницах кинозвезду.

Екатерина Иванникова, не лишенная дарования и привыкшая всего в жизни добиваться при помощи секса, преимущественно орального.

И Регина Голетиани, которая вынуждена была самостоятельно содержать своего внебрачного сына, которого ревнивый муж отлучил от семьи.

Ну что ж, трое — это уже легче, можно дышать. Трое — не пятьдесят и уж тем более не сотня. Глядишь, и справимся.

* * *

Вечером мы все втроем — Татьяна, Лиля и я — отправились в гости к Сергею Лисицыну. По возвращении с пляжа встреча с Татьяной, несмотря на все мои опасения, прошла

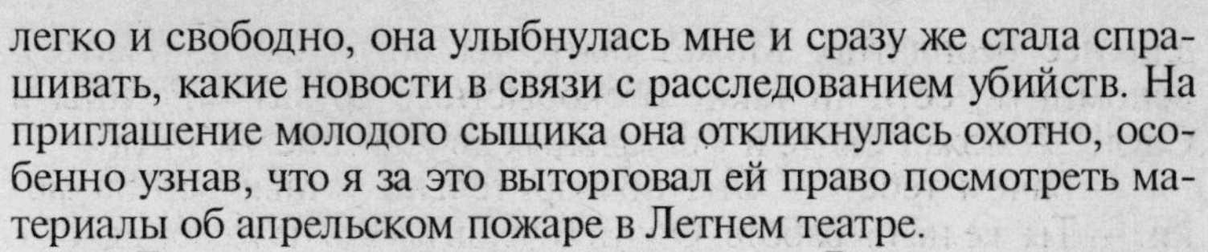

легко и свободно, она улыбнулась мне и сразу же стала спрашивать, какие новости в связи с расследованием убийств. На приглашение молодого сыщика она откликнулась охотно, особенно узнав, что я за это выторговал ей право посмотреть материалы об апрельском пожаре в Летнем театре.

— Дима, вы — чудо, — сказала она. — Я ваша должница.

К тому времени, как мы собрались выходить из дома, стало заметно прохладнее, поднялся небольшой ветерок. Наша хозяйка Вера Ильинична вдруг засуетилась, кинулась закрывать все окна и снимать с веревок выстиранное белье.

— Ураган будет, — озабоченно проговорила она, глядя на небо и поспешно убирая с большого стола под навесом тарелки и хлебницу. — Вы далеко-то не уходите.

— Да мы в гости идем, Вера Ильинична, вы не беспокойтесь, — беззаботно ответил я.

Ну в самом деле, какой еще ураган? Ну похолодало чуток, но небо-то совершенно безоблачное, солнце уже садится, через полчаса начнет темнеть, оттого и прохлада.

Мы не спеша прошли через центр города и снова оказались в районе индивидуальной застройки, где улицы были такими же немощеными, тихими и зелеными, как наша Первомайская. Судя по бумажке, на которой Сергей нарисовал схему дороги от нашего дома до его улицы, идти нам оставалось метров триста.

Ураган начался так внезапно, что я даже не успел этого понять. Просто налетел ветер, и идущий в нескольких метрах впереди нас пожилой мужчина с газетой под мышкой вдруг поднял обе руки и схватился за забор дома, мимо которого проходил. Газета упала на землю, ветер тут же подхватил ее, начал трепать и понес прямо нам под ноги. Выпавшие из газеты белые тетрадные листочки испуганно закружились в воздухе. Я видел, что старик судорожно вцепился в забор и растерянно оглядывается в поисках своей газеты.

— Лиля, ну-ка помоги дедушке, — сказал я, показывая на летящую в нашу сторону газету и выпавшие из нее бумажки.

Лиля послушно подняла и газету, и белые листочки и подбежала к старику. Ветер стих так же мгновенно, как и налетел.

— Спасибо, деточка.

Голос у старика оказался мощным и густым. На мгновение мне стало смешно, что обладатель столь сильного баса испугался одного порыва ветра настолько, что ухватился обеи-

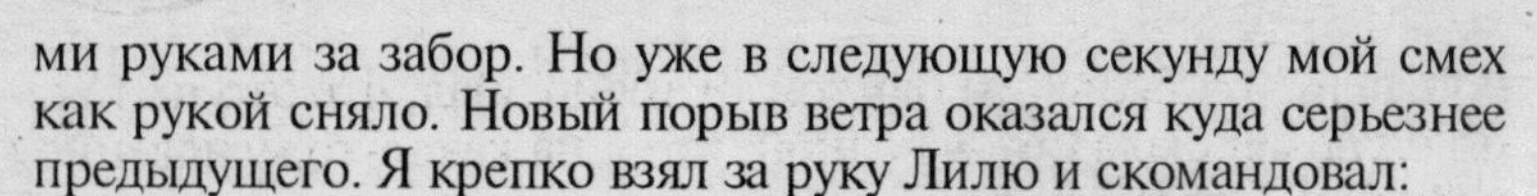

ми руками за забор. Но уже в следующую секунду мой смех как рукой сняло. Новый порыв ветра оказался куда серьезнее предыдущего. Я крепко взял за руку Лилю и скомандовал:

— Девочки, прибавили шагу. Похоже, это и в самом деле ураган. Надо быстренько добежать до во-он того дома.

Мы припустили что было сил. Татьяна, к моему удивлению, бегала тяжело, но довольно быстро, я не ожидал от нее такой скорости, Лиля же, в жизни не пробежавшая больше трех метров, здорово отставала, и мне приходилось тащить ее за руку. Облако пыли неслось прямо нам навстречу.

— Девочки, закрыть глаза! — едва успел крикнуть я, как почувствовал, что песок забился мне в нос и осел на зубах.

Пару метров мы пробежали с закрытыми глазами. Облако унеслось дальше, а впереди я увидел, как открылась калитка в заборе и появился Сережа Лисицын с плащ-палаткой в руках.

— Скорее! — крикнул он. — Сейчас как польет!

Он оказался прав. Первые капли упали на нас, когда до заветной калитки оставалось метров двадцать. Сергей бежал нам навстречу, но хляби небесные разверзлись раньше, чем он успел набросить на Татьяну и Лилю плащ-палатку. Одна секунда — и мы были мокрыми насквозь. Хохоча и отфыркиваясь, мы ввалились в теплый и безопасный дом. Вода текла с нас ручьем.

Сережина мама Антонина Прокофьевна, совсем еще молодая женщина, тут же отправила нас сушиться и переодеваться: Татьяну и Лилю — в комнату к Ларисе, Сережиной сестре, а меня — в ванную. Натягивая на себя чью-то сухую майку и голубые джинсы, я прикидывал, насколько смешон буду в таком виде. При моем росте брюки наверняка окажутся мне коротки. Так и получилось, зато майка вовсе не была тесна в плечах, как я ожидал. Видимо, она принадлежала не Сереже, а его отцу, которого я еще не видел. И еще я насмешливо подумал о том, во что же тоненькая Лариса переоденет полную крупную Татьяну? А маленькую Лилю?

Когда через десять минут мы собрались за нарядно накрытым столом, я ахнул. Татьяна была в черном просторном платье с множеством драпировочных складок, которые красиво ниспадали с ее пышной груди и полностью скрывали грузные бедра. Зато тонкие изящные щиколотки были открыты, и создавалось впечатление, что вся она под этим красивым переливающимся платьем такая же тонкая и изящная, с оси-

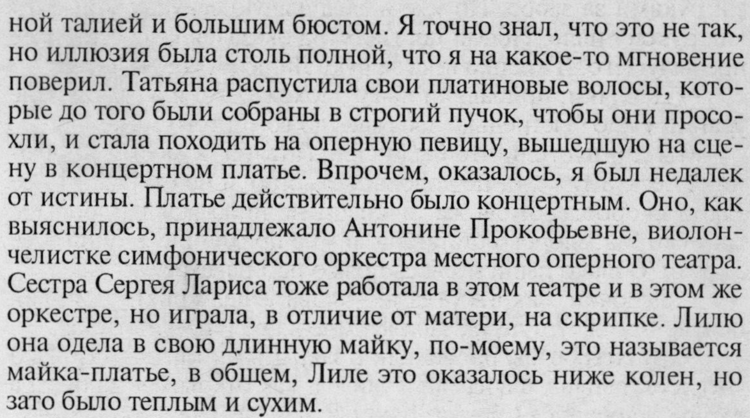

ной талией и большим бюстом. Я точно знал, что это не так, но иллюзия была столь полной, что я на какое-то мгновение поверил. Татьяна распустила свои платиновые волосы, которые до того были собраны в строгий пучок, чтобы они просохли, и стала походить на оперную певицу, вышедшую на сцену в концертном платье. Впрочем, оказалось, я был недалек от истины. Платье действительно было концертным. Оно, как выяснилось, принадлежало Антонине Прокофьевне, виолончелистке симфонического оркестра местного оперного театра. Сестра Сергея Лариса тоже работала в этом театре и в этом же оркестре, но играла, в отличие от матери, на скрипке. Лилю она одела в свою длинную майку, по-моему, это называется майка-платье, в общем, Лиле это оказалось ниже колен, но зато было теплым и сухим.

За столом беседа сразу стала вертеться вокруг Татьяниного литературного творчества. Антонина Прокофьевна и Лариса забросали ее вопросами, и Таня добросовестно на них отвечала, рассказывала какие-то забавные истории, шутила, пересыпала речь смешными словечками и неожиданными, но меткими сравнениями. Мы с Сергеем сели рядышком на другом конце стола и вполголоса стали обсуждать наши невеселые криминальные дела.

Надо отдать должное Сергею: он каким-то совершенно непостижимым образом ухитрился выяснить, куда ходила Ольга Доренко в последний день своей жизни. Оказалось, что какая-то ее московская подруга, узнав, что Ольга едет сюда на кинофестиваль, попросила ее передать небольшую посылочку своему дальнему родственнику. Вот к этому-то родственнику и ходила Оля в тот день, когда опоздала на пресс-конференцию. Более того, Сергей, пока я с постыдным эгоизмом лениво валялся на пляже, дозвонился в Москву, разыскал эту подругу и узнал у нее адрес и имя родственника, которому предназначалась посылка. Вот только навестить его он не успел, потому что договорился со мной на восемь часов, а оказаться невежливым хозяином ему не хотелось.

За окном то и дело раздавался треск — ураганный ветер ломал ветви деревьев в саду. Дождь лил стеной, и я плохо представлял себе, как мы будем добираться до своей Первомайской улицы. Я то и дело растерянно поглядывал на окно, за которым было темно и страшно. Заметив это, Лисицын поспешил меня успокоить:

— Это пройдет примерно через час, Владислав Николаевич, вы не беспокойтесь. Знаете, южные бури очень сильные, но короткие. Впрочем, как и южные романы, — добавил он, усмехнувшись.

Я подумал, что та, похожая на ангелочка, стерва, которая когда-то больно обидела Сергея, была, скорее всего, приезжей.

Сергей не обманул. Буря стихла даже раньше, чем мы успели допить чай с вкусными пышными пирогами. Антонина Прокофьевна тут же распахнула окна, и в комнату, где мы с Сергеем успели изрядно надымить, ворвался вкусный влажный воздух, пахнущий морем, тиной и какими-то цветами. Уж не знаю, в каком таком хитром месте сушила хозяйка нашу мокрую одежду, но к тому моменту, как мы собрались уходить, все вещи были абсолютно сухими, так же, как и обувь.

Уже стоя на пороге, я, повинуясь непонятному порыву, сказал Сергею:

— Дай-ка мне адрес того человека, которому Оля должна была передать посылку. Я сам к нему завтра схожу, чтобы тебе время не тратить, а ты займись окружением наших трех красавиц актрис.

Он посмотрел на меня с благодарностью и протянул бумажку с адресом.

Домой мы возвращались той же дорогой: сначала по темным улицам индивидуальной застройки, потом через шумный сияющий огнями многолюдный центр города и снова по тихим немощеным улочкам.

— Танечка, я, кажется, нарушил ваш график.

— В смысле?

— Триста строк. Вы же их сегодня не написали из-за того, что пошли со мной в гости.

— Значит, завтра придется сделать шестьсот. Не пойду купаться, пока не сделаю, вот и все.

— Таня, это жестоко! — рассмеялся я. — Разве можно так себя истязать? Приехать на море и запереть себя в четырех стенах.

— Вы не понимаете, Дима. Во-первых, это для меня удовольствие, а не каторга. А во-вторых, не забывайте, это деньги. В издательстве мне платят по двести долларов за авторский лист, то есть за двадцать четыре страницы на машинке. Триста строк — это примерно восемьдесят долларов, или в

переводе на наши деревянные — триста пятьдесят тысяч. Сделала триста строк — заработала. Понимаете? Очень стимулирует. И в-третьих, у меня Ирочка. Она согласилась пожертвовать своей квартирой, чтобы я могла не разменивать свою, только потому, что я пообещала ей заработать на новое жилье. И если я ленюсь и не пишу, а Ира в это время стоит у плиты или стирает, можете себе представить, как я себя чувствую.

— Кстати, ваша Ирочка не обиделась, что вы бросили ее сегодня и отправились развлекаться?

— Надеюсь, что нет. После нашей с вами вчерашней прогулки она немного погрустила, поняв, что здесь ей не обломилось, но сегодня утром она присмотрела очень симпатичного курортника из соседнего дома, так что вечер, который я ей освободила, она проведет с толком. У нее, вообще-то, отличный характер, легкий, уживчивый, и хозяйка она прекрасная. Повезет кому-то!

— Что-то долго никому не везет, — с шутливым сомнением произнес я. — Сколько ей лет?

— Двадцать шесть. Она моложе меня. Я так понимаю, вы плавно подбираетесь к вопросу о моем возрасте?

— Таня!

— Да бросьте вы, Дима, я женщина без комплексов. Если вам интересно, давно бы уже спросили и не мучились.

— Считайте, что я спросил.

— Мне тридцать четыре.

— Не может быть! Правда, тридцать четыре?

— Правда. А что вас смущает?

— У вас такая кожа гладкая... Я бы больше двадцати восьми не дал.

— Димочка, вы прелесть. Кожа у меня гладкая потому, что я толстая. Вот и весь секрет.

— Таня! Ну что ж вы меня все время ставите в неловкое положение!

— Да почему же? Да, я толстая, ну и что мне теперь, повеситься из-за этого? Или делать вид, что я — юная газель, а все, кто видит мою полноту, просто дурно воспитанные хамы, лишенные чувства прекрасного?

— Тетя Таня, — внезапно вмешалась Лиля, которая до этого молча шла рядом, держа меня за руку. — А почему вы зовете папу Димой?

— Потому что в полном имени Владислав есть буквы «Ди», и твой папа мне разрешил звать его Димой, — объяснила Татьяна.

— Понятно, — сказала Лиля и снова умолкла.

Благодаря ее вмешательству разговор на опасную тему внешности можно было свернуть. Я всегда боялся таких обсуждений. Станешь говорить правду — окажешься невежливым, станешь хвалить и говорить комплименты — есть риск, что дама примет все за чистую монету и твои джентльменские охи и ахи будут восприняты чуть ли не как признание в любви.

— Танечка, я вот о чем подумал. Если вы завтра собираетесь ваять свою «нетленку», может быть, вы позволите оставить с вами Лилю? Мне нужно сходить в одно место, и я не хочу таскать ее с собой. У меня появилась возможность выяснить, почему Ольга Доренко опоздала на пресс-конференцию.

— Конечно, Дима, о чем разговор. Не беспокойтесь, Ира пойдет на пляж, а мы с Лилей посидим в саду. Кстати, Лиля, когда придем домой, напомни мне, пожалуйста, чтобы я поставила аккумулятор на подзарядку, а иначе нам завтра придется вместо сада сидеть в комнате и включать компьютер в сеть.

— Хорошо, тетя Таня.

Да, мой ребенок многословием не страдает. Иногда я задумываюсь над тем, что же происходит в ее кудрявой головке, когда она молчит? Какие мысли там рождаются? Какие вопросы, которые некому задать, потому что родителей вечно нет рядом? Какое впечатление на нее производят прочитанные книги? Что она понимает, слушая разговоры взрослых?

Возле нашей калитки стояла Ирочка с каким-то бородатым седым типом в дорогих очках. По ее лицу стало понятно, что вечер не прошел впустую: она наконец нашла себе объект для курортного флирта. Ну и слава богу.

* * *

Наутро я покормил Лилю завтраком, сдал ее с рук на руки Татьяне и отправился навещать Николая Федоровича со странной фамилией Вернигора. Это для него Ольга Доренко везла из Москвы небольшую посылочку от каких-то дальних родственников.

Судя по адресу, жил Николай Федорович не очень далеко,

и я действительно дошел до его дома минут за двадцать. Домик был кукольно-красив и ухожен, покрашен в белый и красный цвета, и сразу было видно, что хозяин — человек с нормально устроенными руками, которые растут из того места, из какого надо.

Я вошел в калитку, поднялся на крыльцо и подергал ручку двери. Заперто. Обошел вокруг дома, заглядывая в окна, но хозяина не обнаружил. Поиски Николая Федоровича в саду успеха тоже не принесли. Я решил ждать. В конце концов, пожилой человек далеко уйти не мог, тем более с утра пораньше. В крайнем случае, отправился на базар и вернется в течение часа.

Я уселся за стол под навесом, точь-в-точь такой же, как во дворе нашего дома на Первомайской, с удовольствием закурил и принялся разглядывать растущие вокруг деревья. Так прошло минут сорок.

— Молодой человек, — послышался женский голос с улицы, — вы случайно не Юрий?

— Нет, я не Юрий, — ответил я.

И кто же этот Юрий, интересно знать? Сын? Тогда почему соседка не знает его в лицо? В первый раз приехал из другого города?

— Вы не муж Леночки? — продолжала допытываться настырная соседка.

— Нет. Я не муж Леночки. Я просто жду Николая Федоровича. По делу.

Женщина подошла ближе и остановилась, ухватившись руками за забор.

— Разве вы не знаете? — спросила она каким-то изменившимся голосом, и мне сразу стало не по себе. Похоже, мой пацан с крылышками запустил свои пухлые пальчики в барабан и уже тянет наружу билетик, на котором написано слово, которое я очень не люблю.

— Что я должен знать?

— Николай Федорович умер.

— Когда?!

— Вчера. Мы вчера же телеграмму отбили в Мурманск, там его дочка живет, Леночка, она замужем за подводником. Я вот и подумала, что, может, это они уже прилетели. А вы кто же будете?

— Так, никто. Зашел узнать кое-что, да, видно, не судьба. А вы здесь рядом живете?

— Через два дома.

— Вы хорошо знали Николая Федоровича?

— Ну как... — Женщина пожала плечами. — По-соседски ходили друг к другу, если одолжить что надо, и вообще... Николай Федорович в одиночестве не скучал, компанию не искал. Все чем-то занят был. И по хозяйству сам управлялся, он ведь давно уже вдовец.

— Отчего же он умер? — спросил я.

— Да отчего старики помирают? От старости. Сердце, врач сказал, остановилось. Ему ведь уже за семьдесят было, чего же удивляться.

— А когда похороны?

— Ждем, когда дочка с мужем прилетят. Николая Федоровича в морг отвезли, так что как только дети приедут — так сразу и похоронят. Ой, молодой человек, а вы очень торопитесь?

— Да нет, куда мне торопиться, я на отдыхе.

— Знаете, я вас вот о чем попрошу. Мне надо в поликлинику сбегать на процедуры, может, вы посидите здесь, покараулите, вдруг Леночка с Юрой приедут. Так-то я каждые десять минут в окошко выглядываю, чтобы их не пропустить. У них ведь даже ключей от дома нет, приедут усталые, с вещами, и будут тут мыкаться, не знать, куда приткнуться. Я, конечно, записку вчера еще написала и к двери приколола, что, мол, ключи в доме номер шестнадцать, но я смотрю, вроде нет уже записки.

Она близоруко прищурилась и стала вглядываться в то место, где, по ее разумению, должна находиться записка. Но я уже подходил к двери, поэтому точно знал, что никакой записки там не было.

— Ну что за люди, вот скажите вы мне, что за люди, — принялась она причитать, — ну кому нужна эта записка? Так нет ведь, сорвали, назло, чтобы другим напакостить. Так вы посидите? Если что — ключи у меня дома, шестнадцатый номер, вам сын отдаст.

— Посижу, посижу, — успокоил я заботливую соседку.

— Я мигом. Только процедуры приму — и сразу назад.

Женщина торопливо удалилась, а я остался сидеть во дворе, и в голове у меня была полная сумятица. Умер человек,

который, по моим расчетам, должен был рассказать мне, что лежало в пропавшем неизвестно куда фиолетовом пакете с желтыми ручками. И еще он должен был мне рассказать, почему Ольга опоздала, возвращаясь из его дома в гостиницу. Может быть, она говорила ему, куда еще собиралась зайти? А может быть, она ходила куда-то перед тем, как принесла посылку Николаю Федоровичу, и вполне возможно, кое-что об этом говорила. А может быть, что-то задержало ее здесь, в этом доме. В любом случае, теперь мне этого уже не узнать. А я так надеялся...

Из задумчивости меня вывел ломающийся басок, принадлежавший пареньку лет восемнадцати-девятнадцати.

— Здрасте. Вы случайно не из милиции?

Вопрос меня озадачил. Случайно я был из милиции, и не случайно тоже. Но стоит ли это афишировать?

— Нет пока, — отшутился я. — Я из дома. А что?

— Жалко, — непритворно огорчился паренек. — Я думал, что вы из милиции.

— А в чем проблема?

Мне стало интересно. Может быть, ответы на мои вопросы ходят где-то рядом?

— Если бы вы были из милиции, вы бы мне дом открыли. Мне очень нужно.

— А ты родственник, что ли?

Но парень не ответил. Вместо этого он быстро подошел к одному из окон, деловито осмотрел раму и вернулся к столу.

— Понимаете, у деда Николая осталась кассета, которую я ему давал. Она чужая, ее нужно вернуть. Он же ее только на три дня брал. Там, — он неопределенно мотнул головой, — уже ругаются, требуют или кассету вернуть, или деньги платить.

— Что за кассета?

— «Заложник №1», американский боевик.

— А что, Николай Федорович боевиками увлекался? Да ты сядь, в ногах правды нету.

Парень сел за стол напротив меня и покосился на лежавшую рядом пачку сигарет.

— Можно сигаретку у вас взять?

— Бери. Тебя как зовут?

— Леня.

— Так что, Леня, насчет боевиков?

— Дед Николай их с удовольствием смотрел, всегда спрашивал, что новенького есть. Я в прокате видеокассет работаю, — пояснил Леня. — Дед пожилой уже был, так я кассеты ему домой носил, чтобы ему лишний раз не ходить. У нас с ним договоренность была: как что новенькое появляется, я хватаю и приношу, он посмотрит первые пять минут и сразу говорит, будет он это брать или нет. Знаете, он плохой фильм от хорошего мог по первым кадрам отличить. Говорил, если в фильме есть настроение, если его мастер делал, то это уже по одним только титрам понятно, по графике и музыке. Ну вот, если он фильм оставлял, то платил за прокат.

— А если не оставлял, то платил за хлопоты? — понимающе спросил я. Не с луны же я свалился, чтобы поверить, что современный юноша будет за просто так и чистосердечное спасибо бегать к пенсионеру с кассетами под мышкой.

— Ну... — парень так явно смутился, что мне и самому стало неловко. — А что в этом такого?

В его голосе зазвучал вызов, и я испугался, что контакт сейчас разрушится.

— Ничего, все нормально, — поспешил я успокоить его. — А если ты приходил, а его дома не было? Тогда как?

Вопрос попал в цель. Видимо, об этом и хотел заговорить Леня, но не знал, как подобраться к теме.

— У него на одном окне стоит такая хитрая щеколда, которую можно было снаружи открыть, а потом закрыть. Кто не знает — ни в жизнь не догадается. Дед мастер был на такие штуки, он же всю жизнь в военной разведке проработал.

— Да ну?

— Да. А вы не знали? В общем, у нас уговор был: если его дома нет, я окошко открываю, кассету кладу на стол, он в комнате как раз под окном стоит, щеколду закрываю и ухожу. На другой день прихожу, и, если, к примеру, его опять нет, снова окно открываю, а на столе или деньги лежат, или кассета.

— Лихо вы придумали, — похвалил я. — А ты не боялся, что дед Николай тебя надует?

— Это как? — нахмурился Леня.

— А вот так. Посмотрит себе в полное удовольствие фильм, а назавтра вернет тебе кассету, дескать, плохой фильм, не понравился, смотреть не буду.

— Да что вы, — рассмеялся он с явным облегчением. — Вы не знаете, как дед Николай фильмы смотрит. Он сначала

два раза просматривает фильм целиком, а потом начинает его изучать по кусочкам. Кадры останавливает, назад прокручивает, замедление делает. Каждый боевой эпизод рассматривает, как под микроскопом. Особенно войсковые операции. У него на один фильм не меньше недели уходит.

Парень говорил о Николае Федоровиче в настоящем времени, видимо, еще не свыкшись с его скоропостижной смертью. Да, любопытной личностью был Николай Федорович Вернигора. Военный разведчик в отставке, он и на склоне лет не утратил интерес к профессии, которой посвятил всю свою жизнь. Наверное, он был интереснейшим собеседником, немудрено, что Ольга могла засидеться у него в гостях, заслушавшись его рассказами, особенно если он затрагивал и чисто «киношные» вопросы: как снято, что правильно, что неправильно, что удалось, что не удалось и так далее.

— Я, собственно, — подал голос Леня, — подумал, что...

Я уже и без того знал, о чем он подумал. Он хотел открыть окно и взять свою кассету. Между прочим, ничего плохого в этом не было.

— Леня, это нехорошо, — лицемерно сказал я. — Давай дождемся дочку Николая Федоровича, она должна не сегодня-завтра подъехать, и с ней ты все вопросы решишь.

— Да ничего я с ней не решу! — в отчаянии воскликнул он. — Вы думаете, ей до меня будет? Она же отца хоронить приедет, а я со своей кассетой... А так вы свидетелем будете, что я ничего не возьму, только кассету. В случае чего, подтвердите, что я ничего не украл.

— Ладно, — неожиданно согласился я. — Валяй, открывай свою хитрую щеколду. Вводишь ты меня в грех на старости лет, ей-богу.

— Спасибо!

Леня обрадованно вскочил. Я даже не успел заметить то быстрое движение, при помощи которого он открыл окно. Видно, операцию эту он проделывал неоднократно и как следует натренировался.

— Ну что, полезай теперь, пока никто не видит.

— А вы?

— И я следом за тобой, надо ж тебя проконтролировать, — усмехнулся я.

Леня ловко залез через окно в комнату, и я последовал за ним. В доме у Николая Федоровича Вернигоры царил идеальный порядок, который не смогли нарушить даже его внезапная смерть и последовавший за ней приезд медиков и работников милиции. Я заметил, что Леня ни секунды не потратил на то, чтобы осмотреться, а сразу же уверенно двинулся к полированной мебельной стенке. Похоже, он и вправду был здесь частым гостем и пользовался доверием хозяина. Он открыл откидывающуюся крышку одной из секций и заглянул внутрь.

— Вот она. — Он радостно обернулся ко мне, держа в руке видеокассету с яркой наклейкой.

Я подошел поближе, не в силах бороться с любопытством. На двух полках ровными рядами стояли кассеты, на верхней полке — с названиями фильмов на наклейках, на нижней — с номерами. Подбор фильмов свидетельствовал о том, что вкус у Николая Федоровича был взыскательным и строгим. Видимо, здесь было то, что он не брал напрокат, а покупал, чтобы всегда иметь под рукой. Среди названий я заметил «Профессионала» с Бельмондо и Оссейном, «Список Шиндлера», «Утомленных солнцем», «Меморандум Квиллера» с блистательным Максом фон Сюдовом и Джоном Сигалом, несколько других очень известных лент. Были, конечно же, и наши: «Офицеры», «Место встречи изменить нельзя» и даже все двенадцать серий про Штирлица — фильмы, которые дороги не только тем, кому сейчас за семьдесят. Я, например, «Офицеров» и сам смотрю с удовольствием, сколько бы раз их ни повторяли по телевизору. И каждый раз у меня в горле встает ком, когда командир полка, которого играет Георгий Юматов, возвращается из Москвы, отказавшись от назначения в Генеральный штаб. Он едет с женой в открытой машине, а мимо идут танки, на маневры следуют. И вот один из танкистов открывает люк и спрашивает: «Товарищ генерал, вы насовсем вернулись или так, за вещами только?» Стало быть, все в полку знали, зачем их командир в Москву ездил. Генерал от такого нахальства дар речи потерял, сидит и слова сказать не может. А жена его спокойно так, по-домашнему, отвечает: «Да насовсем, Паша. Насовсем». То есть она каждого, понимаете, каждого человека в полку по имени знает. Танкист этот встает во весь рост и на всю колонну кричит: «Насовсем! Насовсем!!!» Значит, каждый человек в этом полку переживал, не бросит ли их любимый командир ради непыльного штабного кресла. А он не бросил. Потому что он — Офицер. И сын

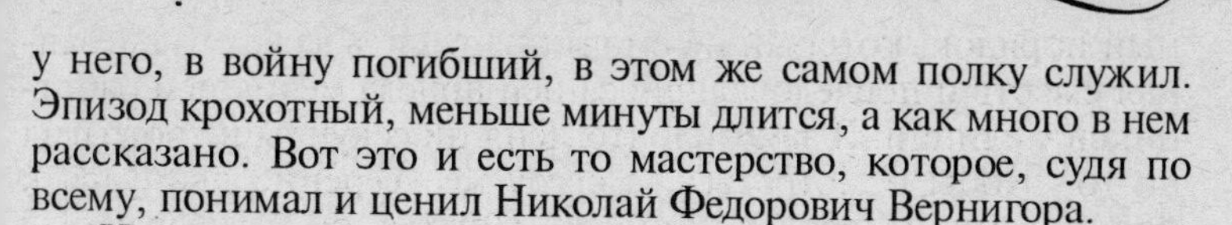

у него, в войну погибший, в этом же самом полку служил. Эпизод крохотный, меньше минуты длится, а как много в нем рассказано. Вот это и есть то мастерство, которое, судя по всему, понимал и ценил Николай Федорович Вернигора.

Но мое внимание привлекло не это. Я смотрел на стоявшие на нижней полке кассеты с наклеенными на них номерами, от 1 до 12, и видел, что одной кассеты не хватает. Следом за номером 8 шел номер 10. Все остальные были на месте и стояли строго по порядку.

— А это что за кассеты? — спросил я Леню.

— Это дед Николай сам снимал, у него видеокамера хорошая, дочка привезла в подарок.

— И что же он снимал?

— Ну, события всякие, праздники городские, фестивали, конкурсы, ветеранские дела. Его на свадьбы часто приглашали снимать. Дед говорил, что с молодости кино увлекался.

Так. Очень интересно. Оргкомитетчик Гена сказал, что в фиолетовой пластиковой сумке Ольги Доренко было что-то, по габаритам похожее на книгу. Уж не кассета ли? Под номером 9. Что же такое могло быть на этой кассете, зачем Вернигора отдал ее Ольге? Семейное торжество или чествование его самого, и он решил подарить запись на память своим московским родственникам? В обмен, так сказать, на посылочку. Вполне возможно. Но все равно непонятно, куда делась эта фиолетовая сумка с желтыми ручками. Вчера Сергей Лисицын еще раз внимательнейшим образом осмотрел все вещи Доренко, сумки среди них не было. И куда она запропастилась? Надо будет сказать Сереже, чтобы попросил следователя официально изъять эти кассеты и посмотреть, что на них записано. Хотя зачем? Какое отношение имеют эти любительские съемки к планомерному истреблению претенденток на первую премию кинофестиваля «Золотой орел»? Никакого.

Мы проделали обратный путь через окно, и Леня ловко закрыл хитрую щеколду. Снова я не успел заметить, как он это делает. Спрашивать не стал, чтобы не насторожить парня: доверил секрет незнакомому мужику, а тот возьми и окажись вором-домушником.

Успели мы как раз вовремя. Буквально минут через пять после того, как я распрощался с юным видеобизнесменом, вернулась из поликлиники женщина из дома 16. Я с облегчением сдал пост и двинулся к себе на Первомайскую.

Глава 5

Вернувшись домой, я застал совершенно идиллическую картинку: Татьяна за столом во дворе работала на своем мини-компьютере, Лиля сидела рядом и молча смотрела на бегущий по экрану курсор и возникающие с невероятной скоростью слова и строки, а Ирочка хлопотала на кухне, возясь с обедом. В голове мелькнули две мысли одновременно, одна — неприятная, другая — смешная. Я подумал о том, что ведь Рита, работая кинокритиком, тоже очень много писала и вообще работала с бумагами, изучала тексты сценариев и разные рецензии, но никогда я не видел, чтобы Лиля стояла у нее за спиной или сидела рядом и смотрела, как мать работает. Ритина нервозность и злобность создавали на расстоянии трех метров вокруг нее такую ауру, находиться в которой больше пяти минут становилось опасным для психики, и ребенок чувствовал это не менее остро, чем я. Смешная же мысль заключалась в том, что мне вдруг захотелось, чтобы это и была моя семья. Обожаемая, умная, но до конца не понимаемая мною дочь. Толстая белокожая Татьяна со сладкими губами и волнующим чувственным голосом, которая пишет книги и с которой можно поговорить о профессиональных делах. И веселая кокетливая Ирочка, непревзойденная кулинарка, расчетливая экономка, заботливая домоправительница.

Я стряхнул с себя наваждение.

— Чем так убийственно пахнет? — спросил я, заглядывая в стоявшую на огне кастрюлю, в которой что-то кипело.

Ирочка улыбнулась и протянула мне ложку какой-то разноцветной смеси.

— Попробуйте, Владик, я что-то никак не пойму, хватает ли соли. Сама уже так напробовалась, что вкуса не чувствую.

Я попробовал. Вкус был восхитительный, хотя, видит бог, я не смог бы назвать ни одного компонента этой смеси.

— Ирочка, как хорошо, что мы живем в одном доме, а то я мог бы умереть, не узнав, что на свете существует такая вкуснятина.

Она глянула на меня как-то уж очень серьезно и сказала, отворачиваясь и начиная что-то быстро резать большим кухонным ножом:

— Если бы мы не жили в одном доме, вы бы никогда не узнали, насколько ваша Лиля нуждается во внимании и обще-

нии со взрослыми. Простите, Владик, это не мое дело, но, по-моему, у вас очень странная жена. Вы же видите, девочке явно не хватает материнского тепла.

Ай да Ирочка! Видно, я ее недооценил, она оказалась куда более проницательной, чем я мог предполагать. Но углубляться в обсуждение вопроса о Рите я не хотел, поэтому стал с преувеличенным вниманием рассматривать приготовленные к обеду миски и тарелки с едой.

— Ира, а это из чего сделано? — спросил я, показывая на нечто глянцево-белоснежное с разноцветными вкраплениями.

— Это творог, взбитый со сметаной и сливками.

— А вот это, цветное?

— Это кусочки персиков, ананасов, клубника, черная смородина.

Я еще некоторое время поотирался на кухне, соблюдая вежливость, и вышел во двор.

— Танечка, как ваши шестьсот строк?

— Уже триста пятьдесят намолотила, — ответила она, не прекращая набирать текст. — После обеда еще два часа поработаю — и можно идти купаться. А как прошел ваш поход по делам? Удачно?

— Увы. Не буду вас отвлекать, потом расскажу.

Она сняла руки с клавиатуры и сладко потянулась.

— Все, перерыв. Все равно надо аккумулятор подзаряжать, его только на три часа хватает. Лиля, будь добра, воткни его в розетку в нашей комнате.

Лиля взяла зарядное устройство и пошла к лестнице, ведущей в комнату Иры и Татьяны. Как только она отошла на безопасное расстояние, Таня тихо спросила:

— Что у вас? Что-то плохое?

— Сережа нашел человека, к которому ходила Доренко в день перед убийством. А этот человек вчера умер. Очень похоже, что он дал ей какую-то видеокассету, которую она и принесла в пакете с желтыми ручками. Но пакет пропал, и кассета вместе с ним.

— Кто этот человек?

— Отставной военный, работавший в разведке. Семьдесят три года, вдовец, увлекается любительскими видеосъемками.

— И вы думаете, что кассета имеет какое-то отношение к двум убийствам?

— Нет, не думаю. Я просто не вижу, какая тут может быть

связь. Но найти ее все равно надо. Знаете, как говорят немцы? Во всем должен быть порядок. Если Ольга пришла в гостиницу с сумкой, то эта сумка должна где-то быть, и ее надо найти. А то я один раз так нарвался, упустив из виду, казалось бы, пустяк. Кстати, ситуация была очень похожая. Свидетель, который видел убийцу входящим в подъезд дома, утверждал, что он был в темно-зеленой куртке и ондатровой шапке, а другой свидетель, который видел его выходящим из лифта на восьмом этаже, стоял на том, что он был в темно-зеленой куртке и без головного убора. Этого оказалось достаточно, чтобы адвокат вцепился мертвой хваткой в судью: пока, дескать, мы не докажем, что подсудимый шапку снял и между этажами выбросил или в лифте оставил, я буду настаивать на том, что оба свидетеля видели разных людей. Мой-де подзащитный входил в дом в шапке и шел к знакомым на третий этаж, а на восьмом этаже, рядом с квартирой потерпевшего, видели не его. Судья и так, и сяк крутился, а делать нечего. Все сомнения толкуются в пользу обвиняемого. Послали дело на доследование с указанием: выяснить вопрос о шапке, иными словами — найти ее, проклятущую, и доказать, что она принадлежит подсудимому. Ясно, что ее не нашли. Следователь потом локти кусал, да и мне обидно: с таким трудом убийцу этого вычислили, нашли, задерживали со стрельбой, двое моих ребят чуть не погибли, а все впустую. Так что, если уж мы с вами взялись помогать бедному мальчику Сереже, надо делать все по уму, чтобы он нас потом худым словом не помянул.

— А фамилия того адвоката — Захаров? — спросила вдруг Таня.

— Точно. Как вы догадались?

— Так он наш, питерский. Приехал тогда из Москвы после процесса и всем рассказывал про эту шапку. Он вообще-то очень грамотный и цепкий, я всегда внимательно слушаю, когда он хвастаться начинает и всякие байки травит, массу полезных вещей можно услышать, которые потом в работе пригодятся. Я, кстати, вскоре после этой истории с шапкой закрывала одно большое дело, писала обвинительное заключение и под впечатлением захаровского рассказа обнаружила такую неувязочку, что опытному адвокату только за краешек ухватиться — и конец моим многомесячным трудам. И неувязочка-то пустяковая, в прежние годы на нее и внимания бы никто не обратил. И представляете, получает адвокат дело, читает обвиниловку и начинает хохотать прямо у меня в кабинете. «Вы чего? — спрашиваю. — Грамматическую ошибку нашли?» — «Нет, — говорит, — я же в деле с момента задержания обвиняемого и помню точно, что вот в этом месте несостыковочка была. Когда я услышал от Захарова, как он из такой вот малюсенькой детальки оправдательный приговор выкроил, сразу сообразил, что и тут можно поиграть. А вы, Татьяна Григорьевна, несостыковочку эту убрали, тоже, видно, историю про шапку слышали». Так что в известном смысле, Дима, я ваша крестница. Училась на ваших ошибках, хоть мы и знакомы-то не были. Забавно, правда?

Ира принесла из кухни тарелки и приборы и принялась накрывать обед. Лиля вернулась и молча сидела на краешке длинной скамьи у стола, листая «Вестники кинофестиваля», которые каждый день приносила Рита. Ира и Таня горячо обсуждали вопрос о том, уместно ли пригласить к обеду седобородого очкастого отдыхающего из соседнего дома, который, как я видел сквозь густые заросли крыжовника, вернулся с пляжа на сиесту и развешивал во дворе мокрые плавки и полотенца. Я тоже принял участие в обсуждении, потому что мне, совершенно непонятно почему, захотелось, чтобы вышло так, как хочет Ирочка. Я чувствовал какую-то вину перед ней, а Татьяна явно не была настроена общаться с незнакомым человеком.

— Девочки, с соседями всегда надо дружить, — говорил я тоном умудренного жизнью старца. — Мало ли что случится, все-таки мужчина, будет кого на помощь позвать.

— Дима, вы что, полагаете, на нас нападут бандиты в масках? — скептически спрашивала Таня.

— Нет, Владик прав, — настаивала Ирочка, расставляя на столе миски с салатом и творожным десертом.

— Папа, а кто такой Виктор Бабаян? — подала голос Лиля, изучавшая «Вестник кинофестиваля».

— Это такой режиссер, детка, он снимает фильмы. Ты не хочешь помочь тете Ире?

Лиля послушно отправилась на кухню и принесла хлеб и тарелку с зеленью. В конце концов седобородого решили пригласить. Ирочка вышла за калитку и через несколько минут вернулась вместе с ним, смущающимся до дрожи в ногах. Я сел рядом с Татьяной, чтобы при первой же возможности возобновить потихоньку разговор на интересующую меня тему. Во время обеда Ирочка щебетала со своим поклонником, Лиля снова думала о чем-то своем, а мы с Татьяной ломали голову над тем, куда могла деваться кассета в дурацкой фиолетовой сумке.

— Вынуждена вас огорчить, Дима, — вполголоса говорила Таня, слизывая с ложки густую белую массу творожного десерта с фруктами. — Либо Доренко сумку с кассетой кому-то отдала до того, как ее убили, либо ее украл убийца. И тогда все наши с вами рассуждения об устранении конкурентов неверны. Смотрите, что получается: убийца приходит в номер к Доренко, убивает ее и хочет найти кассету, но по каким-то причинам это у него не получается. Вариант первый: в этот момент возвращается Довжук, и убийца просто не успевает поискать то, что ему нужно. Не исключено даже, что когда Довжук вернулась в номер, убийца еще был там, а поскольку Людмила, как вы мне рассказывали, сразу начала визжать и выскочила в коридор, он вполне мог выйти незамеченным, воспользовавшись суматохой и паникой. Вариант второй: он взял по ошибке не ту кассету, но понял это только тогда, когда просмотрел ее. Тогда он возвращается. И возвращается он в тот номер, где в данный момент находятся вещи убитой Доренко, то есть в «люкс» Аллы Казальской. Убивает мирно спящую Довжук и перерывает весь номер. А шкатулку с драгоценностями забирает для отвода глаз. Так что все сходится на кассете. Весь вопрос только в том, нашел ли ее убийца или сама Доренко ее куда-то задевала. Но, Дима, то, что я сейчас сказала, — чистый плод фантазии, потому что ни вы, ни я не знаем точно, что было в сумке. Это мы с вами так придумали, что в ней была кассета Вернигоры. Но ведь это может оказаться и коробка печенья, которую Ольга купила к утреннему кофе, чтобы завтракать, не выходя из номера. И тогда сумка и то, что в ней находится, никакого отношения к убийству не имеют. Тогда снова возвращаемся к борьбе конкурсанток. Надо все-таки выяснить, что же было в сумке. И куда она, в конце-то концов, делась. Ведь если весь сыр-бор не из-за нее, то где-то же она должна быть. Я вам предлагаю следственный эксперимент.

Я кивнул. Конечно, надо искать эту чертову сумку во что бы то ни стало, чтобы более или менее определиться с версиями.

— Папа, а кто такой Олег Юшкевич? — спросила Лиля,

которая, воспользовавшись тем, что я увлекся беседой с Таней и оставил ее без надзора, снова раскрыла «Вестник» и стала читать за обедом.

— Это артист, котенок. Не читай за едой, сколько раз тебе говорил.

Она вздохнула и покорно отложила журнал. Некоторые люди рождаются художниками, музыкантами, вундеркиндами. Моя дочь родилась читателем. Для нее складывать буквы в слова и фразы было так же естественно и необходимо, как дышать.

— Девочки, а где наши хозяева? — спросил я, сообразив, что, вернувшись домой, не видел ни Веру Ильиничну, ни Григория Филипповича. Мне нужно было позвонить, а телефон стоял в их комнате на первом этаже.

— Вера пошла к сестре, а Григорий Филиппович на партсобрании, — ответила Ирочка, отвлекаясь от седобородого очкарика. Вообще-то, она представила его нам, но я даже не услышал, как его зовут, настолько был занят своими мыслями.

— На чем?!

— На партсобрании. Вы что, Владик, не знаете, что такое партсобрание?

Что такое партсобрание, я знал очень хорошо, с памятью у меня пока еще проблем нет. Но ведь... Впрочем, ладно, у каждого свои тараканы в голове.

Татьяна заметила мое неподдельное изумление.

— Простите, Дима, ваши родители живы?

— Только мама, отец давно умер. А что?

— А мама чем занимается? Сколько ей лет?

— О, моя мама — редкостное чудо. Ей шестьдесят один, она похожа на Майю Плисецкую в роли княгини Бетси Тверской, такая же высокая, худая, с гладкой прической. Она — главный редактор одного издательства и ведет весьма светский образ жизни.

— А у меня, наоборот, мама умерла несколько лет назад, а отец жив. Всю жизнь проработал на одном и том же заводе, дослужился до заместителя директора. Сейчас ему семьдесят один, и он тоже ходит на партсобрания. Представьте себе. Я сама только недавно узнала об этом. Как-то позвонила ему, а он мне говорит: «Извини, ягодка, я перезвоню тебе попозже, я сейчас занят, пишу доклад для партсобрания». Я чуть не умерла от ужаса. Оказывается, у них при домкоме, или как это теперь называется, я уж не знаю, сохранилась партячейка, пенсионеры стоят там на учете и регулярно собираются, обсуждают решения Президента и правительства, политическую обстановку, вопросы охраны дома, озеленения микрорайона и все в таком духе. Раньше, если вы помните, пенсионеры всегда стояли на партучете по месту жительства. И когда КПСС официально умерла, некоторые забрали из домкомов свои партбилеты и всецело отдались домашнему и дачному хозяйству, а очень многие так и продолжают собираться. На старости лет трудно менять и убеждения, и привычки. Это нам с вами кажется смешным и нелепым, а они этим живут.

— Выходит, наш здешний хозяин — такой же? Но ведь он еще относительно молод. Сколько ему? Чуть за шестьдесят?

— Ну и что? Это зависит не столько от возраста, сколько от воспитания и от того, какую жизнь человек прожил, на какие ценности привык ориентироваться.

— Да, все это прекрасно, но мне нужен телефон, а первый этаж заперт. Вы не знаете, откуда здесь поблизости можно позвонить?

— Можно позвонить от нас, — внезапно откликнулся Ирочкин ухажер. — Телефон стоит как раз в той комнате, которую я снимаю.

Ну надо же! А я-то был убежден, что, кроме Ирочкиных прекрасных глаз и черных кудрей, он ничего не замечает. Или это я стал говорить слишком громко?

Мы встали из-за стола и пошли в соседний двор. Я испытывал некоторую неловкость оттого, что не знал, как обратиться к этому типу. Однако как только мы переступили порог его комнаты, его будто подменили. Смущенная улыбка исчезла, движения стали уверенными. Видно, он относился к той категории людей, которых я условно называю «котами». Говорят, что собаки привыкают к человеку, а кошки — к месту. Так и люди: одним для поддержания психологического комфорта важно находиться «на своей территории», а другим — в обществе хорошо знакомых, близких людей. Я, например, являю собой типичный пример «собаки» и очень не люблю заводить новые знакомства, вообще не люблю чужих.

Седобородый, оказывается, усек, что я не расслышал его имя, поэтому первым делом протянул мне руку.

— Давайте познакомимся еще раз. Мазаев Юрий Сергеевич, социолог. Можно просто Юра.

— Владислав. Любое уменьшительное, на ваш выбор. Ирочка зовет меня Владиком, а Таня — Димой.

— Я подумаю, — засмеялся Мазаев. — Вот телефон, звоните, не стесняйтесь.

Он деликатно вышел, а я набрал номер служебного телефона Сережи Лисицына. В кабинете никто трубку не брал. Тогда я перезвонил в гостиницу, и через некоторое время портье разыскал Сергея. Я в двух словах рассказал ему о визите в дом Вернигоры и договорился, что часа через два он постарается убрать из гостиницы всех лишних людей и найдет оргкомитетчика Гену, который встречал Ольгу Доренко, опаздывавшую на пресс-конференцию. Заодно я попросил его найти Риту и сказать ей, что сегодня нас с Лилей на пляже не будет, чтобы она не беспокоилась.

Мазаев вернулся в комнату, неся в руках два рюмки.

— Давайте за знакомство, Слава, по пять капель. У меня есть хороший коньяк.

Так. Стало быть, имя мне он выбрал. Ну что ж, за знакомство так за знакомство.

Коньяк был действительно хорошим, и выпил я его с удовольствием. А он ничего мужик, этот социолог. На нашей территории он менжуется и робеет, но здесь, в этой комнате, он становится совсем другим. Уверен, что Ирочка останется им довольна. Или уже осталась?

* * *

Через два часа в холле гостиницы меня ждали Сергей Лисицын и маленький чернявый человечек с большой плешью на темени и нервно подергивающимися руками. Это и был сотрудник оргкомитета фестиваля «Золотой орел» Геннадий Гольдман.

Я попросил Геннадия как можно точнее вспомнить все обстоятельства, связанные с возвращением в гостиницу Ольги Доренко.

— Покажите мне, где вы стояли, когда Ольга вошла в холл.

Он неуверенно покрутил головой, потом встал рядом со стойкой портье.

— Вот здесь я стоял, когда ждал Ольгу. Все уже были в

зале, только ее одной не было. Рудин, президент фестиваля, рвал и метал.

— Вы посмотрели на часы, когда Доренко появилась?

— А как же. Я на них каждую минуту смотрел. Когда она вошла в гостиницу, было 21.14. Я сразу закричал: «Где тебя носит?! Ты опаздываешь на пятнадцать минут. Давай быстро в зал».

— А она что ответила?

— «Две минуты, Геночка, только сумку брошу». И показывает мне эту сумку.

— Поподробнее, пожалуйста, опишите ее. Цвет, размер, что в ней лежало.

— Ну... Обыкновенная, пластиковая, полгорода с такими ходит. Разноцветная, рисунок фиолетовый, ручки желтые. Такая страхолюдная — жуть. Я еще удивился, как это Оля ходит с таким убожеством, она всегда очень элегантно одевалась, следила, чтобы все было в тон, чтобы цвета соответствовали. Если уж она носила что-то в таких сумках, то это всегда были фирменные пакеты из дорогих магазинов. Короче, я хоть и злой был, но понимал, что в ее розовом костюме и с такой сумкой появляться перед публикой нельзя. Оля пошла к лифту, а я ей вслед крикнул: «Давай в темпе. Рудин меня убьет».

— Она пошла к лифту или побежала? — уточнил я.

— Почти побежала. Она в туфлях на шпильках была, не больно разбежишься. Но она правда торопилась, она не любила опаздывать.

Это я и без него знал.

— Когда она спустилась вниз, вы посмотрели на часы?

— Обязательно. Я вообще с них глаз не сводил. Вы ж поймите, оргкомитет на то и существует, чтобы все организовывать и отвечать за то, чтобы все шло без срывов. Любая накладка, любое опоздание считается нашей недоработкой. Рудин платит хорошо, но за каждую накладку делает начеты. Когда Оля спустилась вниз, было 21.18. Я схватил ее за руку и буквально потащил в зал.

— Хорошо, Геннадий. Теперь покажите нам, где стояла Ольга в тот момент, когда вы посмотрели на часы и увидели, что уже 21.14.

Гольдман послушно подошел к стеклянной вращающейся двери.

— Вот здесь. Я посмотрел на часы, как только ее увидел у дверей.

— Когда вы закричали ей, что она опаздывает на пятнадцать минут, она остановилась или продолжала идти вам навстречу?

— Да она почти бежала, я же говорил. Запыхавшаяся была, волосы растрепаны.

— Дверь лифта сразу открылась или ей пришлось ждать?

— Ждала. Я тоже нервничал, поэтому, когда она лифт вызвала, посмотрел на табло, прикидывал, сколько еще ждать придется.

— Не помните, на каком этаже был лифт?

— Где-то посередине табло лампочка горела, но где точно — не скажу. Я все-таки далеко от лифта стоял. Да и не запоминал специально, не думал, что пригодится.

— Конечно, конечно. Ну что ж, Гена, спасибо вам.

Гольдман ушел, не скрывая облегчения, а мы с Сергеем засекли время и начали воспроизводить передвижения Ольги Доренко за четыре минуты, с 21.14 до 21.18. Отошли к стеклянной входной двери и быстрым шагом направились к лифту. Когда дверь кабины открылась, поднялись на 16-й этаж, где находился номер Ольги Доренко и Люси Довжук. Номер был в самом конце необозримо длинного коридора. Подойдя к двери, я торопливо вставил ключ в замочную скважину. Ключ не поворачивался. Я стал дергать им вправо и влево, но замок, судя по всему, заело.

— Здесь замок сломан, — сказал стоявший у меня за спиной Лисицын. — Мы тоже всякий раз мучаемся.

Наконец ключ провернулся, я распахнул дверь, сделал жест рукой, словно зашвыривая с порога сумку на кровать, закрыл дверь и запер. Как ни странно, при обратном движении замок не заедало. Почти бегом мы ринулись назад к лифту, спустились вниз, в гостиничный холл. Семь минут.

— Не получается, — констатировал я. — Давай пробовать еще раз с учетом того, что Ольга могла суметь открыть дверь номера с первой попытки.

Мы повторили маршрут, на этот раз не пытаясь справиться с замком, а просто остановившись возле двери и выждав шесть-семь секунд — ровно столько, сколько нужно, чтобы ловко открыть замок, швырнуть сумку в комнату и захлопнуть

4 Зак. 689

дверь. И снова у нас получилось намного больше четырех минут.

— Погоди, Сережа, все не так, — вдруг сказал я. — Ведь Ольга не подходила к портье за ключом. Стало быть, она рассчитывала, что Люся в номере. Но Люся-то была на пресс-конференции. Ольга очень торопилась и могла сообразить это, только поднимаясь в лифте. Тогда она могла вообще идти не к себе в номер.

— А куда?

— А черт его знает! — в сердцах бросил я. — К любовнику, например. Он, кстати, мог жить на одном из нижних этажей.

— А кто ее любовник?

— Да кто ж это знает! — рассмеялся я. — На этих фестивалях идет повальная случка, трахаются все и со всеми. Кто же знает, кто был партнером Ольги в тот день. Только, может быть, Люся, но и ее теперь не спросишь.

— Не знаю, Владислав Николаевич. — Сережа с сомнением покачал головой. — Не вяжется.

— Что у тебя не вяжется?

— Если в это время шла пресс-конференция, то как Доренко могла быть уверена, что застанет кого-то в номере? Я так понял, что в это время участники фестиваля по номерам не сидят, они или с прессой общаются, или гудят в ресторане. На кого же Доренко могла рассчитывать?

— Правильно, Серега. Ни на кого. Или на того, кто всегда на месте, у кого номер постоянно открыт. Оргкомитет или пресс-бюро.

Оргкомитет находился на втором этаже, поэтому мы начали с него. Это был большой двухкомнатный номер, где круглосуточно кто-нибудь дежурил, трещал телефон, жужжал факс. Мы беспрепятственно вошли в открытую дверь и стали объяснять молоденькой девушке с мальчишеской стрижкой, зачем явились. Она согласно кивнула и вместе с нами принялась искать сумку, фиолетовую с желтыми ручками. Сумка нашлась, хотя на поиски ушло довольно много времени. С трудом сдерживая возбуждение, мы заглянули в нее и разочарованно вздохнули. В сумке лежали чьи-то мокрые плавки и полотенце.

— Чья это сумка? — спросил Сергей у девушки.

— По-моему, Саши Грозовского, он вечно забывает пове-

сить плавки сушиться, а потом жалуется на свою забывчивость.

— И давно у него эта сумка?

Я все еще не оставлял надежду, что это могла быть сумка Доренко, которую та забросила второпях в комнату оргкомитета и которую потом кто-то нашел, содержимое куда-то выложил и стал носить в ней купальные причиндалы.

— Ой, ну я не помню. Кто на это внимание обращает?

— А где сейчас Грозовский?

Она пожала плечами, всем своим видом показывая, что в ее обязанности не входит следить за сотрудниками и тем более за чужими сумками.

На поиски Саши Грозовского ушло часа два. Как оказалось, эти два часа мы потеряли впустую. Сумку он купил в киоске возле гостиницы неделю назад.

Понурые и расстроенные, мы поднялись на 16-й этаж в пресс-бюро. Их комната находилась в самом начале коридора, рядом с лифтом, и дверь была открыта нараспашку. Я осторожно заглянул в помещение, где царила суета и стоял гвалт. Фотографы, корреспонденты, редакторы, корректоры сидели друг у друга на головах и готовили очередной выпуск ежедневного четырехполосного «Вестника кинофестиваля». Я не стал ни с кем заговаривать, тем более что на меня никто внимания не обратил, а просто шагнул в прихожую и открыл дверцы стенного шкафа.

Сумка лежала на полке. Фиолетовая с желтыми ручками. Я был совершенно уверен в том, что это — та самая сумка, а не просто похожая, как найденная в номере оргкомитета. Осторожненько закрыв шкаф, я на цыпочках вышел в коридор.

— Я сматываюсь, — прошептал я Сереже Лисицыну, — вызывай следователя и изымай сумку.

— Может, сами возьмем да посмотрим, что в ней?

— Не моги. Я специально с Татьяной консультировался. Если в ней какая-нибудь улика, поди потом доказывай, что ты ее не подбросил.

— Но мы же только посмотрим, — взмолился он.

— Ага, а потом следователь ее на экспертизу отправит, найдут наши с тобой пальчики, и начнется все сначала. Если ты сейчас в нее полезешь, то во избежание неприятностей тебе придется просить сотрудников быть чем-то вроде понятых, которые потом подтвердят, что ты действительно нашел сумку именно здесь и ничего в нее не подложил. Стало быть, тебе придется остаться и глаз с нее не спускать, поскольку среди присутствующих могут оказаться заинтересованные лица. А кто будет вызывать следователя и всех остальных? Да при такой ситуации твой любимый начальник через десять минут узнает, что я все-таки влез в это дело, несмотря на его недвусмысленные высказывания. Все, Серега, я побежал. Сообщи потом, что в сумке лежит, ладно? Буду ждать. Кстати, ты мою Мезенцеву нашел?

— Нашел.

— Сказал, что мы с Лилей сегодня на пляж не придем?

— Сказал все, как вы просили.

— А она что?

— А они сильно гневались. — Сережа улыбнулся. — Сказали, что у вас ума не хватит ребенку фрукты купить.

Конечно, Маргарита опять в своем репертуаре. Она почему-то считает, что материнский долг заключается только в том, чтобы пихать в ребенка витамины. Лучше бы она побольше разговаривала с Лилей, а не откупалась от нее сладостями.

Я шагнул к лифту и нажал кнопку вызова, больше всего на свете желая не нарваться случайно на Риту. Двери кабины уже открылись, когда ко мне подскочил Сергей.

— Владислав Николаевич, а материалы-то!

— Какие материалы?

— Для Татьяны Григорьевны. Я же все приготовил и с собой взял, думал вечером к вам заглянуть, отдать. Может, возьмете?

— Спасибо, Сережа, возьму обязательно.

Он зашел в кабину, и мы вместе спустились на третий этаж, где Лисицыну временно оборудовали что-то вроде кабинета, куда он мог приглашать для бесед капризных кинодеятелей. Смешно было бы надеяться, что они будут приходить к нему в УВД.

Материалов о пожаре в Летнем театре было неожиданно много, целая пухлая папка. Я сунул было ее под мышку и с усмешкой подумал, что оказался точь-в-точь в такой же ситуации, как и погибшая Оля Доренко. Придется мне искать какой-нибудь пакет с ручками, и самое смешное, если он окажется фиолетово-желтым. Но, похоже, в ближайшем к гостинице магазине продавались только такие.

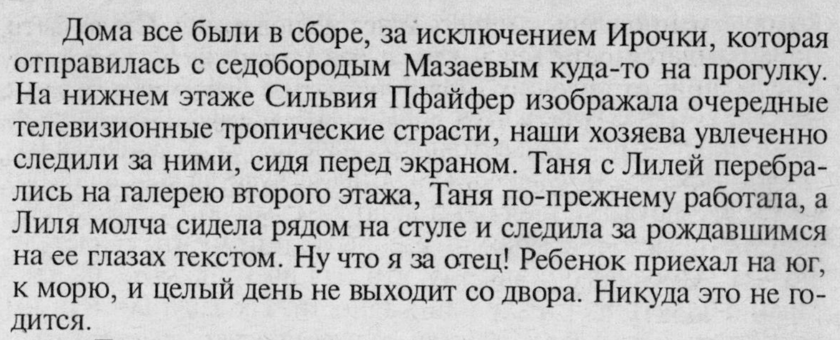

Дома все были в сборе, за исключением Ирочки, которая отправилась с седобородым Мазаевым куда-то на прогулку. На нижнем этаже Сильвия Пфайфер изображала очередные телевизионные тропические страсти, наши хозяева увлеченно следили за ними, сидя перед экраном. Таня с Лилей перебрались на галерею второго этажа, Таня по-прежнему работала, а Лиля молча сидела рядом на стуле и следила за рождавшимся на ее глазах текстом. Ну что я за отец! Ребенок приехал на юг, к морю, и целый день не выходит со двора. Никуда это не годится.

— Танечка, я вам принес материалы о пожаре, — сказал я, протягивая ей папку.

Она тут же сняла с колен свой мини-компьютер и схватила ее с такой торопливой жадностью, с какой маленькие дети хватают принесенные взрослыми подарки.

— Ой, спасибо, Дима, огромное спасибо. Когда их нужно вернуть?

— Я не спросил. Наверное, это не срочно, Сереже сейчас не до пожара. Читайте, пока не отнимут. Лиля, может, сходим искупаться?

По лицу девочки было понятно без слов, что купаться она не хочет. Она хочет или сидеть рядом с Татьяной, или читать, лежа на кровати. Но я проявил завидную настойчивость, упрекая себя в душе за то, что совершенно не забочусь о ее здоровье. На самом деле для купания время было не очень подходящее, солнце клонилось к закату, жара постепенно спадала, и выходить из воды было уже холодно. Поэтому я пошел на компромисс, решив просто посидеть на пляже и подышать целебным морским воздухом.

Пляж был почти пуст. Мы уселись на лежаки, Лиля — с книжкой, я — с мыслями о старике Вернигора. Конечно, семьдесят два года — такой возраст, когда во внезапной смерти нет ничего необычного. Но когда эта смерть случается уж очень «вовремя», мне это обычно не нравится.

Я растянулся на деревянном ложе, положив руки под голову и прикрыв глаза. Воздух был прохладным, с запахом йода и тины, и мне стало удивительно спокойно и хорошо. Я вдруг понял, что ни за что, ни за какие блага и деньги не вернусь на работу в милицию. Я перестал ее любить, эту богом проклятую работу, я устал от постоянно ощущаемого презрения людей, от матерных криков начальников, от болей в желудке, которые появляются всякий раз, когда два-три дня подряд приходится жевать бутерброды всухомятку и на бегу. Я устал от бессонницы, от отсутствия нормальных выходных, от унижения, которое приходится испытывать каждый раз, обращаясь с просьбами к вышестоящему начальству. У меня два ранения, ножевое и пулевое. И я устал от чувства собственного бессилия, когда на тебя одно за другим сыплются преступления, которые ты не можешь раскрыть, потому что свидетели молчат. А молчат они потому, что ты ничего не можешь противопоставить их страху или жадности. Их запугали или им заплатили, а ты в ответ можешь только просить, уговаривать и давить на давно всеми позабытый миф о гражданском долге. Но если уж этим гражданским долгом пренебрегают даже власти, то можно ли требовать чего-то большего от рядовых граждан? И я не хочу заниматься убийством Оли Доренко, которую я давно и хорошо знал, и Люси Довжук, которую я знал совсем мало. Я утратил сыщицкий азарт. У меня пропал кураж. И влез-то я в это дело только потому, что хотел искупить собственную ложь и помочь бедняге Гарику Литваку. И единственное, почему я еще барахтаюсь в этом дерьме и пытаюсь что-то изобразить из себя, это искренняя симпатия к молодому оперу Сереже Лисицыну с щенячьими глазами, у которого тоже вот-вот опустятся руки, потому что ничего у него не получается и за восемь месяцев работы нет ни одного преступления, раскрытием которого он мог бы гордиться. И еще Таня... Я не привык сам себя обманывать, поэтому честно признаюсь: она мне нравится. Она мне больше чем нравится. И она так не похожа на Риту — мой эталон женской красоты. Перед Татьяной мне почему-то не хочется терять лицо.

Я не заметил, как задремал под шум волн. Мне снилась Татьяна, обнаженная, со сладкими губами, распущенными платиновыми волосами, с полным белокожим телом. Она обнимала меня прямо здесь, на опустевшем предвечернем пляже, гладила по спине, по голове, по плечам, и я растворялся в ее большом теле, чувствовал себя маленьким и защищенным. Сон не был эротическим, я не испытывал возбуждения, просто мне было так хорошо, что я во сне подумал: наверное, вот это и есть счастье, когда рядом с тобой женщина, от которой исходит доброта и покой.

Проснулся я от тихого голоса Лили:

— Сейчас мама придет.

Черт возьми, неужели и правда придет? Но как же Лиля это чувствует, интересно? Биотоки, что ли? Ведь Лисицын сказал Рите, что нас на пляже не будет, да и в любом случае с пляжа мы уходим в шесть часов, а сейчас уже начало восьмого.

Но биотоки моей дочери работали безотказно. Через две минуты я увидел Риту с неизменной белой сумкой. Ветер развевал «лохмутики» ее пестрой юбки, высоко обнажая ноги, и я снова подумал, как же это природа умудряется создавать такую совершенную красоту.

— Ну и где вы шлялись целый день? — спросила она строго, усаживаясь на соседний лежак, сбрасывая босоножки и вытягивая ноги.

— Да так, решили сделать перерыв, отдохнуть от солнца, — соврал я. — А как ты догадалась, что мы здесь?

— Я заходила к вам на Первомайскую. Какая-то белесая корова сказала, что вы пошли на пляж. Это кто, хозяйка?

У меня внутри все сжалось. Господи, ну почему в ней столько презрения к людям? И каково Лиле слышать, что обожаемую тетю Таню любимая мамочка называет белесой коровой?

— Это отдыхающая, наша соседка, — сдержанно ответил я, с трудом удерживаясь, чтобы не заорать на Риту и не нагрубить ей. Если она произнесет еще хоть одно недоброе слово о Татьяне, я за себя не поручусь.

Но Рита никогда не была вязкой, она легко переключалась с одной темы на другую, не обсуждая подолгу одну и ту же проблему. Тема «белесой коровы» была исчерпана, настал черед следующей.

— На фестивале все как взбесились, — сообщила она, всовывая Лиле в руку банан и очищая себе другой. — Все обсуждают, кто из номинанток занялся устранением соперниц. Слухи, сплетни, жуть какая-то. Даже пари заключают.

— Ну и у кого самые высокие ставки?

— У Целяевой. Про Регинины проблемы многие не знают, а про то, что Целяева кто угодно, только не актриса, знают все. К Сауле приставили круглосуточную охрану.

— Только к Сауле? Почему?

— Ну как же, она же следующая в списке.

— Что ж, разумно, — усмехнулся я. — Значит, оргкомитет все-таки решил фестиваль не закрывать?

— Нет, они там все перессорились, голоса разделились, но Рудин привел спонсоров, и спонсоры быстренько всем все объяснили. Деньги вложены огромные, но затраты должны окупиться, во-первых, за счет размещения рекламы на всех мероприятиях и на страницах «Вестника», а во-вторых, за счет повышения цены на фильмы, в которых снимались актеры, получившие премии. Так что сворачивать фестиваль и оставлять премии неврученными нельзя. Рекламодатели потребуют не только вернуть деньги, но и заплатить неустойку. Тем более что самые выгодные с финансовой точки зрения мероприятия еще не состоялись, некоторые звезды приедут попозже. Юшкевич, например, прилетает только завтра. Завтра по графику просмотр «Женоубийцы», где он в главной роли, а вечером пресс-конференция. Знаешь, какой вокруг него ажиотаж? Любимец публики. На него поглазеть полгорода притащится. Соответственно, торговля в том месте, где его будут встречать, буклеты, календари с его портретом, майки и все такое. Наши организаторы специально договариваются в таких случаях с местными деятелями о том, что официально время прибытия сообщается неправильно. Например, говорят, что звезда прилетает в три часа, а на самом деле — в четыре или даже в пять. Народ-то собирается и уже не расходится, ждет. А чем дольше ждет, тем больше покупает. И все с этого имеют навар. Так что, если Рудин фестиваль прикроет, ему живым отсюда не уехать.

— Понятное дело, — кивнул я.

Рита щебетала уже о чем-то другом, а я думал о том, что если убийства на кинофестивале являют собой угрозу для тех, кто вложил деньги, то они должны быть заинтересованы в том, чтобы преступления были как можно быстрее раскрыты, желательно до окончания фестиваля. Тогда на закрытии можно будет разрешить скандальные разоблачения, и желающие поприсутствовать выложат огромные деньги за билеты. Кроме того, есть опасность, что произойди еще одна трагедия — и лавочку все-таки придется закрыть. Так что обезвредить преступника (или преступницу?) нужно как можно скорее. Почему же они, эти заинтересованные спонсоры, смотрят сквозь пальцы на то, что раскрытием двух убийств занимаются три сыщика, совокупные силы которых я оценил в семьдесят пять процентов одного хорошего опера? Или они подключили своих частных детективов? Но что-то я их присутствия не

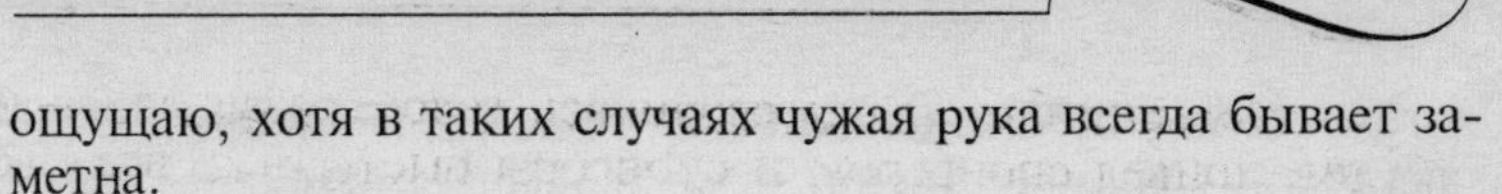

ощущаю, хотя в таких случаях чужая рука всегда бывает заметна.

— Ты меня слушаешь?

Рита дернула меня за ухо, и я сообразил, что отвлекся настолько, что перестал следить за ее словами.

— Слушаю, конечно.

— И что ты скажешь?

— Про что?

— Ну вот, ты никогда не слушаешь то, что я тебе говорю. — Она снова стала раздражаться и повышать голос. — Я спрашиваю, ты возьмешься за это? Деньги все-таки хорошие.

— Какие деньги? Прости, Ритуля, я действительно задумался и все прослушал. Давай все сначала.

— О господи, за что мне такое наказание, — картинно простонала она. — Рудин просил меня поговорить с тобой о том, чтобы ты пришел к нему работать начальником службы безопасности. Он знает, что ты увольняешься. Он хочет, чтобы ты, если согласишься, приступил к работе немедленно и помог раскрыть убийства. Он готов подписать с тобой контракт сегодня же вечером.

Так. Вот оно. Не успел я подумать, а оно уже сделалось. Правда, мне и в голову не приходило, что в качестве исполнителя спонсоры видят меня.

— Рита, это невозможно.

— Почему?

— Потому что у меня нет лицензии на право заниматься частной детективной деятельностью. И, соответственно, у меня нет ни официальных документов, ни оружия. И потом, я просто не хочу. Мне не нравится твой Рудин.

Рита залилась румянцем и сделалась от смущения агрессивной. Я прекрасно знал, что президент фестиваля Рудин — ее любовник, а даже если бы я этого не знал, то сейчас догадался бы. С какой стати иначе она делилась бы с ним сведениями о том, что ее бывший муж увольняется из милиции на пенсию? А Борис Рудин мне действительно не нравился. И дело не в том, что я знал о нем что-то порочащее, в наше время непорочны только новорожденные. Не нравился он мне, и все тут. И работать на него я не хотел. А даже если бы и хотел, то не смог бы. Местное уголовно-розыскное начальство не потерпит моего вмешательства в ход расследования, если у меня не будет соответствующих документов. И самое главное — я хотел, чтобы убийства на кинофестивале «Золотой орел» были раскрыты Сережей Лисицыным, а не частным детективом Стасовым. И я не буду тянуть одеяло на себя, а сделаю все, чтобы помочь Сереже. Потому что Сережа, в отличие от Бориса Рудина, мне нравился.

— При чем тут нравится тебе Рудин или не нравится? — сердито сказала Рита. — Речь идет о работе и, между прочим, о деньгах. Кончится у тебя отпуск, ты уволишься — и что будешь делать? Груши околачивать? Тебе предлагают работу, хорошую работу, и хорошую зарплату, а ты дурака валяешь.

— Рита, я могу еще подумать о том, чтобы пойти работать к Рудину, но о том, чтобы помогать в расследовании сейчас, и речи быть не может. Я не стану связываться с нарушением закона. Здесь очень суровое местное начальство, и мне не нужны неприятности за занятие детективной деятельностью без лицензии. Тебе понятно?

— Мне понятно, что ты просто упрямый, несносный тип! — Она почти кричала.

И я вдруг понял, что ей было бы очень приятно, если бы ее нынешний любовник смог нанять на работу ее бывшего мужа. Я, дескать, вышла замуж за барина, а мой-то бывший, которого я бросила, теперь у него в холопах ходит. Ну, Ритка, ну, стервочка!

— Согласен, — миролюбиво сказал я, с трудом сдерживая смех. — Я упрямый и несносный. Но сидеть в тюрьме я не хочу. И иметь неприятности тоже не хочу. Имею я право этого не хотеть? Имею. У тебя есть возражения?

— Ты все-таки подумай. — Она чуть сбавила тон. — И если надумаешь, позвони Рудину. Вот его телефон.

Она протянула мне глянцевый прямоугольник визитной карточки, на которой было написано: «Киноконцерн РУНИКО. Рудин Борис Иосифович. Президент». Ниже — московские адреса и телефоны, а на обратной стороне шариковой ручкой нацарапан телефон местной гостиницы. Я сунул визитку в карман. Только сейчас я обратил внимание, что уже совсем стемнело, буквы на визитке я различал с трудом.

Я повернулся к Лиле и увидел, что она читает, поднеся раскрытую книгу к самым глазам. Все-таки я плохой отец, и меня не извиняет тот факт, что и Рита — плохая мать. Пока я решаю свои проблемы, мой ребенок дочитается до близорукости.

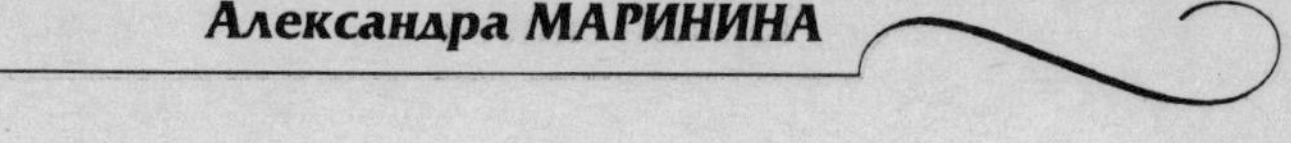

Мы вместе дошли до выхода с пляжа. Рите нужно было поворачивать налево, к гостинице, а нам с Лилей — направо.

— Что у вас будет на ужин? — придирчиво спросила Рита.

Я спохватился, что не купил никакой еды, а ведь магазины-то уже закрыты. Правда, открыты палатки, но тем, что там продается, детей кормить нельзя: соленые орешки, кексы, консервированные сосиски. Надеяться на то, что нас покормит Ирочка, было можно, но неприлично, мы и так сегодня ели приготовленный ею обед.

— Сегодня мы идем в ресторан, — независимо ответил я. — И будем есть форель с жареной картошкой. Да, Лиля?

Лиля посмотрела на меня своими огромными глазищами, в которых застыл немой вопрос, и тихо ответила:

— Да, папа.

Глава 6

Лиля уже давно спала, а я все крутился с боку на бок на своей кровати. Я знал, что за стеной не спит Татьяна, и эта мысль почему-то мешала мне успокоиться и заснуть.

Когда мы вернулись, Ирочки не было дома. Оказывается, она возвращалась, чтобы приготовить ужин, и снова ушла куда-то с Мазаевым. Таня сидела в своей комнате над материалами о пожаре.

— Хочу их побыстрее прочесть и отдать, — объяснила она. — Не дело это, когда служебные документы находятся в чужих руках. У парня могут быть неприятности. Да и мне спокойней.

Даже в литературном творчестве она оставалась следователем.

— Приходила ваша жена. Она вас нашла на пляже?

— Да, спасибо, Танечка.

— Она у вас красивая.

Татьяна сказала это без зависти, но и без восхищения. Просто констатировала факт. Следователь.

— Она у меня бывшая.

— Да? Я не знала.

— Разве Лиля вам не говорила? Мы уже три года в разводе.

— Дима, вам бы следовало давно уже перестать удивляться. Из вашей девочки слова не вытянешь, если специально не спрашивать. Из нее вырастет превосходная «ямка».

— Кто из нее вырастет? — не понял я.

— Ямка, в которую можно пошептать про свои тайны, засыпать песочком и быть уверенным, что никто никогда ничего не узнает. Она умеет держать язык за зубами.

— Что да — то да, — согласился я, невольно любуясь Таниными светлыми волосами и пухлыми, но очень ухоженными пальчиками.

С каждым часом она нравилась мне все больше и больше, и я начал сам себе удивляться — почему же я раньше совершенно не воспринимал полных женщин? Ритка мне глаза застила, что ли?

Тогда я пожелал Тане спокойной ночи и отправился к себе, но вот прошло уже полтора часа, а я все не засыпал. И Ирочка, судя по всему, еще не вернулась, во всяком случае, ни ее шагов, ни голоса я не слышал, а слух у меня хороший.

Осторожно, стараясь не разбудить Лилю, я встал, натянул джинсы и рубашку, сунул ноги в резиновые пляжные шлепанцы и вышел на галерею. Обогнув дом, я сразу увидел свет, падавший из окна комнаты, которую занимали девушки. Значит, Таня все еще читает документы.

Ступая на цыпочках, я подкрался к окну и заглянул в него. Так и есть, обе кровати пусты, Ирочка еще гуляет со своим социологом, а Таня быстро набирает текст на компьютере, поглядывая в лисицынские бумаги. Минут через пять я очнулся и понял, что стою как дурак и таращусь на Татьяну, не в силах пошевелиться. Она все-таки действует на меня завораживающе.

Решение созрело в моей голове раньше, чем я вообще успел что-либо понять. Я быстро вошел в комнату, подошел к Татьяне и взял ее за руку.

— Пойдем, — сказал я шепотом, удивляясь себе и плохо понимая, что я делаю и зачем.

— Куда? — так же шепотом ответила она.

— В сад.

— Зачем?

— Затем. Пойдем.

Она послушно поднялась и спустилась вслед за мной по лестнице. Я повел ее в темную ароматную глубину сада, ни секунды не сомневаясь в том, что делаю все правильно. Не знаю, откуда появилась эта уверенность. Просто я знал, и все.

Я обнял Татьяну и начал целовать ее спокойно, нежно,

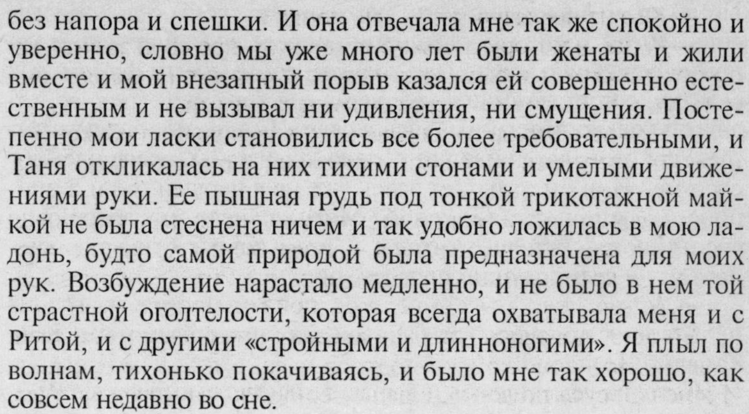

без напора и спешки. И она отвечала мне так же спокойно и уверенно, словно мы уже много лет были женаты и жили вместе и мой внезапный порыв казался ей совершенно естественным и не вызывал ни удивления, ни смущения. Постепенно мои ласки становились все более требовательными, и Таня откликалась на них тихими стонами и умелыми движениями руки. Ее пышная грудь под тонкой трикотажной майкой не была стеснена ничем и так удобно ложилась в мою ладонь, будто самой природой была предназначена для моих рук. Возбуждение нарастало медленно, и не было в нем той страстной оголтелости, которая всегда охватывала меня и с Ритой, и с другими «стройными и длинноногими». Я плыл по волнам, тихонько покачиваясь, и было мне так хорошо, как совсем недавно во сне.

Мы медленно опустились на траву, и я еще успел подумать, как удачно, что юбка у Татьяны из какой-то темной ткани...

Потом мы еще долго молча стояли, обнявшись, и она гладила меня по спине и по плечам, а я целовал ее волосы и висок и думал о том, что мой ангелочек с крылышками и пухлой попкой достал из своего стеклянного барабана самый счастливый билетик, и после этого, наверное, пойдет сплошная полоса неудач, но это черт с ним. За все нужно платить, и за вовремя вытащенный счастливый билетик тоже.

Со стороны калитки послышались голоса, вернулась Ира. Мы торопливо выскочили из сада и уселись на ступеньках лестницы, ведущей в их комнату, как будто весь вечер тут и просидели.

— Привет, полуночники, — шепотом сказала Ирочка, подходя к нам.

— Привет, гулена, — шепотом откликнулась Таня. — Где была?

— Вы будете очень смеяться, но мы ходили на нудистский пляж купаться.

— А что, здесь и такой есть? — спросил я.

— Точнее сказать, был. Оказывается, месяц назад его закрыли. Туда нужно спускаться по канатной дороге, а в прошлом месяце одна кабинка сорвалась, и теперь там все ремонтируют. Так что наша попытка искупаться голышом бесславно провалилась.

Я в душе посочувствовал хорошенькой веселой Ирочке.

Понятно, что на нудистский пляж она со своим седобородым социологом ходила с совершенно определенной целью, и купание без купальника было только необходимым фоном, так сказать, сопутствующим условием для того, чем мы с ее подругой только что занимались в саду. Интересно, почему Мазаев для этого не привел ее в свою комнату? Хозяева идейно-строгие? Или он отдыхает здесь уже не в первый раз и в прошлые годы приезжал с женой? Мне, как человеку абсолютно счастливому, хотелось, чтобы и всем вокруг было хорошо, поэтому я великодушно предложил:

— А что, если мы с Танечкой пойдем прогуляться? Она целый день просидела за работой, ей нужно размяться. Как, Танечка? Пойдем?

Татьяна усмехнулась и выразительно посмотрела в сторону соседнего двора. В комнате Мазаева как раз зажегся свет.

— Ну, если наш ученый сосед еще не лег спать, то, пожалуй, имеет смысл.

— Таня! — В голосе Ирочки послышался ужас. — Это неудобно. Ты что!

— Ничего. Пойдем, Дима. По дороге и к соседу заглянем.

— Ну, ребята, ну я не знаю...

— А тут и знать нечего. Только убери со стола мои бумаги.

— Спасибо вам, — растерянно пролепетала Ирочка.

Мы вышли на улицу, я оставил Татьяну возле калитки, а сам подошел к открытому окну соседнего дома. Юрий Сергеевич сидел на кровати и задумчиво изучал рисунок обоев на стене, грея в ладонях рюмку с коньяком.

— Господин социолог! — позвал я вполголоса.

Мазаев вздрогнул, едва не пролив коньяк на пол.

— О, это вы, Слава. А я испугался от неожиданности.

— Буду краток, — сказал я, стараясь не расхохотаться. — Мы с Татьяной идем гулять, а Ирочка дома. В вашем распоряжении не меньше часа, это я вам гарантирую. Только не разбудите Лилю.

— Но... Подождите, Слава...

— Целую крепко, ваш Владислав, — бросил я уже на ходу.

— Куда направимся? — спросила меня Татьяна, когда я взял ее под руку и уверенно повел в неизвестном направлении.

— Не знаю, — беззаботно ответил я. — А ты куда хочешь?

— Домой, — очень серьезно ответила она. — У меня после

любви упадок сил и ноги подгибаются. Я, видимо, не такая тренированная, как ты.

— Ты на что это намекаешь?

— Только на твою спортивную форму. А ты что подумал?

Я расхохотался.

— Татьяна Григорьевна, с вами не соскучишься! Прости, я в самом деле не подумал, что у тебя сил нет. У меня, например, крылья выросли. Но мне было так жалко твою Ирочку! Должны же у нее быть какие-то радости помимо кухни и стирки.

Мы шли в сторону моря и молчали. Сначала молчать было легко, но потом чем дольше затягивалась пауза, тем большую неловкость я испытывал. Татьяна недовольна? Сожалеет? Устала? Я сделал что-то не так? Обидел ее?

Я начал нервничать, но не мог пересилить себя и спросить. А она шла рядом, и я многое отдал бы сейчас, чтобы узнать, о чем она думает.

На набережной царило оживление, несмотря на то, что уже был третий час ночи. Работали ночные бары и дискотеки, рестораны и казино.

— Хочешь, зайдем куда-нибудь? — предложил я.

Она отрицательно покачала головой.

— Там шумно, а мне нужно подумать.

— Я могу узнать, о чем?

Ну вот, слава богу, подумал я, все-таки решился спросить. Даже если она сейчас скажет что-нибудь неприятное, все равно это лучше, чем мучиться неизвестностью.

— О пожаре. Я думаю, как перестроить сюжет с учетом того, что я узнала из Сережиных документов, и при этом не переделывать то, что уже написано. Ужасно не люблю переделывать.

Я ожидал чего угодно, только не этого. Большего удара по самолюбию мужика нанести невозможно. Пусть бы она сказала, что разочарована, что я не доставил ей удовольствия, что я слаб или, наоборот, невыносимо-назойливо вынослив. Любой упрек можно воспринять как информацию, сделать вывод и исправиться. Но это... Я как дурак иду и думаю только о том, что произошло в саду, а она — о своей книжке.

— А я думаю о тебе, — зло ответил я. — Извини, так уж я сентиментально устроен.

Она внимательно посмотрела на меня и вдруг мягко улыбнулась и погладила меня по щеке.

— Не сердись, милый. У нас все было хорошо, просто отлично, но зачем это обсуждать? Если это будет когда-нибудь еще раз — я буду рада. Если нет — то нет, тогда и говорить не о чем. Верно?

Я не нашел что ей возразить, но разочарование свое скрыть не смог. Правда, уже через минуту мне стало смешно. Ну что это я, в самом деле, слюни распустил! Она права. Мы знакомы с ней слишком мало, чтобы из факта физической близости делать выводы о развивающихся отношениях. Она же не может знать, как сильно она на меня действует и как странно мне то, что со мной происходит. В ее глазах мой порыв — эпизод, экспромт разведенного мужика на отдыхе, не более того. И если она не видит за всем этим переполняющей меня нежности, то это моя вина, а не ее.

Мы прошли мимо очередного открытого ресторана и поравнялись с небольшим павильончиком, витрины которого были плотно уставлены рядами видеокассет. Это был пункт проката. Я скользнул глазами по надписям на кассетах и собрался было уже идти мимо, но вдруг мое внимание привлекло нечто совсем уж не кассовое. Я увидел многократно повторенные названия: «Освобождение», «Победа», «Битва за Берлин», «Блокада», «Подвиг разведчика», «Сильные духом». Я даже решил было в первый момент, что мне померещилось. Но нет, кассеты лежали ровными стопками, пять «Освобождений», столько же «Побед» и «Блокад», остальных названий было еще больше — по восемь-десять штук. Чудеса какие-то! Здесь, в курортном городе, переполненном «новыми русскими»? Я сделал шаг вдоль витрины и удивился еще больше. Теперь моему изумленному взору предстали многочисленные названия фильмов 40—50-х годов: «Простая история», «Неоконченная повесть», «Все остается людям»...

Павильон был открыт, надпись у входа гласила, что работает он круглосуточно. Я заглянул внутрь и увидел знакомую физиономию юного видеобизнесмена Лени, который поставлял видеокассеты Николаю Федоровичу Вернигоре.

— Давай зайдем, — сказал я Татьяне, открывая перед ней дверь.

Леня сразу меня узнал.

— Здравствуйте. Вы ко мне или хотите кино взять?

— К тебе. Скажи, пожалуйста, почему у вас тут так много старых фильмов? Их что, кто-нибудь берет?

— У, еще как берут! Мы специально столько копий наделали, чтобы всем хватило. У нас в городе издавна отставные военные селились, вот как дед Николай, например. Их знаете сколько много! Они эти фильмы очень любят.

Он улыбнулся какой-то мудрой, недетской улыбкой.

— Их можно понять. Что сейчас пожилому мужчине по телику смотреть? Женщинам хорошо, для них по каналу «2х2» целыми днями сериалы крутят. А мужчинам? Им эти любовные сопли неинтересны. Вот и завели себе видаки, и смотрят фильмы своей молодости.

— А ты сам эти фильмы смотрел? — спросил я.

— А как же. Я же должен знать, чем торгую. А потом, знаете, память у стариков уже слабенькая, подводит. Приходит ко мне седой такой отставной полковник и говорит: мол, сынок, нет ли у тебя фильма старого, хороший такой был фильм, названия не помню, там Быстрицкая врача играет, а Бондарчук — инженера, что ли, или строителя, в общем, ноги у него отнялись. А я ему в ответ: пожалуйста, дедушка, вот вам ваша «Неоконченная повесть».

— Молодец, — похвалил я его, — с умом работаешь.

Мы снова пошли с Таней по ярко освещенной набережной, то и дело натыкаясь на целующиеся парочки и шумные компании. После очередного приморского ресторана, из которого доносились звуки танцевального оркестра, мы поравнялись с нарядной витриной магазина «Вероника». Судя по выставленным в витрине образцам одежды, магазин был из дорогих.

— Давай зайдем, — попросила Татьяна. — Любопытно.

Мы вошли в магазин, где сразу же наткнулись на подозрительный взгляд здоровенного типа в пятнистой униформе, видимо, охранника.

— Добрый вечер, слушаю вас, — кинулась нам навстречу продавщица. — Что бы вы хотели посмотреть?

Татьяна несколько растерялась от такого напора.

— Я хотела бы посмотреть что-нибудь деловое, но из легкой ткани, на лето, — ответила она, оглядывая круговые кронштейны с разноцветными тряпочками.

— Какой размер вас интересует?

Таня явно смешалась. Ей, наверное, не хотелось при мне

называть свой размер, как будто у меня глаз нет и оттого, что я услышу цифру «пятьдесят четыре», она покажется мне толще, чем есть на самом деле.

— На меня.

— Прошу вас.

Продавщица сделала приглашающий жест рукой и провела нас к стойке с платьями и костюмами из шелка и шифона. Таня стала неторопливо перебирать вешалки, придирчиво осматривая каждую вещь, а продавщица стояла как вкопанная, не сводя глаз с ее рук. Мне стало скучно, и я отошел к стойке с мужскими брюками и куртками. Тут же у меня за спиной возник тот самый верзила-охранник. Я затылком чувствовал его взгляд, и мне было не очень-то приятно.

— Слушайте, что у вас тут происходит? — не выдержал я. — Рэкетиров боитесь, что ли? Что вы за мной ходите по пятам?

— А вы не знаете? — откликнулся верзила. — У нас теперь во всех магазинах так. В тех, которые еще уцелели.

— Я приезжий. А что значит — уцелели?

— Так вы действительно не знаете? У нас пару месяцев назад беда случилась. Все дорогие модели оказались испачканы краской. Представляете, какая-то сволочь краской из аэрозольного баллона перепортила нам больше половины товара. И точно такая же история произошла еще в четырех магазинах. А через неделю — еще в нескольких. Товар пропал, как будто его украли, убытки те же. Часть магазинов такого финансового удара не вынесла, они прогорели и закрылись. Другие усилили охрану, поставили кругом телемониторы, взяли на работу дополнительно продавщиц, чтобы за каждым покупателем ходили и все вещи после примерочной проверяли. Ну, сами понимаете, не каждому магазину такое по карману, поэтому многие начали потихоньку сворачиваться и закрываться. Мы вот еще пока держимся, но тоже уже на последнем издыхании.

— А милиция что же? Нашла этих хулиганов?

— Ну прямо-таки! — фыркнул охранник. — Сейчас они все бросили и кинулись искать.

— Понятно. Я примерю эти брюки?

— Пожалуйста, кабинка направо.

Подходя к кабинке, я увидел, что и Татьяна направляется в примерочную с каким-то костюмом в руках. Следом за ней понуро тащилась продавщица.

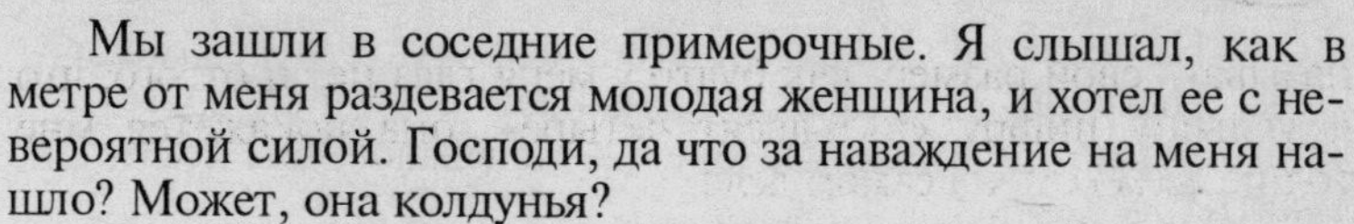

Мы зашли в соседние примерочные. Я слышал, как в метре от меня раздевается молодая женщина, и хотел ее с невероятной силой. Господи, да что за наваждение на меня нашло? Может, она колдунья?

Брюки сидели на мне так, словно я в них родился. Но я взглянул на этикетку и сразу все понял. Они были изготовлены известной фирмой и стоили триста условных единиц, читай — долларов. Конечно, за такую цену им бы еще плохо сидеть!

— Таня, — позвал я вполголоса. Перегородки между кабинками были чуть выше человеческого роста, и я не сомневался, что она меня услышит.

— Ау, — тут же откликнулась она.

— Как костюм?

— Обалдеть.

— А цена?

— Еще больше обалдеть.

— Сколько?

— Пятьсот восемьдесят.

Я присвистнул.

— И ты можешь такое носить?

— А у меня выхода нет. На мою фигуру дешевых платьев не бывает. То есть бывают, конечно, но их носить нельзя.

— Можно посмотреть?

— Заходи.

Я вышел из кабинки и протянул брюки стоявшему рядом охраннику, который тут же начал придирчиво их осматривать. Шторка, закрывающая вход в соседнюю кабинку, отдернулась, и я увидел Таню в костюме за пятьсот восемьдесят условных единиц. Ну что ж, как говорится, оно того стоило!

— Здорово! — искренне сказал я.

— Тебе нравится?

Еще бы мне не нравилось. В этом костюме Татьяна выглядела самое большее размер на пятидесятый. В эту минуту я подумал, что, если бы у меня были с собой такие деньги, я бы не задумываясь купил для нее этот костюм. Как странно все-таки! У меня никогда не возникало желания покупать Рите одежду. Может быть, потому, что больше всего она нравилась мне голой в постели...

— Будешь покупать? — спросил я Таню, когда мы снова оказались на улице.

— Не знаю еще, с Ирой посоветуюсь. А ты что скажешь?

— Покупай. Тебе правда очень идет.

— Ладно, — вздохнула она. — Подумаю. Нам долго еще гулять?

Я посмотрел на часы. С того момента, как я пообещал Мазаеву час вольной жизни, прошло пятьдесят минут.

— Можно возвращаться не спеша. Ты действительно устала?

— Действительно. Глаза закрываются.

С Мазаевым мы столкнулись у калитки. Он виновато посмотрел на нас, торопливо и смущенно буркнул что-то наподобие «спокойной ночи» и шмыгнул в свой двор.

* * *

Проснулся я от голосов, раздававшихся со двора. Солнце палило вовсю, Лилина кровать была пуста, и я понял, что проспал допоздна. Быстренько одевшись, я вышел на галерею и посмотрел вниз. Лиля читала за столом под навесом, а рядом с ней о чем-то разговаривали Таня и Сергей Лисицын. Я позавидовал Татьяниному умению рано вставать даже тогда, когда ложишься в три часа ночи. У меня такой способности не было, я вообще люблю поспать, особенно в отпуске.

Рядом с Сережей на скамейке стояла большая черная сумка.

— Владислав Николаевич, вы были правы, в фиолетовом пакете Доренко действительно оказалась кассета под номером 9. Я вчера два раза ее просмотрел и ничего не понял. Может, вы попробуете? Я вам и видеоприставку принес.

— А что на кассете? — спросил я, наливая себе кофе и намазывая маслом хлеб, который мне принесла добрая Ирочка. Лилю, как выяснилось, она уже завтраком покормила. Пожалуй, без Ирочки пропала бы не только Таня, но и я.

— Все, как говорил ваш приятель Леня. Какие-то ветеранские дела. Я уж все глаза сломал, вглядываясь в изображение, но так и не въехал. Ничего там нет такого, из-за чего нужно было отдавать кассету Доренко. И тем более из-за чего нужно было потом эту кассету искать.

— Ладно, посмотрю, — кивнул я, откусывая огромный кусок мягкого теплого хлеба. — Кстати, отчего все-таки умер Вернигора? Вскрытие проводили?

— Обширный инфаркт.

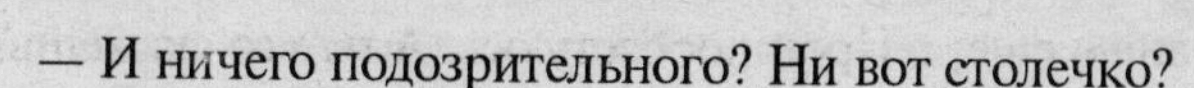

— И ничего подозрительного? Ни вот столечко?

— Ничего. Все абсолютно чисто.

— Все равно мне не нравится, — упрямо сказал я.

— Да и мне не нравится, — вздохнул Сережа. — Но против медицины не попрешь.

— А для тебя что важнее — интуиция или наука? — поинтересовался я, запихивая в рот остатки бутерброда и запивая их горячим кофе.

— Наука, конечно, — улыбнулся он. — Я еще слишком мало работаю, чтобы ставить свою интуицию выше науки. Опыта не хватает.

— А у меня хватает. Поэтому, Сереженька, надо выяснить, при каких обстоятельствах у Николая Федоровича Вернигоры сделался обширный инфаркт. Только после этого моя жизнью битая интуиция умолкнет и отдаст пальму первенства медицинской науке. У Вернигоры соседка сердобольная была, из дома 16, судя по тому, что ключи от его дома оказались у нее, она после всего, что случилось, в доме прибрала и дверь заперла. Вот и надо у нее спросить, что именно она прибирала. Спросишь?

— Спрошу. Только...

— Что — только?

— Да меня к гостинице намертво привязали. Сауле Ибрайбекова на грани нервного срыва, каждую минуту ждет, что ее убивать придут. Начальство велело, чтобы кто-нибудь постоянно находился в гостинице. Ночью там Паша Яковчик дежурил, а сейчас мне надо идти его сменить.

Я бросил смущенный взгляд на Лилю, которая все это время сидела тихонько, углубившись в книгу. Сегодня это была снова Барбара Картленд, видимо, «Украденные сны» были благополучно завершены. Да что же это такое! Привез ребенка на море, называется. И Ритка меня убьет, если я сегодня опять не поведу Лилю на пляж.

— Я могу пойти поговорить с этой женщиной, — неожиданно вызвалась Татьяна. — Я же ваша должница, Сережа.

— Что вы, что вы, — возмущенно замахал он руками. — Даже слышать не хочу. О каком долге может идти речь, если мои домашние до сих пор в себя прийти не могут от изумления, что сама Татьяна Григорьевна Томилина у них в гостях была.

— Между прочим, если уж Татьяна Григорьевна, то никак

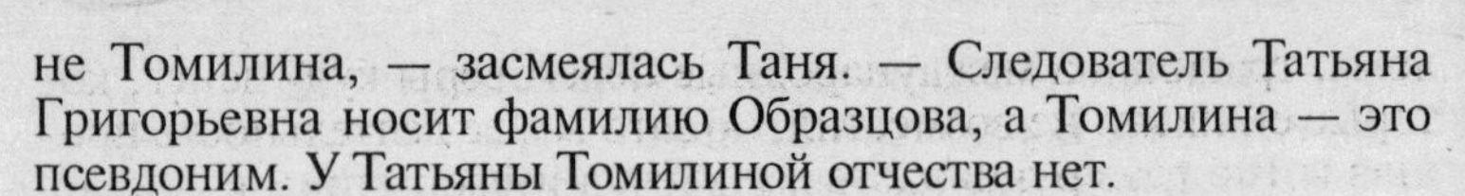

не Томилина, — засмеялась Таня. — Следователь Татьяна Григорьевна носит фамилию Образцова, а Томилина — это псевдоним. У Татьяны Томилиной отчества нет.

Если бы я в это утро сохранял способность веселиться, то несомненно расхохотался бы, глядя на Сережино вытянутое лицо. Он, по-моему, даже дар речи потерял на какое-то время.

— То есть... Вы хотите сказать... — бормотал он. — Ваша фамилия Образцова? Татьяна Образцова?

— Ну да. А чего вы так переполошились?

Тут я почувствовал некоторое неудобство. В памяти зашевелилось какое-то смутное воспоминание. Где-то я уже слышал это имя — Татьяна Образцова. Но где? Однако у Лисицына память оказалась более быстрой и услужливой.

— Так это вы добились осуждения самого Алояна? Я читал вашу статью в Бюллетене следственного комитета. И в Бюллетене Главного информационного центра тоже...

И тут я вспомнил. Черт побери, ну конечно, обвинительное заключение по Алояну. Об этого Алояна зубы пообломали многие сыщики и следователи, дважды его предавали суду, и дважды он выходил из зала судебного заседания с гордо поднятой головой и оправдательным приговором под мышкой. У него были самые лучшие адвокаты, из тех, что в свое время защищали несчастных гэкачепистов, а после октября 1993-го — защитников «Белого дома». Он давал миллионные долларовые взятки, он откупался от всех и вся. Сначала Алояна пытались прижать к стенке для порядка, потом — из сыщицко-следственного азарта, а потом махнули на него рукой, решив, что собственное здоровье дороже. Великий Ашот Мушегович успокоился и продолжал проворачивать свои махинации, но, оказывается, кому-то его деятельность еще была интересна. Этим «кто-то» была следователь Петербургского ГУВД Татьяна Образцова, которая, не испрашивая ничьих санкций и никого не ставя в известность, связалась с рядом зарубежных фирм и получила данные, позволившие доказать достаточно фактов, чтобы в третий раз отдать Алояна под суд. На этот раз — успешно.

— Я дружу со своими бывшими мужьями, — весело сказала Таня. — Иногда это бывает очень полезно.

Я понял, что она получила информацию по Алояну из рук своего первого мужа, который уехал за границу. И тут же в голове у меня прояснилось. Конечно же, она звонила ему из

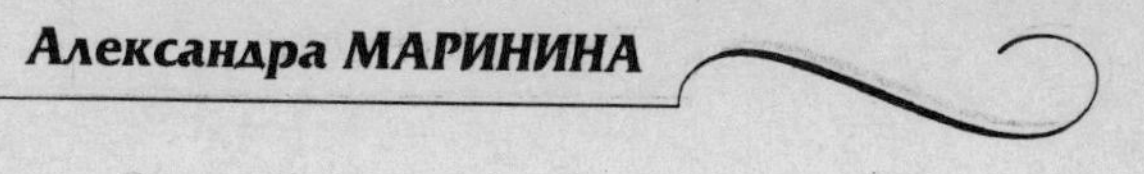

дома, тратила на международные переговоры кучу денег, которые ей никто не возместил, но зато вся ее деятельность прошла мимо глаз руководства, и утечка информации к Алояну была таким простеньким образом предотвращена.

— Ты не разорилась на этом деле? — спросил я, имея в виду безразмерные счета с телефонной станции.

— Разорилась, — призналась она. — Зато кайф поймала. Ведь в чем вся прелесть-то? Толстая, неуклюжая баба — и предъявляет обвинение самому Алояну. Надо было видеть его рожу у меня в кабинете!

— Татьяна, прекрати! — взорвался я. — Еще раз услышу, как ты себя обзываешь — и...

— И что? — с любопытством спросила она. — Что ты со мной сделаешь?

— Я еще не решил. Придумаю тебе какое-нибудь наказание, — пошутил я.

В ее глазах плясали чертики, и я сообразил, что наша перепалка зашла слишком далеко, чтобы стать достоянием ушей Сережи Лисицына и моей дочери.

Сергей выложил из своей большой спортивной сумки видеоприставку с кассетой, забрал принесенную Татьяной папку с материалами об апрельском пожаре и распрощался с нами до вечера. Ирочка как доверенное лицо хозяев (она постоянно совещалась с Верой Ильиничной по поводу приготовления разных экзотических блюд) пошла клянчить телевизор. Мы решили первым делом посмотреть кассету Верниго-ры, а потом разойтись: Ирочка — на базар, Таня — к соседке Николая Федоровича, а мы с Лилей — на пляж.

Ирочкина дипломатическая миссия завершилась успешно, и уже через десять минут мы все втроем сидели в одной из комнат первого этажа и смотрели видеозапись. Сережа оказался прав, в глаза ничего не бросалось. Чествование ветеранов в связи с 50-летием Победы. Клуб «Патриот» — бывший Дворец пионеров и школьников, где ныне ветераны-отставники занимались с подрастающим поколением патриотическим воспитанием и вели с благословения местного военкомата всякие военно-прикладные кружки. Соревнования по военно-прикладным видам спорта, награждение победителей. На трибуне — ветераны. И все в таком же духе. И зачем Ольге Доренко нужно было забирать эту кассету?

Выключив телевизор, мы пришли к неутешительному выводу, что шли в неверном направлении. Кассета была сама по себе, и никакого отношения к убийствам двух ведущих актрис она не имела.

Уходя на пляж, мы пообещали Ирочке вернуться к обеду, чтобы потом всем вместе пойти к гостинице посмотреть на встречу ярчайшей звезды экрана Олега Юшкевича. Татьяна дошла вместе с нами до набережной и отправилась к соседке Вернигоры.

Растянувшись на горячем песке и подставив спину обжигающим солнечным лучам, я впал в ленивую дремоту, думая о том, как хорошо все-таки находиться в отпуске, и даже не подозревая, что отпуск мой уже закончился. Правда, мне суждено было еще два-три часа пробыть в блаженном неведении...

* * *

Рита появилась на пляже в ту минуту, когда мы уже начали было собираться, чтобы возвращаться домой на обед. Лицо ее было перекошено яростью.

— Ребенка бы постыдился! — зло выкрикнула она, швыряя в меня каким-то конвертом.

Я с любопытством открыл конверт и похолодел. Внутри лежали фотографии, на которых были мы с Таней. В саду. Вот это номер!

Я осторожно покосился на Лилю. Она, казалось, не проявляла ни малейшего интереса к происходящему, но все равно я почел за благо объясняться с ее матерью где-нибудь в сторонке. Решительно схватив Риту за руку, я отвел ее к каменному парапету, отделявшему пляж от набережной.

— Откуда это у тебя? — требовательно спросил я.

— Это я должна задавать тебе вопросы. Ты что себе позволяешь, Стасов? Ты трахаешься со своей толстой коровой прямо на глазах у ребенка? То-то я удивилась, что ты наконец соизволил поехать на юг, когда я тебя об этом попросила. А ты, оказывается, любовницу сюда привез! Мерзавец! Да как ты посмел?!

— Тихо, Рита, тихо, успокойся. Ты не забыла, что мы с тобой в разводе? Я же не устраиваю тебе сцен за то, что ты приехала сюда с Рудиным. Вся Москва знает, что он — твой хахаль. Чего ты взбесилась?

— При чем тут Борис? Я, по крайней мере, не привожу его домой на глазах у Лили. А ты...

— Это тоже было не на глазах у Лили, можешь не беспокоиться. Скажи лучше, откуда у тебя эти фотографии?

— Да какая разница откуда? Главное — ты безнравственный, распущенный тип, тебе нельзя было доверять ребенка.

— Почему? — Я пожал плечами. — Что безнравственного ты в этом видишь? Наша дочь, между прочим, давно уже знает, откуда дети берутся, и читает взрослые книжки. И, кстати, прекрасно понимает, что ее родители в разводе. Не драматизируй, пожалуйста. Я прошу тебя членораздельно мне объяснить, откуда у тебя эти фотографии.

— Не собираюсь я ничего тебе объяснять!

Я начал раздражаться. Иногда ее тупое упрямство было невозможно пробить, но сейчас сделать это было необходимо.

— Рита, ну возьми же себя в руки. Мне важно понять, кто дал тебе эти фотографии и зачем. Это может быть связано с расследованием убийств.

— Каким образом?

Она недоверчиво посмотрела на меня, все еще пылая остатками праведного гнева, но уже начиная перестраивать мозги в другом направлении. Да, у Риты Мезенцевой масса недостатков, но одно несомненно — она умеет быстро переключаться. Впрочем, об этом я, кажется, уже упоминал.

— Ну вот, смотри. Вчера ты предложила мне заключить контракт с Рудиным и немедленно заняться расследованием убийств Ольги и Люси. Верно?

— Верно.

— А сегодня тебе приносят фотографии, которые должны спровоцировать между нами скандал. В результате этого скандала я немедленно уезжаю из города вместе со своей любовницей. Верно?

— А кто тебя знает? — рассудительно заметила Рита. — Может, и не верно. Может, ты и не уедешь.

— Даже если и не уеду, то к гостинице близко не подойду, потому что не захочу встречаться с тобой. Ну как, похоже?

— Похоже, — неохотно согласилась она.

— А теперь смотри, что получается. Все твои друзья из киношного окружения прекрасно знают, что мы с тобой в разводе и такими фотографиями скандал спровоцировать невозможно. Мы с тобой — люди свободные. Значит, что?

— Что? — послушно повторила Рита.

— Значит, тот, кто хочет помешать мне работать на твоего

любимого Рудина, не из вашей компании. Он чужой, понимаешь? Он знает, что я — отец Лили, а ты — ее мать и мы одновременно находимся в этом городе. Ему и в голову не приходит, что мы не муж и жена. Поэтому мне важно понять, кто этот человек. Или эти люди. Так что давай все сначала: откуда у тебя фотографии?

Она неопределенно мотнула головой.

— Не знаю. Подбросили.

— Как это подбросили?

— А вот так. Подсунули под дверь номера.

— Когда?

Рита смешалась и залилась краской. Мне стало смешно.

— Подсунули в твой номер? Или к Рудину?

— В мой.

— А ночевала ты у Бориса?

— Да, — с вызовом произнесла она и уставилась на меня своими шоколадными глазами.

— И когда утром пришла к себе, обнаружила конверт?

— Да.

— В котором часу это было?

— Ну... Где-то в одиннадцать...

— Ритка, не ври, — строго сказал я.

— Ну... Наверное, в начале второго.

— Долгонько вы спите после любовных утех, — ехидно усмехнулся я.

— При чем тут утехи, — снова разозлилась она. — Ты же знаешь, тусовка идет почти до рассвета. Мы же ложимся чуть не в семь утра.

— Ну да, ну да, — покивал я. — И ты ни у кого не спрашивала, может, кто-то видел, как тебе конверт под дверь подпихивали?

— Не спрашивала. Я как посмотрела на снимки, так...

— Ладно, все понятно.

Я взглянул на часы. Без десяти четыре. Конечно, Рита ни у кого ни о чем не спрашивала. Она в начале второго увидела конверт, и полутора часов ей едва хватило на то, чтобы принять душ, переодеться, позавтракать и примчаться сюда выяснять со мной отношения.

— Рита, я тебя попрошу, выясни у своего Рудина, с кем, кроме тебя, он обсуждал свое намерение нанять меня на работу. И припомни как следует, кому ты сама об этом говорила.

— Я никому не говорила, — тут же откликнулась она.

Но я ей не поверил. Я слишком хорошо знал Маргариту Мезенцеву, чтобы поверить.

— Но ты все-таки подумай, вдруг вспомнишь.

— Ладно. — Она покорно кивнула.

— Когда вы ожидаете появление Юшкевича?

— Самолет должен прибыть в шесть тридцать. Наверное, около половины восьмого он уже будет в гостинице. А зачем тебе Юшкевич?

— Посмотреть хочу, — усмехнулся я. — И мои соседки горят желанием увидеть его живьем.

— Соседки? Или только одна из них, с которой ты трахаешься по ночам в саду? Стасов, если ты...

— Рита, — оборвал я ее жестко, — то, что я делаю по ночам в саду, тебя не касается. Где в это время будет Сауле?

— Откуда я знаю? В гостинице, наверное, она теперь со страху вообще никуда не выходит. Если бы не перспектива получить приз, она бы уже давно улетела в Москву.

Значит, Сауле Ибрайбекова, потенциальная жертва убийцы, истребляющего конкурсанток, будет находиться в гостинице, а вокруг гостиницы будет столпотворение, которое, как показывает мой опыт, невозможно проконтролировать ни силами милиции, ни силами службы безопасности гостиницы. Мне это совсем не нравилось. Пожалуй, решение прийти туда вечером было правильным.

* * *

Когда мы с Лилей явились на Первомайскую, стол уже был накрыт. Ирочка сегодня превзошла сама себя в кулинарных упражнениях. Во всяком случае, я не смог определить на глазок название и содержание того, что лежало на тарелках.

Татьяна поведала мне, что соседка обнаружила Николая Федоровича Вернигору мертвым, когда зашла к нему предупредить о надвигающейся буре. Коренные южане узнают о ее приближении загодя, и соседку удивило, что у Николая Федоровича все окна и двери были распахнуты, хотя давно уже пора было бы в целях безопасности стекол их закрыть. Она заглянула в дом и увидела отставного полковника лежащим на диване в очень странной позе. На лице очки, в откинутой руке зажата газета. Видно, он скончался внезапно, в одно мгновение, когда читал газету.

— Что за газета? — спросил я.

— Местная, ее Вернигора выписывал. Вот, я принесла местную газету за то число.

Таня протянула мне газету, и на меня глянуло лицо Оли Доренко в траурной рамке. Фотография была большая, в полполосы.

— Скажи, Дима, ты будешь так уж сильно расстраиваться, если узнаешь о смерти малознакомого человека, на том лишь основании, что днем раньше о чем-то разговаривал с ним?

— Ты права, — кивнул я. — Если инфаркт у Вернигоры случился из-за того, что он узнал об убийстве Ольги, то для этого должны быть очень веские причины. Например, он знал, что Ольга — его дочь. Или внучка.

— Принимается. Еще что?

— Или он знал, что кто-то, кто ему небезразличен, например его собственный внук, собирается ее убить. И прочитав газету, понял, что близкий ему человек совершил преступление.

— Принимается. Еще что?

— Или это все-таки кассета. Он понял, что Ольгу убили из-за этой кассеты, и считал себя виноватым в том, что подставил ее.

— И это принимается. Значит, Сережу Лисицына надо направить на поиск родственных связей Доренко и Вернигоры, нам с тобой это все равно не под силу. И наша задача — кассета. Надо ее по косточкам разобрать, чтобы понять, что же в ней есть такого. Или убедиться окончательно, что в ней действительно ничего нет. Ира!

— Я здесь, — выглянула из кухни Ирочка. — Можно подавать? Совещание в верхах закончилось?

— Закончилось. Где твой социологический поклонник? Зови его обедать с нами.

Н-да, мой отдых постепенно приобретал семейные черты.

Глава 7

Глядя на толпу, собравшуюся возле гостиницы, я начал понимать, что то, что мне накануне рассказывала Рита о реакции обывателей на приезд кинозвезды, отнюдь не было пре-

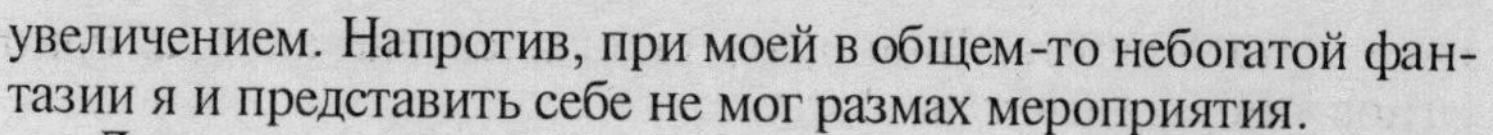

увеличением. Напротив, при моей в общем-то небогатой фантазии я и представить себе не мог размах мероприятия.

Люди терпеливо ждали Олега Юшкевича, который был одновременно и секс-символом нашего времени, и российским супергероем вроде Сталлоне. А вокруг шла бойкая торговля Юшкевичем в виде сумок, календарей, плакатов, буклетов, футболок, чашек, значков, пудрениц и портсигаров. Я никогда не мог представить себе, зачем люди это покупают, но факт был, как говорится, налицо. Покупали, да еще как!

Из установленных вокруг гостиницы громкоговорителей лилась модная музыка, то и дело прерывавшаяся рекламными объявлениями об экскурсиях, поездках, услугах туристических бюро, ресторанах и ночных казино и прочих курортных усладах. Здесь же продавали лотерейные билеты «Спринт», которые уже шли нарасхват, потому что, как и предупреждала Рита, официально было объявлено, что Олег прибудет к пяти часам, тогда как на самом деле в пять часов самолет еще находился в воздухе, и люди устали от ожидания и хотели чем-нибудь себя развлечь. Масштаб прибылей от такого легкого обмана трудно было даже вообразить.

Я заметил, что в толпе было много людей с фотоаппаратами. Видно, и для фотокорреспондентов Олег Юшкевич был желанной добычей. Что ж, немудрено, если учесть, что в последнее время он снимается в основном за границей и в России его поймать не так уж просто. Налетели, как мухи на мед.

Мы пришли сюда впятером: Ирочка со своим социологом Мазаевым, Таня и мы с Лилей. Конечно, Лиле здесь делать было нечего, да и шла она не с большой охотой, но оставлять ее одну дома я не рискнул. Не то чтобы я боялся, что с ней что-то случится. Просто я подозревал, что она может обидеться. Впрочем, Лиля относилась к тем детям, которые больше всего на свете хотят, чтобы взрослые оставили их в покое и дали заниматься своим делом. И тем не менее я взял ее с собой. И, как выяснилось позже, правильно сделал.

Я тащил на плече сумку с видеоприставкой, которую собирался вернуть Сереже Лисицыну. Сережу мы нашли с трудом, он с зачумленным видом носился по гостинице и, помоему, плохо понимал, что я ему говорю.

— Где Ибрайбекова? — спросил я его.

— У себя в номере. Она теперь почти не выходит.

— А где ее номер?

— На седьмом этаже.

— Балкон есть?

— Есть.

— Скажи ей, чтобы на балкон не выходила.

— Скажу.

— Входы кто-нибудь контролирует?

— Да... Кажется...

— Что значит — кажется? — нахмурился я.

— Служба безопасности фестиваля этим занимается, — пояснил Сергей. — Люди Рудина.

— А милиция чем у вас занимается?

— А милиция на улице. Ограждение держит, чтобы люди машину не смяли, когда Юшкевич подъедет.

— Бестолково как-то все, — заметил я, вытаскивая из сумки видеоприставку и пытаясь пристроить ее на заваленный бумагами стол в номере, отведенном Лисицыну для работы в гостинице.

В это время дверь распахнулась, и на пороге возник мужик лет за пятьдесят с красным лицом, источавший запах свежего перегара, как роза аромат.

— Что за толпа у тебя тут? — недовольно спросил он, шаря глазами по мне и Татьяне, будто пытаясь прочитать, что написано у нас на спинах.

— Это мои знакомые, Валентин Иванович, зашли вот поздороваться, — сразу нашелся Сергей.

Я понял, что это и есть его наставник Валентин Иванович Кузьмин, и от души посочувствовал парню. С таким наставником он многому научится, как же, дожидайся. Вошел в комнату и повел себя не как оперативник, а как самый худший из партийно-комсомольских начальников застойных времен.

Уже спустившись в вестибюль, где нас дожидались Лиля и Ирочка с Юрием Сергеевичем, я сообразил, что Кузьмин вошел как раз в тот момент, когда я собирался вынуть из сумки кассету. По вполне понятным причинам в его присутствии я этого не сделал, так что кассета Вернигоры под номером 9 осталась у меня.

Мимо нас то и дело проходили знакомые, одних я знал хорошо, других — совсем мало, но почти все они с любопытством оглядывали нашу компанию. Видно, за те полтора часа, что прошли между получением Ритой фотографий и ее приходом на пляж, история стала достоянием широкой общественности. Моя бывшая супружница страдала таким выраженным

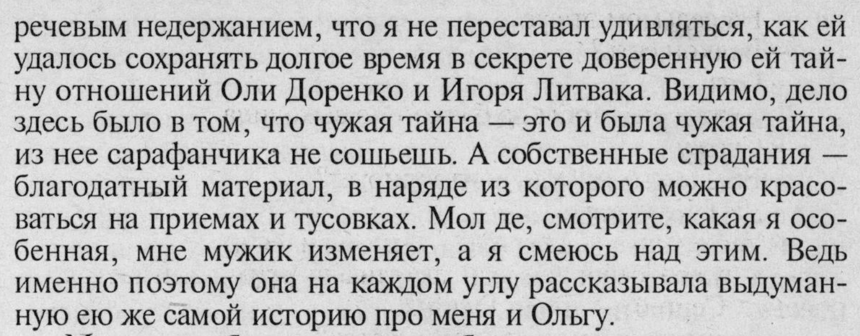

речевым недержанием, что я не переставал удивляться, как ей удалось сохранять долгое время в секрете доверенную ей тайну отношений Оли Доренко и Игоря Литвака. Видимо, дело здесь было в том, что чужая тайна — это и была чужая тайна, из нее сарафанчика не сошьешь. А собственные страдания — благодатный материал, в наряде из которого можно красоваться на приемах и тусовках. Мол де, смотрите, какая я особенная, мне мужик изменяет, а я смеюсь над этим. Ведь именно поэтому она на каждом углу рассказывала выдуманную ею же самой историю про меня и Ольгу.

Мне нужно было урвать хотя бы несколько минут наедине с Татьяной, чтобы рассказать ей про сделанные вчера ночью фотографии. Но, как назло, около нас все время кто-то был — или Лиля, или Ирочка с Мазаевым. Я ведь и потащил ее с собой к Лисицыну в надежде успеть перемолвиться хотя бы парой слов, но сначала мы все вместе искали Сережу, потом втроем шли к нему в номер, а на обратном пути, не успел я и рта раскрыть, нас перехватила какая-то Риткина приятельница, имени которой я не помнил, но в лицо знал и сдуру улыбнулся ей в коридоре. Приятельница села с нами в лифт и сломала весь мой план.

Я еще раз придирчиво оглядел гостиничный холл и толпу за окном. Нет, никакая служба безопасности здесь не справится. С самого начала все было сделано неправильно, нельзя было вообще подпускать людей к гостинице. Но при любом другом раскладе из мероприятия невозможно было бы извлечь выгоду. Люди хотят видеть своего кумира живым, с близкого расстояния, а не промелькнувшим мимо в машине с бронированными стеклами. Поэтому заставить народ собраться и долгое время ждать можно было только в том месте, где Юшкевич наверняка выйдет из машины и пойдет пешком. Таких мест было всего два: аэропорт и гостиница. Но в аэропорт курортники, да и местные жители, не потащатся по такой жаре.

Все это хорошо, но Сауле Ибрайбекова меня сильно беспокоила. В момент наибольшего ажиотажа вокруг Юшкевича в гостиницу может войти кто угодно и выйти незамеченным. Я уж не говорю про снайперский выстрел. Сауле женщина хоть и незаурядная, но все равно женщина, и ей понадобится немало выдержки, чтобы не выйти на балкон, когда толпа восторженно заревет при виде своего секс-символа. Конечно, я просил Сережу предупредить ее, но опыт общения с женщинами показывает, что предупреждения мужчин и даваемые ими советы они ценят примерно так же высоко, как косметические рецепты времен первой мировой войны.

Делая вид, что мы бесцельно слоняемся в ожидании события, я потащил нашу развеселую компанию вокруг гостиницы, чтобы еще раз осмотреть все подходы и возможные пути бегства. Подходов оказалось много, путей отхода — еще больше. И ребята из службы безопасности доверия у меня не вызывали. Я знал, что Борис Рудин всегда выбирал приближенных по принципу личной преданности, а не по профессиональным качествам, и подозревал, что службу безопасности он скомплектовал из людей, безусловно преданных ему лично, но не особо грамотных в вопросах охраны.

Оглядывая тропический сад, густо заросший какими-то диковинными кустами, я невольно перехватил взгляд Юрия Сергеевича, который смотрел на буйную экзотическую растительность с видом отнюдь не любителя природы. На лице его застыла усмешка, в которой ясно читались те же мысли, что бродили сейчас у меня в голове. Интересно, этот социолог в охране что-то смыслит или просто так ухмыляется?

— Как вам нравится этот сад? — спросил я как можно безразличнее.

— Совсем не нравится, Слава, совсем не нравится, — ответил он, не задумываясь ни секунды, словно прекрасно понимал, что я спрашиваю его не о красотах, а о таящейся в саду опасности. — Насколько я понял, вы чего-то опасаетесь?

— Ну, вы же телевизор смотрите, газеты читаете, да и Ирочка вам наверняка рассказала о том, что здесь произошло. Убиты две кинозвезды, и у меня есть все основания полагать, что вот-вот погибнет третья, Сауле Ибрайбекова.

— Да что вы? Сама Ибрайбекова? Ей грозит опасность?

— Полагаю, да. Вот я и пытаюсь понять, с какой стороны может исходить угроза, чтобы по возможности ее предотвратить.

На несколько минут мы остались с ним вдвоем, Таня и Ирочка потащили Лилю в глубь сада смотреть какую-то экзотическую флору. За эти несколько минут я здорово переменил свое мнение о бородатом социологе Юре Мазаеве. Глаз у него оказался острым и наметанным, и мою проблему он просек с первого, как говорится, предъявления.

— Знаете, Слава, мне кажется, мы с вами сами должны контролировать выходы, на этих наемников надежда слабая.

Давайте я с Ирочкой останусь здесь, а вы с Таней идите к центральному входу. Помните, что самый сложный момент — появление Юшкевича. Все внимание переключится на него, вольно или невольно, и охрана будет на него таращиться. А мы с вами должны будем смотреть только на двери. И еще одно, Слава. Все время помните, что толпа обладает мощной способностью к психическому заражению. Всеобщий восторг, коллективный гнев, паника, агрессия. И даже непременное желание протиснуться поближе и увидеть своего кумира, дотронуться до него. Все это заразно, как вирусная инфекция. Старайтесь держать себя в руках.

— Вы в курсе социальной психологии изучали психологию толпы? — спросил я.

Он как-то странно посмотрел на меня.

— И это тоже.

Из глубины сада выплыли наши нимфы числом до трех штук, держа в руках сорванные (разумеется, в нарушение всех правил), одуряюще пахнувшие цветы. И в этот момент к нам буквально подлетела симпатичная девица хипповатого вида с блокнотом в руке.

— Прошу прощения, вы не могли бы уделить мне пять минут? Я провожу социологический опрос по заказу одной фирмы, всего несколько вопросов.

— Валяйте, — вяло разрешил я. — Кто должен отвечать?

— Все по очереди. Итак, первый вопрос: вы проводите свой отпуск за рубежом или только в России?

— В России, — ответил я.

— Тоже, — откликнулась Таня.

— И я, — отозвалась Ира.

— Когда как, — произнес Юрий.

— Второй вопрос: если вы проводили отпуск за рубежом, то в какой стране вам больше понравились климат, кухня, жилищные условия, цены.

Теперь девушка смотрела только на Мазаева, поняв, что с нами каши не сваришь.

— По ценам, конечно, Кипр, — ответил он. — По климату — Кемер, Турция, по жилью — Испания. А кухня мне нигде не нравится, только в России.

— Отлично, — улыбнулась девушка. — Еще вопрос: если бы вам предстояло в этом году провести отпуск за рубежом, какую сумму вы готовы были бы потратить на это?

5 Зак. 689

— Не более двух тысяч долларов.

— Спасибо, теперь вопросы к вам. — Она подарила нам ослепительную улыбку, а я удивился, что мы все еще были ей интересны.

— Вы не ездите за рубеж из-за материальных трудностей или по другим соображениям?

— По другим, — в один голос ответили мы. Не хватало еще признаваться этой свистушке в своей нищете.

— Какое место в России нравится вам больше всего по ценам, климату, жилью, кухне?

Мы по очереди добросовестно перечислили названия мест, где нам доводилось отдыхать. В части климата все трое сошлись на полуострове Крым.

— Я же питерская, — пояснила мне Татьяна, когда девушка-интервьюер поблагодарила нас и убежала дальше. — У нас очень влажный воздух, сыро, ветрено, и практически у всех хроническая пневмония или хронический бронхит. А после Крыма я по крайней мере полгода не кашляла. Жалко, что теперь эту лавочку прикрыли.

По изменившемуся гулу толпы я понял, что машина с Юшкевичем вот-вот появится. Юрий и Ирочка остались в саду, а я, схватив одной рукой Лилю, другой — Татьяну, стал пробираться к центральному входу. Возле крыльца стояли два парня из службы безопасности и девушка из оргкомитета, та самая, которая помогала нам с Сергеем искать фиолетовую сумку с желтыми ручками. Чуть дальше, метрах в трех от входа, стояли милиционеры, которые должны были обеспечить проход Юшкевича в гостиницу. А дальше начиналось сплошное людское море.

Я поднял глаза и посмотрел на балкон на седьмом этаже. Слава богу, Сауле видно не было. Из-за поворота показалась длинная блестящая машина, и меня буквально окатила волна радостного напряженного ожидания, исходившая от толпы. Прав был наш бородатый социолог, нужно держать себя в руках и не увлекаться.

Машина плавно остановилась, и глазам присутствующих предстал Олег Юшкевич. Я и не представлял, насколько он хорош на самом деле, а то, что видел на экране, по привычке делил на тридцать восемь, принимая во внимание грим, освещение, мастерство оператора и костюмера. Я вообще-то не

ценитель мужской красоты, но Юшкевич был парнем супер-экстра-класса. Не зря девки по нему с ума сходят.

Он изобразил дежурную улыбку и сразу же стал искать глазами вход. Девушка на крыльце помахала ему рукой, дескать, я здесь, господин Юшкевич. Он увидел и помахал ей в ответ, мол, вас вижу, сейчас буду к вам пробираться. И в следующую секунду я потерял его из виду. Вот только что он был здесь, перед моими глазами, — и его нет. Толпа с ревом набросилась на своего кумира, мелькали головы, руки с зажатыми в них фотографиями, приготовленными для получения автографа...

Я с трудом оторвал взгляд от того места, где только что видел Олега Юшкевича, и уставился на входную дверь. Нет, никто не пытался прошмыгнуть мимо охраны ни с улицы, ни на улицу, хотя охрана как будто ослепла и не видела ничего, прилипнув взглядами к водовороту, образовавшемуся в месте нахождения Олега. Взгляд наверх — балкон пуст. Молодец, Сауле, выдержала.

Внезапно над толпой пролетел и растаял в вечернем небе пронзительный вопль. И следом за ним повисла тишина. Сказать, что у меня появилось недоброе предчувствие, — это ничего не сказать. В этот момент я уже знал точно, что произошло несчастье.

Я сжал руку Татьяны и шепнул ей:

— Уводи Лилю. Идите в сад, к Ирочке и Мазаеву.

Таня, не задавая вопросов, кивнула, взяла мою дочь за руку и повела прочь от центрального входа.

Толпа расступилась, пропуская милиционеров, и я увидел Олега Юшкевича. Суперзвезда и секс-символ лежал на земле лицом вверх, устремив свои знаменитые голубые глаза в темное бархатное южное небо. Беда пришла совсем не с той стороны, откуда ее ждали.

* * *

От гостиницы мы уходили в хорошем темпе. Я боялся, что понаедет милицейское начальство, и совсем не хотел встречаться с тем полковником, который велел хорошему мальчику Сереже Лисицыну не водиться с плохим дядькой Владиславом Стасовым. Мне-то по большому счету на этого полковника наплевать, он не может запретить мне находиться там, где я хочу, но мне не хотелось навлекать на Сергея дополнительные неприятности. Кроме того, я не пылал желанием встречаться ни с Ритой, ни с ее любовником Борисом Рудиным. Рудин, конечно же, вцепился бы в меня мертвой хваткой насчет пойти к нему работать, ну а про Ритку и говорить нечего, учитывая, что рядом со мной находится Татьяна. Мадам Мезенцева начнет есть ее глазами и говорить неприкрытые гадости.

Миновав шумный многолюдный центр города, мы сбавили шаг и пошли медленнее. Три нимфы, две большие и одна маленькая, шли впереди, а мы с Мазаевым отстали, вполголоса обсуждая только что происшедшую у нас на глазах трагедию. Олег Юшкевич был заколот шилом в спину. Острая сталь, судя по мгновенной смерти, попала прямо в сердце. Удар был нанесен мастерски, точно и незаметно. Я по опыту знал, что убийства, совершенные в толпе, раскрыть невозможно. Помочь здесь может только чудо в виде добровольного признания виновного, но такие чудеса, как показывает практика, случаются так же часто, как рождение щенков у кошки. Ну, может, чуть чаще.

Меня удивило, что Мазаев, пробравшись сквозь толпу и бросив единственный взгляд на лежавшего на земле Юшкевича, сразу уверенно сказал, что тот умер.

— Как вы смогли констатировать смерть? — спросил я его. — Разве вы врач?

— Я не врач, но я прошел Афганистан. Этого более чем достаточно, чтобы научиться отличать смерть от жизни.

Теперь я смотрел на бородатого социолога совсем другими глазами. Меня сбила с толку его седина, а оказалось, что он моложе меня на четыре года.

— Получается, что борьба за приз идет не только среди актрис, но и среди актеров, — задумчиво сказал я. — Никакого другого объяснения этим трем смертям я дать не могу. Но в то же время понимаю, что так не бывает. Одна актриса ради получения большой премии может пойти на убийство конкуренток, но чтобы на том же самом фестивале точно такой же план начал осуществлять и мужчина-актер — это уж извините. Совпадения, конечно, бывают, но не такие.

— Значит, эти три случая нужно разбить на две группы. Две смерти женщин связаны с поисками кассеты, а убийство Юшкевича — с борьбой за приз.

— Да, так уже лучше, — согласился я. — Или наоборот: убийства актрис связаны с призом, а Юшкевича убили вообще по причине, не имеющей отношения к кинематографу и к фестивалю. Ревность, любовь, месть и так далее.

— Тогда у тебя «провисает» кассета, — рассудительно заметил Юрий.

— Ты знаешь, мне кажется, она вообще тут ни при чем. Ее и Сережа Лисицын смотрел, и мы с девочками, и ничего там не увидели.

— Но там обязательно должно что-то быть.

— Почему?

— Потому что из того, что ты мне рассказал, явно следует, что старик Вернигора умер, прочитав в газете об убийстве Ольги Доренко, которой он накануне, буквально за несколько часов до убийства, дал кассету. Зачем он это сделал? И почему так остро отреагировал на ее смерть? Значит, у него были все основания полагать, что Доренко убили из-за кассеты, и он чувствовал себя виноватым. Ни при каких других условиях у него не случился бы инфаркт. А коль он думал, что Доренко могли убить из-за его кассеты, стало быть, на ней непременно что-то есть. Должно быть.

— Но мы смотрели, Юра. Мы очень внимательно смотрели. Нет там ничего. Собрания ветеранов и работа клуба «Патриот». Работа кружков, соревнования. Больше ничего.

— Жаль, что ты отдал кассету. Я бы тоже посмотрел. Четыре пары глаз — это, конечно, хорошо, но и пятая не помешает.

И тут я спохватился.

— Слушай, а кассету-то я как раз и не отдал. Она до сих пор у меня в сумке валяется. Только «видака» нету.

— Не проблема, — тут же откликнулся он. — У моих хозяев есть.

Мы подошли к нашей калитке, и тут же нам навстречу бросилась наша хозяйка Вера Ильинична. Вид у нее был встревоженный и виноватый.

— Ой, девочки, вы, когда уходили, свою дверь запирали?

Так. Начинается. Вернее, продолжается. Мой парень со стеклянным барабаном явно перестарался, доставая несчастливые билетики. Видно, решил пойти на рекорд.

— Конечно, запирали, — ответила Ирочка. — А что случилось?

— Да нас с Григорием Филипповичем дома не было, а пришли — я смотрю, у вас дверь нараспашку. Я подумала, вы уже вернулись, а вас что-то не видно, и голосов не слыхать. Я к вам поднялась, а вас нет никого. Вот боюсь, не обокрали бы. Я ж ваших вещей не знаю, вы посмотрите скорее, все ли на месте. А то милицию вызовем.

Ирочка опрометью бросилась вверх по лестнице, следом за ней поспешила Татьяна. Мы с Мазаевым присели во дворе за стол, ожидая их возвращения. Девушки спустились вниз почти сразу, и лица у них были убитые.

— Пропал Танин компьютер, — сообщила Ира, едва сдерживая слезы.

Татьяна молча села за стол рядом с нами и взяла из моей пачки сигарету. До этого я ни разу не видел, чтобы она курила. Губы у нее побелели, руки тряслись. Еще бы — полторы тысячи долларов отправились псу под хвост, и наполовину написанная книга последовала туда же. Ирочка горько плакала на широком плече Юры Мазаева, а Таня, которая владела собой гораздо лучше, молча курила, но по судорожным глубоким затяжкам я видел, что она очень сильно расстроена. Обычно я как-то нахожу слова утешения, которые говорю потерпевшим, но тут я так и не придумал, что ей сказать. Она — следователь и знает все эти слова лучше меня. И точно так же знает, что цена этим словам невелика. Если убийства у нас еще худо-бедно кое-как раскрываются, то кражи — очень редко. Примерно двадцать процентов, одна из пяти. А учитывая сегодняшний решительный настрой моего крылатого «билетмейстера», я мог бы голову дать на отсечение, что кража Таниного компьютера попадет в оставшиеся восемьдесят процентов.

Татьяна затушила сигарету и глубоко перевела дыхание. Я понял, что она с трудом сдерживается, чтобы не расплакаться.

— Хорошо, что я все материалы Сереже утром вернула, — сказала она дрожащим голосом. — Как чувствовала.

Вера Ильинична, причитая и охая, набирала телефон милиции, но там все время было занято.

— Бросьте, Вера Ильинична, не надо никуда звонить, — сказала Таня уже более уверенным тоном. — Им сейчас не до нас, у них на фестивале еще одно убийство произошло.

— Но как же, Танечка, ведь вещь пропала... Такие день-

ги... — лепетала хозяйка, хотя на лице ее явственно проступало облегчение.

Конечно, ее можно понять. Вызывать милицию на ночь глядя — обеспечить себе бессонницу до утра. А потом вся улица будет знать, что в доме номер восемь квартирантку обокрали, стало быть, хозяева ненадежные и замки плохие. Зачем ей такая репутация? Сезон-то в самом разгаре.

— Бог с ними, с деньгами, новые заработаю, — махнула рукой Таня. — Повесть только жалко. Там уже страниц двести было написано. Но это, наверное, судьба, да, Дима? Помнишь, мы говорили с тобой о том, что свою следующую вещь я напишу об убийствах на кинофестивале, после того, как закончу про пожар в Летнем театре. Стало быть, про пожар повести не будет. Зато можно прямо сейчас начинать работать над новой вещью. По горячим следам.

Она вымученно улыбнулась мне. Я воровато огляделся и, убедившись, что Лили поблизости нет, обнял ее и поцеловал в висок.

— А где Лиля? — тут же спросила Татьяна, словно угадав мои мысли.

— Наверху, в комнате. Читает, наверное.

Мне пришло в голову, что, если бы я не взял Лилю с собой в гостиницу, вор наткнулся бы на нее, оставшуюся одну в пустом доме. При мысли о том, что могло бы произойти дальше, я похолодел. В лучшем случае, у ребенка был бы нервный срыв от пережитого страха. А про худший я предпочитал не думать. Я слишком хорошо знал, как часто преступления, задумывавшиеся как кражи, перерастают из-за появления свидетелей в грабежи, разбои, а то и убийства.

Ирочка продолжала всхлипывать, уткнувшись в грудь Мазаеву, и я понимал, что она оплакивает не только компьютер, но и недописанную повесть. Татьяна говорила, что за авторский лист ей платят в издательстве двести долларов. Повесть на пятнадцать авторских листов, то есть на триста шестьдесят страниц, принесла бы им три тысячи долларов. А это — еще три квадратных метра Ирочкиной квартиры. Может быть, кому-то эти три квадратных метра покажутся смешными, но только не Ирочке, которая добровольно принесла себя в жертву любимому брату и его жене и которая теперь терпеливо складывает эти смешные метры, дожидаясь, пока они не вырастут до размеров отдельной квартиры. В конце концов, три квадратных метра — это ванная. Или три встроенных шкафа, что тоже немаловажно.

Наконец Ирочка проплакалась и вспомнила об ужине. Я уже перестал стесняться и воспринимал ее приглашение разделить трапезу как нечто само собой разумеющееся, тем более что она с не меньшим энтузиазмом приглашала к столу и Юрия. Просто нужно будет покупать какие-нибудь продукты и отдавать в общий котел, чтобы не быть нахлебником. Вера Ильинична, страдая комплексом вины за несбереженное имущество квартирантки, стала предлагать какие-то разносолы и маринады из собственных запасов, но Ирочка поблагодарила и гордо отказалась, сославшись на сложившийся режим питания, в котором нет места соленому и острому. Тогда несчастная Вера Ильинична принесла из своих запасников бутылку коньяку и с решительным видом поставила на стол.

— Вот, выпейте для расслабления, чтобы не плакать.

Коньяк был благосклонно принят. Ира вместе с Татьяной пошла на кухню готовить ужин, а Мазаев взял кассету Верничоры и ушел к себе смотреть запись. Мне ничего не оставалось, как подняться наверх, в свою комнату. Лиля, конечно же, читала, и конечно же, лежа на спине. Впрочем, присмотревшись, я увидел, что глаза ее закрыты, хотя ручки крепко сжимали книжку. Спит, что ли?

— Лиля, ты спишь? — спросил я едва слышным шепотом. Если спит, то не проснется.

Она моментально открыла глаза.

— Нет, папа. Я просто думаю.

— О чем?

— Так. О всяком разном. Я есть хочу. А мы сегодня ничего на ужин не покупали. Опять в ресторан пойдем?

— Скоро тетя Ира нас покормит. Потерпи немножко.

Лиля перевернулась на живот и уткнулась в любовный роман, а я растянулся на своей кровати и стал думать о Татьяне, о ее недописанной книге и украденном компьютере. Больше всего на свете мне хотелось сейчас пойти к ней и сказать: «Таня, выходи за меня замуж. А в качестве свадебного подарка я куплю тебе новый ноут-бук. Только не расстраивайся, пожалуйста». Где взять для этого полторы тысячи долларов, я не знал, но сказать ужасно хотелось. И не только сказать, но и сделать. Вот ведь в чем незадача...

Кажется, я задремал, потому что, когда снизу раздался

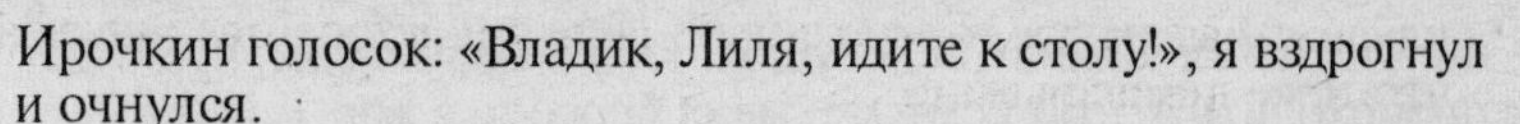

Ирочкин голосок: «Владик, Лиля, идите к столу!», я вздрогнул и очнулся.

Ни смерть российской кинозвезды, ни кража компьютера не повлияли на красоту и изобильность Ирочкиных кулинарных изысков. В центре стола торжественно возвышалась бутылка коньяка в окружении чего-то неведомого, но разноцветного. Ради такого случая Вера Ильинична пожертвовала даже рюмки — не глушить же драгоценный напиток стаканами.

Когда мы с Лилей спустились вниз, за столом сидела одна Татьяна.

— А где народ? — спросил я, усаживаясь рядом и украдкой касаясь ее округлой коленки.

— Ира пошла за Мазаевым, сейчас они подойдут.

Я покосился на окно соседнего дома, которое хорошо просматривалось с моего места. Света в окне не было.

— По-моему, можно начинать без них, — усмехнулся я. — Если они и подойдут, то не сейчас.

Таня понимающе улыбнулась краешком губ, бросив предостерегающий взгляд в сторону Лили. Но я оказался не прав. Ира и Мазаев появились через несколько минут, хотя лица у обоих были виновато-вороватые. Видно, кусочек кайфа они все-таки урвали.

Когда было выпито по две рюмки под тосты о том, чтобы сегодняшние неприятности были самыми большими в жизни, обстановка за столом несколько разрядилась, напряжение спало. Ирочка со смехом рассуждала о том, что в конце концов квартиру она получит в те же сроки, что и запланировано, только она будет чуть-чуть меньше, чем ожидалось, но это ничего страшного, если с умом расставить мебель. Татьяна, со своей стороны, говорила, что повесть о пожаре ей самой не очень нравилась, просто не в ее правилах бросать на полпути начатое дело, и она ее не писала, а домучивала исключительно из чувства долга и из-за того, что ей было жалко уже затраченного труда. А судьба дала ей прекрасный повод бросить опостылевшую вещь и начать новую, об убийствах на кинофестивале, которые кажутся ей гораздо более привлекательными с точки зрения построения интриги и выписывания характеров. Периодически я ловил на себе взгляд Мазаева, который сидел рядом с Ирочкой напротив нас с Таней и Лилей, и мне казалось, что он хочет что-то мне сказать, но не при всех. Я подумал, что он, наверное, хочет договориться со мной о графике, согласно которому мы будем по очереди

пользоваться комнатой девушек. При мысли о том, что будет происходить в этой комнате, меня бросило в жар.

Когда с едой было покончено, я вызвался вместе с Юрой убрать посуду со стола и принести чай.

— В распределении работ должна быть хотя бы видимость справедливости, — заявил я. — Если девочки готовили, то мы должны как минимум убрать посуду. Может быть, мы даже ее вымоем, если нам к чаю дадут чего-нибудь вкусного.

Оказавшись вдвоем с Юрой на кухне, я поставил на огонь чайник, налил в миску горячей воды, щедро плеснул туда «Бинго» и принялся мыть посуду.

— Говори, не мнись, — посоветовал я, спиной чувствуя его напряженный взгляд. — Комнату будем делить?

— Что? — не понял Мазаев. — Какую комнату?

— Ну как это какую! — возмутился я. — Ту, которая наверху. Разве ты не об этом хотел со мной поговорить?

— Я? Да что ты, нет, конечно. Сегодня пятница, мои хозяева уехали в Адлер к родственникам, вернутся только в воскресенье вечером. Так что проблема комнаты передо мной не стоит. Я о другом хотел сказать. Я посмотрел пленку...

— И что в ней?

Я повернулся к нему так резко, что разлил мыльную воду из миски.

— Там странное... Понимаешь, Слава, я бы хотел, чтобы ты посмотрел ее снова вместе со мной.

— Зачем? Ты в чем-то сомневаешься? Что-то увидел?

— Увидел. Но то, что я увидел, так чудовищно, так страшно, что я боюсь в это верить. Поэтому я хочу, чтобы ты тоже это увидел и не думал, что у меня паранойя.

— Но я же все видел, Юра. Нет там ничего чудовищного и страшного. Ты что имеешь в виду? Ты кого-то узнал? На этой пленке есть человек, которого ты знаешь?

— Нет. — Он покачал головой. — Я никого не узнал. Там другое... Слава, пожалуйста, давай посмотрим еще раз вместе, я тебе все покажу, а там уж ты сам решишь, делать из этого выводы или нет.

— Ладно, — я пожал плечами. — Попьем чаю и пойдем к тебе кино смотреть.

После чая я отослал Лилю наверх, велев ей умыться, почистить зубы и ложиться, а сам пошел к социологу во второй раз смотреть кассету Вернигоры.

* * *

Мазаев выключил видеомагнитофон, а я почувствовал, что у меня пересохло во рту и предательски задергалась левая икра, что означало высшую степень волнения и изумления. Да, Юра Мазаев был прав. То, что он мне показал, действительно было чудовищным, настолько чудовищным, что поверить в это было трудно. Я мог бы смотреть эту кассету еще десять раз, но все равно без Мазаева не увидел бы того, что он мне показал, потому что не обладаю необходимыми для этого знаниями. У социолога Юрия Сергеевича Мазаева эти знания были.

Выйдя за калитку и пройдя несколько шагов до своего дома, я сначала услышал голоса, а потом разглядел в темноте Татьяну и Сергея Лисицына. Они сидели во дворе за столом, но свет почему-то был погашен, и разговаривали они совсем тихо. Я запоздало сообразил, что уже очень поздно, ведь из гостиницы после убийства Юшкевича мы вернулись часов в восемь, а после этого были еще причитания по поводу кражи, приготовление ужина, сама трапеза, потом просмотр пленки... Наверное, наши хозяева уже спят, поэтому Таня и Лисицын сидят в темноте тихонько, как мышки.

— Привет, — сказал я громким шепотом, подходя к ним.

— Добрый вечер, Владислав Николаевич, — отозвался Сережа. — Я вам уже надоел со своими бедами, наверное?

— Ладно, не прибедняйся. Ты за кассетой пришел?

— Почему за кассетой? — не понял он.

— Ну я же тебе кассету не отдал, когда в гостиницу приходил. Ты что, не заметил?

— Не заметил, — признался он. — В тот момент внимания не обратил, на Кузьмина отвлекся, а потом не до того стало. Сами понимаете...

— Плохо, дружочек. Кассета — вещественное доказательство, ты ведь ее у следователя под честное слово взял, вы же ее официально изымали, верно? А ты о ней ухитрился забыть. А ну как я бы ее потерял? Или ее украли бы у меня, как вон у Тани компьютер? Что бы ты тогда делал? Следователь бы тебя по самое некуда в землю зарыл, и был бы прав, между прочим.

— Не угадали, Владислав Николаевич. Я, конечно, опер неопытный, но не совсем тупой. Кассета уже давно возвращена следователю. Я вчера у себя дома сделал копию, вот ее-то вам и отдал. Так что можете ее терять сколько влезет.

— Ишь ты! — искренне восхитился я. — Молодец, сечешь.

— Чту Уголовно-процессуальный кодекс, — усмехнулся Лисицын. — Благоговею перед великой Татьяной Образцовой.

— Да ну тебя, Сережа, — отмахнулась Татьяна. — Было бы лучше, если бы ваши местные воришки благоговели. Ты мне скажи честно, писать мне заявление о краже или без толку? Будет кто-нибудь искать мою машинку или вы там все на кинозвезд переключились?

— Да что вы, Татьяна Григорьевна, убийствами никто кроме нас с Кузьминым и Пашей Яковчиком не занимается.

— Так что ты посоветуешь? Писать заяву-то или не надо?

Сережа замялся. Я понимал, о чем он сейчас думает. В другой ситуации самым правильным было бы Татьяне пойти к его начальству, к тому самому суверенолюбивому полковнику, и сказать: так, мол, и так, я ваша коллега из Петербурга, случилась у меня неприятность, вы уж помогите, чем можете. Что в переводе на русский язык означало бы: я заявление писать не буду, чтобы в случае неудачи на вас лишняя нераскрытая кража не висела, но вы уж будьте любезны, настропалите своих ребяток, пусть поищут мою пропажу, а вдруг да найдут. Ну а не найдут — так я не в претензии, потому как трудности ваши понимаю. Всю жизнь все работники милиции поступают именно так. Но это в другой ситуации, потому что независимый полковник, судя по всему, уже навел обо мне справки и знает, по какому адресу я снимаю комнату. И если сейчас к нему придет потерпевшая, работающая следователем и проживающая по этому же адресу, в голове у него могут зародиться самые непредсказуемые подозрения. А крайним окажется, естественно, бедный Серега Лисицын, потому что со мной его начальник ничего сделать не может.

Это я в тот момент так думал. Дальнейшие события показали, что я ошибался. И очень сильно.

А в тот вечер я еще ни о чем не подозревал. Мы еще около получаса проговорили все втроем, обсудили убийство Юшкевича, придя к неутешительному выводу о собственном бессилии и невозможности быстро разобраться в трех трагедиях, последовавших одна за другой. Об открытии, сделанном Юрой

Мазаевым, я решил пока не рассказывать, уж больно диким оно мне показалось.

Распростившись с Сережей, мы остались во дворе вдвоем с Татьяной. И тут у меня словно язык к гортани присох. Вчерашней решительности как не бывало. Я сидел и с изумлением вспоминал, как молча взял ее за руку, вывел в сад и... Господи, я ли это был? Однако про фотографии нужно было сказать. Такие вещи утаивать нельзя.

Таня восприняла мой рассказ совершенно спокойно. Наверное, после потрясения, вызванного кражей компьютера, ей все остальное казалось забавными мелочами, не стоящими даже обсуждения.

— У тебя были неприятности с женой? — только и спросила она.

— Да нет, что ты. Мы в разводе, так что ни о каких неприятностях не может быть и речи. Просто кто-то, по-видимому, очень не хочет, чтобы я работал на Рудина, вот и старается поссорить меня с Ритой. Ведь не все знают, что мы разведены.

— А разве ты собираешься работать на Рудина?

— Нет, конечно. Я его терпеть не могу.

— Тогда можно наплевать на эти фотографии? — полуутвердительно спросила она.

— Разумеется, — твердо ответил я. — Наплевать и забыть. Но забыть только про фотографии.

— В смысле?

— Про фотографии, — повторил я, — но не про то, что на них запечатлено. Я бы не хотел, чтобы ты про это забыла.

— Я и не забыла.

— Тогда пойдем? Ира, как я понял, ночует у Мазаева.

— А Лиля? Она не проснется?

— Будем надеяться, что нет. Вернее, я постараюсь вернуться до того момента, как она проснется. Вообще-то, она спит сладко и крепко, вся в отца. В меня то есть.

На всякий случай я заглянул в нашу комнату. Лиля тихонько посапывала во сне. С раннего детства привыкшая быть одна, в том числе и по вечерам, она не нуждалась в присутствии родителей, чтобы выключить свет и уснуть. Очень самостоятельный ребенок у меня растет. И сознательный.

Прокравшись на цыпочках в соседнюю комнату, я разделся и лег рядом с Татьяной, и вдруг меня охватило такое пронзительное, такое невероятное счастье, что я едва не задохнулся. Как хорошо, что Юрины хозяева уехали! Пожалуй, мой ангел-хранитель пошарил пухлой ручонкой в барабане и начал вытаскивать то, что нужно. Хорошо бы эта тенденция продлилась подольше. Ну хотя бы до завтра...

Глава 8

Утро было пасмурным и прохладным, и, к огромному своему облегчению, я подумал, что можно на пляж не идти. Вообще-то, я любил поваляться под жарким солнышком, пожарить кости, поплавать, подремать. Но теперь мне не хотелось ничего этого. Я хотел только одного: сидеть рядом с Таней, как верный пес, положив голову ей на колени и преданно заглядывая в лицо. Черт знает что со мной происходит! Но что удивительно, то же самое произошло с моим дитенышем, правда, несколько раньше. Она раньше меня почувствовала исходящее от Татьяны «нечто», в пределах досягаемости которого на тебя снисходило ощущение покоя, тепла, доброты и защищенности.

Умывшись и побрившись, я помчался на базар, вооружившись тремя авоськами и длиннющим списком, который составила пунктуальная Ирочка. Одновременно со мной вышел и Юра Мазаев, у которого тоже были авоськи и список, но которого послали не на базар, а в магазины. Определенно, в Ирочке пропал великий организатор. Впрочем, может быть, и не пропал, если учесть, что под ее умелым руководством Таня при своей сумасшедшей жизни следователя ухитряется писать по несколько повестей в год.

К завтраку мы приступили, таким образом, почти в одиннадцать часов, но, судя по обилию и разнообразию блюд, этот поздний завтрак грозил плавно перейти в обед, затем в ужин, а возможно, и в завтрак следующего дня.

— Все равно компьютер сперли, — заявила оптимистка Ирочка, — а погода плохая. Так что ни работы, ни пляжа. Остается только обжорство. Хоть какая-то радость.

Слышать это из уст стройной, изящной девушки было невероятно смешно. Она и в самом деле любит не только готовить, но и вкусно покушать. И куда все девается? Ведь в ней нет ни грамма лишнего веса, ни одного миллиметра жировых отложений. Везет же некоторым! Я, например, поправляюсь моментально. Стоит мне неделю посидеть на бутербродах со

свежим белым хлебом, как над брючным ремнем начинает угрожающе нависать омерзительная складка. Правда, при переходе на мясо с овощами и черным хлебом складка тут же исчезает. Но, если бы я регулярно питался из Ирочкиных рук, мне пришлось бы через месяц полностью менять весь гардероб — я не влез бы ни в одни брюки.

Сейчас я с вожделением смотрел на завернутый в нежно-зеленый салатный лист кусочек ветчины, на котором как на бутерброде лежал смешанный с майонезом и чесноком тертый сыр, и прикидывал, сколько калорий в белом хлебе и сколько — в майонезе. Я решил, что майонез все-таки менее калорийный, нежели пышная белая булка, и вполне позволительно запихнуть в себя еще один салатно-ветчинно-сырный сандвич. Четвертый. Потому что три я уже слопал.

Приняв такое решение, я радостно облизнулся и уже потянул жадную ручонку к стоявшему в центре стола блюду, но в этот момент в наш двор вошел молодой человек ослепительно джентльменского вида. Серый костюм из «тяжелого» шелка сидел на нем как на манекене, без единой морщинки, а галстук на изумительно свежей сорочке вызывал чувство черной зависти. Он сверился с какой-то бумажкой, поглядев поочередно на почтовый ящик, где был указан адрес, и в свои записи, после чего решительно толкнул калитку.

— Приятного аппетита, — вежливо поздоровался он. — Это дом восемь по улице Первомайской?

— Так точно, — подтвердил я с набитым ртом, потому что успел-таки схватить бело-розово-зеленое чудо.

— К вам вчера подходила девушка, проводившая социологический опрос?

— Подходила.

— Извините, а вы не сохранили случайно талончики, которые она вам дала?

— Какие талончики? — нахмурился я. Никаких талончиков я не помнил.

— Наша сотрудница заполняет на каждого респондента бланк анкеты, где отмечает не только его ответы, но и возраст, род занятий, а после интервью отрывает и отдает такой талончик, на котором указан номер анкеты и специальный код. Это делается для того, чтобы мы могли проверить добросовестность работы интервьюера. Разве вам не дали талоны?

— Ой, дали, конечно, — вдруг подала голос Ирочка. —

Я про них совсем забыла. Владик, когда вы с Таней пошли к центральному входу, та девушка вернулась и отдала нам с Юрой талончики. Оказывается, она тоже забыла про них.

— Вы не могли бы мне показать ваши талоны? — загадочно улыбаясь, спросил джентльмен.

— Если я их не выбросила... Сейчас посмотрю.

Ирочка сорвалась с места и помчалась вверх по лестнице. Через пару минут она спустилась вниз и протянула «шелковому костюму» четыре бело-синих бумажки. Тот внимательно осмотрел их, сверил номера с какими-то записями в своем блокноте, потом торжественно улыбнулся.

— Господа, хочу вас поздравить! Ваши анкеты приняли участие в розыгрыше, и две из них победили. На ваши номера 734 АВ и 737 АВ выпали выигрыши в виде семейных путевок в круиз по Черному морю. Анкета 734 — Стасов Владислав Николаевич, анкета 737 — Милованова Ирина Павловна. Мои поздравления!

За столом воцарилось молчание. Мы все дружно потеряли дар речи. Нет, все-таки есть в жизни справедливость. Прав был старик Ломоносов, когда формулировал закон сохранения вещества: что в одном месте убавится, в другом непременно прибавится. Татьяна потеряла компьютер за полторы тысячи долларов, зато Ирочка выиграла путевку, да еще семейную, которая совершенно точно стоит не меньше, если не больше.

— А что значит «семейная путевка»? — озабоченно спросила Ира, которая первая пришла в себя от изумления.

— Это значит, что в ваше распоряжение отдается каюта-«люкс» из двух комнат на четыре спальных места. И бесплатное питание на четырех человек. Подразумевается, что стандартная семья состоит из супругов и двоих детей.

— А если у меня нет супруга и двоих детей? — продолжала допытываться Ирочка, сразу помрачнев. — Моя путевка пропадает?

— Ну что вы, — рассмеялся «шелковый костюм». — Смысл выигрыша в том, что вы получаете право на бесплатную поездку для четырех человек. А кто эти четверо — вы выбираете сами. Каюта оплачена, вы можете поселить в ней хоть десять человек, если они согласятся спать на полу. При этом питаться в ресторане бесплатно будут только четверо, а остальные — за свой счет. Понятно?

— Нам нужно подумать, — решительно сказала Татьяна, которая до этого хранила молчание.

— Хорошо, — покладисто улыбнулся джентльмен. — Вы посоветуйтесь, хотя мне кажется, что тут и думать нечего. Теплоход «Илья Глазунов» отплывает через два дня. Я оставляю вам ваши путевки, а сегодня вы можете подняться на борт и посмотреть свои каюты. Я уверен, что, когда вы их увидите, все сомнения отпадут. Каюты очень хорошие, а уровень круиза — пять звезд. Завтрак и ужин — шведский стол, обед — по предварительному заказу. Вы останетесь очень довольны, уверяю вас. На теплоходе два бассейна, три ресторана, бары, кафетерии, кинозал, сауна, массажный кабинет и так далее. Все по высшему разряду. Если вы сейчас решите, когда пойдете смотреть каюты, я встречу вас у трапа и сам провожу.

Я посмотрел на Лилю и сразу принял решение. В ее глазах я прочитал такое жгучее желание поехать в круиз, что мое отцовское сердце дрогнуло. Да черт с ним, с Сережей Лисицыным, со всеми этими трупами и кинозвездами!

— Не беспокойтесь, мы сами все посмотрим, — ответил я. — Но вы точно знаете, что по этим двум путевкам мы могли бы поехать впятером, даже если мы не составляем две семьи?

— Совершенно точно. Даже не сомневайтесь. Сейчас ведь не «застойные» времена, когда в гостинице в один номер селили только супругов или однополых. Сейчас к этим проблемам относятся с пониманием.

Мы какое-то время молча смотрели вслед удалявшемуся «шелковому костюму». Потом Юра Мазаев взял со стола две сложенные книжечкой путевки на теплоход «Илья Глазунов». Там стояли все печати и подписи, не хватало только наших имен и паспортных данных. На одной путевке стояло: Милованова Ирина Павловна. И далее: с ней следуют — и три свободные строчки. На другой путевке стояло мое имя — и те же три свободные строчки. Господи, как это было заманчиво!

— Сколько же у них разыгрывалось путевок, если на наши четыре анкеты выпало два выигрыша, — задумчиво произнесла Таня, и я понял, что ее мучила мысль о бытовой статистике. В самом деле, когда это такое было, чтобы одна компания из четырех человек выигрывала дважды.

Но Юра Мазаев тут же рассеял все сомнения.

— А вы разве не знаете, как это делается? — заметил он. — Это ведь не лотерея, когда запускаешь руку в барабан и вытаскиваешь номер. Решение принимает комиссия, рассмотрев все анкеты с точки зрения перспективности респондентов. А наша компания оказалась очень в этом смысле выгодной. Девочка-интервьюер сразу просекла, что мы — вместе, но при этом являемся представителями трех городов. Слава — москвич, девочки у нас питерские, а я сам из Новосибирска. Стало быть, подарив нам всего две путевки, они обеспечивают себе рекламу в трех городах. Если бы им были нужны настоящие семейные пары, им пришлось бы выделять для этого три путевки. Так что на нас они сэкономили. Дальше. Нас пятеро, а на две семейные путевки можно везти восемь человек. И здесь экономия. Мы выглядим достаточно малообеспеченными, чтобы «купиться» на бесплатную поездку, а не заявить гордо, что, мол, лучше мы на Канары полетим. И в то же время мы не нищие, не люмпены, то есть в круг нашего общения в трех городах входят люди, которые после наших восторженных рассказов вполне могут соблазниться круизом на «Глазунове». И даже если не круизом, то, во всяком случае, услугами той турфирмы, которая все это организовала. Так что, друзья мои, удивляться тут нечему. Все совершенно закономерно.

— Так что же, они проводят социологическое исследование с одной-единственной целью — найти выгодного носителя рекламы? — недоуменно спросила Таня.

Я видел по ее глазам, что ей затея не нравится.

— Да нет же, — терпеливо пояснял Юра. — Экспресс-исследования проводятся обычно по заказам различных турфирм в целях прояснения конъюнктуры. Какие категории граждан, с какими доходами, из каких социальных страт что предпочитают. Я, кстати, тоже иногда подрабатываю такими исследованиями, за них очень неплохо платят. Но поскольку наши граждане не привыкли к тому, что их могут остановить на улице и начать задавать вопросы, турфирма всегда держит в запасе сладкую конфетку: если вы ответите на наши вопросы, ваша анкета примет участие в розыгрыше бесплатных путевок. На каждое исследование всегда выделяется несколько путевок «для рекламы». А вот вопрос розыгрыша — это уже другое дело. Тут действительно имеет место некоторый, мягко говоря, обман. Между прочим, моя соседка таким образом выиграла бесплатную поездку на Канары. Локти потом кусала, дурочка, хотя я ее предупреждал, что бесплатно ничего хорошего никогда не бывает.

— А что с ней случилось? — полюбопытствовала Ирочка.

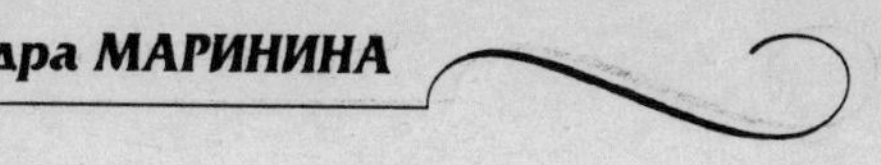

— А ей сказали, что она должна оплатить дорогу в оба конца, а бесплатно ей предоставляется жилье — отдельная вилла. Она и полетела, глупышка. Вилла оказалась чем-то вроде глинобитной хижины без удобств. А вдобавок выяснилось, что оплачено только жилье, а отнюдь не питание. В общем, поездочка эта ей обошлась... Так что, если вы решили ехать на теплоходе, обязательно пойдите посмотрите каюты. Может оказаться, что этот «люкс» — собачья конура рядом с машинным отделением.

— Что значит «вы решили»? — вдруг вскинулась Ира. — А ты разве с нами не поедешь?

— Я не езжу в круизы за счет дамы, — усмехнулся Мазаев. — Вот если бы я выиграл путевку — другое дело.

— Как тебе не стыдно! Это не за мой счет, а за счет доброго дяди из турфирмы, ты сам только что объяснял.

— Ириша, не будем спорить, — сказал социолог вполне миролюбиво, но весьма твердо.

На Ирочкином хорошеньком лице было написано такое отчаяние, что мне стало ужасно жаль ее. Я решил сделать все возможное, чтобы уговорить Мазаева ехать вместе с нами.

— Ладно, чего сейчас обсуждать, может, там и в самом деле конура какая-нибудь. Давайте посмотрим сначала, а потом уже будем решать, — предложил я.

Предложение было принято.

* * *

Теплоход «Илья Глазунов» был огромным и белоснежным. Стоило мне его увидеть, как я захотел ехать на нем хоть в круиз, хоть к черту на рога. Я никогда не плавал на таких теплоходах, а мечтал об этом давно. Все как-то не получалось.

Я протянул наши путевки стоявшему внизу у трапа человеку в белом кителе и сказал, что мы хотим посмотреть наши каюты. На палубу мы поднимались в сопровождении какого-то толстого потного дядьки, который представился членом оргкомитета.

Наши каюты не были «конурой». Отнюдь. Это были самые настоящие каюты-«люкс» с телевизорами, музыкальными центрами, кондиционерами, мини-барами, телефонами и прочими атрибутами роскошной пятизвездной жизни. Больше всего меня поразили цветы. В каждой каюте стояла огром-

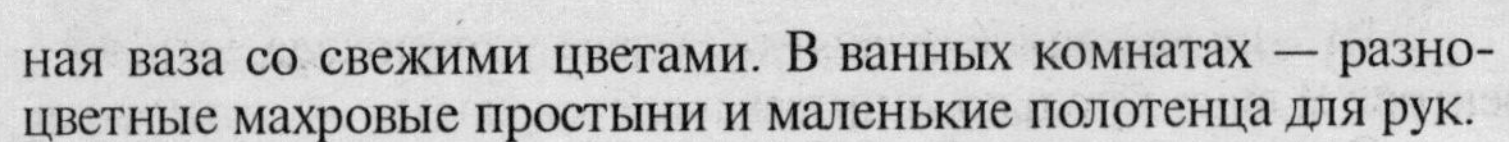

ная ваза со свежими цветами. В ванных комнатах — разноцветные махровые простыни и маленькие полотенца для рук.

Я посмотрел на Лилю и увидел в ее глазах слезы.

— Ты чего, доченька? — озабоченно спросил я. — У тебя что-нибудь болит?

— Нет, — почти прошептала она. — Я так боюсь, что дядя Юра откажется ехать, и тогда мы все не поедем.

Бедный ребенок. В ее маленькой жизни было так мало ярких событий. Что она видела? Четыре стены и книжки. И вот теперь ей так хочется поехать по Черному морю в роскошной каюте! Имею ли я право лишить ее этого? Нет, нет и нет.

— Юра, — окликнул я Мазаева, который придирчиво рассматривал музыкальный центр. — Счастье моего ребенка в твоих руках. Мы должны ехать все вместе.

— Да, правда, Юрик, поехали, — тут же подхватила Ирочка. — Смотри, как все здорово. Хоть будет потом что вспомнить.

Я отошел к Татьяне и потянул ее за руку.

— Давай выйдем на палубу, — сказал я ей на ухо. — Пусть они поговорят наедине. Мне кажется, Иришка может его уговорить, только без посторонних глаз. Пойдем покурим.

Мы вместе с Лилей тихонько ретировались и вышли на палубу, где стояли полосатые шезлонги. Усевшись поудобнее, я закурил и углубился в созерцание свинцово-серого неба, плотно забитого тяжелыми низкими облаками. Лиля о чем-то увлеченно беседовала с Татьяной, и мне вдруг пришло в голову, что по своему природному легкомыслию я совершенно не подумал о том, как мы будем размещаться в двух каютах. Ира, разумеется, с Мазаевым. А мы с Лилей и Таней? Одно дело — выслушать вопрос девочки «Ты что, целовался с тетей Таней?» и не ответить на него, и совсем другое — жить в одной каюте и спать в одной комнате. Можно, конечно, поселиться вместе с Мазаевым, отдав другую каюту дамам, и потом заниматься любовью тайком, урывая для этого время днем. Можно жить вместе с Таней, но спать она будет в одной комнате с Лилей, а я, соответственно, в другой. Этот вариант мало чем отличался от предыдущего...

Из глубокомысленного распределения членов нашей компании по койко-местам меня вывел голос, принадлежавший лысоватому молодому человеку в шортах и свитере.

— Это у вас билеты в директорские каюты?

Я встрепенулся.

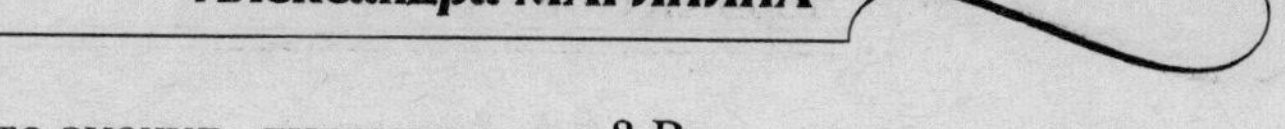

— Что значит «директорские»? Разве у теплохода есть директор? Я думал, только капитан.

— Это верно, — улыбнулся лысый в свитере. — У теплохода — капитан, а у круиза — директор. Все «люксы» находятся в директорском фонде, он их лично распределяет. У вас путевки в «люкс»?

— Верно. А что?

— Хотел спросить, как вам понравились каюты. Может быть, есть какие-то пожелания? До отплытия еще почти двое суток, мы могли бы все привести в соответствие с вашими пожеланиями.

— Откуда такая забота? — саркастически спросил я.

Краем глаза я увидел, что Татьяна отвлеклась от разговора с моей дочерью и внимательно прислушивается к моей беседе с лысиной в шортах.

— Простите, если лезу не в свое дело, но, когда каюты директорского фонда срочно снимаются с брони, всем понятно, что это делается для очень важных гостей. А коль так, то и мы должны постараться, не ударить в грязь лицом.

— Не нужно стараться, — холодно вмешалась Татьяна. — Нас все устраивает. Мы вообще еще не решили окончательно, едем или нет.

На лице у лысого отразилось такое недоумение, что я едва не прыснул. Ну да, откуда ему знать, что путевки достались нам бесплатно. Мы для него — пассажиры с путевками на руках, и ему, конечно, трудно понять, как это люди заплатили за путевку, а потом еще чего-то там решают. Есть на свете сумасшедшие миллионеры, но не до такой же степени!

— Отплытие в понедельник, в 13 часов, — обиженно сказал лысый. — Ждем вас на борту нашего теплохода.

Мне стало почему-то жаль его.

— Спасибо, — с чувством произнес я, незаметно подмигивая Лиле.

Девчушка улыбнулась мне так радостно, что я растаял. Нет, надо ехать во что бы то ни стало. Черт с ним, с этим принципиальным Мазаевым. Даже если из-за него не поедет Ира, а следом за ней и Татьяна откажется, я уеду вдвоем с Лилей. Уплыву в неведомые дали, подальше от проблем. И заодно от Риты Мезенцевой.

* * *

Все складывалось как нельзя лучше. Ирочка уговорила-таки Юру Мазаева ехать в круиз. Мой дружок с крылышками, видно, устыдившись своего вчерашнего поведения, сегодня поработал на славу, и мы, усевшись вокруг изобильного обеденного стола, воодушевленно обсуждали предстоящее путешествие. Рачительную Ирочку больше всего волновала проблема уже внесенной платы за наше жилье здесь, на Первомайской улице.

— Мы же заплатили за двадцать пять дней, а уезжаем через двенадцать. Вдруг Вера Ильинична не отдаст нам деньги?

— Да бог с ними, — беззаботно отмахивалась Татьяна. — Мы же следующие две недели будем жить бесплатно, так что ничего не теряем.

— Ну как это! — возмущалась ее подруга-родственница. — Тебе дай волю, так ты все деньги за три дня растранжиришь. Нам надо на новый компьютер копить.

Меня, признаться, проблема оплаты за комнату тоже беспокоила. Я книги не пишу, гонорары по двести долларов за авторский лист не получаю, живу на милицейскую зарплату. И еще меня беспокоила реакция Риты, когда я скажу ей, что отправляюсь с Лилей в поездку на теплоходе. Я почему-то был уверен, что Ритка взбеленится.

Юра Мазаев сдержанно молчал, лишь иногда улыбаясь, но было видно, что сама идея этой поездки ему не особенно нравилась. Просто ему не хотелось расставаться с Ирочкой. Интересно, он женат или нет? Похоже, что нет, если судить по тому, как Ирочка вцепилась в него. Был бы он семейным мужиком, она бы вряд ли так старалась. Кончится отпуск, он уедет в свой Новосибирск — и вся любовь. А она, кажется, на что-то надеется...

* * *

Как и следовало ожидать, Маргарита появилась в самый неподходящий момент. К вечеру я уже совсем было успокоился, решив, что на ее реакцию по поводу круиза мне наплевать, тем более что наш осторожный разговор с хозяйкой дома дал положительный результат: Вера Ильинична сразу сказала, что деньги вернет, никаких проблем. Ее дом стоит на учете в местном турбюро, и, как только у нее освобождается

комната, она тут же звонит туда, и к ней начинают направлять приезжающих каждый день «дикарей». Так что площади пустовать не будут. Все складывалось так удачно, а тут вдруг у нас на Первомайской появляется мадам Мезенцева. Впрочем, нельзя требовать невозможного от моего ангела-хранителя, он сегодня и без того сделал все, что мог.

— А где Лиля? — первым делом спросила Рита, даже не поздоровавшись.

Мы с Мазаевым по-прежнему сидели во дворе за столом, а наши дамы суетились на кухне, занимаясь ужином. Я, кстати, так и не смог понять, чего они хотят изобразить, потому что от завтрака и обеда осталось столько еды, что, по-моему, можно было обойтись без готовки еще дня три. Но у Ирочки были свои правила ведения хозяйства.

— Познакомься, Юра, это Рита, мать Лили, — сухо сказал я, нарушая все нормы этикета и представляя женщину мужчине, а не наоборот, как того требовали правила хорошего тона.

— Очень приятно, — вежливо кивнул Мазаев, вставая.

Вероятно, он был воспитан лучше, чем я. Мне, во всяком случае, и в голову не пришло встать при появлении своей бывшей супруги.

— Так где Лиля? — настойчиво спросила Рита, бросая на Мазаева кокетливый взгляд.

— Наверху, читает.

— Опять у тебя ребенок сидит в доме! Ты для чего ее привез сюда? Чтобы она дышала воздухом, а не сидела в духоте.

— Она сидит на веранде, успокойся.

Рита принялась вытаскивать из своей большой белой сумки персики, абрикосы и сливы.

— Вот если я не приду и не принесу фрукты, тебе никогда в голову не придет пойти на рынок и купить ребенку витамины. Ну что ты за отец, Стасов!

Я не стал рассказывать, как ходил сегодня утром на рынок и сколько фруктов и овощей, битком набитых витаминами, притащил домой. Мазаев бросил на меня быстрый понимающий взгляд, и я с облегчением перевел дух: он меня не сдаст. Хороший все-таки парень этот социолог-афганец.

Из кухни появились Таня и Ира, неся в руках тарелки с нарезанными овощами и зеленью. Я понял, что сейчас может начаться скандал, и мысленно поблагодарил судьбу за то, что рядом не было Лили.

— Познакомься, Рита, — произнес я, набрав в грудь побольше воздуха. Если бы я мог, я бы в этот момент зажмурился. — Ирина, жена Юрия. Татьяна, ее сестра. Кстати, я хотел тебе сказать: в понедельник мы все вместе уезжаем в круиз по Черному морю.

Слава богу, Рита онемела от такой наглости. Возникшая пауза дала возможность немного прийти в себя тем, кого я только что оболгал, навязав им несуществующие родственные связи. Первой опомнилась Ирочка. Она приветливо улыбнулась Рите.

— Будете с нами ужинать?

— Спасибо, нет, — сухо ответила та. — Я недавно обедала, и потом, у меня мало времени. Я что-то не поняла насчет круиза. Куда это вы собрались?

— Я же сказал: в круиз по Черному морю. На теплоходе «Илья Глазунов».

— С какой это стати, интересно знать?

— Ни с какой. Захотелось — и поедем. Лиля, между прочим, очень хочет ехать. Ей здесь уже надоело.

— А путевки?

— Мы их купили.

Ритка буквально пожирала глазами Татьяну, видимо, считая, что все это я затеял из-за нее. Оценивала соперницу. Похоже, она искренне полагала, что всю оставшуюся жизнь я должен страдать по своей экс-супруге и любить ее тайной любовью до гроба. И вдруг какая-то...

— Ну я не знаю, Стасов, ну ты вообще... — пробормотала она. — С тобой же нельзя ребенка отпускать.

— Это еще почему? — невинно поинтересовался я. — Там трехразовое питание, так что голодом я ее не уморю.

Таня и Ира продолжали молча носить из кухни тарелки и миски. Улучив момент, когда они снова отошли, Рита злобно прошипела:

— Ты не смеешь тащить с собой одновременно ребенка и любовницу. Это безнравственно. Я тебе запрещаю.

Надо же, ее не смутило даже присутствие Мазаева. Ну Маргарита!

— Ты не можешь ничего мне запретить, дорогая моя, — спокойно ответил я, понимая, что этот бой я уже выиграл. Раз

Рита не смеет высказываться в присутствии Татьяны, значит, она совершенно деморализована. — Мы с тобой в разводе, извини, что напоминаю. А оставлять ее здесь, на твоем и твоего любовника Рудина попечении, не менее безнравственно. Не будем заниматься бессмысленным обменом шила на мыло. Хорошо? Тем более что, повторяю, Лиля хочет ехать. Я ничего с тобой не обсуждаю, я просто ставлю тебя в известность.

Рита быстро поняла, что спорить со мной бесполезно. У нее не было выбора — она не могла оставить здесь Лилю без меня, она была слишком занята суматошной жизнью кинофестиваля. И потом, ей, похоже, уже надоело играть в дочки-матери.

— Здесь есть телефон? — озабоченно спросила она, быстро переключаясь на другую проблему.

Я проводил ее к хозяйке и попросил разрешения позвонить. Рита осталась в комнате, а я вернулся за стол, к Мазаеву.

— И как ты не боишься? — усмехнулся он.

— Чего я должен бояться?

— Скандала.

— А кто сказал, что я не боюсь? Боюсь, и еще как. Поэтому и вру, чтобы не нарываться.

— Откуда она узнала про Татьяну?

— Сам не знаю. Какая-то доброжелательная сволочь нас сфотографировала и подбросила снимки Рите в номер. Она еще вчера ими размахивала и пыталась выяснять со мной отношения.

Рита вернулась, и выражение лица у нее было раздраженным.

— Все наперекосяк с этим фестивалем, — сердито сказала она, усаживаясь за стол и беря с тарелки изящный пупырчатый огурчик, хотя не далее как десять минут назад пренебрежительно отказалась от предложенного ужина. — Ни одного дня нормально не проходит. Через час начинается пресс-конференция по фильму Бабаяна, а он куда-то пропал. Наверное, опять запил, придурок.

Виктор Бабаян был из породы гениальных алкоголиков. Он делал великолепные фильмы, но периодически, причем в самый, как правило, неподходящий момент, ударялся в не менее великолепные запои, наплевав на всю съемочную группу и застревающий производственный процесс. Запои свои Бабаян обставлял антуражем городского «дна», вливая в себя

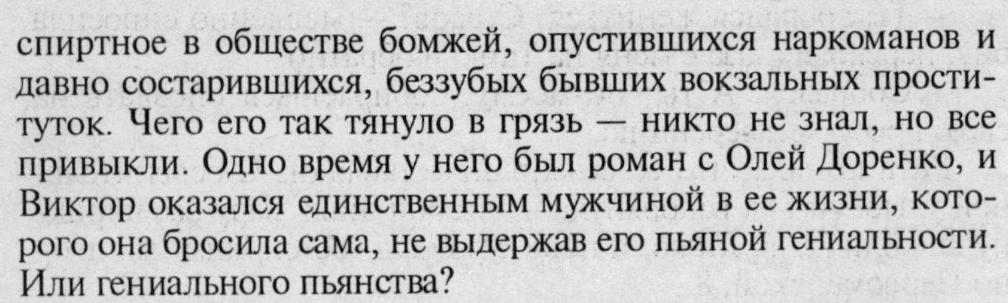

спиртное в обществе бомжей, опустившихся наркоманов и давно состарившихся, беззубых бывших вокзальных проституток. Чего его так тянуло в грязь — никто не знал, но все привыкли. Одно время у него был роман с Олей Доренко, и Виктор оказался единственным мужчиной в ее жизни, которого она бросила сама, не выдержав его пьяной гениальности. Или гениального пьянства?

— Поищите его на морском вокзале, — посоветовал я. — Мы там сегодня были, видели массу колоритных личностей, которыми Витя мог заинтересоваться.

— Без тебя знаю, — вяло огрызнулась Рита, хрустя огурчиком. — Что толку его искать, если он напился? Нельзя же в таком виде показывать его журналистам.

— Не паникуй раньше времени, может, он и не пьян. Гуляет где-нибудь, перед самым началом появится. И вообще, чего ты-то волнуешься? Ты же критик, а не претендентка на приз за роль в фильме Бабаяна. За Рудина своего переживаешь?

— Конечно. — Рита с вызовом поглядела на меня. — Ты никогда не понимал, как можно переживать, когда у других людей неприятности. Ты, Стасов, всю жизнь был эгоистом. Даже эгоцентристом. Между прочим, означает ли тот факт, что ты намылился в круиз, что ты окончательно отказываешься от предложения Рудина работать у него в службе безопасности?

— Означает, — подтвердил я. — Я увольняюсь на пенсию, и на ваши звездные кинематографические трупы мне наплевать.

— Чем же ты будешь заниматься, хотела бы я знать? Ты же ничего не умеешь, кроме как преступников ловить. В дворники пойдешь?

— Зачем в дворники? В домработники.

— В кого, в кого? — переспросила Рита.

Ее рука, потянувшаяся было за вторым огурчиком, повисла в воздухе.

— В домработники. К Татьяне Григорьевне. Буду вести ее домашнее хозяйство, чтобы давать ей возможность зарабатывать много денег.

Рита побелела. Все-таки дурой она не была, хотя прочих недостатков у нее имелось в избытке.

— Ты собрался жениться, Стасов? — медленно спросила она, переводя глаза с меня на Таню и обратно.

— Собрался. А ты, по-моему, собираешься опоздать на свою пресс-конференцию.

Рита поняла, что ее вежливо выставляют. С ослепительной улыбкой она вспорхнула на второй этаж, пару раз чирикнула, облизывая Лилю, и покинула наш гостеприимный двор по Первомайской, 8.

* * *

На рассвете, когда я, поеживаясь от холода, вышел из Таниной комнаты и стал на цыпочках двигаться по галерее, огибая дом, чтобы попасть в свою каморку, я увидел во дворе за столом сгорбленную фигуру. Сережа Лисицын сидел, опустив плечи, и от него веяло бедой и безысходностью.

Я спустился и сел рядом с ним.

— Что стряслось?

— Бабаяна нашли, — тихо ответил он. — На заброшенной стройке.

— Что он там делал? — удивился я.

— Лежал.

Я похолодел. Неужели?..

— Живой?

— Нет, конечно. Его утопили, потом вытащили и бросили на стройке. А меня выгнали с работы.

— Как то есть?

— Вчера еще. Сказали, что не справляюсь, что показатели низкие, успехов никаких. Перевели в участковые. Вчера же и приказ состряпали.

Пелена слетела с моих глаз в одно мгновение. Права была Ритка, когда говорила вчера, что я эгоист и ничего вокруг себя не вижу. Права на все сто.

Сначала ей подбросили фотографии, надеясь на то, что, как и полагается между супругами, у нас возникнет скандал, после которого мне придется уехать отсюда или, в лучшем случае, обходить гостиницу стороной. Скандала не получилось. Тогда нам подсунули путевки, которые мы якобы выиграли и от которых только полный идиот откажется.

Меня убирали из этого южного курортного города. Раскрытие громких преступлений поручили неопытному маль-

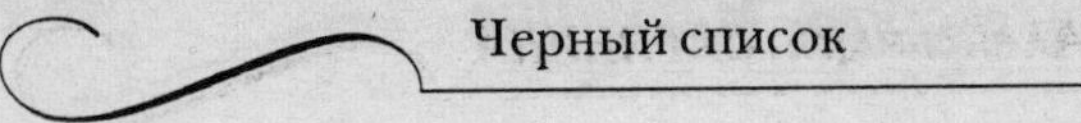

чишке. Да в любом другом месте уже давно была бы создана бригада с привлечением лучших сил из краевого управления и даже из министерства. А здесь — тишина. Неопытный мальчик оказался с головой и без глупого гонора и попросил помощи у московского сыскаря, хотя ему строго-настрого велели этого не делать. Мальчика от дела отстранить, сыскаря из города убрать. Вот и весь расклад.

Кража компьютера легла в этот расклад точным психологическим штрихом. Таня пишет повесть, она не столько отдыхает, сколько работает, и город этот для нее не столько курорт, сколько место действия, где разворачиваются описываемые события. Помани ее бесплатной путевкой — она ведь может и отказаться, для нее работа куда важнее, она деньги зарабатывает. Откажется ехать Таня — я могу сорваться с крючка, ведь у нас роман. Исчезновение мини-компьютера подготовило почву для того, чтобы мы все убрались отсюда к чертовой матери, польстившись на халяву.

Я смотрел на несчастного парня, сидевшего передо мной с убитым видом и грустными глазами вышвырнутого на мороз щенка, и понимал, что ни в какой круиз я не поеду. Юра Мазаев меня поддержит, ему и самому не очень хочется ехать. И Таня меня поймет, я уверен, что поймет и одобрит. Остаются Лиля и Ирочка. Как быть с ними? Ведь они так мечтают о поездке!

— Не плачь, Серега, — заявил я с преувеличенной бодростью, хотя у самого кошки скребли на душе. — Даже лучше, что ты теперь участковый, руки будут развязаны, а контроля со стороны розыска никакого. И следователь с тебя не спросит. Будешь делать, что считаешь нужным. Первым делом надо проверить турфирму, которая проводила социологическое экспресс-исследование. Через эту фирму нам всучили бесплатные путевки, чтобы заставить меня уехать отсюда. Давай-ка выясним, кто это у нас такой богатенький. Воришки, укравшие Танин компьютер, должны быть как-то связаны с этими Ротшильдами...

Солнце, наверное, уже давно встало, но из-за плотных свинцовых облаков его не было видно. Мы вполголоса обсуждали ситуацию и так увлеклись, что, когда во двор вышла Вера Ильинична, я глупо спросил:

— Что вы так рано? Это мы своей болтовней вас разбудили?

— Да как же рано, Владислав Николаевич, — удивилась хозяйка. — Половина восьмого уже. Я уж и так из-за погоды

проспала дольше обычного. Вовремя вы на теплоходе собрались, эта хмарь теперь надолго, никакого загара не будет, так уж лучше поплавайте, развлекитесь.

— А мы никуда не едем, — заявил я. — Вернее, я не еду. А насчет Танечки и Иры — пока не знаю.

— Передумали? Что так?

Я неопределенно пожал плечами.

— Да как-то, знаете ли... В общем, передумал. Ну его, теплоход этот. Никогда не плавал, а вдруг у меня морская болезнь начнется? Или у дочки, что еще хуже. Не буду я рисковать. Так что вы уж, пожалуйста, про мою комнату в турбюро не сообщайте, я еще поживу у вас.

— Ну и хорошо, — согласно кивнула Вера Ильинична.

Казалось, она была даже довольна, что мы остаемся. Как знать, вдруг на наше место поселится семья с маленьким ребенком, который будет громко плакать, или орать, или бегать повсюду и приставать ко всем. Лиля была, по крайней мере, тихой, послушной девочкой, которую было не видно и не слышно.

Распрощавшись с Лисицыным, я поднялся к себе в надежде поваляться еще немного в постели. Лиля лежала с открытыми глазами, и мордашка у нее была напряженная.

— Папа, где ты был? Я проснулась, увидела, что тебя нет, и испугалась.

— Я с дядей Сережей разговаривал. А ты давно не спишь?

— Давно. С шести часов.

— Да, дядя Сережа как раз в шесть часов пришел. Наверное, я тебя разбудил, когда выходил из комнаты, — соврал я, пряча глаза и испытывая угрызения совести. Мало того, что я ее обманул, так мне еще предстоит сообщить ей, что круиз на теплоходе отменяется. Надо же как-то объяснить ей это. А как? — Котенок, мне нужно с тобой серьезно поговорить, — осторожно начал я, совершенно не представляя, что буду говорить дальше.

— Насчет тети Тани?

— Нет. А что, собственно, насчет тети Тани?

Я присел на краешек ее постели и взял ее теплые маленькие ручки в свои руки.

— Ты будешь на ней жениться, я знаю.

— Да с чего ты взяла? — изумился я. — Я хотел поговорить с тобой про поездку на теплоходе. Видишь ли, солнышко, нам с тобой придется отказаться от нее.

Глаза Лили мгновенно наполнились слезами.

— Почему?

— Нужно остаться и помочь дяде Сереже. Он в очень тяжелом положении, и мы с тобой не можем бросить его сейчас. Понимаешь?

Лиля молча кивнула, слизывая с губ горькие детские слезы. Я не мог объяснить ей, что больше всего на свете не люблю, когда мной пытаются управлять. Я многое могу стерпеть — и хамство, и несправедливость, и обиду. Меня никогда особенно не трогало чужое горе и не волновали чужие неприятности. Но с тем, что мною манипулируют, я мириться не мог. Неизвестные силы, которые стояли за убийствами кинозвезд, выживали меня из города, и кушать это дерьмо с аппетитом и словами вечной благодарности я не собирался. Мне тридцать восемь лет, и за плечами у меня двадцать один год службы, из которых четыре пришлись на учебу в школе милиции, а семнадцать — на работу в уголовном розыске. И я себя не на помойке нашел. Но для восьмилетней девочки такие резоны были слишком сложными.

* * *

Татьяна согласилась со мной сразу и безоговорочно, но она, так же как и я, опасалась Ирочкиной реакции на мое, прямо скажем, оригинальное решение.

— В конце концов, пусть она едет с Мазаевым. Через две недели она вернется, а я подожду ее здесь, — сказала Таня.

— Видишь ли, я совсем не уверен, что Юра поедет, если сказать ему все как есть, — возразил я. — Он как-то мало похож на любителя легких развлечений. Может быть, лучше тебе поехать с ней?

— Ну да, — фыркнула Татьяна, — сейчас. Много ей радости со мной ехать. Ей Мазаев нужен, а не я. И потом, я хочу остаться с тобой. Ты не можешь бросить Лисицына, потому что ему трудно, а я по этой же самой причине не хочу оставлять тебя. Если ты не возражаешь, конечно.

Еще бы я возражал! Я готов был расцеловать ее прямо здесь, во дворе! Я был влюблен, и как все влюбленные, слеп и глуп. В тот момент мне и в голову не пришло, что я совершаю страшную, непоправимую ошибку.

Глава 9

Ирочка дулась все воскресенье, несмотря на мягкие уговоры Татьяны и насмешливые реплики Мазаева. Юра выбрал свою линию, согласно которой за каждым бесплатным благодеянием кроется подвох, и лучше такие благодеяния не принимать, если не хочешь потом оказаться в криминальной ситуации, из которой не будешь знать, как выбраться. Я авторитетно поддакивал ему, вспоминая разные истории из своей милицейской практики, когда человек покупался на «бесплатное» и опомниться не успевал, как оказывался по уши в дерьме.

Удар был для Ирочки, конечно, сильным, и глупо было бы надеяться, что она стойко перенесет его. Только к вечеру воскресного дня она начала понемногу отходить. Но в понедельник с утра она снова была мрачнее тучи, то и дело поглядывала на часы и вздыхала. Наконец, взглянув в очередной раз на циферблат, она горько вздохнула:

— Все.

И расплакалась. Было ровно 13 часов, и я понял, что все это время она носила в себе пусть слабую, но надежду, что мы передумаем. Теперь было уже поздно. Огромный белоснежный «Илья Глазунов» отправился в плавание по Черному морю, унося в своем чреве две пустые роскошные каюты-«люкс». Я чувствовал себя ужасно виноватым перед ней и перед своей дочерью.

Но эти слезы были последними. Ира понимала, что дело поправить уже невозможно и нужно смириться. Вытерев глаза и шмыгнув носом, она деловито переключилась на кухонно-обеденные проблемы.

За обедом мы изо всех сил старались развеселить Лилю и Ирочку, строя вслух какие-то феерические планы развлечений, которые мы себе устроим взамен круиза. Я обещал Лиле покатать ее на «блинчиках» и «гусенице» — она несколько раз меня просила об этом, но я постоянно отказывал ей из соображений безопасности: мне казалось, что моя дочь непременно перевернется и утонет, хотя на наших глазах сотни детей и взрослых садились в эти огромные надувные штуковины, привязанные тросами к катеру, и с визгами и криками мчались по волнам.

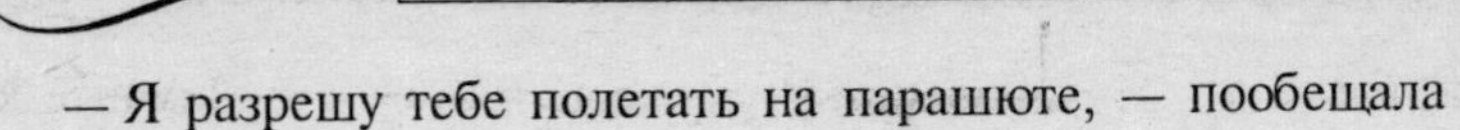

— Я разрешу тебе полетать на парашюте, — пообещала Татьяна Ирочке.

У них расклад сил был несколько иной. Парашют тоже привязывался канатом к катеру, и человек прямо с берега взмывал в воздух и десять минут летал на жуткой высоте над морем. Потом катер подруливал к берегу, сбрасывал скорость в точно определенном месте, и пляжный летун попадал прямо в объятия инструктора, который ловил его и аккуратно ставил на песок. Ирочка страшно хотела попробовать, но Татьяна запрещала ей это развлечение категорически.

— Пока ты будешь летать, я умру от страха за тебя, — говорила она. — Ты хочешь, чтобы у меня сделался припадок?

И потом, десять минут полетного удовольствия стоили сто тысяч рублей, или двадцать долларов, и рачительную Ирочку это несколько смущало.

— Друзья мои, по-моему, мы с вами засиделись дома. Надо прекратить это безразмерное обжорство и погулять. Пойдемте к морю, — предложил Мазаев.

Быстро убрав со стола и перемыв посуду, мы оделись потеплее и отправились на пляж. Ветер был противным, воздух — влажным, небо — пасмурным, да и настроение у нас было не самым радужным, хотя и по разным причинам. Но мы дружно делали вид, что веселимся и ликуем, как «весь народ» в известной «Дорожной песне» Глинки. По дороге в каком-то киоске я купил две бутылки шампанского и заявил, что мы непременно должны распить их на пляже под шум волн. Предусмотрительная Ирочка тут же начала заглядывать в витрины киосков и магазинов в поисках дешевых пластмассовых стаканчиков. Наконец стаканчики мы нашли, прикупив заодно и несколько шоколадок на закуску.

Пляж был совсем пуст и мрачен. Песок, в погожие дни горячий и золотистый, был холодным и серым, и длинные ряды пустых деревянных топчанов под тентами почему-то напоминали казарму. Мы медленно брели по вязкому песку к топчанам, чтобы расположиться поудобнее и открыть шампанское.

— Оно, наверное, теплое, — с сомнением сказала Ирочка.

— А я сейчас положу его в воду, через пятнадцать минут оно станет в самый раз, — весело ответил я и бодрым шагом отправился к воде.

Сняв обувь и присев на корточки, я закапывал бутылки в холодный песок в полосе прибоя, когда услышал за своей спиной крик:

— Лиля! Не трогай!

Я резко обернулся и увидел, как мой ребенок резво шагает к одному из топчанов, а Юра Мазаев в два мощных прыжка догоняет ее и хватает за руку. Забыв про бутылки с шампанским, я ринулся к ним.

— Что случилось? — спросил я, едва отдышавшись.

— Там книжку кто-то забыл, — жалобно ответила Лиля. — Я только хотела посмотреть. Честное слово, я знаю, что нельзя брать чужое, но я же не насовсем, я только посмотреть...

— Лилечка, иди к тете Тане, — ласково произнес Мазаев, подталкивая Лилю в сторону наших дам. — Попроси у нее шоколадку для меня и для папы.

Когда Лиля отошла на безопасное расстояние, Юра тихо сказал:

— Прости, Слава, не думай, что я дешевый паникер. Но я в Афгане таких штучек навидался. После того, что мы тут узнали и увидели, я всего боюсь. Ты иди к девочкам, последи, чтобы они близко не подходили. А я посмотрю, что это. Дай бог, чтобы я ошибся.

Я отошел туда, где метрах в двадцати сидели на двух топчанах наши три красавицы — две большие и одна маленькая. А Юра медленно двинулся к противоположному концу длинного топчанного ряда. Я видел, как он, словно подкрадываясь к дикому зверю в джунглях, подошел к одному из топчанов, на котором ярким пятном выделялась забытая кем-то толстая книга.

— Владик, ты хотел шоколад? Вот, держи.

Я перевел взгляд на Ирочку и уже открыл рот, чтобы вежливо отказаться, как вдруг раздался громкий голос Мазаева:

— Ложись! Ложись!

Даже не успев сообразить, что я делаю, я схватил Лилю, бросил ее на холодный влажный песок и навалился сверху, прикрывая ее собой. Из «партера» мне были видны ноги стремительно бегущего Мазаева, который буквально пролетел половину разделявшего нас расстояния и тоже бросился ничком, закрыв голову руками. Через мгновение раздался взрыв.

При мысли о том, что могло произойти с моим ребенком, меня сковал такой ужас, что я еще долго лежал, уронив голову в песок и прижимая к себе Лилю.

— Слава! — услышал я голос Мазаева над самым ухом. — Слава, с тобой все в порядке? Можно вставать.

6 Зак. 689

Он вытащил из-под меня обмершую от страха Лилю и помог мне встать.

— Господи! Что это было? — пробормотала Таня, еле шевеля онемевшими губами.

— Чья-то хулиганская шутка, — зло ответил Юрий, отряхивая от песка свои джинсы и свитер. — Слава богу, что обошлось. Ну-ну, девочки, расслабьтесь, обошлось же. Давайте-ка улыбнитесь и доставайте наши новые стаканы, а мы со Славой принесем шампанское.

Он потянул меня за руку, и я покорно поплелся следом за ним к воде. Ногам было холодно, и я только тут сообразил, что снял кроссовки, чтобы закапывать бутылки, стоя в воде по щиколотку. Но холод подействовал отрезвляюще, и я снова залез в воду, чтобы немного унять нервную дрожь.

— Ну? — требовательно спросил я, заглядывая в глаза Мазаеву.

— Что-то странное. — Он задумчиво покачал головой. — Обычно в такие игрушки закладывают столько взрывчатки, чтобы человека разнесло в клочья. Я потому и кричал «ложись!». Был уверен, что сейчас все топчаны взлетят на воздух и обломки посыплются нам на головы. А взрыв оказался намного слабее, чем я ожидал. Намного. Даже непонятно. Такое впечатление, что не убить хотели, а только покалечить.

— Иными словами — напугать?

— Да нет, я бы не так сказал.

— А как? — спросил я, уже зная ответ.

— Если предположить... Слава, ты не дергайся раньше времени, я же только предполагаю. Так вот, если предположить, что книга была приготовлена специально для Лили, то им не нужно было, чтобы она погибла. Потому что, если бы это случилось, ты бы остался в городе до конца своих дней или до того момента, пока не выяснишь, что здесь происходит. Они же этого не хотят. Им нужно убрать тебя из города, убрать любой ценой, и они закладывают столько взрывчатки, сколько нужно, чтобы девочку только покалечило. Очень сильно, но не смертельно. Силой такого взрыва ей оторвало бы кисти рук. Тогда ты схватил бы ее в охапку, сел на первый же самолет и улетел в Москву, чтобы положить ее в лучшую клинику. Ни при каких условиях ты здесь не остался бы. Ведь правильно?

Я кивнул. В горле так пересохло, что я не смог выдавить из себя ни слова. Идиот! Кретин! Самонадеянный эгоистич-

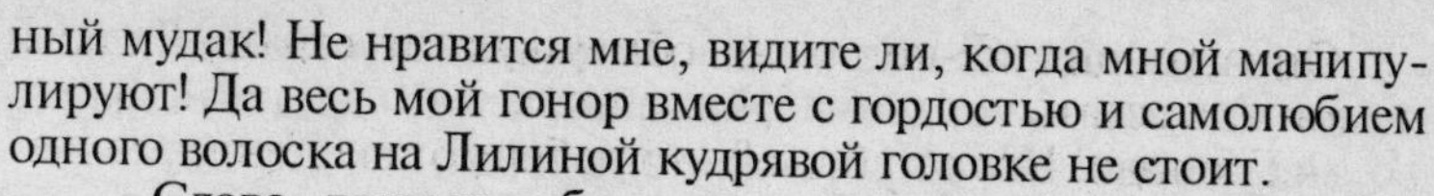

ный мудак! Не нравится мне, видите ли, когда мной манипулируют! Да весь мой гонор вместе с гордостью и самолюбием одного волоска на Лилиной кудрявой головке не стоит.

— Слава, возьми себя в руки и перестань психовать, — строго сказал Мазаев, доставая из песка бутылки с шампанским. — Оттого, что ты будешь дергаться, лучше никому не станет. Нам нужно быть очень осторожными и внимательными.

Я наклонился и, зачерпнув в ладони холодной соленой воды, плеснул несколько раз себе в лицо.

— Надо немедленно увезти отсюда Лилю, — хрипло пробормотал я. — Хорошо бы и Таню с Ирочкой отправить. Боже мой, какой же я дурак! Плыли бы сейчас на теплоходе и горя не знали бы.

— Ладно, чего уж теперь, — махнул рукой Юра. — Все равно теплоход не догоним. Надо придумывать, как выкручиваться. Пошли, выпьем шампанского, расслабимся.

Он быстро пошел назад к топчанам, неся в каждой руке по большой темно-зеленой бутылке с черно-золотистыми этикетками, а я плелся следом, загребая ступнями песок, с кроссовками в руках. На душе было черно.

Веселья не получилось. Дорогое французское шампанское было выпито в тягостном молчании. Я мучительно соображал, как сделать так, чтобы отправить в Москву Лилю, а самому остаться. Можно попытаться уговорить Риту уехать с фестиваля раньше времени, но для этого придется все ей рассказать. Черт ее знает, как она отреагирует. Когда она вчера приходила попрощаться с нами и узнала, что мы никуда не едем, она смотрела на меня сочувственно, как на тяжелобольного. Мои внезапные решения и не менее внезапные отмены этих решений выбивали ее из колеи. Я понял, что она уже распланировала свою жизнь на ближайшие две недели с учетом того, что нас с Лилей здесь не будет и не нужно таскать нам дважды в день сумки с витаминами и изображать заботливую мать. Может быть, она даже собралась съездить куда-нибудь со своим ненаглядным Рудиным, ведь фестиваль через три-четыре дня должен закончиться. А тут вдруг я заявляю, что она должна взять Лилю и возвращаться в Москву...

— Пойдемте отсюда, — вдруг сказала Ира. — Здесь как-то... Страшно, что ли. Неуютно.

Она поежилась и залпом допила свой стакан. Мы молча поднялись, выбросили в урну бутылки и обертки от шоколадок и поплелись к выходу на набережную.

— Куда пойдем? — спросила Татьяна.

— Налево — гостиница с киношниками. Пойдемте направо, мы там еще не гуляли, — предложил я.

Я шел, крепко держа Лилю за руку. После того, что случилось, мой обычный отцовский страх за ребенка удесятерился и стал почти паническим. Мне казалось, что, если я отпущу девочку от себя больше чем на метр, с ней немедленно случится беда. То, что Лилю нужно отсюда увезти, обсуждению не подлежало. Весь вопрос был в том, должен ли я сам находиться здесь или мне тоже следует уехать, махнув рукой на невидимых благодетелей, убивающих кинодеятелей и выгоняющих меня из города. И решать этот вопрос нужно было быстро.

Асфальтированная набережная закончилась, дальше вдоль моря шла посыпанная мелким гравием дорога, по обеим сторонам обсаженная маленькими пальмочками. Впереди показалось недостроенное здание изящной и необычной архитектуры. С правой стороны аллеи, по которой мы брели, укрепленный на столбе большой щит сообщал, что строительство гостиницы «Палас» ведет турецкая строительная фирма «Касиду». Однако никакого движения на стройке мы не обнаружили. Я понял, что это была та самая заброшенная стройка, про которую мне рассказывал вчера на рассвете Сережа Лисицын и на которой нашли мертвого режиссера Виктора Бабаяна. Строительство шло быстро и гладко, и при таких темпах гостиница должна была быть закончена к ноябрю—декабрю. Но в дело вмешалась политика. После событий в Буденновске в средствах массовой информации прошла «утка» о том, что руководитель захвативших Буденновск боевиков Шамиль Басаев сбежал в Турцию и получил там убежище. На следующий день какие-то хулиганы подбросили на стройку листовки с фотографией премьер-министра Турции с выколотыми глазами и с текстом, оскорблявшим религиозные чувства мусульман. Строители-турки тут же собрали вещички и гордо удалились на родину. Вряд ли можно упрекать их в том, что они не захотели оставаться в такой враждебной обстановке.

Мы повернули назад, потому что за недостроенной гостиницей начинался пустырь и гулять там было неинтересно. Когда мы снова оказались в центре города, я принял решение.

* * *

На переговорном пункте народу было много, и мне пришлось ждать своей очереди к телефону довольно долго. Наконец я вошел в душную тесную будку и принялся набирать один за другим московские номера телефонов. Мне пришлось истратить на звонки изрядное количество жетонов, но в конце концов я нашел тех, кто мне был нужен, и договорился обо всем. С местного телефона я дозвонился в гостиницу и поговорил с Ритой. Как и предполагалось, она пришла в ужас оттого, что Лиля так быстро возвращается в Москву, не пробыв на море и двух недель, но мне удалось ее успокоить рассуждениями об испортившейся надолго погоде и байками о необыкновенно комфортабельной даче моих друзей, у которых мы будем жить и у которых двое детей примерно Лилиного возраста, так что скучно девочке не будет. Рита быстро сдалась, учитывая ежедневные сводки синоптиков, радостно сообщавшие о том, что в Москве и Подмосковье стоит жаркая солнечная погода, которая продержится до конца июля, а может быть, и половину августа.

Вернувшись на Первомайскую улицу, я быстро собрал вещи, попрощался со всеми, и мы с Лилей уехали в аэропорт. В линейном отделе милиции я показал служебное удостоверение и скорчил мину, одновременно требовательно-строгую и жалостливую. Ребята смилостивились и запихнули нас на ближайший рейс в Москву.

Всю дорогу я молчал, снова и снова прокручивая в голове события прошедшие и предстоящие. Только бы все прошло без сбоев. В городе остались Таня и Ирочка, и они нуждались в защите ничуть не меньше, чем Лиля. Конечно, рядом с ними находится Юра Мазаев, но все-таки...

* * *

В аэропорту в Москве нас встречал Игорек Дивин, один из самых шустрых и сообразительных моих подчиненных.

— Взял билет? — первым делом спросил я его.

— Так точно, Владислав Николаевич, вы летите завтра, вернее, уже сегодня рано утром, в шесть пятьдесят.

— Марину нашел?

— Нашел. Она вас ждет.

— Борзенкова предупредил?

— Предупредил. Он же мне и машину дал вас встретить. Если хотите, можно сразу в Барвиху ехать. Он мне дорогу объяснил.

— Молодец, Игорек, — похвалил я.

Мы вышли из зала прилета и уселись в уютный просторный «Мерседес» Алика Борзенкова, моего давнего товарища, с которым мы когда-то вместе учились в школе. Было уже два часа ночи, а мне нужно было успеть отвезти Лилю в Барвиху к Алику на дачу и заехать к Марине. Расписание получалось «впритык», если учесть, что в аэропорту мне нужно снова оказаться самое позднее в шесть утра.

Лиля спала, свернувшись калачиком на заднем сиденье и положив голову мне на колени. Я прикинул, что если проведу у Марины хотя бы час, то должен приехать к ней не позже пятнадцати минут пятого, чтобы к шести успеть в аэропорт. За два часа сгонять в Барвиху и обратно на хорошем «Мерседесе» по пустой ночной дороге — дело вполне реальное, если не случится ничего непредвиденного. А машину Игорек всегда водил хорошо. Неплохо было бы еще и домой заскочить.

Я тоже хотел было подремать, откинув голову на высокий, обитый велюром подголовник, но не смог. Теперь, когда Лиля была в безопасности, меня стало грызть пронзительное беспокойство за двух женщин, оставшихся на юге, у Черного моря. Как они там? Не случилась ли какая беда? Не страшно ли им? Впрочем, вопрос этот был риторическим. Конечно, страшно. Бедные мои девочки! Во что же я вас втравил! И все только из-за того, что мне захотелось вступиться за Игоря Литвака. Знать бы, где упасть...

Алик Борзенков не спал, ожидая нас. Заслышав шум мотора, он тут же выскочил из дома и бросился к машине.

— Влад! Ты в порядке?

Я осторожно разбудил Лилю и вышел из машины. Алик всегда ужасно боялся за меня. Он был известным композитором-песенником, сочинял шлягеры, зарабатывал бешеные деньги, но при этом работа сыщика казалась ему чем-то сверхъестественным и наполненным ежечасной и ежесекундной опасностью. Считалось, что при нормальном ходе событий он сам звонит мне примерно раз в месяц, если, конечно, ему удается меня найти. Но уж если звоню ему я, то это непременно связано с какими-то экстремальными ситуациями. Поэтому, сняв телефонную трубку и услышав мой голос, он

пугался и тут же начинал спрашивать, здоров ли я и все ли в порядке.

Мы с Аликом обнялись. Руки его были ледяными, и я понял, что все это время он нервничал и места себе не находил, представляя меня смертельно раненным, в кровавых бинтах и с запекшимися губами. Странно, но на всем свете не было, наверное, человека, который бы так боялся за меня. Мама не в счет. Она всю жизнь прожила замужем за сыщиком и свое отбоялась, каждый вечер ожидая моего отца с работы. За меня она, разумеется, тоже переживала, но уже не так сильно, потому что слишком хорошо представляла себе нашу работу. И потом, она хорошо знала своего сына, меня то есть. Я никогда не отличался отчаянной храбростью и умением нестись сломя голову и не разбирая дороги. И почти никогда не лез в авантюры. Ну не было у меня такой жилки, что ж теперь поделать. Я сухой, эмоционально холодный эгоист, в меру ленивый и в меру осторожный. Таким, во всяком случае, меня видела мама, и, похоже, она не сильно ошибалась.

— Я знаю, ты спешишь, — сказал Алик, когда мы вошли в дом. — Твой Игорь меня предупредил, что у тебя времени совсем мало. Вот, я вам еду приготовил, все в пакетики завернул, в машине поедите, чтобы время не терять.

Я с благодарностью принял от него огромный пакет. Одной из легенд, прочно воцарившихся в гуманитарно-музыкальной голове моего школьного друга, была легенда о вечно голодных сыщиках. Впрочем, это было не так уж далеко от правды.

Я обнял совсем сонную дочурку, хлопнул по плечу заботливого Алика Борзенкова, и мы с Игорьком покатили обратно в Москву. Подъехав в половине четвертого ночи к дому на Овчинниковской набережной, я поднял голову и увидел свет в одном из окон. Бедная Маринка тоже не спала, ожидая беспутного и непредсказуемого Стасова. Она всегда говорила, что в первые два часа после сна у нее руки «неверные», поэтому самые ответственные визиты назначала на послеобеденное время. А когда случалось, что ее услуги были нужны ночью, она спать не ложилась, пока не заканчивала работу. Наша Марина была волшебницей, и ее талантами беззастенчиво пользовались все кому не лень. Она нам никогда не отказывала и денег не брала, но мы считали своим долгом делать ей подарки ко всем мыслимым и немыслимым праздникам и ко дню

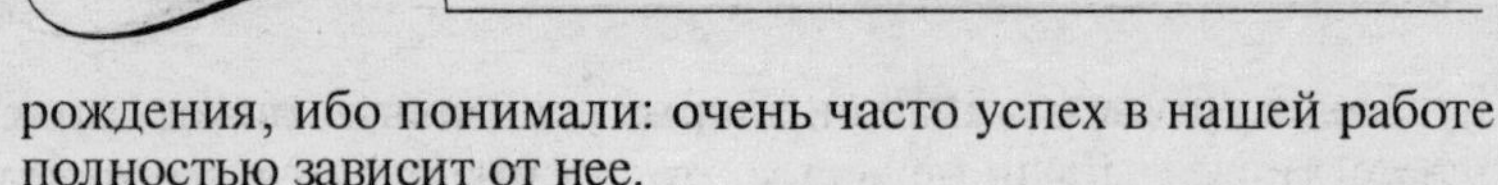

рождения, ибо понимали: очень часто успех в нашей работе полностью зависит от нее.

Марина ждала нас в полной боевой готовности, одетая в голубой нейлоновый халатик, бодрая и собранная. Каждый раз, глядя на ее хорошенькое веснушчатое личико и яркие, постоянно готовые к улыбке губы, я в недоумении думал о том, почему никому из наших ребят не пришло в голову жениться на ней. Она была бы идеальной женой для милиционера: терпеливая, собранная, деловитая, Маринка никогда не хныкала и не жаловалась на жизнь. Даже в тот день, когда она пришла на Петровку и рассказала, что на нее постоянно «наезжают», угрожая и принуждая освободить квартиру, она хохотала, очень живо изображая свои беседы с вооруженными вымогателями. Ее квартиру мы отстояли, и она с тех пор считала себя обязанной работать с нами бесплатно, хотя иногда это занимало немало времени.

Она усадила меня в ярко освещенной комнате в вертящееся кресло перед большим зеркалом, а Игоря выгнала в соседнюю комнату.

— Иди, зайчик, посиди там, включи видик, посмотри кино. Давай сюда паспорт и катись, нечего подсматривать.

Наша Марина никому не разрешала наблюдать за своей работой. Даже того, кто сидел в кресле, она разворачивала спиной к зеркалу.

— Ты что, профессиональные секреты оберегаешь? — спрашивал я ее много раз.

— Не в этом дело. Если ты будешь видеть весь процесс, ты не сумеешь оценить результат. Ты его просто не заметишь.

И она была права. Когда спустя час с небольшим она повернула меня лицом к зеркалу, я снова пережил уже знакомый, но от этого не менее радостный и восторженный миг «неузнавания». На меня смотрел совершенно чужой мужик. У него были темно-каштановые волосы, а форма головы благодаря умелой стрижке ничем не напоминала ту, которую носил Стасов. Более того, она ухитрилась постричь меня так, что волосы казались прямыми и гладкими, а не вьющимися, какими они были всю мою сознательную жизнь. Над моей верхней губой красовались рыжеватые усы, на тон светлее, чем волосы, и были они такой формы, что меняли лицо до неузнаваемости. Про усы Маринка мне однажды прочитала целую лекцию.

— Понимаешь, Владик, форма усов соответствует характеру, типажу. Люди не всегда это понимают, поэтому «покупаются» на усы, как на вывеску. Вот из старого кино мы помним, что тоненькая полосочка над губой — это или шпион, или донжуан. Усы с длинными висячими концами — председатель колхоза или запорожец-хохол. Ровные и густые — положительный секретарь райкома. А если они ровные и густые, но длинноватые — неунывающий жизнелюб, любитель выпивки и женщин, не особенно умный, но с самомнением. Усы квадратиком — комический персонаж. Закрученные вверх — офицер царской армии или бравый казак. Образы-то засели в голове с самого детства, они живут в подсознании и невольно диктуют нам, как воспринимать людей, которые внешне похожи на тот или иной типаж.

Из-под рук Марины я вышел «новым русским», наглым, уверенным в себе и богатым. Ни одной из этих трех характеристик в реальной жизни я не обладал, но притворяться умел. Эту рожу Маришка слепила, глядя на фотографию в паспорте, который Игорек сумел раздобыть для меня.

Осталось проверить эффект на Игоре.

— Зайчик, можно заходить! — весело крикнула моя визажистка.

По его лицу мне все стало понятно. Все-таки не зря мы называем нашу Марусю волшебницей. Она притащила из своих запасников парик, точь-в-точь воспроизводящий мою настоящую прическу, отодрала усы, и я снова превратился в привычного и милого моему сердцу Стасова. Какое-то время мне предстояло побыть самим собой, а уж потом, если нужно будет, я резко «обнаглею» и «разбогатею».

Уже стоя в прихожей, я наклонился и чмокнул Марину в щеку.

— Спасибо, Маняша, дай бог тебе здоровья и жениха хорошего.

Она в ответ звонко расхохоталась. Вы часто видели женщин, которые могут весело хохотать в пять утра после того, как всю ночь не спали, и не для собственного удовольствия, а работая за бесплатно на чужого дядю? Мне такие что-то пока не попадались. Кроме Марины, конечно.

* * *

С Овчинниковской набережной мы поехали в Черемушки, где была моя квартира, а оттуда — в аэропорт. Ребята из милиции провели меня на борт без досмотра, и в семь утра я уже снова был в воздухе.

Всю дорогу от Москвы до Черноморского побережья я проспал. Мне снился взрыв, в котором погибали мои близкие, и я изо всех сил старался проснуться, чтобы не переживать этот кошмар, но усталость была такой сильной, что я продолжал спать и видеть сны, один другого неприятнее. Разбудила меня стюардесса, когда почти все уже вышли из салона.

На улице я сразу увидел Сережу Лисицына, который крутил головой, высматривая меня.

— Как дела, участковый? — весело спросил я, подходя ближе.

— Пока все тихо, — улыбнулся Сережа, и я понял, что он рад моему возвращению.

— Девочки в порядке?

— Да, я утром к ним заезжал, перед тем как ехать вас встречать. Я вам новое жилье нашел на той же улице, чтоб поближе к ним. Ничего?

— Отлично, молодец, — похвалил я. — Сейчас я вернусь на старое место, а вечерком, как стемнеет, зайду к новым хозяевам, представлюсь.

Мы сели в машину и поехали на Первомайскую улицу изображать счастливое возвращение страстного любовника.

— Что-нибудь удалось узнать про наши путевки? — спросил я.

— Очень немногое. Видите ли, та туристическая фирма, название которой указано в ваших анкетах, у нас не зарегистрирована. Круиз на «Глазунове» организован туристической фирмой «Лада». За три дня до отплытия теплохода, в пятницу, кто-то заплатил бешеные бабки и выкупил две каюты из директорского фонда. Действовали, по всей вероятности, через директора круиза, иначе он хрен отдал бы свои «люксы». Но к этому директору на кривой козе не подъедешь, у него шикарный дом с вооруженной охраной, и какого-то вшивого участкового они и на метр к воротам не подпустили.

— Не уважают, стало быть, родную милицию, — зло усмехнулся я.

— А кто ж ее нынче уважает, Владислав Николаевич, — вздохнул Лисицын. — Об нас только ленивый ноги не вытер.

— Это точно. А знаешь, дружок, у вас в «управе» кто-то жопу рвет, чтобы спустить четыре трупа на тормозах. Мой паренек поинтересовался в министерстве сводками, и знаешь, что он там прочитал? В гостинице убита гражданка Доренко, прописанная в Москве. При попытке ограбления убита гражданка Довжук, прописанная в Московской области. Во время проведения массового мероприятия в толпе погиб гражданин Юшкевич, прописанный в Санкт-Петербурге. Во время купания в нетрезвом состоянии утонул гражданин Бабаян. Здорово, да? Такие сводки никому в глаза не бросятся. Тем более что в нашем министерстве сейчас вообще никому ни до чего дела нет. После Буденновска нашего министра сняли, за ним часть заместителей полетит, начнутся кадровые перестановки, так что всех волнует в основном это, а не какие-то там граждане и гражданки, которым не повезло умереть во время пребывания на курорте. А я-то, дурак, все удивлялся, почему по таким броским преступлениям до сих пор бригада не создана.

Моя хозяйка Вера Ильинична встретила меня как родного. Когда мы вчера уезжали, я сказал ей, что у Лили началась солнечная крапивница и ее нужно срочно отвезти в Москву, и пообещал вернуться как можно быстрее. При этом я делал страдальческое лицо и бросал выразительные взгляды в сторону Татьяны. Вера Ильинична понимающе кивала и даже пыталась мне подмигнуть, давая понять, что вполне одобряет наше «молодое дело».

— А девочки с Юрием Сергеевичем ушли на пляж, — посетовала она, отдавая мне ключ от комнаты. — Мы вас так скоро не ждали. Погода плохая, солнышка нет, но они все равно пошли. Сказали, морским воздухом дышать полезно.

— Ничего, — беззаботно ответил я, — я их там найду. Я знаю, где они обычно устраиваются.

Бросив сумку и переодевшись, я с бодрым и веселым видом отправился к морю. Пляж, несмотря на пасмурную ветреную погоду, вовсе не был таким пустынным, как я ожидал. Видно, приехавшие отдыхать курортники решили не ждать, пока погода исправится, раз уж потрачены деньги на то, чтобы сюда приехать. В конце концов, море — оно и есть море, а для профилактики простуды существуют давно испытанные народные средства в виде крепких спиртных напитков.

Свою компанию я нашел там, где и ожидал. Ирочка дремала, лежа на топчане и укрывшись курткой Мазаева, а Татьяна с Юрой играли в карты. Я издалека увидел знакомый нежно-сиреневый свитер Тани, ее забранные высоко на затылок белокурые волосы над полной почти не загорелой шеей и внезапно понял, как сильно влюблен в нее. Маргарита очень удивилась бы, узнав, что я способен на столь сильное чувство. Да я и сам удивлялся.

— Не смей обыгрывать мою даму, — сказал я, подходя к ним. — Моя месть будет страшной.

Таня выронила из рук карты и, вскочив с топчана, крепко обняла меня.

— Дима, — пробормотала она, уткнувшись лицом в мою шею, — Димочка. Ты вернулся.

Реакция Мазаева была более спокойной. Он, казалось, был ничуть не удивлен моим неожиданным появлением. Я оценил это по достоинству, ибо понял: он все время незаметно посматривал по сторонам, чтобы не быть застигнутым врасплох внезапной опасностью. Он давно уже заметил меня, но, не зная моих планов и намерений, решил раньше времени не поднимать шум. И чего его понесло в социологию? Ему бы самое место в уголовном розыске. Впрочем, с чего я решил, что он социолог? С его слов? Мысль о том, что Юра Мазаев — не тот, за кого себя выдает, мне в голову раньше не приходила. Может быть, напрасно? Стасов, ты утратил не только кураж, но и профессиональную осторожность. Тебе действительно пора на пенсию.

— Как Лиля? — спросил он, пожимая мне руку. — Ты ее устроил?

— Да, все в порядке. А как вы тут без меня?

— Как видишь, — усмехнулся Юра. — Ирина дрыхнет без задних ног. После вчерашнего происшествия с книгой она так переволновалась, что всю ночь не спала. Зато теперь расслабилась. Ириша! Просыпайся! — громко позвал он, похлопывая Ирочку по бедру. — Просыпайся, красавица, Стасов приехал.

Ирочка с трудом разлепила глаза и уставилась на меня непонимающим взглядом.

— Владик... — произнесла она хриплым со сна голоском. — А ты разве не улетел?

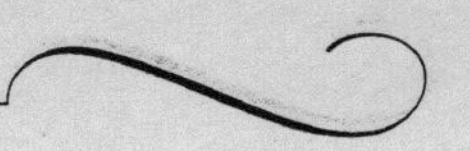

— Я уже обратно прилетел. Вставай, подруга, труба зовет. Я приглашаю вас обедать в ресторан.

— По какому поводу? — нахмурился Мазаев.

— А просто так. В честь моего счастливого возвращения.

Ирочка, сидя на топчане, крутила головой, стараясь прочухаться и сбросить с себя тяжелую сонную одурь. Я погладил стоявшую рядом Татьяну по мягкому теплому плечу и прижал ее к себе. Интересно, если я сделаю ей предложение, она согласится или откажется? Скорее всего, откажется.

Через полчаса мы заходили в приморский ресторан с нависающей над свинцово-серым морем верандой. Свободных мест было совсем мало, что и неудивительно при такой-то погодке. Сделав заказ, я вышел из зала якобы в туалет и отправился искать вход на кухню. Рядом с этим входом должно находиться то место, которое мне было нужно.

Кухню я нашел довольно легко. Воровато оглядываясь, сунул за деревянную дверцу, прикрывавшую пожарный кран, привезенную из Москвы записку, вытащил изо рта комочек жевательной резинки и прилепил его на металлическую задвижку дверцы. Резинка была сигналом о том, что в тайнике находится записка. Эту связь мне дали в Москве, потому что в этом южном городе у меня не было никого, кроме Сережи Лисицына, а на него надежда слабая, тем более что от оперативной работы его отстранили. В моем бумажнике лежала еще одна записка, и ее еще предстояло положить в заранее оговоренное место.

Когда я вернулся в зал, закуски уже стояли на столе. Обслуживали здесь быстро, что меня порадовало. Это был тот же самый ресторан, в котором мы несколько дней назад ужинали вместе с Лилей, и мне было любопытно, вспомнит ли меня толстый усатый официант, который нас тогда обслуживал. Я ведь и столик сегодня выбирал специально в той части зала, которая была за ним закреплена.

Официант меня вспомнил. И это тоже меня порадовало.

— А где ваша дочка? — спросил он, ставя перед нами огромные тарелки со стейком и жареной картошкой.

— Пришлось отправить ее домой. Представляете, у нее развилась солнечная крапивница, — посетовал я. — И температура поднялась, и чешется вся, бедненькая.

— Жаль, — посочувствовал он. — Такая славная девчушка.

Пока все шло по плану. Я не только не скрывал своего возвращения, но стремился сделать свое присутствие в городе как можно более заметным. Конечно, у меня не было ни малейших оснований подозревать толстого официанта в связях с невидимой организацией, которая так старалась от меня избавиться. Но из десятка случайных выпадов один или два обязательно попадут в болевую точку. Даже в таком огромном городе, как Москва, эта тактика срабатывала, а уж здесь-то...

После ресторана мы отправились бесцельно бродить по городу. Впрочем, бесцельной эта прогулка была для кого угодно, только не для меня. Я целенаправленно тащил своих друзей на улицу Сапунова, где находилось самое крупное в городе фотоателье. Мне нужно было не только это ателье, но и телефонная будка рядом с ним.

Фотоателье выглядело солидно и располагалось в отдельном одноэтажном здании. Размещенные в витрине щиты доводили до сведения граждан, что здесь осуществляются все виды фоторабот: съемка, проявка пленок черно-белых и цветных, изготовление слайдов и фотографий, фото на документы и художественные портреты. Принимаются заказы на выездную съемку торжественных событий. И даже ремонт фотоаппаратов.

Внутри за стойкой сидел молодой парень кавказского типа с трехдневной щетиной, которая с недавних пор вошла в моду как подражание одному известному западному актеру.

— Добрый день, — радушно приветствовал он нас. — Что будем снимать? Фотографию на память на фоне морских волн?

— Снимать не будем, — оборвал я его. — Будем задавать вопросы и отвечать на них.

Парень сразу помрачнел. Было видно, что мои слова вызвали у него неприятные ассоциации с милицией. Немудрено, все-таки приходилось сталкиваться.

— Здесь не справочное бюро, — пробурчал он, пытаясь сделать свой голос вызывающим.

— Ага, — поддакнул я. — Скажи-ка мне, дружок, кто у вас в городе занимается ночной съемкой?

— Не понял.

Парень вопросительно поднял голову, но лицо его выражало явное облегчение. Вопрос показался ему странным, но не опасным. С одной стороны, это было хорошо. Но с другой — плохо. Впрочем, посмотрим.

— Чего ж тут непонятного? Мне нужно фотографировать

в ночное время. Аппаратуры для ночной съемки у меня нет. Вот я и хочу узнать, у кого она есть и кто может мне в этом деле помочь. Вопрос ясен?

— Ясно, — снова пробурчал небритый, но дружелюбия в голосе у него прибавилось. — У нас такой аппаратуры нет.

— А у кого есть?

— Откуда я знаю? — Он пожал мощными плечами, обтянутыми трикотажной водолазкой. — Надо поспрашивать у тех, кто в гостиницах подрабатывает. У богатых свои причуды, они любят на память со своими девицами ночные купания запечатлевать.

— Вот и поспрашивай, дружок. А я к тебе завтра загляну. Все понял?

Парень, видно, совсем освоился с ситуацией, которая ему ничем не угрожала, поэтому позволил себе быть неуступчивым.

— У меня, дядя, свои начальники есть. Чужим командирам я не подчиняюсь, — заявил он окрепшим голосом.

Ах ты, боже мой, какие мы самостоятельные! Я обернулся к Тане, Ирочке и Мазаеву, которые терпеливо поджидали меня, разглядывая развешанные по стенам фотографии ослепительных красавиц и мужественных героев. Мазаев перехватил мой взгляд, тут же взял наших дам под руки и вывел на улицу. Что-то он слишком сообразительный, Мазаев этот. Может, он и в самом деле никакой не социолог?

Оставшись наедине с небритым кавказцем, я легко перемахнул через разделявший нас барьер-стойку и отработанным движением захватил его голову в «замок».

— Теперь я буду твоим командиром, понял? Временно, не бойся. На несколько дней. Ссориться со мной не надо, я бегаю быстрее, прыгаю выше, а стреляю лучше. Усвоил? Завтра приду за ответом на свой вопрос. Будешь вести себя неправильно — получишь по попке. Попка у тебя мягкая, так что моей руке больно не будет. А чтобы у тебя не возникало желания экспериментировать, предупреждаю заранее: про твои художества в зоне пока знаю только я, но круг осведомленных лиц может стать более широким.

Я разомкнул «замок», взял парня за волосы и повернул его лицо к себе. Смертельная бледность разлилась от корней волос до самой шеи. Значит, Сережа Лисицын не промахнулся, давая мне наводку на этого фотодеятеля. Он назвал мне его фамилию еще вчера, и пока я летел с Лилей в Москву,

Игорек Дивин, помимо всего прочего, получил сведения об этом небритом красавце, в том числе и о его поведении во время отбывания срока за разбойное нападение. Вел себя наш герой, прямо скажем, не совсем красиво, по крайней мере, с точки зрения законов зоны. Администрация была им более чем довольна, потому что он не только стучал, как взбесившийся дятел, но и помогал устраивать провокации против неугодных «куму» зеков. В среде бывших, а также действующих уголовников за такое поведение по головке не гладят. Сам парень был из Ростова, срок мотал в Самарской области, после освобождения какое-то время пожил под Курском, потом обосновался здесь, в этом южном городке на берегу Черного моря. Слухи о его неблаговидных выкрутасах сюда пока не дошли, но ведь этому делу и помочь недолго, о чем я и проинформировал только что излишне независимого фотографа, который не признает чужих командиров. Конечно, шантаж — дело не особо благородное, но мне было на это наплевать, потому что я искал тех, кто покушался на моего ребенка. И чтобы найти их, я готов был пойти на поступки, весьма далекие и от благородства, и от этики. Наверное, в своей прошлой жизни я был курицей-наседкой, глупой и ограниченной, но ради защиты своих цыплят готовой броситься даже на коршуна.

У порога я обернулся и еще раз напомнил:

— Я зайду завтра в это же время. Постарайся не заболеть и не уехать срочно на похороны любимой тетушки. Твой новый командир этого не любит.

Выйдя из фотоателье, я поискал глазами телефонную будку. Будка стояла метрах в десяти от дома, где находилось ателье. Я попросил ребят подождать меня еще минутку, зашел в будку, разыграл немую сцену «Безуспешный звонок», оставив при этом в тайничке вторую записку, и с чистой совестью повел всю компанию в бар на набережной пить коктейль. Первые шаги были сделаны. Теперь будем ждать, кто и как на них отреагирует.

Глава 10

На следующий день в половине восьмого утра я сидел во дворе дома на Первомайской и делал вид, что старательно читаю местную газету. Хозяева Юры уже вернулись от своих родственников, так что ночевал он в комнате у Ирочки, а

Таня провела ночь у меня. Все они еще спали, а я караулил контрольный сигнал, нетерпеливо поглядывая на часы.

Наконец через открытое окно первого этажа до меня донесся телефонный звонок. Трубку снял Григорий Филиппович.

— Але, — услышал я его глуховатый голос. — Нет, не туда попали. Нет, это не почта, это частный дом.

Я облегченно перевел дыхание. Значит, первая записка, которую я оставил возле ресторанной кухни, дошла до адресата. В записке было указание позвонить от 7.30 до 8.00 по нашему телефону и «попасть не туда» в знак подтверждения, что записка получена и человек, которому она была адресована, готов со мной встретиться.

Ровно в пятнадцать минут первого я был на морском вокзале, с тоской глядя на причал, возле которого совсем еще недавно стоял белоснежный «Илья Глазунов» с роскошными «люксами», предназначенными для нас. И почему мы не поехали? Потому что я — дурак.

Я зашел в здание вокзала и поднялся на второй этаж, где были расположены кассы. Из пяти кассовых окошечек открыты были два, и к каждому из них стояло человек по восемь. Я примостился в конец одной из очередей, достал справочник по лекарственным растениям в яркой обложке и принялся делать вид, что усиленно читаю. Краем глаза я наблюдал за лестницей и вскоре увидел солидного дядьку с пузом и в очках, который, пыхтя и отдуваясь, поднимался на второй этаж. Дядька пристроился за мной и спросил:

— Вы крайний?

— Я всю жизнь крайний, — ответил я. — Как кого бить — так меня. Но в этой очереди я, слава богу, не крайний, а последний.

Толстяк шумно перевел дыхание, стараясь заглянуть на обложку моей книги. Я понял, что надо ему помочь, поэтому закрыл книгу и положил ее на барьер, вдоль которого выстроилась очередь, а сам полез в карман за носовым платком.

Через несколько минут мы уже беседовали с ним в тихом укромном месте, подальше от любопытных глаз и ушей.

— Я думал, сам Николай Дмитриевич приехал, — сказал толстяк, который оказался шеф-поваром того самого ресторана, где мы вчера обедали. — Смотрю — почерк-то в записке его.

— Почерк его, — согласился я. — А помощь нужна мне. Так я могу на вас рассчитывать?

— Ну... — Он неопределенно повел пухлыми плечами. — Я посмотрю, что можно сделать.

— Иван Александрович, так меня не устраивает. Если бы я мог выбирать из десятка помощников, я еще мог бы согласиться с тем, что кто-то из них не сумеет мне помочь. Один не сумеет, зато другой сумеет. Но я в вашем городе чужой, и выбирать мне не из кого. Вы понимаете? У меня вся надежда только на вас.

Конечно, я слегка лукавил, но бог простит.

— И потом, — продолжал я, — мне не нужны от вас активные действия. Мне только нужно, чтобы вы прислушивались и присматривались в поисках тех, кто будет мной интересоваться. И потом рассказывали мне об этом. Вот и все. А уж как это сделать — не мне вас учить, вы все не хуже меня знаете.

Иван Александрович вздохнул громко и жалобно. Роль добровольного помощника милиции была ему в тягость, но, видно, отказать в просьбе Коле Щипанову он не мог.

Расставшись с шеф-поваром, я послонялся по центру города. Сегодня было по-прежнему холодно, но облачность постепенно рассасывалась, небо было уже не таким серым, и даже изредка проглядывало робкое солнце. Похоже, еще деньдва — и погода снова наладится.

Я брел по зеленой, обсаженной кипарисами аллее и пытался связать воедино трех кинозвезд и одного кинорежиссера. Что между ними общего? Кому они могли все дружно помешать? Кассета Вернигоры, затесавшаяся в этот кинематографический клубок, вносила сумятицу в мои размышления. Она не могла иметь к этим четырем убийствам никакого отношения. Потому что если бы все дело было в кассете, то погибли бы только Оля Доренко и Люся Довжук. А Олег Юшкевич и Витя Бабаян были бы живы. Значит, дело не в кассете... При мысли о Юшкевиче и Бабаяне какое-то неясное воспоминание пронеслось в моей голове, но я не успел его схватить.

К четырем часам я подошел к фотоателье и первым делом проверил телефонную будку. Сунув жетон в прорезь и сняв трубку, я набрал Риткин номер в гостинице, а сам стал внимательно изучать нацарапанные на стене кабины слова и цифры. В тот момент, когда она ответила, я увидел то, что искал — московский номер телефона Коли Щипанова. Вчера этого номера здесь не было. Значит, и второй адресат получил мое послание.

— Это я, привет, — произнес я в трубку.

Похоже, Маргарита спала, и я своим звонком ее разбудил, потому что она не заметила, что гудки были не междугородние.

— Владик? Что случилось?

— Ничего, все в порядке. Звоню, чтобы ты не волновалась.

— Как вы долетели?

— Отлично.

— Как Лиля?

— Хорошо. Рита, я могу тебя попросить об одной вещи?

— О какой?

— Мне нужны фильмографии Доренко, Довжук, Юшкевича и Виктора Бабаяна. У вас ведь наверняка есть.

— Есть. А тебе зачем?

— Рита, мне нужно. Не задавай лишних вопросов. К тебе придет Сережа Лисицын, такой симпатичный мальчик лет двадцати пяти, отдай ему, ладно?

— Но я не понимаю, зачем, — упиралась Ритка с глупым упрямством.

— Сережа работает в уголовном розыске и занимается этими убийствами. Ему нужно проверить одну версию, и для этого ему необходимо иметь фильмографии всех четверых. Сделай, пожалуйста.

— Ладно, сделаю, — сдалась она. — Беда с тобой, Стасов.

— Почему же?

— Да потому, что ты сам бы мог заниматься этими убийствами, если бы согласился работать у Бориса. А ты вместо этого валяешь дурака.

— Все, Рита, у меня жетоны кончились. Пока!

Я повесил трубку и направился в фотоателье. За стойкой на сей раз сидело юное создание лет семнадцати с немытыми волосами и небрежно подкрашенными глазами. Создание грызло орехи из пакетика и перебирало стопку квитанций.

— Здравствуйте, прелестное дитя, — сказал я, подходя к ней поближе. — А где ваш небритый компаньон?

— Это который?

Девушка лениво подняла глаза от своих квитанций и уставилась на меня с таким тупым выражением на лице, что я начал было сомневаться, понимает ли она, что перед ней живое существо, а не каменная глыба.

— А который вчера работал.

— А, Жорик... А его нету.

— Так. А когда будет?

Медленно, словно во сне, она подняла руку, поднесла к глазам часики и задумалась.

— Через сорок восемь минут.

Я тоже бросил взгляд на часы. Было двенадцать минут пятого. Забавная девчушка, могла бы просто сказать, что Жорик придет к пяти часам, так нет, выпендривается. «Через сорок восемь минут»! Надо же!

— Он точно придет? Мне имеет смысл ждать или он может и до завтра не появиться?

— Кто, Жорик? Он может, он такой.

Она снова уткнулась в квитанции, а я вышел на улицу и уселся на лавочке неподалеку. В конце концов, найти Жорика труда не составит, но нужно держать свое слово. Вчера я был здесь почти в половине шестого и обещал зайти сегодня в это же время. Так что до половины шестого небритый стукачок имеет право гулять, а уж потом я начну с ним разбираться, если нужно будет.

Просидел я на этой лавочке битый час. В четверть шестого в конце улицы показалась машина, темно-синие «Жигули», которая, взвизгнув, вывернула из-за угла и пулей подкатила к ателье. Из машины выскочил Жорик и начал торопливо запирать дверь. Похоже, боялся опоздать к визиту своего новоявленного командира. Стало быть, здорово струхнул вчера.

Через десять минут я покинул гостеприимную лавочку, унося с собой сведения о человеке, у которого есть аппаратура для ночной съемки, а также информацию о том, что испуганный Жорик и не подумал скрывать, кто это в городе завелся такой любопытный. Что ж, его болтливость оказалась мне на руку. Чем больше я «засвечусь», тем лучше.

* * *

Счастливый обладатель фотоаппаратуры для ночной съемки жил на другом конце города, и я с удовольствием совершил пешую прогулку быстрым шагом. Я вообще люблю быструю ходьбу, но когда со мной рядом была Лиля, темп приходилось снижать. Моя книжная толстушка никак не поспевала за папашиными длинными ногами.

Первое разочарование не заставило себя ждать. Никита Гущин, имя которого мне назвал небритый Жорик, был в отъезде. Как выяснилось, он уехал почти две недели назад к своей невесте в Магнитогорск. Мать Гущина, худая, как жердь, изможденная и сварливая, разговаривала со мной сквозь зубы, не прерывая своего занятия — она закатывала в банки помидоры и огурцы. Не добившись от нее никакого толку, я уже собрался было попрощаться, когда заметил среди вывешенного на просушку белья две белые футболки, которые по размеру никак не могли принадлежать двадцативосьмилетнему молодому мужчине. Выходит, у Никиты есть брат или сестра. Это уже лучше.

Выяснить, что у Никиты Гущина есть пятнадцатилетний брат Толик и что сейчас он «шляется где-то на набережной», было делом пяти минут. В компании двух сестричек-близнецов из соседнего дома я прогулялся в центр города, где они и показали мне младшего Гущина, который упоенно строил из себя взрослого с сигаретой в углу рта и банкой пива в руках в окружении таких же малолеток, как он сам. Поблагодарив девочек и отправив их обратно, я подошел к развеселой компании и пристроился рядом, потягивая пиво и внимательно прислушиваясь к разговорам.

— А слабо Толянычу еще по одной? — ехидно подначивал здоровенный бугай с совсем еще детским лицом, но внушительной мускулатурой.

— Не слабо, — лениво цедил Гущин, сплевывая себе под ноги, — но халявщиков не люблю. Не фиг меня раскручивать.

— Наш миллионер копеечку бережет, — заржал мускулистый.

Остальные робко захихикали. Было видно, что бугая они уважают и побаиваются, но в то же время и с Толиком ссориться не хотят.

— Да ладно тебе, Леха, — примирительно сказал один из мальчишек. — Толяныч и так нас уж который день угощает. Совесть надо иметь.

— Вот именно, — одобрительно поддакнул Гущин.

Он допил пиво, небрежно швырнул банку мимо урны и не спеша поднялся со своего места.

— Пойду еще парочку возьму, — сказал он тоном, в котором ясно слышалось пренебрежение к своим нищим сотоварищам.

Толик Гущин оказался щуплым невысоким пареньком, и выражение затравленности пустило прочные корни на его прыщавом лице. Я понял, что он в этой компании, руководимой мускулистым бугаем Лехой, был «шестеркой» и мучился своей незаметностью и неавторитетностью. Однако сейчас положение изменилось. Толик угощал друзей пивом, и, как следовало из только что услышанного, уже не в первый раз. Завоевывает внимание. А на какие, интересно, деньги? То, что я видел у него дома, никак не походило на высокое благосостояние. Ворует, что ли? Очень любопытно. Если бы он действительно воровал, то его ставки в этой гнилой команде и так были бы высокими, подростки на воровскую романтику покупаются легко. Откуда же тогда это выражение забитости и затравленности? Первая кража, первый доход?

Я подошел к киоску, торговавшему пивом, и встал у парня за спиной. Расплачиваясь, он достал из кармана конверт и вытащил оттуда пятидесятитысячную купюру. Конверт был совсем тоненьким, если в нем и оставались еще деньги, то не больше трех-четырех купюр. Однако тот факт, что деньги лежали в конверте, красноречиво свидетельствовал о том, что их там сначала было много.

— Анатолий, — окликнул я его, когда Толик уже собрался отходить, держа в каждой руке по жестяной пивной банке. — Ну-ка отойдем, поговорить надо.

Он испуганно обернулся.

— А чего?

Голос у него был деланно-нахальным, но все равно не смог скрыть впитавшейся в кровь привычки к тому, что им все время помыкают.

— Отойдем — скажу, чего. Не бойся, я не кусаюсь.

Прием был банальным и истертым в многочисленном употреблении, но от этого не менее эффективным. Для пятнадцатилетнего пацана хуже нет, чем дать заподозрить себя в трусости. Толик покорно поплелся рядом со мной в сторонку, подальше от своих приятелей. Мы остановились у каменного парапета, отделявшего пляж от набережной, и облокотились на него, встав лицом к морю.

— Ты кому давал аппаратуру? — начал я прямо в лоб.

Толик побелел, отчего прыщи на его физиономии стали яркими и еще более противными.

— Какую аппаратуру? — мужественно спросил он.

— Для ночной съемки. Так кому?

— Не знаю я, о чем вы говорите.

— Да ну? А деньги у тебя откуда? Украл?

— Не крал я. Чего вы привязались?

— Сейчас объясню. У твоего брата Никиты есть фотоаппаратура для съемки в ночное время. Никита уехал к своей невесте, а тебя кто-то попросил дать эту аппаратуру на несколько часов. Верно? И кучку денег тебе за это отсыпали. На эти деньги ты и гуляешь вот уж который день. Не так, что ли?

— А хоть бы и так? Чего такого-то? Имею право. Я ничего не воровал.

— Ну да, конечно. А знаешь, что Никита с тобой сделает, когда приедет?

— Чего?

— Удавит, вот чего. Ты мозгами-то пораскинь, если они у тебя есть. Почему они к брату твоему со своей просьбой не пришли? Почему стали дожидаться, пока он уедет в Магнитогорск? Да потому, что он им эту аппаратуру ни за какие деньги не дал бы. Потому что он точно знает, что они задумали пакостное и подсудное дело, и выставил бы их из своего дома взашей. Вот они к тебе и подкатились, к маленькому дурачку, а ты и купился.

— Да ладно вам пугать-то, — недоверчиво протянул Гущин-младший. — Что они, шпионы, что ли? Нормальные мужики.

— Ага, а то ты много шпионов видел. Они точно такие же, как мы, с виду вполне нормальные. Две руки, две ноги, одна голова. Впрочем, ты прав, они действительно не шпионы. Они гораздо хуже. Знаешь, что эти нормальные мужики сделали? Они сфотографировали моего хозяина во время одной секретной встречи. И теперь мой хозяин хочет узнать, кто это сделал. А у твоего брата Никиты из-за этого будут большие неприятности.

— Это почему? — повернулся ко мне Толик. — Не он же снимал. Его вообще сейчас в городе нет.

— Это ты моему хозяину объясняй, а не мне. Аппаратура чья? Никиты. Вот и весь сказ. И если ты мне сейчас не скажешь, кому ты ее давал, то будет считаться, что фотографировал твой брат. С ним мой хозяин и будет разбираться. Видишь, как все просто.

— Да откуда ж я знаю, кто они! — в отчаянии воскликнул Толик. — Я у них документы не спрашивал. Пришли, денег предложили... Ну я и дал. Чего такого-то?

— Вот так прямо с улицы пришли? — усомнился я. — Они же должны были откуда-то знать, что у Никиты есть аппаратура. Может, это его знакомые?

— Может. — Он пожал плечами. — Я их в первый раз видел.

— Они к вам домой приходили?

— Не, на улице подошли, когда мы с ребятами тусовались.

— И ребята их видели?

— Не, — он отрицательно мотнул головой. — Поймали меня одного, когда я за сигаретами бегал.

— Ну и какие они из себя? Сколько их было?

— Двое. Один вроде как постарше, пожилой уже. А другой примерно как Никита. А деньги теперь отдавать придется? А то я уже почти все истратил.

— Много денег-то дали? — поинтересовался я.

— Двести долларов рублями.

— И все уже истратил? Ну и темпы у тебя, Анатолий. Даже я живу скромнее.

Парнишка из бледного стал пунцовым. Видно, привык, что дома мать вечно ворчит по поводу отсутствия денег, и понимал, что тратит неожиданно свалившееся богатство непростительно глупо, но ничего не мог с собой поделать. Мнение компании для него дороже. В науке это называется «референтная группа». Да и как он объяснял бы матери, откуда у него такие деньги? Будь он поумнее да посильнее, он оставил бы этот без малого миллион на карманные расходы и перестал бы тянуть каждый день деньги у матери. Но Толик Гущин не был ни умным, ни сильным.

— И ты этих мужиков больше ни разу с тех пор не видел?

— Почему, видел.

— Где?

— Да здесь, на набережной. Здесь кого хочешь можно встретить. Прямо Бродвей.

— Когда ты их видел?

— Позавчера, что ли. Или вчера. Не помню точно.

— Они тебя узнали?

— Не-а. Они между собой разговаривали, а я их со спины видел.

— И что, ты их со спины узнал? Никогда не поверю, — убежденно сказал я, сам внутренне сжимаясь.

Если Толик не врет и он действительно узнал одного из них со спины, значит, есть четкая примета. Господи, хоть бы не промахнуться!

— Ну и не верьте. А я его точно узнал. Он ходит как аршин проглотил и поворачивается всем корпусом, будто деревянный.

— Инвалид, что ли?

— Ну... Вроде того. Не инвалид, а как будто покалеченный.

— Ты про которого говоришь? Про молодого или того, который постарше?

— Про пожилого.

— Сегодня их не видел здесь?

— Нет, сегодня не видел.

— Ладно, Анатолий. Поверю тебе на слово. А ты, если хочешь жить спокойно, прими совет: увидишь их еще раз — виду не подавай, что узнал. Сразу глаза в сторону и спиной поворачивайся. Понял? Твое счастье, если я их быстро найду. А уж если нет, придется братца твоего Никиту за жабры брать, пусть доложит, кому он про свою аппаратуру рассказывал.

Удар попал в цель. Мальчишка брата боялся, это было очевидно. И ему очень хотелось, чтобы я нашел этих деятелей как можно скорее, пока Никита не вернулся из Магнитогорска. Но я решил на него не давить. Пусть думает, что он сам такой сообразительный.

— А если я их увижу, вам сказать?

— Да где ж ты меня найдешь? — усмехнулся я.

— Ну... — Он растерялся. — Хотите, я к вам домой прибегу, если что. Вы где живете?

— На Первомайской, дом 8. Знаешь, где это?

Он кивнул. Лицо его приобрело нормальный оттенок, глаза горели охотничьим азартом. Вот оно, то, что позволит ему чувствовать себя не последним человеком в своей компании. Конечно, сейчас он прибежит к ним и с пеной у рта будет взахлеб рассказывать, какое важное и ответственное поручение ему дали. Дядька с Первомайской, 8, выслеживает двоих преступников. И он ему помогает.

— И еще одно, Анатолий. Ты в своих друзьях полностью уверен?

— Да, а что?

— Не может так случиться, что среди них есть тот, кто навел этих двоих на тебя? Ты сейчас ребятам все расскажешь про наши с тобой дела, а кто-то из них побежит к тем двоим и доложит, что ты их выдал. Не боишься, что так выйдет?

— Я что, больной — всем рассказывать? — презрительно скривился Толик. — Они же не знают, откуда у меня деньги.

— А в самом деле, откуда? Что ты им сказал?

Толик смутился.

— Ну... Это неважно. Но я не говорил, что это за аппаратуру. Те мужики меня предупреждали, чтобы я не трепался. В смысле, чтобы Никитке потом никто не стукнул. Он мне строго-настрого запрещает его вещи трогать.

— Балда ты, Толя, — в сердцах произнес я. — Можно подумать, этим мужикам так уж важно, чтобы тебе от брата не влетело. Да плевать они на это хотели. Они за себя опасаются. Поэтому ты язык придержи, понял? А ребятам своим скажи, что я к тебе насчет одной девушки подходил, которая с Никитой встречалась. Вроде как я ее жених и хочу понять, серьезно у нее с Никитой или нет. А ты мне и объяснил, что опасаться мне нечего, потому как у Никиты есть невеста, к которой он в данный момент и уехал. Все понял?

Глядя вслед удалявшемуся Толику Гущину, я думал о том, что такие слабые забитые пацаны становятся легкой добычей для тех, кто хочет их использовать. Я имел в виду не только себя.

* * *

Было уже совсем темно, когда я встретился с человеком, которому оставлял послание в телефонной будке. Он оказался прямой противоположностью шеф-повару: худой, поджарый, подвижный и легкий. В темноте я не смог сразу точно определить его возраст, но, судя по голосу, он был далеко не первой молодости. К Коле Щипанову он относился чуть ли не благоговейно, поэтому сразу выразил готовность сделать для меня все, что нужно.

— Я в этом городе всю жизнь прожил, кроме тех лет, что сидел, конечно, — сказал он. — Меня каждая собака знает. Это,

с одной стороны, не очень хорошо, но зато ведь и я каждую собаку знаю.

Интересно, подумал я, сколько раз он сидел благодаря Коле Щипанову? У меня в Москве был такой человек: я ухитрился упрятать его за решетку пять раз подряд. Когда на шестой раз его поймал другой сыщик, так чуть ли не смертельная обида была. «У вас, Владислав Николаевич, рука легкая, я после вас всегда срок хорошо мотаю. А после этого опера со мной в колонии обязательно что-нибудь случится. Давайте я вам явку с повинной сделаю, расскажу пару эпизодов, про которые никто не знает, чтобы считалось, что это снова вы меня упекли. А я вам за это отслужу верой и правдой», — заявил он, находясь под следствием в шестой раз. Сколько преступлений я раскрыл благодаря этому рецидивисту — не перечесть. Конечно, и у него были свои принципы, воров и мошенников он не сдавал никогда, но насилия и душегубства не признавал, поэтому по тяжким преступлениям информацию поставлял добросовестно. Похоже, мой нынешний знакомец был как раз из таких. Но спрашивать об этом у чужого агента было неприличным.

* * *

К себе на Первомайскую я возвращался голодным, как волк, потому что целый день мотался по городу и ничего не ел. В желудке грустно плескалась одинокая банка пива, которую я выпил на набережной, ожидая момента, когда можно будет заговорить с Толиком Гущиным. Было уже поздно, но я был уверен, что заботливая Ирочка оставила мне какой-нибудь еды. И еще меня грела мысль о том, что в доме на Первомайской меня ждет Татьяна. Чудеса все-таки иногда творятся с человеческой психикой! Сейчас, когда я, едва не потеряв ребенка, встал на тропу войны, моя влюбленность в Таню делалась сильнее с каждым часом, хотя по всем законам жанра мне должно быть совершенно не до нее. И что я в ней нашел, не понимаю. Вернее, я прекрасно понимал, что именно нашел в ней, но до сих пор мне и в голову не приходило, что эти качества могут быть для меня важными. Да что там важными — жизненно необходимыми. Поистине, чудны дела твои, господи!

Метров за двести до дома номер 8 я почувствовал, что в

один из расставленных мной капканов кто-то попался. Звук шагов за спиной преследовал меня по меньшей мере минут десять. Я то убыстрял ход, то замедлял, но звук оставался все время одинаковым, не делался ни тише, ни громче, а это означало, что идущий за мной человек четко соблюдал дистанцию. Что ж, значит, день прошел не зря.

Во дворе я увидел картинку из серии «Ждут солдата с фронта». За накрытым столом сидели Татьяна, Ирочка и Юра Мазаев и напряженно молчали. Перед ними стояли чистые тарелки и нетронутые блюда с едой. И несмотря на повисший сзади «хвост», я на мгновение расслабился, чувствуя, как на лице расплывается идиотская улыбка. Они меня ждали. Они за меня волновались.

— Владик!

— Дима!

— Слава! — сказали они в один голос, а Ирочка почему-то расплакалась.

— Мы так волновались, — всхлипывала она. — Ты сказал, что придешь не поздно... Мы с восьми часов сидим как на иголках, а сейчас уже почти одиннадцать.

— Ерунда, — громогласно заявил я. — Что такое одиннадцать часов для отпускного периода! Детское время. Сейчас поедим и пойдем гулять.

— Ты еще не нагулялся? — насмешливо спросила Таня. — Чем же ты весь день занимался?

Ноги у меня гудели, я сидел на скамье за столом, и мысль о том, чтобы встать и куда-то идти, казалась мне непереносимой. Но мне нужно было обязательно вытащить на свет божий своего соглядатая, поэтому я продолжал громко нести всякую чушь о том, как полезно гулять перед сном, а особенно полезно дышать морским воздухом.

— В конце концов, я вас силком не тащу, — сказал я, скорчив обиженную мину. — Вы как хотите, а мы с Таней пойдем к морю. Пойдем, Танюша?

При этих словах я изо всех сил наступил на ногу сидевшему рядом Мазаеву. От неожиданности Юра сморщился и крякнул.

— Да уж, пожалуйста, идите вдвоем, поворкуйте, голубки, — ехидно ответил он. — А мы с Ирочкой уже достаточно взрослые, чтобы гулять, взявшись за руки. Мы и здесь найдем чем заняться.

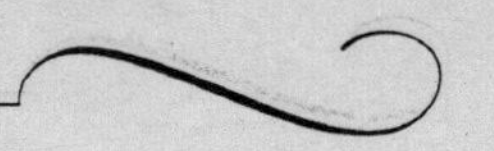

Я собрался было расхохотаться, как полагалось по сценарию, но наткнулся на холодный взгляд Татьяны и осекся. Она не понимала моего замысла, и мое поведение казалось ей дурацким и пошлым. Протянув руку через стол, я взял Танины пальцы и поднес к губам, преданно глядя ей в глаза. Ее лицо смягчилось, губы дрогнули в чуть заметной улыбке. Я точно знал, что в густой бархатной темноте южной ночи, всего в нескольких метрах от нас кто-то стоит и внимательно слушает каждое произнесенное нами слово, поэтому не сказал больше ничего, только поцеловал нежные прохладные пальцы женщины, на которой собирался жениться.

Без нескольких минут двенадцать Татьяна спустилась из своей комнаты в широкой свободной юбке и тонком нежно-сиреневом свитере, и мы отправились гулять, помахав рукой Ирочке и Юре Мазаеву.

— Ты обиделась? — робко спросил я Таню, крепче прижимая к себе ее теплый округлый локоть.

— Нет. Но я не люблю, когда меня держат за «болвана», особенно если мои карты вполне позволяют вистовать.

— Ты играешь в преферанс? — удивился я. — Откуда такая терминология?

— Дима, но я же следователь, — усмехнулась она, — а не базарная торговка. Я не гоню самогон, но знаю, как это делается. Точно так же, как знаю технологию хищений в химической промышленности, хотя по профессии я не химик и не вор.

— Сейчас проверим, — весело сказал я. — Я пришел к уголовнику Жорику и велел ему узнать, у кого есть аппаратура для ночной съемки. Шесть пик.

— Ты хотел найти человека, который нас с тобой щелкнул во время непристойного прелюбодеяния в саду. Шесть треф.

— Я пришел к уголовнику Жорику. Шесть треф здесь.

— Ты хотел поставить в известность о своих намерениях местную уголовную среду. Шесть бубен.

— Я нашел человека, у которого такая аппаратура есть, и выяснил, что его младший братишка-балбес кому-то ее одалживал за приличные деньги. Шесть червей.

— Ты проинформировал о своих намерениях среду полукриминальных малолеток. Шесть без козыря.

— По дороге домой я понял, что за мной кто-то тащится. Семь пик.

— И ты предложил нам пойти погулять, чтобы выманить его за собой. Семь треф.

— Я не просто предложил вам пойти погулять. Семь треф здесь.

— Ты предложил мне пойти с тобой. Ты хочешь, чтобы Юра Мазаев тебя прикрыл. Семь бубен. Сдавайся, Стасов. У тебя красные масти слабые, а на восемь треф ты не потянешь.

Я рассмеялся и крепко прижал Татьяну к себе.

— Таня, а если я сделаю тебе предложение, ты его примешь?

— Какое предложение?

— Брачное.

От неожиданности она споткнулась.

— Ты с ума сошел, Дима. Мы знакомы всего неделю. Откуда такие бредовые мысли?

— Так что, ты мне отказываешь, что ли?

— А ты согласишься переехать в Питер?

— Запросто.

— А как же Лиля? Ведь если ты уедешь из Москвы, ты будешь видеть ее совсем редко.

— Тогда я заберу тебя в Москву.

— Да ну? В коробку упакуешь и отправишь в грузовом вагоне?

— Опять не годится? Тогда я заберу Лилю в Питер. Так пойдет?

— А как твоя Маргарита к этому отнесется?

— Плохо, конечно, — вздохнул я. — Но, в конце концов, нет неразрешимых проблем, есть неприятные решения. Я что-нибудь придумаю.

— Ну, думай, думай. Когда придумаешь, тогда и вернемся к этому разговору.

Перебрасываясь ничего не значащими фразами, мы дошли до моря. Здесь был не городской пляж, а просто прибрежная полоса рядом с железной дорогой. Сегодня я уже был в этом месте, осматривался и прикидывал, к какому месту лучше всего «подтащить» хвост, буде он появится, чтобы на него удобно было напасть сзади. Такое место я присмотрел и теперь целенаправленно вел туда Татьяну.

Достигнув заранее намеченной точки, я остановился, обнял Таню и тихонько сказал ей на ухо:

— А теперь давай разговаривать какие-нибудь глупые раз-

говоры. С виду должно быть похоже, что мы обсуждаем что-то очень серьезное, но ни одного слова не разобрать. Если здесь есть кто-то третий, он должен все внимание переключить на нас с тобой.

— И о чем будем говорить?

— Да без разницы. Хочешь — читай стихи наизусть. Или прозу.

— Ладно. Домовой, страдающий зубной болью, — начала Татьяна. — Не кажется ли это клеветой на существо, к услугам которого столько ведьм и колдунов, что можно безнаказанно поедать сахар целыми бочками?

— Что это? — удивился я.

— Александр Грин, «Словоохотливый домовой». Мне продолжать или ты хочешь что-нибудь другое?

— Нет-нет, другое не надо. Продолжай, пожалуйста, — попросил я заинтригованно. Затеять оперативную комбинацию, стоять в первом часу ночи на пустынном морском берегу, знать, что тебе в затылок дышит невидимый враг, и при этом слушать сказку про домового — в этом что-то было.

— Но это так, это быль, — снова заговорила Татьяна мягким ласковым голосом. — Маленький грустный домовой сидел у холодной плиты, давно забывшей огонь. Мерно покачивая нечесаной головой, держался он за обвязанную щеку, стонал жалобно, как ребенок, и в его мутных красных глазах билось страдание. Шел дождь. Я зашел в этот заброшенный дом, чтобы переждать непогоду, и увидел его, забывшего, что надо исчезнуть...

В кустах за моей спиной раздался треск, послышалось тяжелое дыхание и шум борьбы. Через несколько секунд перед нами стоял Юра Мазаев, а рядом с ним — тот самый мускулистый бугай Леха, предводитель пацанов, которых я видел сегодня на набережной. Чего-то в этом роде я и ожидал. Юра крепко держал Леху за волосы.

— Подсматриваешь, значит? — угрожающе спросил я.

Мускулистый юнец сопел, но хранил гордое молчание.

— Или подслушиваешь? — уточнил Мазаев.

Леха по-прежнему молчал, набычившись и глядя куда-то в сторону.

— Какого рожна ты за мной таскаешься? Кто тебя послал?

— Никто, — буркнул он. — Я здесь гуляю. Не запрещено.

Руки у меня чесались вмазать ему как следует и вытрясти

из его гнилой башки мозги вместе с интересующими меня сведениями. Но я понимал, что делать этого нельзя. Может, этому Лехе и не пятнадцать лет, как Толику Гущину, но уж точно меньше восемнадцати. И если я сейчас дам себе волю, то завтра на Первомайскую улицу приедет белая машина с голубой полосой, и меня обвинят в нанесении телесных повреждений несовершеннолетнему Алексею Тютькину, или Пупкину, или как там его фамилия. То-то радости будет: подполковник милиции избил малолетку! Ай, как некрасиво. Уголовное дело возбудят сей же момент, а меня — в камеру. Конечно, злой дядька-подполковник может сказать, мол, не знал он, что Леха несовершеннолетний, на нем же не написано, а мускулы-то вон какие, прямо Шварценеггер в молодые годы, да и росточком его природа не обделила, а в темноте лица не видно. Но умный Леха тут же в ответ заявит следователю, что нехороший драчун-милиционер видел его при дневном свете на набережной, и тому есть не меньше десятка свидетелей, так что обманываться насчет возраста потерпевшего обвиняемый никак не мог. Интересно, мальчишку проинструктировали на этот счет или нет?

— Будешь молчать — буду бить, — лаконично предупредил я. — А бью я больно.

— Малолетку избить — много ума не надо, — пробурчал Леха уже более уверенно.

Так и есть, его проинструктировали. Теперь в случае чего он заявит, что предупредил меня о своем возрасте. Вот сукин сын! И кто же это им так лихо управляет?

— Ну да, а на побегушках быть у твоего инвалида — нужен гигантский интеллект, — брякнул я наугад. — Кто нас фотографировал? Ты?

— Не знаю я ничего. Отпустите, — заныл Леха.

Можно было бы потратить время на то, чтобы попробовать его расколоть, но я понимал, что в нынешних условиях дело это, скорее всего, дохлое. Чтобы «колоть», надо или знать о человеке и его окружении достаточно много, или иметь возможность применять некорректные методы. Был бы я в Москве... Но я был здесь, в этом южном городе, где у меня не было ни знакомств, ни связей, ни источников информации. Зато здесь были люди, которым я почему-то очень не нравился. И почему бы это? Ведь я практически совсем не вмешивался в раскрытие убийств на кинофестивале, а если и пытал-

ся что-то сделать, помогая Сереже Лисицыну, то ничего стоящего не раскопал и ничего умного не подсказал. Чем же я им так мешаю? И не просто мешаю, я стою у них как кость в горле, иначе разве они стали бы покушаться на восьмилетнюю девочку...

— Отпусти его, Юра, — сказал я дрожащим от возбуждения голосом. — Пусть катится к чертовой матери. Будет нужен — я его из-под земли достану.

Интерес к мускулистому Лехе у меня пропал, потому что я наконец понял, что так беспокоило меня, когда я думал о Лиле. И почему же я раньше этого не вспомнил?

Глава 11

Всю ночь я не сомкнул глаз, мысленно подгоняя часы, чтобы скорее наступил рассвет. В семь утра я осторожно, стараясь не разбудить сладко спавшую Татьяну, вылез из кровати, оделся и помчался на переговорный пункт, благодаря судьбу за то, что у Алика Борзенкова на даче есть телефон. Покупая жетоны и набирая длинный телефонный номер, я снова и снова вызывал в памяти тот день, когда мы впервые пригласили Юру Мазаева разделить наше застолье. Юра болтал с кокетливой Ирочкой, а я — с Татьяной. Лиля читала «Вестник кинофестиваля».

«Папа, кто такой Олег Юшкевич?»

«Это такой киноактер, доченька».

«А кто такой Виктор Бабаян?»

«Это кинорежиссер. Он фильмы снимает».

В «Вестнике» десятки и сотни имен и фамилий, но Лиля почему-то спрашивает только об этих двоих. А что, всех остальных она знает? Почему только эти два имени привлекли внимание восьмилетней девочки? Имена двух людей, которые трагически погибли в течение нескольких ближайших дней. Моя дочь — ясновидящая?

К телефону долго никто не подходил, и я сначала даже испугался, что Алик увез всех на озеро с утра пораньше, но потом в трубке раздался заспанный голос его жены Куки. Вообще-то ее звали Людмилой, но Алик с самого начала называл ее Кукла, а вслед за ним это слово стал повторять и их сынишка, но, поскольку с дикцией у малышей не всегда обстоит

7 Зак. 689

благополучно, вместо «куклы» получилась «кука», и этот вариант закрепился намертво как в семье, так и среди их общих друзей. Кука ужасно мне обрадовалась, потому что была очень внушаемой и полностью разделяла страхи своего музыкального супруга относительно моей безопасности.

— Владинька, у тебя все в порядке? — возбужденно закричала она.

— Естественно. Как там мой дитеныш?

— Спит. Разбудить?

— Разбуди, пожалуйста, — попросил я, сгорая от нетерпения.

Жетоны один за другим проваливались в ненасытное чрево автомата, пока Кука будила Лилю. Наконец я услышал ее голосок:

— Папа?

— Привет, котенок. Как ты?

— Хорошо.

— Не скучаешь?

— Нет, здесь книжек много.

— Отлично, молодец. Котенок, у меня к тебе очень серьезный разговор.

— Про тетю Таню?

— Да нет же, не про тетю Таню. Помнишь, мы несколько дней назад обедали, а ты за столом читала журнал, «Вестник кинофестиваля», и спрашивала меня, кто такие Олег Юшкевич и Виктор Бабаян? Помнишь?

— Помню.

— А почему ты спрашивала именно про них? Ведь в журнале было много разных фамилий. Почему ты обратила на них внимание? Постарайся вспомнить, котенок, это очень важно.

— Я эти фамилии видела на бумажке.

— На какой бумажке?

— У дедушки.

— У какого дедушки?! — заорал я в трубку. — Лиля, пожалуйста, перестань дурачиться. Это очень, очень серьезно.

— Я не дурачусь. — Голос у моей дочурки стал обиженным и дрогнул. — Когда мы ходили к дяде Сереже в гости, начался сильный ветер, и у дедушки выпала газета и какие-то листочки. Ты же сам велел мне помочь ему.

— И ты заглянула в эти листочки?

— Да. А что, нельзя было? — испуганно спросила Лиля.

Одной из немногих вещей, которые милицейскому папаше удалось накрепко вбить в голову своей дочери, был категорический запрет брать чужое. И Лиля панически боялась сей запрет нарушить. Но мой ребенок был все-таки неисправим: стоило ей увидеть буковки, она тут же начинала складывать их в слова.

— И что было в этих листочках?

— Фамилии.

— Какие фамилии? Сколько?

— Много, папа, я не помню.

— И среди них были фамилии Юшкевич и Бабаян?

— Да. Я потому потом и спрашивала.

— Котенок, напрягись, пожалуйста, сосредоточься и вспомни, какие еще фамилии там были.

— Я забыла, — произнесла она упавшим голоском. — Я же не знала, что нужно запоминать.

— Ибрайбекова. Была такая фамилия?

— Не помню. Кажется, нет.

— Доренко?

— Тетя Оля? Была.

— Голетиани?

— Не помню. По-моему, нет.

— Иванникова?

— Да, была. Я помню, что была.

— Казальская?

— Нет, кажется. Папочка, ну я правда не помню.

— Довжук?

— А мама говорила, что ее убили...

— Была или нет?!

— Была... Папа, не сердись. Я не виновата...

— Да я не сержусь, котенок, что ты, просто я очень волнуюсь, потому что у нас с тобой важный разговор. А фамилия Целяева там была?

— По-моему, нет.

— Давай повторим сначала. Ты абсолютно уверена, что видела в этом листочке фамилии Доренко, Довжук и Иванникова?

— Да. Я уверена.

— А сколько еще фамилий было в списке?

— Эти три, потом те две, про которые я спрашивала, и еще, наверное, одна или две, но я их прочитать не успела.

— Ладно, котенок, отдыхай, веди себя хорошо, слушайся Алика и Куку. Я тебя целую. Тебе привет от мамы.

— Спасибо, — вежливо поблагодарила она. — А от тети Тани?

— И от тети Тани, и от тети Ирочки, и от дяди Юры Мазаева. Они все тебя обнимают и целуют.

— Хорошо, — важно сказал мой ребенок. — И я их целую.

Я повесил трубку и вышел из кабины. Только на улице я почувствовал, что взмок настолько, что рубашка прилипла к спине. В голове с калейдоскопической скоростью замелькали обрывки мыслей и сведений, которые до разговора с Лилей были разрозненными и никак друг с другом не связанными, а теперь вдруг начали складываться в единую картинку.

Дедушка с листочком.

Листочек с фамилиями.

Фамилии шести или семи человек, четверо из которых убиты.

Одна из убитых получила кассету, на которой были запечатлены местные ветераны и работа юношеского военно-спортивного клуба «Патриот».

Ветераны... Дедушка...

Юношеский клуб. Подростки. Мускулистый малолетка Леха. Пожилой мужчина с военной выправкой (ходит как аршин проглотил). Юношеским клубом руководят ветераны, военные-отставники.

В какое же дерьмо я вляпался?!

* * *

В дом номер 8 по Первомайской улице я уже не вернулся. Прямо с переговорного пункта я отправился искать Сергея Лисицына, взял у него переданные Ритой буклеты с фильмографиями всех четверых убитых кинодеятелей, велел ему раздобыть все остальные буклеты со сведениями об участниках кинофестиваля «Золотой орел» и явился пред ясные очи хозяев дома номер 21 на все той же Первомайской улице. И был я к тому моменту уже темноволосым, коротко стриженным и усатым и носил весьма прозаическое имя Дмитрия Николае-

вича Галузо. Мои вещи должен был принести Лисицын, его же я попросил предупредить Татьяну.

На новом месте мне не повезло. Моими соседями оказались супруги с двумя детишками пяти и семи лет, и шуму и визгу от них было столько, что у меня сразу же разболелась голова. Тем не менее я разложил перед собой буклеты, вооружился карандашом и принялся мужественно изучать названия фильмов, к которым имели отношение четверо погибших. Мне хотелось понять, не связаны ли убийства с каким-нибудь конфликтом, возникшим во время съемок, а для этого нужно было выяснить, не встречались ли все четверо на одной и той же съемочной площадке. Вскоре в глазах у меня рябило от названий и дат, но ничего подходящего я не нашел. Оля Доренко и Люся Довжук снимались в фильмах Бабаяна, но Бабаян никогда не работал с Юшкевичем. Олег Юшкевич и Люся Довжук дважды снимались в одном фильме, но рядом с ними не было Оли Доренко. Я снова и снова шел по спискам фильмографий, но все четверо в одной точке никак не сходились. Почему же их имена оказались в одном списке у загадочного «дедушки» вместе с именем Екатерины Иванниковой и еще одной-двумя фамилиями? Что их всех объединяло? Ответ напрашивался сам собой: их объединяла смерть. Четверо уже убиты, остальных ждет та же участь. Но почему? За что?

Как бы то ни было, какой бы ни оказалась причина, соединившая этих людей в странном списке, одно было несомненно: нужно непременно установить, чьи еще имена в нем были, чтобы постараться предотвратить новые трагедии. Кто еще, кроме хорошенькой глуповатой блондиночки Кати Иванниковой, прокладывавшей свой путь наверх, путешествуя по мужским ширинкам?

Визг и беготня моих малолетних соседей совершенно выбили меня из колеи. В доме 21 моя комната находилась внизу, в разделенном на два помещения сарае, и непоседливые крикливые малыши носились прямо под моим окном. Хоть бы скорее погода исправилась, тогда они будут уходить на пляж. А пока можно было попробовать использовать ситуацию.

Я вышел из комнаты, уселся на пороге, вытянув босые ноги на траве, и начал знакомиться с мальчиками. Они были поразительно похожи на своего отца, крупного весельчака-блондина со здоровым румянцем на упитанных щеках. Старшего, семилетнего, звали Саней, младшего, пяти лет от роду, — Сеней, но я решил не мучиться и называть их Старшим и Младшим.

— Кто пойдет со мной за арбузом? — спросил я, поймав их во время очередной перебежки от логова врага к космическому кораблю. Роль корабля выполняла деревянная будка сортира, стыдливо упрятанного в глубине большого фруктового сада. Логовом врага была, разумеется, соседняя с моей комната, где сидела сердитая мама Сани и Сени и безуспешно пыталась заставить их есть творог.

— Я! — в один голос ответили мальчуганы.

— А кто потом будет его есть вместе со мной?

— Я! — последовал дружный ответ.

— Но с условием: сначала творог, потом арбуз, — строго сказал я.

Они призадумались, потом молча кивнули.

— Тогда пошли отпрашиваться у мамы.

Через десять минут я неторопливо шагал по Первомайской улице, держа за руки двух белокурых краснощеких хулиганов с поцарапанными локтями и замазанными зеленкой коленками. Днем наша улица была довольно оживленной, почти у каждой калитки хозяева продавали фрукты и овощи со своих плантаций, и повсюду носились дети курортников, временно отлученные от моря и пляжа. Я мог бы голову дать на отсечение, что среди многочисленных прохожих дефилируют туда-сюда и те, кто мной интересуется. После вчерашнего столкновения с несовершеннолетним любителем подслушивать они должны удвоить внимание к моей скромной персоне. А я куда-то пропал... Они должны, просто обязаны караулить меня возле дома 8.

Подойдя к знакомой калитке, я заглянул во двор и тут же увидел Татьяну. Будем надеяться, что Сережа Лисицын успел ее проинструктировать.

— Здравствуйте, Танечка! — громко сказал я противным фальшивым голосом.

Та немедленно обернулась, но подходить не стала. Значит, Сережа успел с ней поговорить.

— Добрый день, Дима, — ответила она так же громко.

Я мысленно похвалил себя за то, что правильно выбрал себе новое имя, ведь когда я был Владиславом, Таня называла меня Димой, и теперь ей не приходится напрягаться.

— Я иду за арбузами. Зовите Владислава, я его с собой возьму. Я тут на днях одно место присмотрел, там арбузы очень хорошие, а стоят намного дешевле. С машины торгуют.

— А Владислава нет. И я даже не знаю, где он и когда вернется.

— Куда же он делся? — старательно удивился я. — Мы с ним еще позавчера договаривались, что сегодня поедем в поселок за свежей рыбой, я там с одним рыбаком признакомился.

— Ох, не знаю, Дима, — грустно вздохнула Татьяна, даже и не подумав сделать хотя бы шаг в мою сторону. Это было правильно: наш разговор предназначался для посторонних ушей, поэтому должен был быть мотивированно громким. — Его уже с утра какие-то люди спрашивали, а я и не знаю, что им сказать. Вчера был, а сегодня пропал куда-то. Сама в догадках теряюсь.

— Ничего, найдется, — бодро утешил я ее. — Мы, мужики, как коты: погуляем — и домой возвращаемся.

Подхватив за руки Саню и Сеню, я вальяжной походкой семейного человека отправился дальше. Какие-то любопытные люди, которые уже спрашивали меня с утра пораньше, вряд ли заподозрят в чем-нибудь неблаговидном солидного отца двоих сыновей.

* * *

Поход за арбузами прошел вполне успешно. Я решил быть по-соседски благородным и купил огромный арбуз для своих друзей из дома 8, который и занес им на обратном пути. При дневном свете мужичок, торговавший арбузами с машины, оказался лет пятидесяти, если не больше, значит, его голос вчера поздним вечером меня не обманул. Простукивая зелено-полосатые шары в поисках самого спелого, аккуратно вскрывая выбранные мной арбузы ножом и отсчитывая сдачу, он что-то бормотал себе под нос, не то песенку мурлыкал, не то стишок читал, но я успел понять, что мной интересовались по крайней мере двое. Один — некто Заваруев, водитель одной из служебных машин городской мэрии. Другой — Александр Петрович Сокольник, пенсионер, подполковник в отставке, активно работающий в клубе «Патриот». И чем это я местным пенсионерам не угодил, хотел бы я знать?

Однако сочетание военного пенсионера Сокольника с водителем городской мэрии Заваруевым мне совсем не понравилось. Странная парочка. Что может их связывать?

К вечеру Сережа Лисицын должен был принести мне фильмографии участников фестиваля, встреча с шеф-поваром была назначена на десять тридцать, так что времени для праздных размышлений у меня было предостаточно. И я сделал, может быть, единственную правильную вещь за последние дни. Если бы я сделал это чуть раньше, все могло бы повернуться по-другому. Но, увы, раньше я до этого не додумался.

Я попросил у хозяев местные газеты за последний месяц. Мне хотелось посмотреть, что пишут в них о клубе «Патриот». Но вместо заметок о юношеском военно-спортивном клубе я наткнулся на несколько следовавших одна за другой разгромных статей о местной администрации. Городское хозяйство приходит в упадок, потому что в городском бюджете нет средств, а средства не поступают потому, что в городе сворачивается предпринимательская деятельность, на налоги от прибылей которой и существует курорт. Необходимо сменить городское руководство на людей более рачительных и хозяйственных, которые поведут бескомпромиссную борьбу с преступностью и защитят испуганных предпринимателей от рэкетиров и бандитов и вернут город на стезю процветания.

Знаете, если раскрасить белый лист бумаги черными полосами, то можно сказать, что это черные полосы на белом, а можно сказать, что это белые полосы на черном. Все зависит от индивидуального восприятия, если не знать, какого цвета был лист с самого начала. Просто мы привыкли, что бумага обычно бывает белой, а черное на ней рисуют.

Хулиганские выходки в дорогих магазинах одежды, когда значительная часть товара оказалась безвозвратно испорченной. Пришлось усилить охрану, но финансовый удар смогли выдержать далеко не все, многие магазины закрылись, другие еще держатся, но уже на грани закрытия. Рассказ об этом был всего лишь фоном, объяснением тому факту, что за мной и Татьяной по пятам ходили продавщица и охранник.

Авария на фуникулере, соединявшем набережную с нудистским пляжем. Всего лишь фон к рассказу о неудачной попытке Ирочки и Юрия Мазаева искупаться ночью нагишом.

Взрыв в казино. Тоже фон, на котором ярко вырисовывалось незавидное положение молодого оперативника Сережи Лисицына, за восемь месяцев не раскрывшего ни одного се-

рьезного преступления. И две зверски убитые проститутки. Не сцена ли из той же самой оперы?

Замороженная стройка. Место, где нашли труп кинорежиссера Виктора Бабаяна. Просто место действия, ничего более.

А пожар в Летнем театре во время конкурса красоты? Тема для Таниной новой повести, и только.

Но если рассматривать все это не как фон, а как рисунок? Тогда ясно вырисовывается картинка умышленных систематических действий, направленных на «выдавливание» предпринимательства из этого городка. Коммерсанты сворачивают свою деятельность, налоги в бюджет не поступают, город хиреет, а народ, натурально, волнуется, особенно если это волнение умело подогревать в средствах массовой информации. Народ недоволен. Он поволнуется, посердится немножко, а потом возьмет, как в старые добрые времена, топоры да вилы и пойдет ломать помещичью усадьбу, иными словами — потребует перевыборов в городскую думу. И перевыберет кого надо.

А руководство местной милиции добровольно согласилось принять удар на себя и сделать вид, что не справляется с криминальной ситуацией в городе, потому что всем им за это были обещаны теплые места при новой власти, куда более доходные, чем нынешняя государственная зарплата. Поэтому на столь серьезные и тяжкие преступления и оказался брошенным неопытный и ничего не умеющий Сережа Лисицын, а как только он показал первые молочные зубки, его тут же убрали в участковые.

Теперь до меня полностью дошел смысл того, что я с помощью Юры Мазаева увидел на кассете Николая Федоровича Вернигоры. Убеленный сединами ветеран показывает на чертеже какую-то точку, помечая ее крестиком. Это чертеж моста, а точка — место, куда нужно закладывать взрывчатку, чтобы мост наверняка рухнул. Двое мальчишек под руководством отставного военного собирают какой-то механизм. Думаете, они моделированием занимаются? Я тоже так подумал, когда смотрел в первый раз. А Мазаев мне сказал, что это взрывной механизм, причем вполне профессиональный. Еще одна схема, которую даже я опознал как поэтажный план здания, наивно полагая, что в клубе занимаются юные электрики или юные строители. Ничего подобного. Крестиком на плане отмечено место, где должен находиться источник возгорания, чтобы все здание в минимально короткие сроки оказалось охвачено огнем.

Мальчишки занимаются военно-прикладными видами спорта. Похвально? Еще как. Они не только учатся быстро бегать и высоко прыгать, ловко ползать и отлично плавать с аквалангом, они учатся обращению с оружием и взрывчаткой. Они водят машины всех категорий. Они не боятся высоты, прыгая с парашютом и балансируя на выдвижных лестницах. В умелых руках они вырастут молодыми людьми, которые будут достойно носить офицерские погоны, войсковые или милицейские. А в недобросовестных руках в кого они превратятся? Впрочем, похоже, для некоторых из них это превращение уже произошло.

Итак, шофер Заваруев и пенсионер Сокольник. Как к ним подобраться? Прийти и потребовать объяснений? Глупо. Сокольник может оказаться, например, дедом мускулистого Лехи, и свой интерес ко мне он объяснит тем, что внук на меня нажаловался: мол, поймал, руки заломил и приставал с глупыми обвинениями. А если он и не родственник, то может сказать, что они там, в своем клубе, борются с детской безнадзорностью и поэтому считают своим долгом защищать подростков от плохих дяденек, которые к ним пристают. Нет, Александру Петровичу Сокольнику мне пока предъявить нечего. Маловероятно, что он окажется тем самым пожилым мужчиной, который брал у Толика Гущина фотоаппаратуру.

Теперь шофер. На него надо натравить Сережу Лисицына. Если я правильно понял расклад в городском политическом преферансе, то здесь уже есть готовый политический лидер, которого и призовет к власти возмущенное население. Вычислить этого лидера я могу и сам, нужно только повнимательнее почитать местные газеты. Но Заваруев наверняка не является персональным водителем этого человека, это было бы слишком просто. И слишком опасно. Если между ними есть связь, то она гораздо более сложная и замаскированная.

И еще одно. Самое, может быть, главное. Люди из таинственного «черного» списка. Пока я сижу здесь и строю из себя крупного аналитика, они ходят по краю пропасти, и во что бы то ни стало нужно узнать их имена, чтобы не допустить новых убийств. А для этого нужно понять, почему они попали в этот страшный список. Катя Иванникова. Кто еще?

В моей мозаике не хватало какой-то важной детали.

* * *

Я не заметил, как задремал, сказалась прошлая бессонная ночь. Разбудил меня осторожный стук в окно.

— Дмитрий Николаевич, — послышался голос моего краснощекого соседа. — Вы дома?

Я лихорадочно вскочил с узкой пружинной койки и потряс головой. Не зря говорят, что на закате спать нельзя, голова делается тяжелой и дурной.

— Дома, заходите, — крикнул я, стараясь сделать свой голос как можно более бодрым.

Отец Сани и Сени занял собой все свободное пространство моей убогой конуры, такой он был большой.

— Вам просили передать, — сказал он, протягивая мне объемистый пакет.

— Кто? — подозрительно спросил я.

— Девушка какая-то, Ларисой зовут. Я пацанов в кино водил, а она к нам на улице подошла и попросила вам передать.

— Спасибо.

Я ждал, что сосед отдаст пакет и уйдет, но он почему-то продолжал стоять посреди моих жалких квадратных метров, переминаясь с ноги на ногу, как смущенный бегемот. Меня жгло любопытство, но не открывать же пакет при нем. Я уже догадался, что в пакете были буклеты, а девушка, назвавшаяся Ларисой, была не кем иным, как родной сестрой Сережи Лисицына, который не рискнул заходить сюда, и правильно сделал. Если Стасова караулят возле дома 8, то визит на Первомайскую улицу бывшего оперативника Лисицына не останется незамеченным. Лисицын мог приходить только к Стасову, больше ему здесь делать нечего, это не его участок.

— Дмитрий Николаевич... — начал сосед, но я его перебил:

— Что за церемонии! Просто Дима.

— Виктор, — представился он в ответ, крепко пожимая мне руку. — Так вот, Дима, мы с женой хотим пригласить вас вечером в ресторан. У нас, видите ли, сегодня годовщина свадьбы, десять лет... Хотим отметить...

С какой это стати, хотел бы я знать? Мы только сегодня познакомились, и вдруг такая честь. Лишних денег много, что ли?

— Дима, не отказывайтесь, пожалуйста. Я понимаю, наше приглашение выглядит немного странным, ведь мы почти незнакомы, но мальчики... Вы их прямо очаровали. Они так и заявили: только вместе с дядей Димой. Знаете, они не очень-то послушные у нас, балованные, как все поздние дети, никакого сладу с ними нет. А вас они слушаются. Без вас ужин в ресторане будет испорчен, они начнут баловаться, разобьют что-нибудь... В общем, сами понимаете.

Я понимал. Такие сцены мне в жизни видеть приходилось, и не один раз. Надо же, оказывается, Старшего и Младшего увлекли мои рассказы про воров и бандитов, которыми я потчевал их на протяжении всего арбузного похода. То-то они шли рядом со мной смирно и никуда не пытались убежать!

Ни в какой ресторан мне идти не хотелось, тем более что в десять тридцать у меня было назначено рандеву с шеф-поваром. Но и портить отношения с соседями не стоило. Ладно, будем извлекать из ситуации максимальную пользу.

— В какой ресторан мы идем? — весело спросил я, давая понять, что приглашение принято.

— Мы еще не решили. Какой подвернется, — радостно заулыбался толстяк Виктор. — А вы можете что-нибудь посоветовать?

— Да я здесь был только в одном ресторане, в «Морской звезде», мне там очень понравилось, и кухня хорошая, и сервис. А про другие не знаю.

— Решено. Мы идем в «Морскую звезду», — торжественно объявил сосед. — Через полчаса вас устроит?

Я покосился на увесистый пакет. Меня и через три часа не устроит, потому что на изучение фильмографий всех участников фестиваля понадобится гораздо больше времени. Но отступать было поздно.

— А через час нельзя? — осторожно спросил я.

— Годится, через час.

Выпроводив Виктора, я запер дверь, занавесил окно, включил свет и погрузился в очередную порцию набранных мелким шрифтом названий и дат. У меня было такое чувство, что недостающая деталь все время мелькает у меня перед глазами, но я по глупости своей ее не вижу. Я начал злиться, голова разболелась еще сильнее, от бесчисленных выкуренных за день сигарет саднило горло, а ответа на свой вопрос я так и не нашел. Хотя был уверен, что он, ответ этот, стоит у меня за

спиной, дышит в затылок и ехидно, гаденько хихикает над моей слепотой.

Ровно через час, побритый и благоухающий туалетной водой, я шагал рядом с Виктором, его супругой и двумя мальчишками в сторону ресторана «Морская звезда». Старший и Младший крепко держались за мои руки и требовали рассказать про Мишку Япончика и Соньку Золотую Ручку.

В ресторане я сразу повел их в ту часть зала, которая дальше всего находилась от зоны обслуживания однажды узнавшего меня официанта. Конечно, внешность у меня была другая, но не настолько, чтобы можно было обмануть такого ушлого парня с хорошей зрительной памятью. Лучше не рисковать.

Мы долго изучали меню, потом я взмахом руки подозвал официанта.

— Будьте любезны, пригласите сюда шефа, — попросил я.

— А в чем дело? — сразу насторожился тот.

— У моих друзей юбилей, и я хочу сделать специальный заказ.

Через несколько минут в зале показался тучный одышливый шеф-повар.

— Я вас слушаю, — обратился он ко мне, глядя мне в лицо равнодушными глазами.

Он меня не узнал. Придется ему подсказывать.

По мере того, как я объяснял ему рецепт приготовления рыбы по методу известного кулинара Николая Щипанова, взгляд его прояснялся. Из моей сумбурной, пересыпанной специальными кулинарными терминами речи он понял, что встреча, назначенная на половину одиннадцатого, отменяется и переносится прямо сюда, в ресторан. Шеф оказался мужиком сообразительным, он тут же достал из необъятного кармана своего белого фартука блокнот и ручку и стал записывать рецепт под мою диктовку.

— Проверьте, правильно ли я записал, — сказал он, протягивая мне блокнот.

На листке мелким убористым почерком было написано:

«Оч. круп. маф. из соседн. гор. Кл. Ямщик. Игорн. б-с + нарк. Угр. уб.»

— Все верно, — снисходительно кивнул я головой, возвращая ему блокнот. — Только не забудьте в молоко вбить два яйца, чтобы цвет был золотистый, а не мучнисто-белый.

Шеф-повар удалился в свои владения, а я снова принялся

развлекать Старшего и Младшего полуфантастическими криминальными сказаниями. Впрочем, делал я это машинально, сам себя плохо слышал, потому что лихорадочно обдумывал то, что мне сейчас сообщил шеф. Меня разыскивает какой-то очень крупный мафиози из соседнего города по кличке Ямщик, причем разыскивает с самыми неблаговидными намерениями. «Угр. уб.» Ничего себе! Этому-то я где дорогу перешел? И что общего может быть у человека, который держит в своих руках игорный бизнес и наркотики, с почтенным пенсионером Сокольником?

Мама Сани и Сени, женщина лет сорока по имени Зоя, имела, по всей видимости, тяжелый характер, но по случаю праздника и присутствия постороннего, то бишь меня, старательно это скрывала, мило улыбалась и даже не очень дергала малышей нотациями и замечаниями. Впрочем, особой нужды в этом не было, ибо я мощным усилием реанимировал в себе давно погибшего сказочника, и ребята слушали мои баллады с открытыми ртами. Я молол какую-то оперативно-следственную чушь, а сам думал о том, как бы мне найти Сережу Лисицына, да чтобы это никому не бросилось в глаза. Если б еще знать точно, где он сейчас находится!

Торжественный ужин шел своим чередом, через полчаса лично сам шеф-повар принес на огромном блюде рыбу «по-щипановски», подождал, пока мы отведаем по кусочку, и, вкусив свою долю похвалы, покинул нас. Рыба действительно удалась, но готовил он ее, естественно, по своему собственному рецепту. Интересно, что сказал бы мой давний приятель Коля Щипанов, если бы узнал, что я ничтоже сумняшеся одним легким движением руки произвел его из сыщиков в кулинары?

К концу трапезы я решил, что искать Лисицына должен кто-нибудь из дома номер 8, Юра Мазаев или девочки. Это будет выглядеть вполне естественным, потому что Стасов-то пропал, вот они и беспокоятся, а Сережа — единственный работник милиции, которого они в этом городе знают. Теперь нужно придумать, как связаться с ними, не вызывая подозрений. Собственно, проблемы в этом не было, нужно только, чтобы кто-нибудь из них находился во дворе в тот момент, когда мы будем проходить мимо, а уж что сказать, я придумаю.

Но все получилось совсем не так, как я себе напланиро-

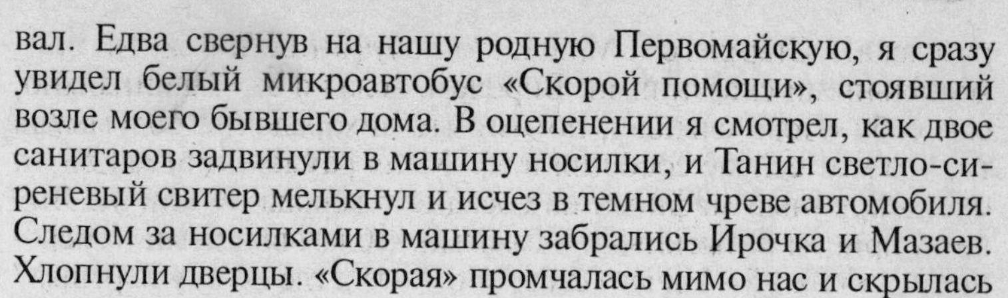

вал. Едва свернув на нашу родную Первомайскую, я сразу увидел белый микроавтобус «Скорой помощи», стоявший возле моего бывшего дома. В оцепенении я смотрел, как двое санитаров задвинули в машину носилки, и Танин светло-сиреневый свитер мелькнул и исчез в темном чреве автомобиля. Следом за носилками в машину забрались Ирочка и Мазаев. Хлопнули дверцы. «Скорая» промчалась мимо нас и скрылась за поворотом.

Огромным усилием мне удавалось держать себя в руках, изображая равнодушного любопытствующего. Возле дома 8 стояли несколько человек, и нужно было во что бы то ни стало оказаться рядом с ними как можно скорее, пока они не разошлись, чтобы хотя бы краем уха услышать, что же произошло с Татьяной. Расспрашивать специально было нельзя: среди них могут оказаться лица заинтересованные, и мое внимание к малознакомой курортнице не пройдет незамеченным.

Поравнявшись с заметно поредевшей группкой сочувствующих, я напряг слух и чуть замедлил шаг.

— Я всегда говорю, что покупать можно только у хозяев с их собственного огорода, — горячо доказывала женщина, которую я уже видел утром, когда ходил с мальчиками за арбузами. Тогда она торговала грушами из своего сада. — А на этом привозном какой только заразы не подцепишь. Вон в Дагестане, говорят, опять вспышка холеры, а они оттуда везут и везут.

— И не говорите, — подхватил пожилой мужчина, в котором я опознал хозяина дома 10, где жил Юра Мазаев. — Вот так попадешься во время отпуска — и весь отдых насмарку. Правильно, что подружку ее и Юрия Сергеевича тоже увезли, пусть возьмут у них анализы, вдруг им тоже гадость какая-нибудь попала в организм.

— А с ними еще четвертый был, высокий такой, Владиком зовут, — раздался из темноты чей-то голос. — Они все время вместе ходили. Почему же его не увезли?

К этому моменту группа осталась у меня за спиной, и я с трудом преодолел мучительное искушение обернуться и посмотреть, кто же это у нас такой наблюдательный. Или любопытный не в меру? В любом случае, я был уверен, что он — не из числа сочувствующих. Это наблюдатель, поджидающий Стасова и надеющийся выцарапать из окружающих хоть какую-нибудь информацию о том, куда же я запропастился.

— А он с ними не кушал, — донесся до меня голос Веры Ильиничны. — Его вообще целый день не было, уехал куда-то.

У меня было такое чувство, будто мое сознание сжалось в крошечный комочек, болезненно пульсирующий, как обнаженный нерв в разрушенном зубе. Какое-то время я вообще ничего не соображал, словно провалившись в бездну под действием наркоза, и пришел в себя только на пороге своей комнаты, когда Виктор, прощаясь, крепко сжал мою ладонь в дружеском рукопожатии.

— Саня, Сеня, скажите дяде Диме «спокойной ночи», и спать, — строго скомандовала Зоя, открывая дверь.

— Спокойной ночи! — хором проорали Старший и Младший.

Я даже нашел в себе силы улыбнуться. Соседи ушли к себе, а я уселся на пороге, вытянул ноги и закурил. Мятый комочек сознания постепенно расправлялся, принимая свой обычный размер и плавно заполняя пустоты в моей дурацкой башке. Итак, они отравили Таню, чтобы выманить меня. Круто же им приспичило меня найти, если они пошли на такое. Но в одном я мог быть уверен — отрава, которую они подсунули, была сильная, но не смертельная. В попытках убрать меня из города они делали все, кроме самого простого и радикального. Они пытались спровоцировать скандал, купить меня халявой, искалечить мою дочь, но они ни разу не покушались на меня. Почему? Ответ у меня был только один: они категорически не хотели убивать приезжего работника милиции. Фокус с «гражданкой, прописанной в Москве» или с «гражданином, утонувшим во время купания в нетрезвом виде» мог пройти с киношниками, но не пройдет со мной. А они категорически не хотят, чтобы в город приезжали чужие милиционеры. Именно поэтому они не могут убить и Таню, ведь она следователь, и случись что с ней, немедленно из Питера прилетят ее коллеги. Тем более что она прославилась, отдав под суд самого Алояна. А когда со следователем, сумевшим выкрутить руки такому крутому мафиози, что-нибудь случается, в первую очередь начинают проверять, уж не счеты ли с ним сводили. А вот банальное пищевое отравление — это безопасно. И в то же время достаточно серьезно, чтобы я, ломая ноги, кинулся в больницу ее проведать.

И если сказать честно, мне больше всего на свете как раз и хотелось кинуться туда. Даже при том, что я все понимал:

меня выманивают из норы, меня поджидают. Я сам много раз заманивал в эту ловушку преступников и всякий раз удивлялся тому, что она срабатывает, хотя известна всем и каждому, как бородатый анекдот про Вовочку. Всем известна, а все ловятся. Феномен какой-то. Теперь же я испытывал этот феномен на собственной шкуре и уже ничему не удивлялся. Теперь я понимал, почему примитивная ловушка срабатывает. Потому что беспокойство за близкого тебе человека грызет тебя с такой силой, что ты просто забываешь и о своей безопасности, и обо всем остальном. Это беспокойство вонзается в тебя раскаленным железным прутом, и чья-то безжалостная рука дергает этот прут и поворачивает его у тебя внутри, и ты буквально теряешь рассудок и знаешь, что единственный способ прекратить мучения — пойти и увидеть своими глазами, что все в порядке.

Можно наплевать на опасность и пойти в больницу. Но если со мной что-нибудь случится, три человека окажутся совсем беззащитными. Три человека, одна из которых — молодая женщина Катя Иванникова, а двоих других я должен вычислить, чтобы попытаться спасти. И счет идет уже на секунды, беда может случиться в любой момент. Нужно во что бы то ни стало вычислить этих ничего не подозревающих людей и принять меры к их защите, потому что Тане я все равно ничем не помогу. Рядом с ней врачи, и они сделают все, что нужно, а от меня пользы все равно никакой.

Вместе с беспокойством за Таню меня терзало и ощущение собственного бессилия. Город маленький, и если местные политические лидеры вошли в тесный сговор с правоохранительными структурами, мне здесь вообще ловить нечего. Я — приезжий, живущий по липовым документам и имеющий оружие, на которое у меня нет разрешения. То есть разрешение, конечно, есть, но оно есть у подполковника Стасова, об этом написано прямо в его служебном удостоверении. А вот у Дмитрия Николаевича Галузо никакого разрешения нет. И если меня возьмут за жабры вместе со всей этой липой, то неприятностей у меня будет выше крыши. Одно дело, когда я на работе, тогда все мои выкрутасы называются оперативной комбинацией и проводятся только с ведома и разрешения начальства, по крайней мере, липовым паспортом пользоваться можно только с высочайшего соизволения. А когда я нахожусь в отпуске, предупредив руководство о своем увольнении на пенсию, то вести себя должен прилично и законопослушно. И между прочим, за паспорт Галузо голову отвернут не только мне, но и Игорьку Дивину, который его раздобыл.

Хотелось бы мне посмотреть на того мудака, который первым придумал историю об умном и честном сыщике, приезжающем в незнакомый город и в два счета разоблачающем осевшую в городе шайку преступников. Кто-то придумал эту байку про Робин Гуда, а другие ее подхватили и повторяют из книжки в книжку, из фильма в фильм. Ерунда это все. Какой бы ты ни был умный и честный, будь ты хоть олимпийским чемпионом по уму и честности, а заодно по карате и джиу-джитсу, в чужом городе ты никогда ничего не сделаешь в одиночку. Потому что самая главная сила — это знание, это информация, а вовсе не пистолет и не мускулатура. А в чужом городе, где все против тебя, где тебе никто не помогает и никто не приносит тебе на блюдечке эту самую информацию, ты никогда ни шиша не добьешься. А как только начнешь царапаться, тут же найдется повод возбудить против тебя уголовное дело и упрятать в камеру. Для этого вполне достаточно один раз дать кому-нибудь в морду или даже просто хранить оружие, не имея соответствующего разрешения, вот тебе и вся недолга.

Если уж пытаться что-то сделать на чужой враждебной территории, то нужно собирать информацию самому, по крупицам, заводя собственные знакомства и обрастая «источниками». Но для этого нужно быть или как можно более неприметным, рядовым и не привлекать к себе внимания, либо иметь хорошую надежную «крышу». Я же не соответствовал ни первому, ни второму условию, ибо с самого начала поперся во всей своей красе прямо в милицию и представился одному из ее руководителей. Теперь я уже знал, что это был заместитель начальника городского управления внутренних дел, курирующий оперативно-розыскную деятельность, или, если короче, зам по розыску. Если же судить по поступающим в Москву сводкам о каких-то гражданах, неизвестно почему умирающих или утопающих в этом славном городе, то и руководитель, курирующий дежурную часть, не остался в стороне от дележа будущих прибылей от смены власти. Так что бежать в милицию с криками о возможной опасности для неизвестно каких участников кинофестиваля было бы равносильно попытке голыми руками остановить танк.

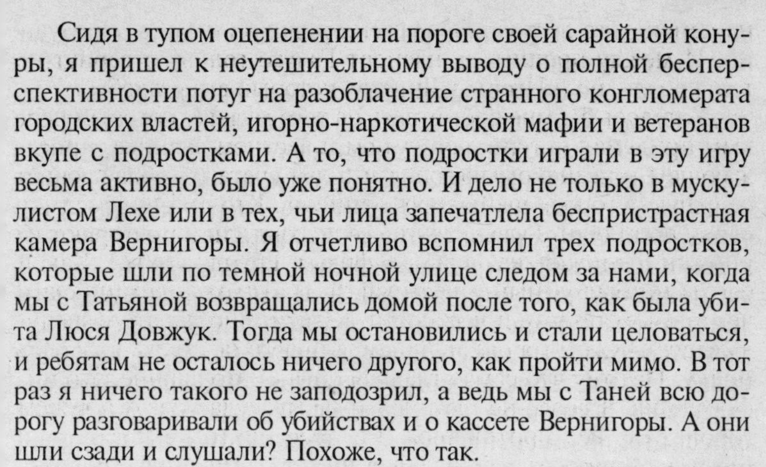

Сидя в тупом оцепенении на пороге своей сарайной конуры, я пришел к неутешительному выводу о полной бесперспективности потуг на разоблачение странного конгломерата городских властей, игорно-наркотической мафии и ветеранов вкупе с подростками. А то, что подростки играли в эту игру весьма активно, было уже понятно. И дело не только в мускулистом Лехе или в тех, чьи лица запечатлела беспристрастная камера Вернигоры. Я отчетливо вспомнил трех подростков, которые шли по темной ночной улице следом за нами, когда мы с Татьяной возвращались домой после того, как была убита Люся Довжук. Тогда мы остановились и стали целоваться, и ребятам не осталось ничего другого, как пройти мимо. В тот раз я ничего такого не заподозрил, а ведь мы с Таней всю дорогу разговаривали об убийствах и о кассете Вернигоры. А они шли сзади и слушали? Похоже, что так.

Я должен найти ту деталь, которая объединяет Ольгу Доренко, Людмилу Довжук, Олега Юшкевича, Виктора Бабаяна и пока еще живую Екатерину Иванникову. Я должен ее найти, чтобы вычислить остальных из страшного «черного списка», и постараться им помочь. И сделать это я должен быстро. Забыть о лежащей на больничной койке Тане, которую сейчас наверняка терзают мучительными процедурами, и полностью переключиться на таинственный список. Это единственное толковое и полезное, что я еще могу сделать в этом закупленном кем-то на корню теплом южном курортном городе.

Сделав над собой усилие, я разорвал сковавшее меня оцепенение, поднялся и вошел в комнату. Разложил на столе буклеты с фильмографиями и начал снова и снова вчитываться в текст. Сосредоточиться полностью никак не удавалось, потому что, пока я тупо торчал на пороге, в освещенную комнату налетели тучи комаров, которые на своем противном тонко зудящем языке рассказывали все, что они обо мне думают. Думали они не очень-то лицеприятно, но это было единственным, что я понял точно.

Из-за назойливого жужжания прямо над ухом я все время отвлекался, и в образовавшуюся «дыру», которую вредные насекомые проковыривали в моей сосредоточенности, постоянно просачивались посторонние мысли. Шофер мэрии Заваруев и пенсионер Сокольник... Мафиози из соседнего города и шофер мэрии... Пенсионеры и подростки... Старики и дети... Старики и дети...

Меня как током ударило. Вот же она, та самая деталь, которую я так долго и бесплодно ищу! «Фоновые» хулиганские и преступные выходки направлены на то, что в глазах людей немолодых является грязным пороком, развратом. Нудистский пляж. Проститутки. Ночной ресторан с казино. Умопомрачительно дорогие шмотки. Конкурс красоты, где бесстыдно обнажаются и не менее бесстыдно рассматриваются и оцениваются ноги, груди, ягодицы. Пятизвездная гостиница, где платят «ихними погаными» долларами и селятся не с женами или однополыми соседями, а с любовницами, по ночам резвятся в бассейне и смотрят стриптиз. Что еще могло вызвать гнев и кипящую, безудержную ненависть у людей, настроенных таким специфическим образом? Чем им могли помешать артисты и режиссеры? Только одним: показом советской армии и всей советской действительности в издевательском, неприглядном виде. Они опорочили доблестных воинов, изгадили идею советского патриотизма, надругались над всем тем светлым и прекрасным, во что всю свою жизнь свято верили эти люди, чему они преданно служили и что защищали.

Я снова уткнулся в лежавшие передо мной списки кинофильмов. Теперь все сходилось.

Ольга Доренко — главная роль в фильме «Армейская жена». Она сыграла в нем молодую женщину, которая во время войны шла следом за полком и спала со всеми бесплатно, просто «за спасибо» и пайку хлеба. Именно в этом она видела свое участие в поднятии боевого духа наших солдат. Полковая проститутка.

Люся Довжук — главная роль в фильме Виктора Бабаяна «Камуфляж». Название говорит само за себя: за красивыми лозунгами — грязь, предательство, мелкая корысть, очковтирательство. Я видел этот фильм, он был очень талантливым и очень злым.

Олег Юшкевич — главная роль в фильме «Женоубийца». Его герой — сотрудник КГБ из «застойных» времен, который задумывает продаться ЦРУ, но для осуществления своего замысла ему необходимо уничтожить жену и двух своих любовниц. Что он и делает, используя при этом специальные знания и навыки, полученные на работе в том самом КГБ.

Екатерина Иванникова — роль второго плана в фильме Игоря Литвака «Самосожжение», где подробно описывается, как попадают на срочную службу парни с олигофренией в степени легкой и даже средней дебильности и что с ними на этой службе происходит. Катя сыграла роль врача из полковой санчасти, сексуально озабоченной до такой степени, что когда ей «приспичит», она становилась почти невменяемой, как наркоман в абстиненции, и готова была на что угодно, лишь бы срочно подлечь под кого-нибудь. Ее активно «пользовали» ротные и взводные командиры, чтобы она ставила липовые диагнозы несчастным солдатикам, которых избивали, унижали, насиловали, доводили до самоубийства.

Итак, кроме Кати Иванниковой в «черном списке» наверняка был Игорь Литвак. Через десять минут я нашел и третью потенциальную жертву. Руслан Кийко, известный публике просто как Руслан, женоподобный гомосексуалист с длинными волосами и нежным, тщательно выбритым лицом. В фильме «Он и его муж» Кийко сыграл армейского полковника, совсем молодого, постоянно получавшего внеочередные звания, потому что генерал оказался любителем мужского тела, а у молодого красивого подчиненного ему отказа не было много лет. Руслан в этой роли был необыкновенно убедительным и естественным (что вполне понятно), нормально ориентированный мужик никогда не смог бы так сыграть гомосексуалиста, как это удалось Кийко. Любой другой в этой роли переигрывал бы, пытаясь нарисовать какую-то особую «женственность». А Руслан ничего не наигрывал и не придумывал, у него этой пресловутой «женственности» было как раз столько, сколько нужно. Его роль была в фильме основной, его педераст-покровитель был только обозначен несколькими крохотными эпизодами, а весь фильм рассказывал о том, как менялась на протяжении многих лет психология молодого офицера, который делал себе карьеру таким «немужским» способом. Режиссером фильма «Он и его муж» был все тот же Бабаян, гениальный алкоголик, блестящий мастер психологических нюансов. К сожалению, за его жизнь можно было больше не беспокоиться.

Глава 12

Где искать Сергея Лисицына в первом часу ночи, я не представлял, а идти к нему домой было рискованно: если его сочли достаточно опасным, чтобы удалить с оперативной работы, то вполне могут присматривать за его контактами. В первые два дня после возвращения из Москвы я еще был Стасовым, и наши встречи проходили демонстративно открыто, потому что так и было задумано. Зато теперь все стало сложнее. С какой это стати какой-то Дмитрий Галузо будет разыскивать среди ночи участкового Лисицына?

Единственным шансом был телефонный звонок Сереже домой. Я выбрался из своего сарая, вышел на улицу и пошел влево, хотя направо до телефона-автомата было бы ближе. Но я не хотел по вполне понятным причинам проходить мимо дома 8.

Мой ангелочек со скучным видом и брюзгливой миной вытащил очередной несчастливый билетик, швырнул мне его в лицо и завалился спать. Сергея дома не было. К телефону вообще никто не подошел, так что я даже не смог попросить, чтобы ему передали, что он срочно мне нужен.

Оставалось одно: бежать в гостиницу, где жили киношники, и искать Бориса Рудина. У него есть служба безопасности, пусть хоть что-то полезное сделают.

* * *

В гостинице полным ходом шла ночная тусовка. Я прошел через боковой вход из сада в холл мимо равнодушно глянувшего на меня охранника и подумал, что на рудинскую службу безопасности надежда слабая. Они вообще мышей не давят. Спят на ходу. Одной из примет нашего времени стало представление о том, что если уж делать что-то, то за о-очень большие деньги, а просто большие деньги существуют для того, чтобы их получать за просто так, за сонное безделье.

Рудина я нашел в ресторане. Естественно, рядом с ним восседала мадам Мезенцева, одетая во что-то невообразимое, полностью открывавшее ее потрясающую фигуру. Полоса невезения началась, и мне пришлось смириться с тем, что объяснений с Ритой никак не избежать. Разумеется, она сразу же

меня узнала, да и немудрено после стольких лет близкого знакомства.

— Что случилось? — тут же с ужасом спросила она. — Что с тобой, Стасов? В кого ты превратился? Почему ты вернулся? Где Лиля?

Вопросов оказалось многовато даже для моей закаленной нервной системы, поэтому я позволил себе быть грубым. Ну если уж не грубым, то по крайней мере дурно воспитанным.

— Лиля на даче у Борзенкова, с ней все в порядке, — быстро ответил я и тут же перевел взгляд на Рудина. — Борис Иосифович, мне нужно поговорить с вами. Наедине и срочно.

Да, Боря Рудин мне не нравился, но одного у него не отнять: он не был курицей, которая, прежде чем что-то сделать, долго и бестолково квохчет и бьет себя крыльями по бокам. Он был деловым и стремительным.

— Посиди здесь, — бросил он Рите, вставая и делая мне знак следовать за собой.

Похоже, Ритулька-то привязана к президенту киноконцерна РУНИКО больше, чем он к ней. От такого пренебрежения она сделалась пунцовой, но позу сохранила, даже не обернулась нам вслед.

Борис Иосифович шагал очень быстро, и мне оставалось только удивляться, откуда в этих коротких ножках такая бешеная скорость. Он был невысок росточком, даже ниже Риты, не говоря уж обо мне с моими без малого двумя метрами, но в отличие от многих малорослых не производил впечатления закомплексованного и злобного. Мне раньше не приходилось с ним общаться, только один раз нас представили друг другу на какой-то презентации в Киноцентре, когда я еще ходил на такие мероприятия в качестве Риткиного мужа. Он мне сразу не понравился, и это светлое чувство я пронес в своей трепетной душе через долгие годы как семейной, так и последующей холостяцкой жизни. Причем я не мог бы сказать определенно, что именно мне так категорически не нравилось в Рудине. Но вот не нравилось, и все тут.

Мы вошли в огромный «президентский» номер, состоящий из трех комнат — гостиной, кабинета и спальни. В гостиной царил, мягко говоря, тот еще бардак: на столиках стояли бутылки и грязные бокалы и рюмки, вазочки с остатками орехов и косточками от давно съеденных фруктов, доверху забитые окурками пепельницы, воздух, несмотря на открытую балконную дверь, был пропитан запахом сигаретного дыма и перегара. По-видимому, гулянка здесь шла долго, а закончилась совсем недавно.

Рудин, не останавливаясь, прошел через гостиную и открыл дверь в следующую комнату. Я послушно последовал за ним в кабинет. Здесь было хорошо, прохладно и чисто, у окна стоял большой письменный стол, у стены расположились мягкие глубокие кресла. Борис двигался так стремительно, что казалось, в кабинете есть еще одна дверь и он собирается пересечь его и идти дальше. Но я ошибся, Рудин подлетел к одному из кресел, резко затормозил и плюхнулся в него, закинув ногу на ногу, отчего брючина задралась, обнажив жемчужно-серый носок и часть смуглой волосатой щиколотки. Ну надо же, а Ритка всегда говорила, что терпеть не может волосатых мужиков!

— Слушаю вас внимательно, — произнес он, доставая сигареты и щелкая зажигалкой. — Должен заметить, вы сильно изменились, Владислав. Я помню вас совсем другим.

— Годы идут, знаете ли, — неопределенно ответил я. — Борис Иосифович, у нас с вами возникли серьезные проблемы. Нужно срочно разыскать Иванникову, Руслана и Игоря Литвака. Я вам все объясню, но это займет какое-то время, а счет может идти уже на минуты, если не на секунды. Давайте сначала их найдем, а когда я буду уверен, что с ними все в порядке, я дам вам любые объяснения.

— А нельзя по-другому? Вечером стулья, а деньги утром? — поинтересовался Рудин, непринужденно демонстрируя мне знание классики советского кинематографа.

— Можно, но деньги вперед.

— Понял.

Он легко поднялся с кресла, подлетел к столу и нажал клавишу на переговорном устройстве.

— Где у нас Литвак, Руслан и Катерина? Быстренько их найти и ко мне. Быстренько, быстренько, девочки, шевелитесь... Меня это не интересует... Значит, без штанов придет. Давайте, двигайтесь. Нет, это только в десять утра, а сейчас они должны быть еще здесь.

— Что в десять утра? — встревоженно спросил я. — Они куда-то собрались?

— Да, на халтуру в местную глубинку. Что вы на меня так смотрите, Владислав? Вы что, не знаете, что актеры и режис-

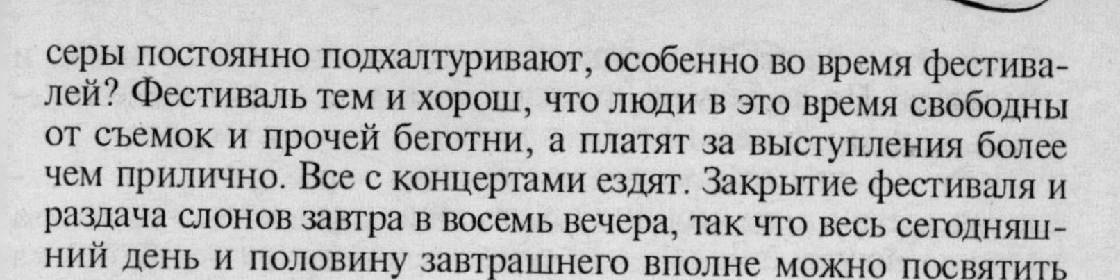

серы постоянно подхалтуривают, особенно во время фестивалей? Фестиваль тем и хорош, что люди в это время свободны от съемок и прочей беготни, а платят за выступления более чем прилично. Все с концертами ездят. Закрытие фестиваля и раздача слонов завтра в восемь вечера, так что весь сегодняшний день и половину завтрашнего вполне можно посвятить собственному карману.

— Что, все трое уезжают?

— Все трое.

— И все в одно место или в разные?

— В одно. А что вас так удивляет?

— Кто еще с ними едет?

— Никто, только Кийко, Литвак и Иванникова. Может быть, вы, наконец, начнете рассказывать, Владислав? Стулья я вам обеспечил, платите деньги.

— Подождите, Борис Иосифович, как так получилось, что они все втроем собрались в одно и то же место с концертом? Они что, близкие друзья и нашли себе общую халтуру? Разлучаться не хотят?

— Да нет, из этого богом забытого поселка позвонили в оргкомитет и попросили привезти их самых любимых актеров Катю и Руслана и режиссера Литвака. Это, дескать, их кумиры, и они слезно просят дать возможность оторванному от культурной жизни населению пообщаться со своими любимцами. Конечно, дыра жуткая, цивилизация там и рядом не лежала, но ведь актеры честолюбивы до смешного. Скажешь ему, что он — кумир, и он готов не есть, не спать, переться к черту на рога, только чтобы услышать аплодисменты и вдохнуть аромат обожания и преклонения. Вы не забывайте, Владислав, артисты и режиссеры кино этим сильно обделены, в отличие от театральных. Там и актер, и режиссер выходят на сцену и видят благодарную публику каждый вечер, они каждый вечер получают свою порцию восторга и признательности. А в кино? Наши деятели оторваны от публики, а ведь им ничуть не меньше нужно чувствовать любовь зрителя. Поэтому и ездят, ездят даже в Пискоструйск и в деревню Гадюкино, по колдобинам и на перекладных.

— И когда их пригласили?

— Два дня назад, если я со счета не сбился. Сейчас ведь уже пятница началась. Во вторник с утра звонили, и мы договорились, что ребята поедут в пятницу, дадут один концерт, переночуют, в субботу с утра еще одно выступление в соседнем поселке, и к обеду их привезут обратно. Как раз они успеют отдохнуть, привести себя в порядок, а в восемь вечера в субботу — закрытие и вручение призов.

Так. Значит, во вторник с утра. В понедельник вечером я улетел в Москву с Лилей, они решили, что я перестал путаться под ногами и можно действовать дальше. Времени до закрытия кинофестиваля осталось немного, и они решили покончить со всеми троими одним махом. Интересно, что они придумали на этот раз? Скорее всего, автомобильную катастрофу. Гористая местность, серпантин... Машину в пропасть — и концы в воду. Бог мой, во главе всего этого должен стоять поистине сумасшедший. Но почему его покрывают? «Выдавливание» предпринимательства — это я могу понять, это на руку тем, кто ведет политическую игру. Но истребление кинозвезд? Какую пользу это может принести тем, кто рвется к власти? Почему они позволяют этому человеку безнаказанно совершать убийства, и не просто позволяют, но и помогают? Или они хотели во что бы то ни стало сорвать фестиваль, чтобы больше никакому Рудину не пришло в голову устраивать в этом городе великосветские «сходняки»? Ведь Рита мне объясняла, что спонсоры вкладывают в фестиваль большие деньги, потому что он приносит большие прибыли. Именно поэтому спонсоры и не позволили закрыть фестиваль, несмотря на убийства участников. Спонсоры оказались людьми такими же безнравственными, но из другой команды.

— Так я жду ваших объяснений, Владислав. Что, собственно, случилось?

— Видите ли, Борис Иосифович, у меня есть очень сильные подозрения, что этих троих тоже хотят убить. Я ничего не могу доказать, но я прошу мне поверить.

— У вас есть какие-то сведения? Рита сказала, что вы отказались от моего предложения заняться этими убийствами...

— Да, я отказался, но я отказался работать на вас. А убийствами я все-таки занимался. Вы знаете современное кино лучше меня, поэтому вспомните: те четверо, которые уже погибли, и эти трое имели отношение к фильмам, в которых поносят армию и разоблачают царившие в ней порядки. Мне понадобилось много времени, чтобы до этого додуматься, но вам-то, я полагаю, не нужно рыться в фильмографиях, чтобы это вспомнить.

— Вы хотите сказать, что за этими убийствами стоит армия? — скептически бросил Рудин. — Трудно поверить. У вас богатая фантазия, Владислав. Вы меня не убедили.

— Борис Иосифович, оставим в покое мою фантазию. Вам мало четырех трупов? Вам нужен пятый, шестой и седьмой, чтобы спохватиться? Армия тут ни при чем. В этом замешаны ветераны-отставники. Может быть, их всего несколько, может быть, всего один, но это страшный человек с больной психикой, который не может смириться с кардинальными переменами в мировоззрении, морали, нравственности. Он использует юношеский военно-спортивный клуб, чтобы воспитывать подростков в ненависти к пороку и разврату и готовить из них боевиков, способных на любое преступление во имя этой святой борьбы с грязью и развратом...

Моя пламенная речь была прервана пьяным голосом, донесшимся из гостиной:

— Боря, я пришла! Ты меня искал? Боря! Ты где?

Дверь распахнулась, и на пороге кабинета возникла пьяная до изумления Катя Иванникова. Даже в таком состоянии она была очень хорошенькой, в черном костюме с суперкороткой юбкой, выгодно оттенявшем ее белокурые волосы. Ноги в черных колготках были, конечно, не такими классными, как у Маргариты, но очень даже ничего, а зеленые глазищи в пол-лица смотрелись просто здорово.

— О-о-ой, здрасте, — протянула она, увидев меня. — Боречка, я вот она.

— Молодец, — поморщился Рудин. — Опять надралась. Посиди в гостиной, сейчас я с тобой разберусь. Не пей только, сделай перерыв.

Катя послушно отступила назад и прикрыла за собой дверь. Я услышал, как охнули пружины в кресле, потом раздалось недвусмысленное булькание и звяканье: Иванникова наливала себе выпивку, благо бутылок в гостиной, как я уже сказал, было достаточно. По лицу Рудина я понял, что он тоже это слышит и явно не одобряет.

— И что вы предлагаете? — спросил он, снова поворачиваясь ко мне. — Не пускать их на халтуру? Запереть в номере и выставить охрану? Имейте в виду, актеры вас не поймут. Они далеки от ваших резонов, тем более что и мне они не кажутся правдоподобными.

Я собрался было уже пуститься в объяснения и призвал на

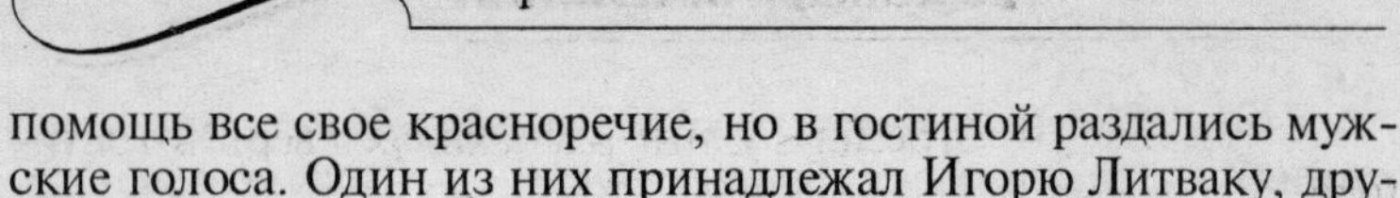

помощь все свое красноречие, но в гостиной раздались мужские голоса. Один из них принадлежал Игорю Литваку, другие я не узнал.

— Явились наконец, — вздохнул Рудин. — Ну пойдемте, посмотрим, сможете ли вы их убедить отказаться от заработка. Я что-то сильно сомневаюсь.

Он встал с кресла и сделал шаг к двери, но я успел схватить его за руку.

— Борис Иосифович, — сказал я тихо, но очень зло, — если с кем-нибудь из них что-нибудь случится, вы больше никогда не проведете ни одного кинофестиваля. Это я вам обещаю. За вами пойдет слава человека, который не может обеспечить безопасность приглашенных участников. Актеры вообще люди суеверные, это всем известно, а с такой репутацией никто не захочет иметь с вами дело. Все узнают, что вас предупредили, а вы не приняли меры. Подумайте об этом.

— Вы меня шантажируете? — усмехнулся Рудин. — Маргарита меня предупреждала, что вы человек сложный, но я не предполагал, что она имела в виду вашу склонность к запугиванию. А если окажется, что вы меня предупредили, я обеспечил безопасность этих троих, а погибнет кто-нибудь четвертый? Как мы все будем выглядеть в этом случае? И между прочим, могу вам обещать, что пострадает ваша репутация. Вы пытались раскрыть преступление, неправильно поняли подоплеку, изолировали не тех людей, каких надо было, а в результате — еще одна жертва. Ведь вы, насколько я понимаю, собираетесь увольняться из милиции, значит, пойдете в частные охранные структуры, а уж я приложу все усилия, чтобы о вашем промахе узнали.

Да, не зря все-таки Борис Рудин мне с первого раза не понравился.

— Значит, вы мне не верите?

— Не совсем так, Владислав. Я не верю в ту историю, которую вы мне рассказали, и потому не верю, что будут еще жертвы и что ими непременно должны стать Руслан, Катерина и Литвак. Я не верю.

— Разве вам не кажется странным, что я назвал вам три имени, а вы мне в ответ заявили, что именно этих трех человек пригласили дать концерты в какой-то глухомани? Ведь это не я выдумал, это вы мне сами сказали. Разве бывают такие совпадения?

— Бывают, — отрезал Рудин, распахивая дверь в гостиную.

Катя Иванникова сидела в центре комнаты в окружении троих мужчин. Литвака и Руслана я знал в лицо, третий мужчина, красивый брюнет с проседью в волосах и насмешливыми глазами, был мне незнаком. У всех четверых в руках были рюмки.

— Что за пожар? — высокомерно спросил Руслан, недовольно встряхивая длинными волосами. — Последний инструктаж перед гастролями? Не пить, не курить, не трахаться?

Рудин проигнорировал выпад, даже не глянув в сторону знаменитого гомосексуалиста.

— Рад вас видеть, Олег Иванович, — обратился он к брюнету. — Какими судьбами?

— Мы с Игорем Аркадьевичем обсуждали финансирование его нового фильма, а тут вдруг прибегает какая-то очаровательная звездочка и велит Игорю срочно явиться к вам. Ну и я с ним пришел за компанию. Ведь у нас с вами завтра закрытие, нужно решить ряд вопросов.

— Конечно, конечно, — закивал Рудин. — Прошу знакомиться. Олег Иванович Юрцев, спонсор нашего кинофестиваля. А это Владислав Стасов...

Рудин замялся, не зная, что говорить дальше. Отчества я, натурально, не удостоился. Впрочем, он его, наверное, просто не знал.

Я с любопытством разглядывал Юрцева, ведь он был одним из тех, кто не позволил закрыть кинофестиваль, несмотря на ряд трагических смертей. Человек, для которого деньги дороже человеческой жизни. Впрочем, деньги-то его, а жизни — чужие. И потом, жизни уже отняты, поправить все равно ничего нельзя, а деньги еще только будут поступать...

Юрцев крепко пожал мне руку и приветливо улыбнулся.

— Рад познакомиться.

— Взаимно, — буркнул я.

— Так, ребятки, — подал голос Рудин, — посидите еще пять минут. Олег Иванович, Владислав, прошу в кабинет.

Мы снова оказались в кабинете, но на этот раз Рудин сел в вертящееся кресло за письменным столом, а мы с Юрцевым расположились в креслах у стены, как почетные гости.

— Олег Иванович, у нас возникла небольшая проблема.

Вы обещали нам машину в десять утра, чтобы отвезти Катю, Игоря и Руслана на выступление.

— Да-да, — кивнул Юрцев. — Машина будет, я распорядился. Нужно что-нибудь еще?

— Дело в том... Видите ли, машина, скорее всего, не понадобится.

— Что-то случилось?

Юрцев перевел вопросительный взгляд с Рудина на меня.

— Наши звезды отказываются ехать в захолустье?

— Нет, дело не в этом. Господин Стасов пытается убедить меня в том, что они не должны никуда ехать, потому что некие злоумышленники задумали очередное убийство.

Рудин смущенно хмыкнул и развел руками, мол, сам не верю, а вот этот псих примчался среди ночи и прямо за горло берет, не пускай, дескать, артистов дальше порога их собственного номера. Ну что с ним поделаешь, с этим фантазером!

Юрцев, однако, был настроен менее скептически.

— Нельзя ли поподробнее? — спросил он, внимательно глядя на меня.

Я постарался быть как можно более лаконичным, избегал всяческого упоминания о политике и мафии, говорил только о некоем сумасшедшем, который защищает честь армии и советского социалистического строя. Юрцев ни разу меня не перебил, и по его лицу я видел, что он не считает мои фантазии такими уж бредовыми.

— Что ж, ситуация достаточно серьезная, — наконец произнес он, когда я умолк. — Поездку с концертами нужно отменить, с этим я полностью согласен. Что господин Стасов предлагает для обеспечения безопасности?

Я беспомощно пожал плечами.

— Собственно, именно с этим я и пришел к Борису Иосифовичу. У него есть служба безопасности...

— Ну, какая у него служба безопасности, я и так знаю, — усмехнулся Юрцев. — Не в упрек вам будь сказано, Борис Иосифович, она никуда не годится. Уж не знаю, кого вы в эту службу набирали, но я бы за нее гроша ломаного не дал. В гостиницу днем и ночью может пройти кто угодно. Но, впрочем, это не мое дело. Сами актеры знают о той опасности, которая им угрожает?

— Нет, я им еще не говорил. Я для этого как раз их и со-

брал... — откликнулся Рудин. — Но мне, честно говоря, как-то не верится во все это...

— Знаете, Борис, мне тоже не верится, но всегда лучше перестраховаться. Может, вам не жалко свою репутацию, а я своей дорожу. И потом, чем черт не шутит, пока господь почивает. От греха подальше...

Он умолк и сделал небольшой глоточек из рюмки, которую принес с собой из гостиной и все это время крутил в руках.

— Весь вопрос в том, что им сказать. — Он выразительно кивнул в сторону двери, ведущей в гостиную. — Они все теплые и протрезвеют не скоро, вряд ли они в состоянии осознать то, что мы с вами тут обсуждаем. И потом, актеры вообще люди импульсивные и непредсказуемые. Начнешь объяснять, что им грозит опасность, а они не поверят и начнут ходить-бродить всюду в одиночестве. Или наоборот, поверят да перепугаются до такой степени, что тут же начнут укладывать вещи и первым же самолетом — домой.

— Да и пусть, — горячо сказал я. — Чем дальше отсюда — тем лучше. Пусть перепугаются и уезжают.

— Вы не понимаете, — оборвал меня Рудин. — Жюри закончило работу, все премии уже распределены, часть членов жюри уехала. Литвак — председатель жюри, он должен вручать призы. Руслан получает вторую премию за мужскую роль. Катерина, правда, не получит ничего, но она задействована в церемонии, весь сценарий уже утвержден и все отрепетировано. Вы представляете, что получится, если они уедут? Кому вручать премию Руслана? Кто вообще будет вручать премии? Жюри в полном составе уже не собрать, так что решение изменить невозможно. Лауреат должен выйти на сцену и лично получить приз. Это непреложный закон. Не объяснять же всем и каждому, что Литвак и Руслан Кийко испугались угрозы и сбежали. И потом, кем заменить Катерину? Нет, нет и нет. О том, чтобы они не участвовали в закрытии, и речи быть не может.

— Борис прав, — мягко заметил Юрцев. — У меня есть другое предложение. Можно сказать, что программа слегка изменилась и выезжать на гастроли нужно не в десять утра, а, например, в семь или даже в шесть. Погрузить их в машину, отвезти в мой охотничий домик и там спрятать, а завтра прямо перед закрытием привезти обратно. Сейчас они много выпили и плохо соображают, так что вести с ними серьезные разговоры бесполезно, а потом, когда они придут в себя, можно все им объяснить. Даже если они сильно испугаются, из охотничьего домика они никуда не денутся, глухой лес и никакого транспорта. И оттуда — прямо на церемонию.

— А что, — оживился Рудин, — это выход. Прекрасная мысль, Олег Иванович. Мы так и сделаем.

По тому облегчению, которое отразилось на его смуглом лице, было понятно, что он с радостью скинул с себя бремя принятия решения. Если что случится — виноват не он со своей хреновой службой безопасности, а Юрцев. Если ничего не случится — опять же инициатором поездки в охотничий домик был тот же Юрцев, перестраховщик несчастный. Для Бори Рудина все складывалось необыкновенно удачно, и я еще раз подумал о том, что он мне ужасно не нравится. Ладно, главное вывезти отсюда святую троицу, эмоции можно оставить на старость.

* * *

Мы с Рудиным стояли на крыльце гостиницы и смотрели вслед удалявшемуся автомобилю «Форд-Скорпио», который увозил подальше в лес Игоря Литвака, Екатерину Иванникову и Руслана Кийко. Предыдущие два часа были совершенно сумасшедшими, капризные люди искусства никак не могли взять в толк, почему нужно выезжать в такую безумную рань. Потом они отправились по своим номерам собирать вещи, а поскольку все жили не в одноместных номерах, а с соседями, то пришлось потратить еще какое-то время на то, чтобы в суматохе пьяного гульбища этих соседей найти и разобраться с ключами. Почему-то в их среде не был популярным такой простой способ, как сдача ключа портье. Ключи от номеров непременно должны были передаваться из рук в руки с многочисленными наставлениями: это не трогать, то не перевешивать, этим не пользоваться, это не включать, а если позвонит Иван Иваныч, сказать ему то-то и то-то и ни в коем случае не говорить этого. В процессе сборов и поисков соседей наши подопечные постоянно то здесь, то там прикладывались к рюмке, на каждом углу застревали с разговорами и вообще никуда не торопились, а я дергался, считал секунды и мечтал только об одном: поскорее убрать их из гостиницы и хотя бы два часа поспать. Наконец в половине шестого утра они уехали, и меня немного отпустило.

* * *

Проснулся я оттого, что солнце било мне прямо в глаза. Наконец-то пасмурная погода кончилась, зато теперь снова будет изнуряюще жарко. Почувствовав ноющую боль в затекшей шее, я открыл глаза и понял, что уснул прямо в кресле в номере Рудина, в его уставленной бутылками, прокуренной гостиной. На часах было без четверти семь, я проспал всего какой-нибудь час.

Из кабинета до меня донесся приглушенный женский голос. Я прислушался и узнал свою бывшую благоверную. По отдельным репликам, которые мне удалось уловить, стало понятно, что они обсуждают вопрос о том, где ей сегодня спать, здесь или у себя в номере. Интересно, в ком это проснулась деликатность, в Рудине или в Маргарите?

Я встал, стараясь произвести как можно больше шума, и Борис тут же возник на пороге гостиной, при этом выражение лица у него было почему-то смущенным. Он что же, полагал, что я не знаю о его отношениях с моей бывшей женой? Или Ритка и ему голову заморочила рассказами о моей феерической ревности и непреходящей любви к ней одной?

— Прошу меня извинить, я свалился прямо здесь и, наверное, помешал, — сказал я вполне дружелюбно. — В соответствии с вашим фестивальным режимом сейчас самое время ложиться спать, так что я вас покидаю.

Рудин вяло пожал мне руку и попрощался, а стыдливая Маргарита даже нос из кабинета не высунула.

Я спустился в холл первого этажа и сразу же наткнулся на Геннадия Гольдмана, сотрудника оргкомитета фестиваля, того самого, который встречал опаздывавшую на пресс-конференцию Ольгу Доренко. Судя по бодрому и свежему виду, он не собирался ложиться спать. Гольдман сидел в кресле под пальмой в кадке и возился с какими-то списками, разложенными перед ним на низеньком квадратном столике. Он меня не узнал, но все равно был приветлив и словоохотлив.

— Доброе утро, — сказал я, подсаживаясь к нему. — Все — в койку, а вы — за работу? Когда же вы отдыхаете?

Он оторвался от бумаг и сладко потянулся, подмигнув мне при этом.

— Вы будете очень смеяться, но отдыхаю я ночью. А если серьезно, то ведь завтра закрытие, и уже сегодня начинают

8 Зак. 689

съезжаться журналисты, и я должен их всех встретить и обеспечить аккредитацию, при этом проследить, чтобы ее не прошли те, кого мы не любим.

— Да здесь же их полно, — удивился я. — Неужели в России остался хоть один журналист, которого здесь нет?

— О!

Гольдман сделал выразительный жест пальцами обеих рук, который свидетельствовал о неизмеримом числе тружеников пера, которые пока еще не посетили благословенную южную землю.

— Те, что толкутся здесь с самого начала, это примерно процентов сорок всех тех, кто собирается написать о фестивале. Ну, еще процентов десять прискакали сюда после того, как погибли Оля и Люся. Остальные явятся к финалу. И если мы не хотим с ними ссориться, если мы хотим, чтобы во всех газетах был отмечен высокий уровень организации кинофестиваля и прозвучали всякие прочие дифирамбы, в том числе Рудину и спонсорам, все представители прессы, радио и телевидения должны уехать из аэропорта на машинах и всех их здесь должны ждать как родных. То есть с местами в номерах, едой в ресторане и улыбкой на лице. А несчастный еврейский мальчик Гольдман обязан все это обеспечить. Ну положим, я могу организовать еще сто койко-мест и сто порций горячей еды, ну допустим, спонсоры дали десяток машин для разъездов, но где я наберу им столько улыбок на лице? Оно у меня одно, а все остальные лица будут дрыхнуть часов до двух.

Мимика у Гольдмана была столь выразительной, что я расхохотался, несмотря на усталость.

— Хорошо еще, что у вас спонсоры богатые. Я сегодня с одним из них познакомился, с Юрцевым.

— С Олегом Ивановичем? О, это очень яркая личность. И биография у него яркая. Вот про кого кино снимать. Представляете, был спортсменом-автогонщиком, на соревнованиях попал в страшную аварию, весь переломался. Со спортом, конечно, пришлось покончить, несколько лет по больницам кочевал, потом попал в центр Дикуля, восстановился... Вы меня не слушаете?

Я действительно его не слушал. Автогонщик. Водитель. Ямщик... Боже, ну и кретин же я!

Я вскочил с кресла и ринулся к стойке портье, на которой стоял телефон.

* * *

Ангел-хранитель, по-видимому, сладко выспался и принялся за работу в хорошем настроении, во всяком случае, в семь утра Сережа Лисицын оказался дома. Поскольку инкогнито мое уже было раскрыто, я попросил его немедленно заехать в больницу, узнать, что там с Татьяной, и быстро мчаться сюда. Остальные свои поручения я не рискнул доверять телефону, тем паче в холле гостиницы я был все-таки не один.

Положив трубку, я пулей взлетел на второй этаж и принялся колотить в дверь «президентского» номера. Прошло слишком мало времени, чтобы они успели уснуть, они должны меня услышать. Через какое-то время дверь распахнулась, и Рудин в коротком купальном халате, высоко открывавшем чуть кривоватые волосатые ноги, хмуро глянул на меня с порога.

— Что еще стряслось? Я думал, вы уже далеко отсюда.

Я бесцеремонно втолкнул его в гостиную и захлопнул за собой дверь.

— Где Юрцев?

— Уехал. Зачем он вам?

— Куда уехал?

— Господи, да откуда же я знаю? Домой, наверное. Да что случилось?

— Где он живет? У вас есть его телефон?

— Послушайте...

— Борис Иосифович, мы теряем время. Звоните Юрцеву, быстро.

Рудин пожал плечами и пошел к стоявшему в гостиной телефону.

— Никто не отвечает.

— Звоните в офис, у вас же наверняка есть все телефоны, звоните по всем номерам. Его нужно срочно найти.

Я мельком бросил взгляд на висевшее на стене большое зеркало и перестал удивляться тому, что Борис больше не задавал вопросов, а послушно набирал номер за номером. Из зеркала на меня смотрел землисто-серый небритый псих с горящими глазами и таким выражением лица, словно он держит в руке тесак и собирается крушить все подряд.

— Ни один номер не отвечает, — сказал Рудин, кладя трубку. — Может, вы мне объясните...

— Куда он их отправил? Где у него этот чертов домик?! — заорал я.

— Но я не знаю... Я действительно не знаю.

Я рухнул в кресло и схватился за голову.

— Вы были правы, Борис Иосифович, я чемпион среди идиотов. Мне в самом деле пора на пенсию. Мы с вами своими руками отправили трех человек на верную смерть.

— Что вы несете? — возмутился Рудин. — Вы переутомились. Олег Иванович сделает все, что нужно, чтобы обеспечить их безопасность, не сомневайтесь.

— Я и не сомневаюсь, он сделает все, что нужно. Он их погубит.

— Да вы с ума сошли, Владислав! Какие у вас основания...

Дверь из спальни приоткрылась, и выплыла Маргарита в пеньюаре.

— Что происходит? — требовательно спросила она. — Владик, в чем дело?

— Ни в чем, — огрызнулся я.

Вот ее только тут и не хватало. Для полноты счастья.

— Что вы знаете о Юрцеве? Кто он вообще такой, откуда взялся? Как он оказался в числе ваших спонсоров?

Оказалось, Рудин знает не так уж много. Юрцев — преуспевающий бизнесмен, очень богатый человек, меценат. Возглавляет фирму «Лада», ту самую, которая организовывала круиз по Черному морю. В прошлом — спортсмен-автогонщик. В качестве спонсора был рекомендован мэрией города еще полгода назад, когда проводились первые мероприятия по организации кинофестиваля. Вот, собственно, и все.

— Значит, так, Борис Иосифович, — решительно сказал я, — нужно послать кого-нибудь к нему домой и в офис, пусть сидят и ждут, пока он не появится.

— И что дальше, когда он появится?

— Выяснить, куда он отвез Катю, Руслана и Игоря. При этом нужна правдоподобная легенда, например, пришла телеграмма от жены Литвака, что тяжело заболел кто-то из детей и Игоря нужно срочно отправлять в Москву. Вы меня поняли?

— Но я не понимаю...

— А вы никогда ничего не понимаете, — злобно заорал я. — Вы берете деньги у человека, о котором ничего не знаете, вы доверяете ему жизнь троих участников фестиваля, за которых вы, между прочим, отвечаете. Вы хотите, чтобы все было

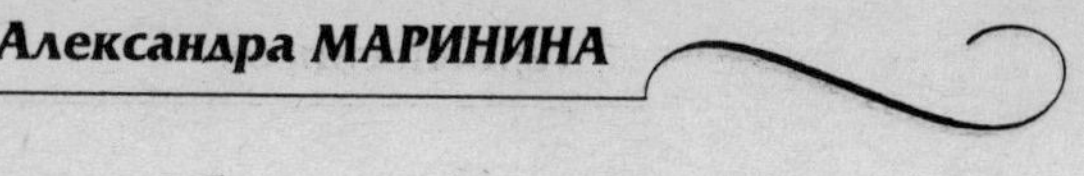

шито-крыто, только чтобы не испортить отношения с богатенькими спонсорами, поэтому не теребите местную милицию и не требуете, чтобы из Москвы приехала бригада опытных сотрудников, когда на вас сваливаются четыре трупа. Вы ничего не понимаете, потому что не хотите ничего понимать. Спонсоры пообещали вам денег, если вы доведете фестиваль до победного конца и не дадите его закрыть? Они поделятся с вами своими прибылями? Почему ваша служба безопасности похожа на детский сад? Потому что вам жалко денег на то, чтобы нанять опытных ребят, и вы набрали туда своих приятелей и их родственников, которым платите копейки, но за эти копейки они ничего не делают, просто бесплатно отдыхают на морском берегу? Что у вас в голове, Рудин, кроме собственной жадности? Глупость? Слепота? Старческий маразм? Ваш Юрцев — матерый преступник, он держит наркобизнес на всем побережье, а местные власти его не трогают, потому что он развернул здесь еще и игорный бизнес, вполне легальный, открыл сотню ночных казино для богатых бездельников и платит в местную казну такие налоги, которые позволяют городской администрации безбедно и бесхлопотно существовать. А уж сколько он укрывает от налогов, никого не интересует. Он здесь все купил, он здесь царь и бог, а вы, Рудин, ему задний проход вылизываете и содрогаетесь в оргазме от удовольствия.

Я выпустил пар и перевел дыхание. Пожалуй, я был непарламентски груб, да еще при Рите... Нехорошо. Рудин стоял неподвижно, с перекошенным от ярости лицом.

— Короче, посылайте людей и узнавайте, где этот охотничий домик. Как хотите, так и делайте, но узнайте во что бы то ни стало. В этих целях иногда очень хорошо помогает битье морды, но я не уверен, что люди из вашей службы безопасности это умеют. Если меня будут искать — я внизу, в холле.

Я вышел из номера, стараясь двигаться спокойно и не хлопать дверью. Нужно взять себя в руки.

* * *

Сережа Лисицын появился минут через сорок. Рядом с ним шагал Юра Мазаев. Слава богу, с Татьяной все обошлось, она была очень слаба, но вне опасности. У Мазаева и Ирочки тоже взяли анализы, но в их организмах отравы не оказалось.

Они всю ночь просидели в коридоре возле приемного покоя, Юра не разрешил возвращаться домой. Он все понял правильно и решил не рисковать. Там, в больнице, их и нашел примчавшийся по моей просьбе Лисицын. Теперь Мазаев пришел сюда, а Ирочку оставили ухаживать за Татьяной.

Я попросил Сергея первым делом навести справки о шофере Заваруеве и пенсионере Сокольнике, а также ответить на простенький вопрос: кто такой Олег Иванович Юрцев?

— Юрцев? — усмехнулся Лисицын. — Мафиози. Все знают, а сделать ничего не могут. Зацепить не на чем. А может, не хотят. Отчетность финансовая в идеальном порядке, все чисто, как слеза младенца. И Заваруева я знаю, это брат Юрцева, родной, по матери. Юрцев старший, от первого брака, а Заваруев младший, от второго. Потому и фамилии разные. Костя Заваруев на братца шестерит, но тоже ни на чем серьезном за руку не схвачен. Да бесполезно все это, Владислав Николаевич, даже если и попадется он, все равно ведь отмажут. Против Юрцева здесь ни у кого рука не поднимется. Разве только у такого придурка, как я, которому все равно терять нечего, ниже участкового не скинут. Разве что из живых в покойники переведут.

— Ты знаешь, где живет Заваруев?

— Конечно.

— Поехали, — скомандовал я.

Все втроем мы уселись в Сережину машину и помчались по адресу Константина Заваруева. Глупо было бы ожидать, что нам улыбнется удача. Все верно, она скорчила нам отвратительную гримасу. Шофера дома не оказалось.

— Так уехал он, — удивленно сообщила нам его жена, молодая женщина с большим животом. Наверное, месяцев восемь, определил я на глазок.

— Куда?

— Откуда ж мне знать? По работе. Позвонили ему чуть не в шесть утра, он и стал собираться.

— Давно уехал?

— Минут двадцать.

— На своей машине?

— Да нет же, на служебной. Он ее никогда в гараж на ночь не ставит, всегда домой пригоняет, мало ли что начальству срочное понадобится, так чтобы время не терять... А то до гаража пока доберешься, пока разбудишь дежурного...

— Надо предупредить дежурного, пусть даст ориентировку на все посты ГАИ, — сказал Лисицын, когда мы понуро вышли из дома Заваруева.

— Не годится. — Я отрицательно покачал головой. — Сам же сказал, здесь все схвачено, за все заплачено. Твое руководство сразу же узнает, что ты разыскиваешь машину Заваруева. Догадываешься, что дальше будет?

Сергей завел машину и тронулся. Лицо у него было растерянным, но мне показалось, что за те несколько дней, что мы знакомы, он стал взрослее на несколько лет. Носогубные складки обозначились резче, щеки запали, сделав скулы более рельефными. Несколько секунд он молчал, потом пробормотал:

— Ладно, не дурнее других.

Смысл этой загадочной фразы он объяснять не стал.

Через несколько минут мы подъехали к зданию оперного театра.

— Дядя Паша, — обратился Лисицын к пожилому вахтеру, — мне бы позвонить, только чтоб без посторонних. По службе надо.

В оркестре театра работали мать и сестра Сергея, и дядя Паша, судя по всему, хорошо его знал.

— Пошли, — сказал он, беря из стола внушительную связку ключей. — Сейчас все сделаем в лучшем виде.

Он провел нас по мраморной лестнице в специальный небольшой, но очень красивый холл перед ложей дирекции. Здесь стояли мягкие кресла, телевизор, множество растений в огромных керамических горшках. И конечно же, был телефон.

Дождавшись, когда за дядей Пашей закроется дверь, Сергей вытащил записную книжку и набрал номер.

— Женя? Привет, это Лисицын. Ох, плохо живу, Женька, неприятность у меня. Да машину у меня угнали... Если бы мою, это еще полбеды. Чужую. В мэрии выпросил «Мерседес» с хорошим движком по служебной надобности, отошел на полминуты за сигаретами, а его сперли... Ну, а я о чем! В дежурку сообщать не хочу, вони будет — не отмоешься. Может, свистнешь своим ребятам на посты? Нет-нет, задерживать не надо, ты что, это ж сразу все узнают, что у меня машину угнали. Пусть только скажут, в каком направлении проехал, а дальше уж я сам его найду, чтобы без шума и пыли. Сдела-

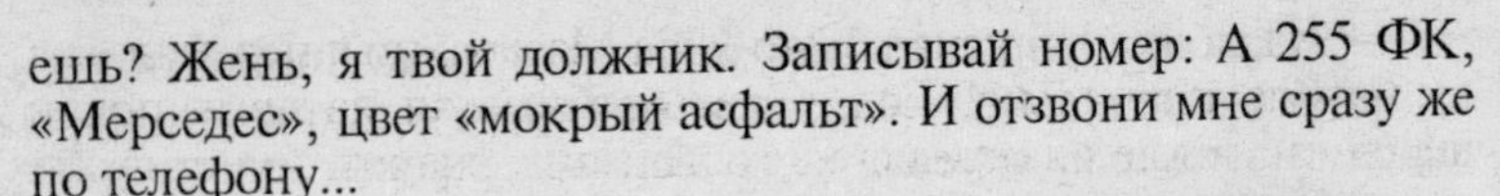

ешь? Жень, я твой должник. Записывай номер: А 255 ФК, «Мерседес», цвет «мокрый асфальт». И отзвони мне сразу же по телефону...

Сергей наклонился к телефонному аппарату, где в специальном окошечке была вложена бумажка с номером телефона ложи дирекции.

— Все, — вздохнул он, откидываясь на мягкую спинку обитого плюшем кресла. — Теперь остается ждать, мимо какого поста ГАИ проскочит Заваруев. А дальше будет легче.

Я посмотрел на Юру Мазаева, на его пепельно-бледное после вчерашних переживаний и бессонной ночи лицо.

— Серега, мы поспим немножко. Ничего? — спросил я, мечтая только о том, чтобы закрыть глаза.

Слишком много всего навалилось за последние несколько суток. Взрыв, от которого чудом спаслась моя любимая маленькая девочка. Гонка в Москву и обратно. Встречи с агентами. Жорик и Толя Гущин. Мускулистый Леха. Дедушка со списком. Татьяна. Сегодняшняя ночь... Мне бы только чуть-чуть передохнуть, набраться сил, потому что если нам повезет и Заваруев проедет мимо одного из тех постов, куда сможет дозвониться приятель Сережи Лисицына, то нам еще предстоит немало нервотрепки, гонки, а может быть, и стрельбы.

Дремотная усталость засасывала меня, как зыбучие пески...

Глава 13

Я уснул так крепко, что даже не услышал телефонного звонка. Проснулся я оттого, что меня тормошил Юра Мазаев.

— Слава! Просыпайся, Слава, надо ехать.

С трудом разлепив тяжелые веки, я увидел Сережу Лисицына, склонившегося над разложенной на столе картой.

— Несколько минут назад машина Заваруева проследовала вот по этой дороге, — задумчиво сказал он, показывая карандашом участок местности на карте. — Дорога ведет в заповедник, будем надеяться, что ответвлений нет.

— Думаешь, догоним? — с сомнением спросил я.

— Наверняка нет, — покачал головой Сережа. — Временной лаг слишком большой, а Заваруев тоже бывший гонщик, они с братом вместе спортом занимались. У нас против него шансов нет, и мечтать нечего.

— А как же... — начал было Юра Мазаев, но я перебил его:

— Все правильно. Если Заваруев выехал из дома почти через час после их отъезда из гостиницы, значит, они задумали не автоаварию, а что-то другое. Прямо там, в охотничьем домике. Поэтому нам важно как можно скорее оказаться в этом месте, а догоним, не догоним — это уже не суть важно. Сережа, в вашей богом обиженной милиции есть хоть один приличный человек, которому можно доверять?

— Паша Яковчик, — не раздумывая ответил тот. — Ему все неинтересно, ничего не хочется делать, но это оттого, что одной ногой он уже на другой работе. А так он парень честный и во всех отношениях приличный, можете мне поверить.

— А этот приличный парень что-нибудь умеет? Бегать, прыгать, стрелять, драться? Или он только умеет быть приличным? — спросил я, не скрывая сарказма.

— Ладно вам, Владислав Николаевич, что вы нас уж совсем с дерьмом-то мешаете, — улыбнулся Сергей.

* * *

Спустя двадцать минут мы мчались на всех парах в сторону заповедника, и в машине нас было уже четверо. Пашу Яковчика мы выдернули прямо из служебного кабинета, точнее, сделал это Юра Мазаев, потому что ни я, ни Лисицын в здании городского управления внутренних дел показываться не хотели. Теперь я мог рассмотреть Яковчика поближе, и пока Сергей в двух словах объяснял ему суть стоящей перед нами задачи, я всматривался в его веснушчатое лицо, слегка курносый нос, взъерошенные вихры на голове. Когда речь зашла о Юрцеве, Паша взорвался:

— Да вы что! Вы в уме вообще или как?! Я же собрался переходить в управление безопасности банка, который контролирует Юрцев. Вы же меня без ножа режете! А если он узнает, что я против него пискнуть посмел, моя новая работа накроется. Нет, ребята, давайте без меня. Я в эти игры не играю.

Сережа невозмутимо гнал машину по серпантину, опоясывавшему высокую, поросшую деревьями гору. Он будто и не слышал Пашиных возмущенных выкриков.

— И вот мы должны сделать хорошую мину при плохой игре и быстренько вывезти актеров и режиссера обратно, но чтобы никто не догадался, что мы кого-то подозреваем в чем-то нехорошем, — продолжал он, не отрывая внимательного взгляда от извилистой дороги. — Поскольку Юрий Сергеевич и Владислав Николаевич отсюда уедут, а нам с тобой, Павлик, здесь жить, то врагов наживать мы себе не будем. Пока, — тут же уточнил он. — А там посмотрим.

Яковчик немного успокоился. Его явно обрадовало, что Лисицын все правильно соображает насчет врагов и насчет того, что им в этом городе придется жить.

— У нас на четверых три ствола, но пользоваться ими будем только в случае крайней необходимости, — сказал я. — В идеале все должно пройти под видом срочной отправки Литвака в Москву, где у него тяжело заболел ребенок. При этом нужно постараться сделать так, чтобы Руслан и Катерина захотели вернуться вместе с ним. Заваруев не должен догадаться, что мы их спасаем от убийцы, то есть, скорее всего, от него. Впрочем, может быть, убийцей будет и не он, а Заваруева вызвали только для подсобных работ и для охраны. Это мы выясним на месте. Самое главное — успеть, пока там ничего не случилось.

День обещал быть жарким. Когда я ночью уходил из дома в гостиницу, то накинул поверх рубашки легкую куртку, потому что, во-первых, было прохладно, а во-вторых, нужно было скрыть плечевую кобуру, в которой лежал мой пистолет. Теперь из-за этого я не мог снять куртку и с тоской думал о том, что мне еще предстоит намучиться на жаре в такой неудачной экипировке.

Серпантин кончился. Мы миновали тот пост ГАИ, мимо которого проезжал Заваруев.

— Теперь наша задача — не промахнуться, — сосредоточенно сказал Лисицын. — Следите за всеми поворотами и ответвлениями, придется каждый раз выходить и смотреть следы от протекторов.

Старенькая машина дребезжала и грозила вот-вот развалиться, мощности движка не хватало, но я усилием воли заставлял себя не нервничать впустую. Другой машины все равно нет, дергайся не дергайся, а ехать придется на этой. Несколько раз мы останавливались, чтобы проверить, куда двигался «Мерседес» Заваруева. При нашей смешной скорости заехать не на ту дорогу, возвращаться и потерять время было бы непростительным. Воображение услужливо рисовало мне

душераздирающие картины мучительной смерти, которая уже настигла троих беззащитных людей в затерянном в лесах охотничьем домике. А мы опаздывали, безнадежно опаздывали...

— Вот оно, — вдруг сказал Мазаев.

Я огляделся по сторонам, но не увидел ничего, кроме густого леса по обеим сторонам проселочной дороги.

— Что? — недоуменно спросил я.

Сергей сбросил скорость и тоже начал осматриваться.

— Ничего нет, Юрий Сергеевич, вы о чем?

— Жилье близко. Это где-то здесь.

— С чего ты взял? — удивился я.

— Не знаю. Я чувствую. Это с Афгана осталось, объяснить невозможно, кругом камни и песок, никого не видно, а потом непонятно откуда появляется чувство, что есть кто-то живой. Не птица, не зверь, а именно человек.

Лисицын заглушил двигатель и вышел. Мы остались в машине, напряженно вглядываясь в листву вокруг нас.

— Точно, — сказал Сережа, открывая дверь и забираясь на водительское место. — Домик уже видно сквозь ветки. Еще метров двести осталось.

Эти двести метров мы ползли со скоростью черепахи. Или мне так казалось, потому что я нервничал и сгорал от нетерпения? Наконец мы увидели полянку, а на ней — сказочный домик. Здесь же, на полянке, стоял черный «Мерседес», из-под которого торчали мужские ноги в кроссовках. Вполне живые.

Картина вообще была мирной и никак не ассоциировалась со злодейскими замыслами. Ярко светило солнце, пели птички и, между прочим, оглушительно жужжали комары. Их здесь было столько, что казалось, остановись на мгновение — и тебя обгрызут до костей сей же миг. Впервые за последние несколько часов меня посетила трусливая мысль, а не ошибся ли я? Поднял всех на ноги, переполошил, перепугал, оклеветал хороших и достойных людей... Ты же сам убедился, Стасов, что теряешь чутье и хватку.

Заваруев вылез из-под машины и изумленно воззрился на нас. Он был совсем не похож на своего старшего брата, невысокий и даже на первый взгляд щупленький. Глазки у него были цепкие и жесткие, гладко выбритые щеки отливали синевой.

— А вы чего здесь?..

— За Литваком приехали, — быстро ответил Сергей. — Только он уехал — телеграмма пришла от жены, сынишка в больнице с сотрясением мозга. Рудин людей за билетами на самолет послал, на дневной рейс, а нас сюда отправил, за Игорем.

— Так они небось спят уже, — спокойно ответил Заваруев, вытирая тряпкой грязные руки.

На его лице не проступило ни малейших признаков беспокойства. И я еще раз, ощущая неприятный холодок внутри, подумал, что ошибся. Вот позорище-то!

Я вошел в дом, и мне в нос сразу же ударил удушающе-терпкий запах дорогих духов. Домик был двухэтажным, но компактным: на первом этаже кухня и большая комната вроде гостиной, на втором — три крошечные спаленки. В считанные секунды я облетел все помещения и облегченно вздохнул. Наверху было пусто. Внизу в большой комнате Катя и Руслан продолжали «добавлять», причем Катя уже сидела у Кийко на коленях и явно собиралась проверить, действительно ли гомосексуалисты не поддаются женским чарам. Оба были пьяны настолько, что, по-моему, даже не заметили нашего появления. Здесь же на маленьком диванчике лежал, свернувшись, как складной нож, Игорь Литвак и громко храпел. В комнате было душно от застоявшегося воздуха и запаха перегара, к которым примешивался запах духов. Неужели Катерина с пьяных глаз вылила на себя целый флакон?

— Чего вы окна не откроете? — спросил я, с трудом сдерживая отвращение. — Здесь же задохнуться можно.

— А комары?

Катя опрокинула в себя очередную рюмку и наконец соизволила повернуться ко мне.

— Мы пробовали открыть, а они как налетели!

Она сделала страшное лицо и округлила глаза.

— Вот, смотри, они уже Русланчика покусали, он теперь чешется, бедненький.

С этими словами она взяла Руслана за руку и стала нежно поглаживать локтевой сгиб, якобы предлагая мне полюбоваться на жуткие следы комариного коварства. Кийко никак не реагировал на ее недвусмысленную ласку, запрокинув голову на спинку кресла и выпуская сигаретный дым в потолок. Да, тяжелый случай. Их теперь отсюда домкратом не подни-

мешь, а ведь нужно во что бы то ни стало вывезти их отсюда. Но как?

— Тогда духами не надо пользоваться, — сердито заявил я. — Комары на сладкий запах летят. Здесь же не продохнуть от духов.

— Ну, я нечаянно, — кокетливо замурлыкала Иваннико-ва. — Я флакон разбила. Костик такой милый, он все вытер, но все равно пахнет... А нам нравится, да, Русик?

От этой сцены меня начало тошнить. Я снова вышел на улицу. Заваруев опять лежал под машиной, а Лисицын и Юра Мазаев тихонько о чем-то беседовали, стоя в сторонке. Черт возьми, что же происходит?

Я махнул им рукой, чтобы подошли поближе.

— А что, собственно, Заваруев здесь делает? — спросил я. — Чего его принесло сюда?

— Говорит, брат попросил подъехать. Нельзя же людей в лесу оставлять без всякой связи с внешним миром. Вдруг что случится? Привезти что-то нужное, продукты там, или заболеет кто...

— Вполне правдоподобно, — вставил Мазаев. — Было бы гораздо более странным, если бы Юрцев не позаботился об этом и бросил людей в лесу совершенно одних, без телефона и без машины. Слава, ты точно уверен?..

Он не договорил, но я понял, что и его начали грызть те же сомнения, что и меня.

— Уведите его в дом чаю попить, — предложил молчавший до сих пор Яковчик. — А я машину посмотрю. Может, там оружие есть.

— Ну и что, даже если есть?

— А у Кости разрешения нет, это я точно знаю. Он как раз недавно приходил в управу, спрашивал, какие документы нужны для оформления разрешения. Если найдется оружие, будет предмет для разговора, а иначе нам его не раскрутить, он в своем праве.

— Ну давай пробовать, — кивнул я. — Может, что и получится. Зови его, а я пока чайник включу.

Я вернулся в дом и зашел на кухню. Здесь запах духов был еще сильнее. На столе стояла двухконфорочная электрическая плитка, на ней — чайник. Он был еще горячим, видно, наша нетрезвая компания уже успела выпить чаю, а может быть, и кофе. В углу стояли два больших газовых баллона, но

плиты не было, хотя она явно здесь была раньше — между баллонами и столом оказалось пустое пространство, по размерам как раз для плиты.

Я подлил в чайник воды из крана, включил плитку и занялся поисками чашек и заварки. Бросив взгляд в окно, я увидел, что все четверо так и стоят возле машины, при этом Костя Заваруев что-то горячо объясняет Паше Яковчику, а Сережа и Юрий с отвлеченным видом рассматривают ягоды на кусте малины.

— Эй! Ну что там? Вы идете? — крикнул я, выходя на крыльцо.

— Да вы не ждите меня, — громко ответил Заваруев. — Мне машину надо в порядок привести. У меня отгул сегодня, я ее домой взял, чтобы подтянуть, промазать, кое-какую профилактику сделать, а тут срочно ехать пришлось. Я и инструменты все с собой захватил.

— Да брось ты, Костя, — небрежно махнул рукой Яковчик. — Времени у тебя тут вагон будет, аж до завтрашнего обеда. Мы Игоря с собой заберем, а тебе здесь остальных караулить. Пойдем, пойдем, не ломай компанию.

Но шофер не соглашался ни в какую, и это мне не понравилось. Боялся оставить машину без присмотра? Понял, что мы собираемся ее обыскивать? Ведь он прекрасно понимал, что не может, уходя в дом, запереть машину и забрать с собой ключи. От кого ее запирать в глухом лесу? Это сразу бросится в глаза. Наверное, я все-таки был прав, оружие преступления находится в машине, и его нужно найти.

— Да не хочу я чаю, — продолжал упираться Заваруев, — я уже вместе с ними пил час назад. Ну правда, ребята, дайте делом заняться.

Я слегка кивнул, и тут же Сергей и Мазаев подскочили к шоферу сзади и схватили его под руки.

— Самое главное мужское дело, знаешь, какое? — шутливо приговаривали они, силой ведя Заваруева в дом. — Водку пить и девок любить. А компанию ломать не годится, компанию уважать надо.

Все это с виду было похоже на веселый розыгрыш, лица у моих ребят были дурашливые и озорные. А вот у Константина Заваруева оно с каждым шагом делалось все бледнее. Интересно, чего это он так испугался? У него что, машина снизу доверху компроматом набита? Ничего, сейчас разберемся.

Мы дружной гурьбой ввалились на кухню. Чайник уже многообещающе шипел, на столе стояли приготовленные мной чашки, банка с растворимым кофе и коробка с сахаром.

— Что это твой братец электроплиткой перебивается, как простой сельский труженик? — спросил я, насыпая в заварочный чайник чай из пакета.

— Здесь плита газовая у него, сейчас в ремонт отвезли, на днях привезут и поставят. А пока электрической обходимся. Здесь место хорошее, Олег постоянно каких-нибудь гостей привозит.

— Комары вот только, — заметил я.

— Да, комары, — согласился Заваруев.

Он разговаривал спокойно, но был очень бледным. Чего ж это он так нервничает?

Я уже разлил чай в чашки и даже сделал первый глоток, когда появился Паша Яковчик. Лицо его было бесстрастным, но по легкому движению глазами, которое я уловил, стало понятно, что в машине он ничего не нашел. Ни оружия, ни яда, ни взрывчатки. Вообще ничего. Неужели я ошибся?

Мне показалось, или по лицу Заваруева промелькнула улыбка? Он залпом допил горячий чай и поднялся с табуретки.

— Спасибо за чай, пойду к своей красавице.

Так. Он знал, что мы ничего не найдем в машине. Тогда где же? Спрятал неподалеку в лесу? Думай, Стасов, думай быстрее, напрягай остатки мозгов, если они у тебя еще есть.

— Сядь, Костя. Поговорить надо.

Наверное, голос у меня был напряженным, потому что Заваруев даже не удивился, а как-то сразу осел и стал еще меньше. Я взмахнул пистолетом перед его физиономией.

— Сядь, я тебе сказал.

— Да вы что?

Он стал озираться, переводя глаза с меня на Пашу, Сергея и Мазаева.

— Очумели, что ли? Дайте мне выйти, мне машину ремонтировать надо!

В его голосе послышались первые признаки паники. Ох, Стасов, смотри не ошибись. Ты думаешь, он испугался, что вы его подозреваете и собираетесь разоблачить? А ну как на самом деле он испугался, что это вы — преступники? Приехали, хотя о вашем визите его никто не предупреждал, силой затащили в дом, а теперь еще оружием угрожаете и требуете, чтобы он вел с вами какие-то беседы. Да тут кто угодно испугается. Вас четверо и с пистолетом, а он один и без оружия. Может, вы хотите взять его заложником как брата крупного бизнесмена и потом выкуп требовать. Да мало ли...

Ну, была не была! Через минуту Заваруев сидел на полу, а обе его руки двумя парами наручников были прикованы к двум ножкам тяжелого дубового стола. Я нагнулся, чтобы связать ему ноги, и почувствовал головокружение. Возраст, Стасов, сказал я себе, никуда не денешься, возраст, бессонные ночи даром уже не проходят. Куришь много, отдыхаешь мало, и вот результат. Как сказал мне пожилой хирург, к которому я пришел с очередной «привычной» травмой и стал жаловаться, что раньше боли проходили за две недели, а теперь болит уже три месяца: «Что ж вы удивляетесь, голубчик? Материальчик-то старенький уже».

— Ну, давай разговаривать, Костя. Так зачем ты сюда приехал?

— Я же объяснял вам: брат попросил. Вы что, психи? Что вы собираетесь делать? Отпустите меня!

— Ладно, подумай над ответом три минуты. Через три минуты спрошу опять.

Я вышел из кухни и заглянул в комнату. Литвак по-прежнему храпел, отвернувшись к стене, а Катя и Руслан допивали ликер из большой красивой бутылки и вполголоса пели какой-то старинный романс. Сейчас они были еще пьянее, и оставалось только удивляться, почему они еще шевелятся. По моим понятиям, они давно уже должны были спать мертвым сном.

Усевшись на крылечке, я закурил, задумчиво разглядывая стоявшую на другом конце полянки машину Заваруева. Чего-то я недоучел, что-то проглядел, недодумал... Пути назад нет, надо выбивать из Заваруева информацию старым испытанным способом и надеяться только на то, что он что-нибудь скажет. Если скажет, тогда можно будет спасти положение, заткнуть ему рот и сделать так, что Юрцев не тронет оставшихся в городе Лисицына и Яковчика. А если не скажет? Если нам не в чем будет его обвинить? Тогда Юрцев расправится с ними, как только мы с Мазаевым уберемся отсюда. Я втянул Сергея и Пашу в эту грязную историю, и теперь я

несу ответственность за них. А получается, что я их подставил...

От сигареты во рту появился противный металлический привкус, как всегда бывает, когда заболеваешь гриппом и поднимается температура. Ну вот, не хватало еще мне заболеть!

Я потушил недокуренную сигарету о каменное крыльцо, швырнул окурок в кусты и вернулся в кухню. После свежего лесного воздуха духота и сладкий парфюмерный запах вызвали у меня приступ тошноты. На столе между чашек лежали мелочи, предусмотрительно вынутые из карманов Заваруева. Ничего такого, чем можно убить человека или хотя бы нанести повреждение. Ни ножа, ни пакетика с ядом.

— Ну что, подумал над домашним заданием? Спрашиваю еще раз: зачем ты сюда приехал? Зачем Юрцев тебя вызвал?

Как и ожидалось, ничего нового мы не услышали. Разговор застрял на мертвой точке. О чем бы я ни спросил Заваруева, он даст ответ, который я не смогу опровергнуть, а раскручивать его можно было, только поймав на лжи. Вся беда в том, что его нельзя бить. Даже если он не выдержит и что-то расскажет, следы побоев не укроются от его старшего брата Юрцева. Раз били — значит, проговорился. Значит, мы теперь что-то знаем. Значит, мы опасны. Задача передо мной стояла примитивно простая: развязать Заваруеву язык так, чтобы об этом никто не узнал. Сам он, надо думать, трепаться не будет. Чем же его зацепить?

Внезапно Паша Яковчик с грохотом отодвинул стоявшую на его пути табуретку и выскочил из дома. Снаружи до нас донеслись характерные звуки — его рвало. Я схватил заварочный чайник, снял крышечку и принюхался. Нет, ничем не пахнет. Из чашек тоже не было никакого постороннего запаха. И вкус чая не был странным... Неужели все-таки Заваруев бросил в чай какую-то гадость? Но если бросил, то только в чашки, а не в заварку, ведь он тоже пил этот чай на наших глазах.

Я выбежал на крыльцо. Паша сидел на траве белый как снег и глубоко дышал.

— Что, Паша? Болит где-нибудь? Режет? Колет? Может, у тебя язва? Гастрит? — судорожно спрашивал я, всматриваясь в его покрытое испариной лицо.

Он отрицательно покачал головой.

— Нет, ничего такого не было никогда, — ответил он едва слышно. — Голова кружится...

— Ты приляг, — посоветовал я и рванул обратно.

Кажется, я все понял. Этот запах духов... Дурак я, надо было раньше сообразить. Хорошо, что вовремя спохватился.

На кухне я перешагнул через лежавшего на полу Заваруева и приник ухом к газовому баллону, на котором большими красными буквами было выведено «Пропан». Так и есть, с едва слышным шипением из баллона выходил газ.

Теперь картинка выстроилась. Уж как Заваруев разлил Катины духи, я не знаю, приемов существовало множество, и какой из них он использовал, сейчас уже было не важно. Собрал лужицу тряпкой и бросил на кухне. Запах сильный и стойкий, он перешибет все, в том числе и запах газа. Окна открывать нельзя, комары налетят. Литвак уже отрубился, скоро и двое других заснут. А потом — одно из двух. Или они надышатся пропаном так, что уже не проснутся, или проснутся и кто-нибудь из них щелкнет зажигалкой, чтобы прикурить. И все. Как просто... Поэтому Заваруев и не хотел идти в дом, отравиться боялся.

Концентрация газа в кухне была выше, чем в комнате, поэтому Катя и Руслан еще ничего не чувствовали. Если они и испытывали легкую дурноту, то ведь столько выпито, что и не удивительно. А Паша среагировал первым, видно, организм послабее, или индивидуальная непереносимость.

Мы с Сергеем и Юрой Мазаевым кинулись выволакивать всю кинематографическую элиту на воздух. Труднее всего пришлось с Литваком, его никак было не добудиться. В конце концов мы с Мазаевым взяли его за ноги-руки и вынесли из домика, аккуратно сложив на травку подальше от дома. Молодые вышли сами, во всю мощь горланя жестокий романс про белую и алую розы, одна из которых была как попытка несмелая, а другая, надо думать, алая, была как мечта небывалая.

...И обе манили и звали,

И обе увяли...

Сладкоголосые певцы глотнули кислорода и сами увяли мгновенно, едва опустившись на заботливо разложенное на земле одеяло.

Пашу Яковчика уложили на заднее сиденье в машине Лисицына, сам Сергей сел за руль, Юра Мазаев рядом с ним.

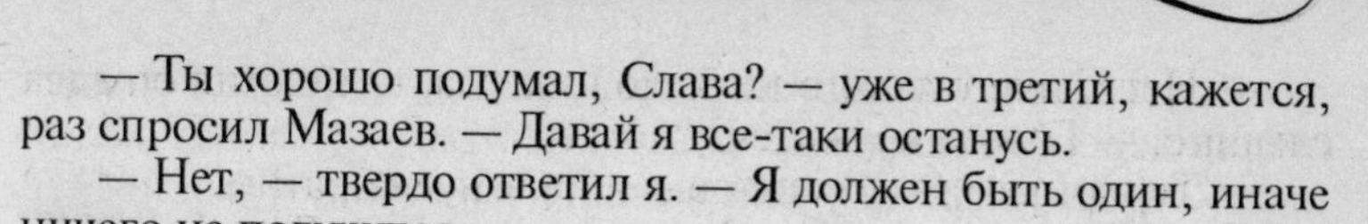

— Ты хорошо подумал, Слава? — уже в третий, кажется, раз спросил Мазаев. — Давай я все-таки останусь.

— Нет, — твердо ответил я. — Я должен быть один, иначе ничего не получится.

Машина скрылась за деревьями, а я вернулся в дом и плотно притворил за собой входную дверь. Заваруев смотрел на меня с ужасом, как на сбежавшего из клиники сумасшедшего.

— Значит, так, Костя, — медленно сказал я, усаживаясь на табуретку рядом с ним. — Все уехали. Мы с тобой остались одни. Газ идет. Следишь за моей мыслью?

Он затравленно кивнул.

— Если ты мне сейчас быстренько все расскажешь, я тебя освобожу, и ты пойдешь дышать свежим воздухом в полное свое удовольствие. Если ты будешь тянуть и мямлить, я потеряю сознание, и тогда тебя уже никто отсюда не выпустит. Ты будешь нюхать сладостный запах пропана до тех пор, пока не сдохнешь здесь вместе со мной. Усвоил?

— Ты сумасшедший? — спросил он, облизывая пересохшие губы. — Чего тебе надо от меня? Чего ты ко мне привязался?

— Теряешь время, Костя. Меня уже подташнивает, кислородное голодание, сам понимаешь. Сколько времени я смогу продержаться, сказать трудно, так что ты поторопись, а то не успеешь и останешься тут загорать. И не вздумай делать вид, что отрубишься быстрее меня. Пока я смогу двигаться, я буду приводить тебя в чувство и ждать, чтобы ты мне все рассказал. Ну как тебе мои условия?

— Вынеси отсюда баллон, идиот, или хоть окна открой, ведь помрем оба, — произнес Заваруев, стараясь говорить уверенно.

— Не-а. — Я покачал головой. — В этом весь смысл. Или мы оба останемся живы, или оба сдохнем. Вот так, без вариантов.

И он стал рассказывать. Я слушал его, борясь с дурнотой и слабостью, голова у меня кружилась даже в сидячем положении, все тело было в испарине, и рубашка прилипла к спине. Сердце колотилось так, что грудь, казалось, ходила ходуном. Но я не шевелился и слушал.

— Милиция давно о них знает, еще с прошлого года, как только они свою агитацию начали проводить. Хотели с ними разобраться, но умные люди подсказали, что не надо трогать пенсионеров, лучше их использовать втемную. Самых активных — трое, главный у них бывший ракетчик, фамилия его Усанов.

— А Сокольник? — спросил я.

— Сокольник — ерунда, в помощниках ходит. Усанов главный запевала. Ненавидит всех до черноты в глазах. И подростков приучает. Клуб, вообще-то, хороший, только эти трое ведут там самые главные кружки, учат обращению с оружием и взрывчаткой, ну и в таком духе... Короче, их пригласили на встречу и наплели, что, дескать, компартия жива и действует в подполье, скоро она станет легальной и вернет обратно советский строй. А пока что есть секретная директива про борьбу с аморалкой и развратом, вообще с коммерцией. Они поверили. Они чему хочешь поверят, совсем из ума выжили. Сначала ребят на мелкие дела посылали, а потом молодняк вкус крови почувствовал, тут уж на них удержу не стало. А детей кто заподозрит? Старики-то опытные, не каждого в свои кружки допускали, проверяли сначала, присматривались, отбирали самых тупых и агрессивных. Олег их прикармливал, деньжат подбрасывал, технику, якобы для кружков, для клуба. Они у него совсем ручные стали. Потом, перед фестивалем, Усанов Олегу сказал, что хочет за издевательства над армией поквитаться. Олег сначала его отговаривал, потом они решили баш на баш. Олегу гостиница нужна была, которую турки строили. Он сам на этом месте хотел строить и потом доход получать, а оказалось, что договор с турками мэр уже заключил. Усанов пообещал стройку остановить и до конца лета еще несколько акций провести для Олега, а тот, в свою очередь, сказал, что поможет с киношниками. Ну вот, так и сговорились...

— Для кого Юрцев все это делает? Кто будет новым мэром?

Заваруев не ответил. Он тяжело дышал, язык у него ворочался с трудом, губы и ногти на руках стали синюшными.

— Ладно, это неважно... Зачем компьютер украли? Хотели, чтобы мы уехали?

— И это тоже... Посмотреть хотели, что она там написала. Узнали, что она материалы о пожаре брала. В материалах нет ничего, сто раз проверяли, но кто-то шепнул, что вроде она

ушлая очень, Образцова эта. Вдруг чего увидела, что другие проглядели...

— Кто ее отравил?

— Хозяин.

— Чей хозяин? Твой? Олег, что ли?

— Нет, твой. Вишняков Григорий Филиппович. Он после Усанова второе лицо в этой шайке маразматиков...

Дальше я не слышал. В голове помутилось, я отключился и упал с табуретки на пол. Очнулся от удара и с трудом поднял голову. Перед глазами разбегались разноцветные круги, взгляд никак не фокусировался на Заваруеве. Он чувствовал себя явно лучше, чем я, потому что был моложе и крепче, но у меня было одно преимущество — масса. Я был выше и крупнее. Поэтому я был уверен, что хоть мне и плохо, но продержусь я дольше. Просто я очень устал...

— Чего ты еще хочешь? — Заваруев уже хрипел. — Я все рассказал. Отпусти меня...

— Нет еще. Рано. Вернигору убили?

— Нет, он сам... Хотели, это правда. Но не успели. Пришли к нему, а он лежит на диване, мертвый уже.

— За что его? Чем он им помешал?

— Он догадывался. Актрисе кассету дал, наверное, хотел, чтобы она в Москве показала. Но она все равно в списке была, поэтому за ней следили, момент выбирали... Вот и узнали, что она к Вернигоре ходила. Испугались...

— Как можно сделать, чтобы до конца фестиваля никого больше не трогали? Кому твой брат доверяет?

— Мне... Больше никому.

— Сможешь выкрутиться, если я тебя отпущу?

— Не знаю... Мне плохо...

— Терпи. Значит, так. Игоря Литвака и всех остальных мы увезли, потому что у Игоря заболел сын. Запомнил?

— Да...

— Ты ничего не мог поделать, нас было четверо. Никто ни о чем не догадывается. Никто тебя ни о чем не спрашивал, и ты мне ничего не рассказывал. Приехали, через пятнадцать минут уехали, и все. Запомнил?

— Да... Пожалуйста... Я больше не могу, мне плохо...

— Лисицына и Яковчика не трогать. Дать нам спокойно уехать. Актеров оставить в покое. Ясно?

Его начало рвать. Я с трудом встал на колени, подполз к

нему и приподнял его голову, чтобы он не захлебнулся рвотной массой. Желто-коричневая зловонная жижа лилась мне на руки, но я не испытывал брезгливости, думая только о том, хватит ли мне сил вытащить его отсюда. А может, ну его к чертям собачьим, пусть подыхает здесь?

Пальцы плохо слушались, и я никак не мог попасть ключом в маленький замочек наручников. Когда я разрезал ножом веревки на ногах Заваруева, он потерял сознание. Наконец я преодолел несколько метров, отделявших нас от входной двери, и в последнем усилии толкнул ее. Уже теряя сознание, я увидел, как шевельнулись кусты — Юра Мазаев бежал мне навстречу. Последнее, о чем я успел подумать, было: «Я же велел им отъехать метров на двести, чтобы Заваруев отчетливо услышал шум удаляющегося автомобиля...»

* * *

Через два дня я забрал из больницы Таню и увез ее к себе в Москву. Ирочка с Мазаевым уехали в Питер догуливать отпуск в роскошной трехкомнатной квартире в центре города.

До самой последней минуты пребывания на черноморском курорте я мучился мыслью о собственной трусости, хотя как человек разумный понимал, что сделать все равно ничего нельзя. Город жестко контролируется Юрцевым и купленной им частью администрации, а сил той части, которую Юрцев и иже с ним хотели скинуть, совершенно недостаточно для наведения в городе хоть какого-то подобия справедливости. С Татьяной я своими тяжкими раздумьями не делился, но она и без слов все понимала. Когда я, сложив ее вещи и купив билеты, забрал ее из больницы и повез в аэропорт, она сказала:

— Дима, ну хоть напоследок... Неужели все им спускать?

Я молча сжал ее руку и легонько поцеловал в щеку. Сидящий впереди Сережа Лисицын сделал вид, что не услышал ее слов, хотя мускулы на его шее напряглись. Не нужно устраивать ему неприятности. Но и Таня права: неужели все им спускать?

Решение пришло само собой, когда в салоне самолета оказались разъезжающиеся после закрытия фестиваля журналисты. Двух часов полета вполне хватило для того, чтобы поделиться с ними впечатлениями о пребывании в гостеприимном теплом городке. Мой рассказ был встречен весьма скеп-

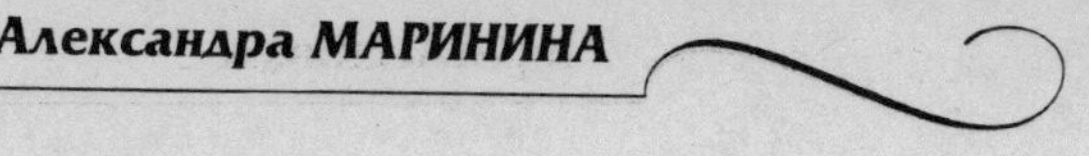

тически. То есть сначала, пока я говорил о четырех трупах и связанных с этим событиях, они слушали меня раскрыв рот, но, когда речь зашла о ветеранах и клубе «Патриот», интереса у них поубавилось. Все это было слишком похоже на бред больного воображения. Я не стал настаивать. В конце концов, я сделал все, что мог.

В Москве я привез Татьяну в свою однокомнатную квартиру и поклялся в течение ближайшей недели кормить ее только манной кашей и чаем с сухарями, как и полагается после отравления. Она вяло соглашалась и вообще выглядела усталой и безразличной. Казалось, она даже не понимает, что приехала в Москву, а не к себе домой, в Петербург.

— Таня, ты недовольна? — как-то спросил я ее. — Жалеешь, что согласилась приехать ко мне?

— Да нет, — она повела плечами, — я ни о чем не жалею. Кроме одного: что живу в этой поганой никчемной жизни. Я только теперь начинаю понимать, почему ты уходишь на пенсию. Раньше я это как-то воспринимала... Легко, что ли... Ну, как должное. Кому-то можно выкрутить руки, а кому-то нельзя. А если случайно удается зацепить того, кого нельзя, то нужно просто порадоваться и купить себе маленький подарок в честь маленькой неожиданной удачи. И ни в коем случае не думать, что так теперь будет всегда. Знаешь, я с этим мирилась, а может быть, книги начала писать специально, чтобы не думать об этом и не расстраиваться. Подумаешь, профессиональная гордость! Кому она, к чертовой матери, нужна, гордость эта! Нацепил погоны, получаешь зарплату — и сиди тихонько, делай свое дело как умеешь и не высовывайся. Единый закон во всем мире, это же не только у нас так. Ну, может, у нас как-то особенно нагло, но по сути то же самое. А теперь мне больно и противно. И я не знаю, как буду работать дальше.

— Тебе сколько еще до пенсии?

— Почти десять лет. Я же университет заканчивала, а не школу милиции, как ты, а нам срок обучения в стаж не засчитывается.

— Уходи с работы, — предложил я. — Увольняйся без пенсии, пиши книги. А я буду тебя содержать.

Я говорил это, наверное, уже в сотый раз. Но сейчас впервые Татьяна ответила:

— Я подумаю.

* * *

Спустя неделю я прочитал в газете огромную статью о маленьком южном курортном городе. Кто-то из журналистов мне все-таки поверил. Начиналась она словами:

«Провожали в последний путь молодого участкового Сергея Лисицына...»

В этот день я напился, и мне даже не было стыдно перед Татьяной.

Посмертный образ

Роман

Глава 1

СТАСОВ

Бывший работник уголовного розыска, бывший подполковник милиции, а ныне начальник службы безопасности киноконцерна «Сириус» Владислав Стасов занимался вполне прозаическим делом: составлял при помощи ручки и листа бумаги список продуктов, которые нужно завтра непременно купить, чтобы наготовить еды себе и дочери на всю следующую неделю. Бывшая жена Стасова Маргарита упорхнула в очередную командировку, оставив восьмилетнюю Лилю на его попечении, чему Стасов был несказанно рад. Работа у Маргариты была нервная, хлопотная и связанная с частыми и длительными отлучками, поэтому ему доводилось жить с дочерью даже чаще, чем он мог надеяться, когда разводился. Лилю Стасов обожал.

Перво-наперво, думал он, нужно купить побольше всякой всячины для бутербродов: Лиля любит забраться на диван с книжкой и что-нибудь непрестанно жевать. Конечно, для восьмилетней девочки она весила многовато, даже с учетом ее высокого (в папеньку) роста, но бороться с вредной привычкой Стасов не считал нужным. С книгой и бутербродами Лиля могла проводить одна все дни и вечера, не особо нуждаясь в присутствии вечно занятых и замотанных родителей.

Во-вторых, нужно купить большой кусок мяса с косточкой и наварить кастрюлю борща. В этот же пункт меню вошли свекла, морковь, лук, картофель. Да, и сметана, не забыть бы.

В-третьих, нужно купить вырезку и настрогать из нее отбивных штук двадцать, по четыре на каждый из пяти рабочих дней. Что же касается гарнира, то его можно тоже изобразить заранее, а можно варить каждый день по чуть-чуть, благо что макароны, что гречка варятся быстро, пока он будет раздеваться и есть борщ, они как раз и поспеют. Лиля сама гарнир не ест, она почему-то предпочитает мясо с кетчупом или квашеной капустой, заедая огромными ломтями черного хлеба.

Так, с этим все. Теперь десерт. Компот, что ли, сварганить? Или купить побольше фруктов, пусть ребенок витаминизируется. Ладно, это можно решить завтра прямо на рынке, выбор большой.

Составив список продуктов, Стасов принялся было за ревизию бакалейных товаров в кухонном шкафу-пенале, но в это время зазвонил телефон. Прежде чем снять трубку, Стасов кинул взгляд на часы — половина первого ночи. Черт, неужели на работе что-то стряслось? Оставлять дочку одну на ночь не хотелось, хотя она и не боялась темноты. Он уставился на звенящий аппарат, отслеживая длительность интервалов между гудками, и с облегчением убедился, что интервалы эти чуть короче обычных. Звонок междугородный, значит, это Татьяна. Так и оказалось.

— Не разбудила? — услышал он в трубке ее хрипловатый звучный голос, от которого у Стасова мгновенно заныло в груди — так сильно он скучал по ней.

— Не поверишь, когда скажу, чем я только что занимался.

— И чем же?

— Работал Ирочкой.

— Это как?

— Составлял меню на следующую неделю.

— Бедный ты мой, — посочувствовала Татьяна насмешливо. — Может, тебе Ирочку прислать? Сдам ее тебе напрокат, пока твоя Маргарита не вернется. Хочешь?

— А ты как же без нее?

— А она у меня сначала поработает Стасовым, наготовит мне еды на неделю, а потом сядет в поезд — и утром у тебя.

— Я не могу принимать такие жертвы, — гордо отказался Стасов. — Мировая литература мне этого не простит. Кстати, как двигается работа?

— Отлично. К следующим выходным, наверное, допишу.

— И сколько получится?

— Листов двадцать. К сожалению, опять двадцать, мой любимый размер. Мой издатель меня убьет.

— Почему? — удивился Стасов. — Разве двадцать листов — это плохо?

— Конечно, плохо, — вздохнула Татьяна. — Издателю нужен объем, из которого он может сделать книгу. Либо двенадцать-четырнадцать печатных листов для издания карманного формата, либо двадцать пять-тридцать для толстой книжки обычного формата. А двадцать — не пришей кобыле хвост. Карманный формат такого объема не выдержит и рассыплется, а обычный получится тоненьким и несолидным, в руки

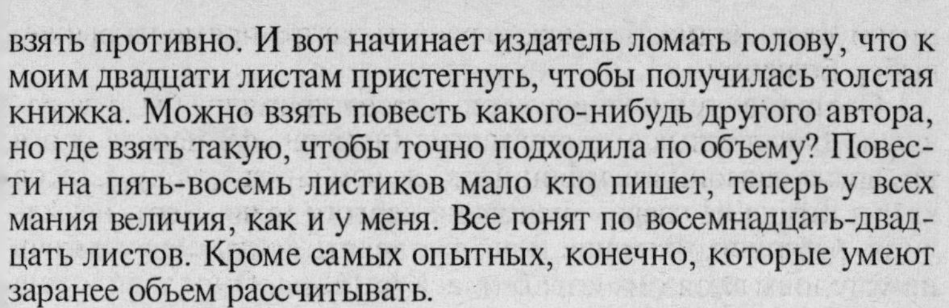

взять противно. И вот начинает издатель ломать голову, что к моим двадцати листам пристегнуть, чтобы получилась толстая книжка. Можно взять повесть какого-нибудь другого автора, но где взять такую, чтобы точно подходила по объему? Повести на пять-восемь листиков мало кто пишет, теперь у всех мания величия, как и у меня. Все гонят по восемнадцать-двадцать листов. Кроме самых опытных, конечно, которые умеют заранее объем рассчитывать.

— А ты не умеешь?

— Нет. Но я учусь, так что я не безнадежна.

Стасов снова взглянул на часы. Они разговаривали уже три минуты.

— Тань, давай я тебе перезвоню, а? Мне твоих денег жалко.

— Не выдумывай, пожалуйста. По-моему, мы с тобой этот вопрос уже закрыли. Я получаю удовольствие от беседы с тобой, и за свое удовольствие плачу сама.

— Вот если бы ты не была такой упрямой и вышла за меня замуж, я бы знал, что ты проговариваешь наши общие деньги. А так я чувствую себя нахлебником.

— Ну Дима, мы же договорились...

Татьяна была единственной, кто из всех возможных производных от имени Владислав выбрал самый редкий вариант — Дима. Кроме нее, Димой Стасова не называл никто. Все остальные пользовались Владиками, Стасиками и Славиками.

С Татьяной Стасов познакомился три месяца назад, даже чуть меньше. Спустя неделю он сделал ей предложение, чем немало удивил не только ее, но и самого себя. В первый раз Татьяна не то чтобы отказала ему, но всерьез как-то не восприняла. Он повторил попытку еще через неделю и получил принципиальное согласие вернуться к обсуждению вопроса зимой. Но Стасова это не устроило. Он и сам не понимал, отчего ему так «приперло» жениться на Татьяне, но он знал совершенно точно — он хочет этого больше всего на свете. И он-таки добился от нее согласия на бракосочетание в январе.

— Да помню я, помню, не раньше января. Но может, ты все-таки передумаешь, а? Ну что тебе январь этот? Давай сейчас поженимся. И все проблемы снимутся сами собой.

— Ладно, в конце декабря.

— Нет, сейчас, — настаивал Стасов, почувствовав, что поймал благоприятный момент и можно «дожать» неуступчивую возлюбленную. Он так скучал без нее! Он так ее любил.

— В начале декабря.

— Немедленно! Таня, ну я прошу тебя...

— Ну ладно, в ноябре, — сдалась Татьяна.

— Договорились, — подхватил Стасов. — В начале ноября, в аккурат на День милиции.

— Димка! Не передергивай, не бери меня за горло.

— Спасибо, Танечка. В первые же свободные выходные я приеду, и мы подадим заявление. Как Ирочка?

— Прекрасно. Порхает, поет, готовит, убирает, следит за мной, аки нянька за младенцем.

— Везет тебе.

— Надо уметь выбирать родственников, тогда и тебе повезет.

Ирочка была сестрой первого мужа Татьяны. После развода муж уехал на постоянное жительство в Канаду, а его родная сестра превратилась в ближайшую подругу, наперсницу и домоправительницу Татьяны Образцовой, которая работала следователем, а в свободное время писала под псевдонимом Татьяна Томилина детективные романы, пользовавшиеся у читателей большим спросом. Такая интенсивная деятельность была бы невозможна без Ирочки Миловановой, освободившей Татьяну от всех бытовых забот и умело организующей ее время, превращая двадцать четыре часа суток как минимум в тридцать шесть, как хорошая хозяйка из скудных запасов в холодильнике готовит стол для четверых внезапно нагрянувших гостей.

Положив трубку, Стасов увидел, что в кухню, сонно покачиваясь, вползает его любимое чадо в байковой пижамке.

— Это мама звонила?

— Нет, тетя Таня. Почему ты не спишь?

— Ты будешь на ней жениться? — спросила Лиля, совершенно проигнорировав отцовский строгий вопрос о причинах «неспанья».

— Ну... Если ты не возражаешь.

— И я должна буду называть ее мамой?

— Совсем не обязательно. Даже и не нужно. У тебя есть мама, а тетя Таня будет моей женой, и ты можешь называть ее тетей Таней или просто Таней. Как тебе захочется.

Лиля облегченно вздохнула. Давным-давно предоставленная самой себе в части выбора книг, она прочитала уже столько «взрослого», что в головке ее образовалась чудовищная смесь чисто детских представлений и трагических «жизненных» ис-

торий. В частности, это были истории про плохих приемных матерей и страдающих падчериц.

— Папа, а если мама женится...

— Не женится, а выйдет замуж, — поправил ее Стасов.

— Если мама выйдет замуж, я должна буду называть ее мужа папой или можно будет дядей Борей?

Так, подумал Стасов. Ритка же клялась ему, что не приводит своего мерзкого Рудина домой в присутствии Лили. Откуда же девочка узнала про него? Опять Рита врет. Ничему ее жизнь не учит.

— Ну, детка, во-первых, совсем не факт, что нового маминого мужа будут звать Борисом. С чего ты взяла? Может, он будет Григорием, или Михаилом, или Александром.

— Но его же зовут Борис Иосифович, а не Григорий и не Михаил. Ты что, папа, не знаешь? Борис Иосифович Рудин.

— Во-вторых, котенок, — продолжал Стасов, словно не слыша ее реплики, — совсем не факт, что мама захочет выйти за него замуж.

— Но они же встречаются!

Логика ребенка была безупречной, впрочем, как и его информированность.

— Они дружат, — терпеливо объяснял Стасов. — А возникнет ли между ними более сильное чувство, которое приведет к их свадьбе, это еще бабушка надвое сказала.

А то и натрое. Но не объяснять же Лиле, что Рудин женат и вроде бы разводиться не собирается. У него таких, как Маргарита, полный мешок, небось не знает, куда их девать.

— И вообще, котенок, шла бы ты спать. Завтра в школу вставать рано.

— Ты что, папа? Завтра же суббота.

— Тьфу ты, я и забыл, что вы по субботам не учитесь. Мы-то в свое время учились и по субботам.

— А ты завтра работаешь?

— Не знаю, малышка, как фишка ляжет.

Фишка ляжет плохо. Но об этом бывший подполковник милиции Владислав Стасов узнает только утром.

МАЗУРКЕВИЧ

Услышав лязганье ключа в замке, Михаил Николаевич Мазуркевич, президент киноконцерна «Сириус», перевел дыхание и бросил взгляд на свои руки. Руки тряслись, как когда-то в юности перед экзаменами. Сейчас она получит, эта сука, эта безмозглая шлюха.

Жена в прихожей двигалась осторожно, видно, думала, что он уже спит, и старалась не разбудить. Мазуркевич сидел в гостиной в полной темноте и ждал. Когда вспыхнул свет, он увидел Ксению и помертвел. Похоже, подтверждались самые худшие его опасения. Лицо ее было бледным, на скулах горел румянец, ярко-голубые глаза блестели.

— Уже три часа ночи, — сказал он как можно более ровным тоном. — Я могу узнать, где ты была?

— Нет, не можешь, — равнодушно бросила Ксения. — Это не твое дело.

— Ты хоть что-нибудь соображаешь? — взорвался Мазуркевич. — Я тысячу раз тебе объяснял, и твой отец тоже тебе объяснял, что ты должна прекратить свои гулянки! Ты что, хочешь оказаться под забором вместе со своими шоферюгами? Дура, кретинка! Я не требую, чтобы ты хранила мне верность, этого нельзя требовать от женщины, которая стала блядью еще до рождения, но хотя бы соблюдай приличия! Твой отец ясно сказал: еще раз жену Мазуркевича, дочь самого Козырева, увидят в машине со случайным водителем — все. Больше никаких денег мы не получим. И поддержки в делах не получим. Ни кредитов, ни льготных ставок, ничего. Ты этого добиваешься?

— Отвяжись, — бросила Ксения, на ходу вынимая из ушей сережки с бриллиантами и стягивая через голову свитер.

Это было в ней неистребимо — надевать серьги с бриллиантами даже к свитерам и джинсам.

— И бриллиантов тебе никаких не будет, если твой папаша узнает о том, что ты вытворяешь, несмотря на его запрет. Все твои цацки придется продать, чтобы расплатиться с долгами по кредитам.

Ксения повернулась к нему, лицо ее было перекошено холодной ненавистью и презрением. В свои сорок четыре года она не выглядела ни на день моложе, фигура начала оплывать, подглазья были покрыты сеточкой мелких морщин, волосы уже не блестели. Но в те дни, когда она возвращалась после занятий любовью с очередным случайным знакомым-водителем, она выглядела почти красавицей. Такое было хобби у дочери одного из крупнейших банкиров России Козырева: садиться в машину к незнакомым мужчинам, знакомиться с ними и заниматься любовью где-нибудь в переулке. Иногда это заканчивалось тем, что салон машины освещался фонарем милицейского патруля, открывая взорам присутствующих бесстыдно обнаженные женские груди и мужскую задницу. Составлялся протокол, история предавалась огласке, Козырев и Мазуркевич хватались за голову, а Ксения нагло ухмылялась, ничего не отрицая и не обещая. Казалось, ей совершенно все равно, будут у ее мужа деньги или нет. Но сам Мазуркевич прекрасно понимал, что ей не все равно. Она привыкла к роскоши и достатку. Но еще больше она привыкла потакать любому своему желанию. И если таковое у нее возникало, то средства шли в ход любые. Ксения знала, что Мазуркевич зависит от своего тестя в финансовом отношении и поэтому будет терпеть все ее выходки.

Она схватила с журнального столика только что вынутые из ушей бриллиантовые сережки и изо всех сил швырнула их на пол, под ноги мужу.

— Да подавись ты, импотент, — процедила она сквозь зубы. — Нашел чем испугать. А то я не найду, где взять бриллианты...

Она ушла в ванную, хлопнув дверью. Михаил Николаевич некоторое время сидел неподвижно, потом налил себе рюмку коньяку, выпил залпом. Сосуды расширились, руки стали теплыми, дрожь постепенно улеглась. Он подошел к двери ванной, за которой слышался ровный шум включенного душа.

— Тебя кто-нибудь видел? — спросил он, повышая голос.

Ксения не ответила. Может, не слышит?

— Тебя видел кто-нибудь? — повторил он громче.

— Завтра узнаешь, — донесся до него насмешливый голос жены.

Конечно, подумал Мазуркевич, завтра он узнает. Если Ксению снова видели, то завтра прямо с утра до него дойдут разговоры. Весь «Сириус» знал о финансовых проблемах своего президента и о том условии, соблюдение которого необходимо для решения этих проблем.

— Сука, — прошептал он, давясь бессильной злобой. — Какая же ты сука!

КАМЕНСКАЯ

Субботнее утро Настя Каменская провела за своим любимым занятием. Она ленилась. Еще вчера вечером на вопрос мужа: «Чем собираешься завтра заниматься?» — она честно ответила: «Буду лениться».

9 Зак. 689

И вот теперь она валялась в постели, прихлебывая крепкий горячий кофе, слушала музыку и предавалась неспешным размышлениям. Правда, надо отдать ей должное — размышления были все-таки связаны с работой. Во-первых, она думала об исчезновении вещественных доказательств по делу об убийстве пятнадцатилетнего подростка. Этим убийством их отдел занимался вот уже четыре месяца. Во-вторых, она думала о свалившемся на них два дня назад убийстве пятерых человек — целой семьи известного московского художника-портретиста. В-третьих, Анастасия Каменская с раздражением думала о том, что нужно получать новый комплект форменной одежды, а для этого нужно найти старые ордера, по которым она так и не получила форму в прошлый раз. Куда она эти ордера засунула, Настя вспомнить не могла, стало быть, придется сочинять покаянный рапорт об их утере.

Выходные ей предстояло провести в приятном одиночестве. Ее муж работал в подмосковном Жуковском, ездить ему было далеко, поэтому в тех случаях, когда необходимо было его присутствие в институте в течение нескольких дней подряд, Алексей жил у своих родителей, квартира которых находилась в десяти минутах ходьбы от института. В понедельник должна была начаться очередная крупная международная конференция по проблеме, в которой доктор физико-математических наук профессор Алексей Чистяков считался одним из ведущих специалистов, и, конечно же, ему приходилось дневать и ночевать на работе, готовя свой доклад и занимаясь массой организационных вопросов.

Еще одним поводом для размышлений стал поиск ответа на дежурный вопрос, который она задавала себе каждое утро вот уже четыре месяца: «Правильно ли я сделала, выйдя замуж?» В те дни, когда ответ получался отрицательным или вызывал сомнения, Настя ходила злая, проклиная весь мир и саму себя. Но надо признаться, дни такие выпадали все-таки не очень часто. Сегодня, в субботу, 16 сентября 1995 года, ответ получился резко положительным, и это сразу подняло настроение и вселило даже некоторую бодрость.

Поленившись в постели часов до двенадцати, Настя переползла лениться на кухню, где уютно устроилась в уголке, приготовила себе гренки с сыром и, закутавшись в теплый махровый халат, приступила ко второй серии, состоящей из двух чашек кофе и стакана апельсинового сока. В соответствии с составленным ею же самой планом на день лениться

она собиралась часов до четырех, после чего намеревалась приступить к написанию аналитической справки по убийствам и изнасилованиям в Москве. Такие справки она готовила ежемесячно к двадцатому числу.

Пока все шло по плану. Успешно проленившись до без четверти четыре, Настя стала с сожалением прощаться со сладостным бездельем. Она вытащила из сумки принесенные с работы материалы и начала их сортировать на те, которые достаточно просто прочитать и записать в компьютер краткое резюме, и те, сведения из которых нужно записывать в компьютер полностью. В десять минут пятого это занятие было прервано телефонным звонком.

— Настасья, готовься, сейчас к тебе приедет Коротков, — сказал ей полковник Гордеев тоном, не допускающим возражений. — Он сегодня сменился с суток, в девять утра выезжал на труп, провалдохался там до трех часов, уже на ходу засыпает. Он тебе передаст все материалы, а сам поедет поспит хоть пару часов. За эти два часа ты обдумай все, что он там наковырял за полдня. Поняла?

— Поняла, Виктор Алексеевич. А чей труп-то?

— Алины Вазнис.

— Чей?!

— Алины Вазнис. Киноактрисы. Тебе в киношной среде работать еще не приходилось?

— Нет пока.

— Дерьма там... В общем, ничего хорошего. Единственное светлое пятно — это то, что Вазнис постоянно снималась в киноконцерне «Сириус», а там начальником службы безопасности работает наш бывший коллега, Стасов Владислав Николаевич. Ты с ним знакома?

— Немножко.

— Он мужик очень приличный во всех отношениях, но с характером. Ты уж постарайся найти с ним общий язык.

— Я тоже с характером, — усмехнулась в ответ Настя. — Это пусть он со мной общий язык ищет.

— Ну, твой характер всем известен. Рядом с твоими выкрутасами Стасов может отдыхать.

— Да ладно вам, Виктор Алексеевич, что я, монстр какой-то, что ли?

— Монстр не монстр, но стерва та еще, — констатировал Гордеев. — Держи себя в узде, Стасенька, я тебя прошу. Киношники — народ истеричный и ненадежный. Там сплошная зависть, интриги и пьянка без продыху. Хороших свидетелей среди них найти трудно, практически невозможно, поэтому Стасов — наша единственная опора в этом свинарнике.

— Должна ли я понимать так, что вы мне поручаете заниматься этим убийством?

— Да, вместе с Коротковым. До понедельника будете пахать с ним вдвоем, а потом я разберусь с текучкой, может, отпущу его в отгул за суточное дежурство и пристегну к вам еще кого-нибудь.

— Мишу Доценко, — тут же попросила Настя.

— Не торгуйся, не на базаре. Я же сказал — разберусь и решу.

— Ну, Виктор Алексеевич, я же не для себя прошу — для дела.

— Зачем тебе Доценко?

— А у него с женщинами-свидетельницами хорошо получается. Он из них душу вынет, а они и не заметят. Мишаня уставится на них своими огромными черными глазищами, и они начинают млеть и вспоминать все в деталях, только чтобы ему понравиться.

— Ишь ты, млеть... А мужчины-свидетели тебя не интересуют?

— С мужчинами я как-нибудь сама.

— Интересно, как? — поддел ее начальник. — У тебя же нет таких глаз, как у Михаила.

— Зато характер есть, — рассмеялась она. — Убойная сила.

Юра Коротков приехал минут через сорок, серовато-бледный, с кругами под глазами после бессонной ночи, голодный и злой. Увидев его на пороге, Настя приняла решение мгновенно.

— Сейчас я буду тебя реанимировать, домой ты не поедешь.

— Аська, я с ног валюсь, отпусти меня поспать, — взмолился Коротков.

— Спать будешь здесь, чтобы не тратить время на дорогу.

— А Лешка?

— Что — Лешка? Во-первых, он в Жуковском, а во-вторых, он человек с нормальной психикой. Даже если бы он был сейчас здесь, я бы тебя спать уложила. Значит, программа такая: горячий душ, чтобы сосуды расширились, потом обед, во время которого ты мне все быстренько расскажешь, потом полстакана мартини, чтобы снять остаточное напряжение и моментально уснуть. Это чудесное событие должно произойти, — она посмотрела на часы, — в семнадцать тридцать. В половине восьмого я тебя подниму, контрастный душ, второе кормление, кофе по рецепту «Смерть врагам», и ты будешь как новенький. Таким образом, у нас будет три часа на то, чтобы нанести нужные визиты до истечения предусмотренных этикетом двадцати трех часов. Ну что ты стоишь, время только теряешь? Раздевайся — и в душ.

— Слава богу, что тебя никто не слышит, — устало пробормотал Коротков, расстегивая рубашку. — Можно подумать, что ты меня в постель тащишь.

— Именно туда я тебя и тащу, — расхохоталась Настя.

* * *

Коротков действительно уснул мгновенно. Настя хорошо знала, что после длительного напряжения у человека возникает сильное желание уснуть, но стоит ему закрыть глаза, как он понимает, что ничего у него не получается. Мозг продолжает работать, сердце колотится, как после стометровки, и если на сон отведено мало времени, то добрую половину его «съедает» процесс успокоения и расслабления. Поэтому так важно правильно подготовиться к кратковременному отдыху. И самое главное — спать нужно не одетым, свернувшись калачиком на сдвинутых стульях и накрывшись курткой, а раздевшись и лежа в чистой постели, чтобы кровоток был нормальным и все мышцы отдыхали. Этой наукой Настя Каменская владела хорошо, поскольку сама испытывала немалые трудности со сном.

Она сидела на кухне и чертила на листках бумаги какие-то закорючки, кружочки и стрелочки, обдумывая то, что ей успел рассказать за обедом Коротков. Сегодня в семь утра Алина Вазнис, молодая, но уже довольно известная актриса, должна была явиться в павильон на съемку. Когда она не появилась к половине восьмого, съемочная группа забеспокоилась. На телефонные звонки домой Вазнис не отвечала. В восемь часов режиссер фильма Андрей Смулов, любовник Алины, принял решение ехать к ней. Ключи от квартиры Вазнис у него были, поскольку они состояли в близких отношениях уже четыре года, о чем было известно всему киноконцерну «Сириус». Смулов сказал, что его машина неисправна, и попросил кого-нибудь отвезти его. В результате к Алине поехали Смулов и помощник оператора Николай Котин. Когда Вазнис не открыла дверь на их настойчивые звонки, они вошли в квартиру и обнаружили хозяйку задушенной. Приехавший с оперативной группой врач констатировал, что смерть Алины Вазнис наступила ориентировочно семь-девять часов назад, то есть от ноля до двух часов ночи.

Подозрение, как водится в таких случаях, сразу же пало на любовника убитой, режиссера Андрея Смулова. Однако после первых же бесед с членами съемочной группы оказалось, что Андрей Львович пострадал от смерти Алины больше всех. Вот что заявил Короткову президент «Сириуса» Михаил Николаевич Мазуркевич:

«У Андрея творческая биография складывалась очень непросто. Он снимает детективы, триллеры. Первый его фильм сразу прогремел, он был очень талантливо сделан, и Смулов, как пишут в книгах, проснулся в одно прекрасное утро знаменитым. Потом был второй фильм, чуть послабее, потом третий, еще слабее. Никто не мог понять, в чем дело. То, что Андрей Львович безумно талантлив, было ясно всем и каждому, но почему-то все следующие фильмы были неуловимо, а порой и весьма ощутимо похожи на предыдущие. А потом он нашел Алину, она тогда была студенткой ВГИКа и снималась в нашей музыкальной студии.

Смулов очень многое поставил на Алину, во-первых, она действительно хорошая актриса, а во-вторых, он влюбился в нее без памяти. И она в него тоже. Он очень много работал с ней, снял ее в трех фильмах, занимался с ней как педагог. Надо сказать, что Алина сильно украсила фильмы Смулова, но все равно они становились все слабее и слабее. Но Андрей не отступался, он вообще редкостный трудяга, и вот наконец в прошлом году он сделал совершенно блистательную вещь. Понимаете? Он смог перешагнуть через себя, подняться на новую творческую ступень, и снова прогремел. А уж Алина... Не знаю, что там у них случилось, звездный час любви, или как это называется, но Алина своей игрой просто всех потрясла. Фильм получил несколько престижных премий, Алину Вазнис и Андрея Смулова стали называть «звездной парой». Все, честно говоря, боялись, что они захотят после этого успеха оформить свои отношения, ведь Алина не была замужем, а Смулов давно разведен. Почему боялись? Потому что Алина — очень красивая актриса, секс-символ, и мужчине-зрителю необходимо ощущение, что она может принадлежать ему. Но, насколько мне известно, о свадьбе пока не заговаривали.

После того успеха Смулов немедленно взялся за следующий фильм, тоже с Алиной в главной роли. Это, я вам скажу... В общем, даже лучше, чем предыдущий. У Андрея словно второе дыхание открылось. Неделю назад группа закончила последние съемки на натуре, и там Алина показала такое невероятное мастерство, что после просмотра отснятого материала раздались аплодисменты. Представляете? Рабочий просмотр дублей, в зале сидят практически те же люди, что участвовали в самой съемке, то есть те, кто все это уже сто раз видел, и все равно они не могли удержаться от аплодисментов. Один дубль был особенно удачен. Героиня, которую играет Алина, находится в людном месте и вдруг видит что-то очень страшное. И представьте себе, от корней волос до самой шеи по ее лицу разливается бледность, глаза западают, губы делаются серыми. Без всякого грима, без монтажа, без спецэффектов! Она сама, силой своего таланта сумела вызвать у себя такую вазомоторную реакцию. Еще ни одной актрисе в мире это не удалось! Вот что такое Алина Вазнис. После того рабочего просмотра мы сказали Смулову, что этот кадр войдет в сокровищницу мирового кино, ну вот как кадр с детской коляской, несущейся вниз по лестнице в «Броненосце «Потемкине», или финальный проход и улыбка Джульетты Мазины в «Ночах Кабирии». Понимаете, о чем я говорю? В общем, этот новый фильм должен был принести Смулову и Алине мировую славу. Оставалось доснять совсем немного... Не знаю, как Андрей это переживет. Такая утрата! Да и для всех нас тоже. В фильм были вложены большие деньги, но он должен был принести огромную прибыль. Теперь мы снова окажемся в долгах...»

Из беседы с ассистентом режиссера Еленой Альбиковой:

«Алина была очень скрытной. Нет, не замкнутой, а именно скрытной. Она прекрасно общалась со всеми, шутила, смеялась, могла протанцевать в компании всю ночь напролет, но, по сути, никто ничего о ней не знал. Только Андрей Львович, может быть. У нее не было ни задушевной подружки в нашей среде, ни даже просто близкой приятельницы. Весь ее мир был сосредоточен вокруг Андрея Львовича. Была ли она доброй? Я не знаю. Я не испытывала на себе ее доброты. А вот то, что кое-кто ее ненавидит, это точно. Кто именно? Ну, во-первых, Зоя Семенцова, эта старая карга. За что? Не знаю.

Она прямо трясется вся, когда слышит про Алину. А во-вторых? Ну, пожалуй, жена нашего шефа. Ничего точно не скажу, но говорят, что Ксения Мазуркевич публично оскорбила Алину и та собиралась как-то с ней посчитаться. Нет, деталей не знаю...»

Из беседы с режиссером Андреем Смуловым:

«Это конец... Вся моя жизнь кончена. Без Алины я — ничто. Я не знаю, как жить дальше... Как работать... Как дышать...»

Настя выключила магнитофон и налила себе очередную чашку кофе. Значит, сегодня нужно попытаться выяснить, что это за старая карга Зоя Семенцова и почему она «прямо трясется вся», когда слышит про Алину Вазнис. И узнать, что это за история с публичным оскорблением, которое якобы нанесла Алине жена Мазуркевича Ксения. До назначенного времени пробуждения Короткова оставался еще час, и Настя уселась за телефон. К половине восьмого, обзвонив не менее десятка людей, ей удалось выяснить следующее.

Актриса Зоя Семенцова ненавидит Алину Вазнис уже на протяжении многих лет, еще с тех пор, когда Алина снималась в музыкальной студии. Подробности может сообщить художественный руководитель студии Дегтярь Леонид Сергеевич, телефон домашний... служебный... адрес...

Ксения Мазуркевич на последнем просмотре в Киноцентре, состоявшемся четыре дня назад, громогласно заявила, находясь в состоянии сильного алкогольного опьянения, что Алина ничего из себя не представляет как личность, что вся ее игра «придумана, осмыслена и сделана» самим Смуловым, что Алина — не более чем смазливый фасад, за которым ничего нет. «Не зря же она двух слов связать не может, она же просто тупая, ограниченная и необразованная самка, годная только для того, чтобы спать с режиссером и сниматься крупным планом с голыми сиськами. А что еще вы хотите от дочери неграмотного латышского крестьянина, который ради московской прописки женился на старой деве-еврейке? Феноменальная тупость, помноженная на жидовскую пронырливость». После этого Алина Вазнис проявила интерес к адресу и номеру телефона Валентина Петровича Козырева, отца Ксении. При этом Алина, обычно сдержанная и не яркая в проявлении своих эмоций, выглядела весьма нервозной и настроенной крайне решительно.

И наконец, выплыло новое имя. Некто Харитонов, рабо-

тающий все в том же «Сириусе». Он брал у Алины Вазнис крупную сумму денег в долг под пятнадцать процентов в месяц и уже несколько месяцев тянул с возвращением. Вчера, то есть в пятницу, 15 сентября, Алина жестко потребовала, чтобы весь долг вместе с процентами был немедленно возвращен.

Итак, три человека, трое подозреваемых. Две женщины и один мужчина. С кого начать?

МАЗУРКЕВИЧ

Когда опергруппа уехала, Мазуркевич вызвал к себе Стасова.

— Ты знаешь кого-нибудь из них? — спросил Михаил Николаевич, имея в виду сотрудников милиции.

— Двоих, — кивнул Стасов. — Юру Короткова и следователя Гмырю. Остальных не знаю.

— Как они тебе?

— Я не понял вопроса, — осторожно ответил Стасов.

— Они смогут разобраться?

— Кто ж это знает, Михаил Николаевич, — пожал он плечами. — Это заранее не предскажешь. Как фишка ляжет. А...

— Вот что, — перебил его Мазуркевич, глядя куда-то в сторону. — Брось все свои дела и выясни, где была моя жена вчера вечером.

— Что, опять? — сочувственно спросил Стасов.

— Я сказал — выясни. Только не пыли. Быстро и аккуратно.

— Господи, да о чем вы думаете! У вас ведущая актриса погибла, молодая женщина, а вы...

— Вот об этом я и думаю, — жестко сказал Михаил Николаевич.

— Вы думаете, что ваша жена причастна к убийству? — изумился Стасов.

— Не твое дело, что я думаю. Выясни, где она вчера была, и как можно скорее. Домой она явилась в три часа ночи.

— Как скажете.

Стасов вышел из кабинета не попрощавшись, и Мазуркевич понял, что его начальник службы безопасности чрезвычайно недоволен и обеспокоен. Сам же Михаил Николаевич был не просто обеспокоен. Он был в панике.

В девять утра ему позвонили домой с киностудии и сообщили, что Алина найдена убитой. От телефонного звонка проснулась Ксения. Она слышала весь разговор, и от Мазуркевича не укрылось выражение удовлетворения, мелькнувшее на ее лице. Ну что ж, в конце концов, всем понятно, что сорокачетырехлетняя увядающая шлюха завидует двадцатипятилетней красавице и ненавидит ее молодость, славу, привлекательность. Он тогда не насторожился. Но через несколько часов стало известно, что пропали бриллианты Алины. Вот тут-то и вспомнил он искаженное презрением и холодной ненавистью лицо Ксении, швыряющей ему под ноги дорогие серьги, и ее слова: «Да подавись ты, импотент! Нашел чем испугать. А то я не найду, где взять бриллианты». И Михаила Николаевича Мазуркевича, президента киноконцерна «Сириус», охватил самый настоящий ужас. Да, он слышал, как его жена поливала грязью Алину несколько дней назад на просмотре в Киноцентре. Но о том, что Алина собиралась связаться с его тестем, банкиром Козыревым, он узнал только сегодня. Чему ж тут удивляться, мужья, как говорится, всегда узнают последними. Наверняка Ксения узнала про это раньше. И вот результат... Фильм, в который вложено столько денег, не доделан, на концерне снова повисает огромный долг, а он, Михаил Мазуркевич, был мужем шлюхи, рогоносцем, а стал мужем убийцы. Боже мой, боже мой, за что же ему все это?

АЛИНА ВАЗНИС ЗА ДЕВЯТНАДЦАТЬ ЛЕТ ДО СМЕРТИ

Впервые Алина Вазнис остро почувствовала свое одиночество, когда ей было шесть лет. Ее мать умерла, когда Алине было всего пять, и она осталась с отцом и двумя старшими братьями, тринадцати и девяти лет. Сестра отца сразу же после похорон стала говорить, что Валдису следует как можно скорее снова жениться, пока дом не развалился без женской руки и дети не отбились от семьи. Она же привела к нему какую-то дальнюю родственницу, тоже латышку, привезла ее прямо с хутора, откуда-то из-под Лиепаи. Через полгода после смерти жены Валдис Вазнис женился снова. Инга была молчаливой, скупой на ласку, но работящей и очень доброй. Детей не обижала, дом тянула, а большего от нее и не требовалось.

Однажды на улице к шестилетней Алине подошел парень лет семнадцати. Он был высоким, болезненно худым, с впа-

лыми щеками, на которых ярко горели отвратительные красные прыщи, обрамлявшие большое коричневое родимое пятно. Парень протянул Алине конфету в блестящей золотистой обертке и присел перед ней на корточки. Девочка доверчиво подошла ближе, и тогда парень осторожно взял ее за руку и стал говорить разные слова. Алина тогда почти ничего не поняла, было много незнакомых слов, значения которых она не знала, но по всему выходило, что он собирался снять с нее трусики, а потом что-то делать с ее длинными густыми каштановыми волосами. Сами по себе слова ее не испугали, но вот глаза этого парня... Они были страшными, и все лицо его было страшным, и голос тоже, дрожащий, вибрирующий, и рука его, крепко сжимавшая ее маленькую ладошку, была страшной и почему-то липкой. Внезапно парень запнулся, на мгновение зажмурился, потом тяжело вздохнул и отпустил ее руку.

— Никому не рассказывай, — сказал он, поднимаясь. — А то глаза выколю.

Алина ни минуты не сомневалась, что он свою угрозу исполнит.

Дня два она мучилась, потом все-таки спросила старшего брата Иманта, которому уже исполнилось четырнадцать лет.

— Имант, а что такое сперма?

Брат побагровел.

— Не смей произносить это слово, — строго сказал он. — Это очень плохое слово, и если маленькие девочки его произносят, у них во рту вырастают отвратительные лишаи. Запомнила? Ты все запомнила?

— Да, Имант, — послушно ответила маленькая Алина. — Я больше никогда не буду произносить это слово.

Но пообещать было легче, чем сделать. Это было единственное незнакомое слово, которое ей удалось запомнить из бормотания того парня, и любопытство все-таки пересилило. Еще через несколько дней она спросила об этом свою подружку в детском саду. Та тоже не знала, что такое сперма, но пообещала выяснить у родителей. На другой день подружка пришла в садик и прямо с порога заявила:

— Я больше не буду с тобой водиться. Моя мама сказала, что ты плохая, испорченная девчонка, раз говоришь такие грязные слова, и я не должна даже близко к тебе подходить, чтобы не заразиться твоей испорченностью.

К вечеру и остальные дети в группе стали сторониться ее.

Ночью, уткнув лицо в подушку и заливаясь горькими слезами, девочка думала в отчаянии: «Ну и пожалуйста, ну и не надо со мной дружить. Я больше никогда никому ничего не расскажу про себя. Никогда. Никому. Ничего. Никто мне не нужен. И я никому не нужна. Я буду совсем одна... Совсем одна...»

Долгие годы возле нее будут только трое мужчин и чужая неласковая и неразговорчивая женщина. Алина привыкнет быть одна и никому ничего о себе не рассказывать. Она привыкнет жить без подруг, без задушевных бесед, без доверительных откровений. А если бы брат Имант сначала спросил, откуда она узнала это запретное для шестилетней девочки слово... И если бы воспитательница в детском саду поинтересовалась, отчего это дети больше не хотят играть с маленькой Вазнис... И если бы Валдис или Инга Вазнисы обратили внимание на то, что у Алины совсем нет подружек, никто ей не звонит, не приходит в гости и не зовет к себе... Но Алина хорошо училась и не болела, а стало быть, пристального внимания отца и мачехи не требовала. Если бы Имант не напугал ее лишаями во рту, если бы родители подружки не сказали, что она заразная, раз говорит такие мерзкие слова... Если бы...

Но случилось так, как случилось. И отныне Алина Вазнис была обречена на одиночество и постоянное, запрятанное глубоко внутри, глухое, болезненно ноющее отчаяние.

Глава 2

КАМЕНСКАЯ

Леонид Сергеевич Дегтярь, основатель и художественный руководитель музыкальной студии киноконцерна «Сириус», уже слышал о случившейся трагедии и потому живо и охотно откликнулся на Настину просьбу встретиться и поговорить. Уже несколько дней его мучил радикулит, и он, долго извиняясь и оправдываясь, предложил ей приехать к нему домой. Жил он в той же части Москвы, что и сама Настя, и около девяти часов вечера в субботу, 16 сентября, она переступила порог его большой и очень своеобразной квартиры.

Леонид Сергеевич, замотанный от шеи до бедер в теплые пуховые платки, выглядел глубоким старцем, хотя Настя, наведя о нем предварительные справки, знала, что ему всего пятьдесят два года и в «хорошем» состоянии он прекрасно

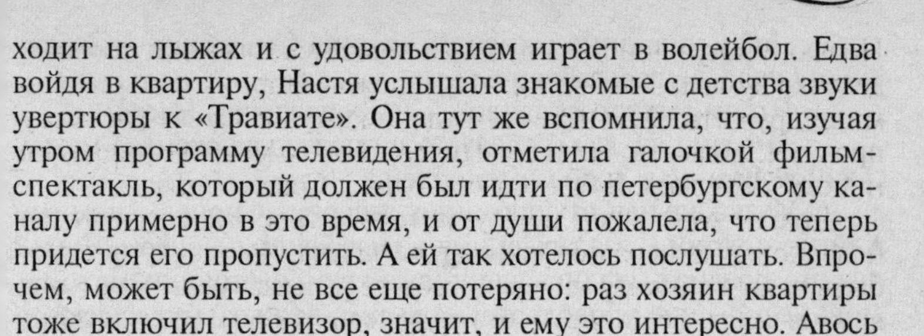

ходит на лыжах и с удовольствием играет в волейбол. Едва войдя в квартиру, Настя услышала знакомые с детства звуки увертюры к «Травиате». Она тут же вспомнила, что, изучая утром программу телевидения, отметила галочкой фильм-спектакль, который должен был идти по петербургскому каналу примерно в это время, и от души пожалела, что теперь придется его пропустить. А ей так хотелось послушать. Впрочем, может быть, не все еще потеряно: раз хозяин квартиры тоже включил телевизор, значит, и ему это интересно. Авось удастся хоть краем уха...

— Проходите, пожалуйста, — сделал гостеприимный жест Дегтярь. — Я прошу прощения, сейчас я включу видеомагнитофон, чтобы записать «Травиату», пока мы будем с вами беседовать. Потом послушаю.

— А на две кассеты нельзя записать? — вырвалось вдруг у Насти против ее воли. Она даже сообразить не успела, что делает, а язык сам произнес эти слова.

Леонид Сергеевич бросил на нее удивленный взгляд и шаркающей походкой направился в комнату.

— Разумеется, можно и на две. Вы тоже любительница? Или интересуетесь просто так, по службе?

— Нет, не по службе. Я люблю оперу, а «Травиату» особенно.

Дегтярь подключил параллельно два магнитофона, вставив в них кассеты, и повернулся к Насте:

— Почему именно «Травиату», позвольте спросить? Музыка красивая?

В его тоне Настя уловила легкую издевку настоящего меломана и знатока над поверхностной дилетанткой. Конечно, оперу по-настоящему знают сейчас немногие, куда уж тут работнику милиции. Но «Травиату», по крайней мере по названию, знают практически все. Поэтому сказать, что любишь эту оперу, это все равно что сказать: «Я очень люблю Пушкина, особенно «Евгения Онегина».

— На самом деле я люблю «Травиату» и «Пиковую даму», — улыбнулась Настя. — Потому что они — про жизнь, про настоящие трагедии, про любовь и смерть. Про живых обыкновенных людей, проще говоря. А не про королей, принцесс, злых волшебников и переодетых героев. Что же касается музыки, то в этой части мне больше нравится «Трубадур» и «Битва при Леньяно». Но это дело вкуса, конечно.

— Да? — внезапно оживился Леонид Сергеевич. — Забавно, ну надо же, как забавно...

— Что вас так позабавило? — насторожилась Настя.

— Именно из-за «Трубадура» и произошел скандал между Алиной Вазнис и Зоей Семенцовой...

...Музыкальная студия киноконцерна «Сириус», помимо клипов с хитами, взялась снимать видеофильмы-оперы. Фильмы эти предназначались для узкого круга настоящих меломанов, которые не удовольствуются тем, что возьмут кассету в прокате и один раз ее прокрутят, а будут покупать их, чтобы слушать постоянно. Кассеты эти были очень дорогими, но дело себя окупало. Для фильма подбирались хорошие актеры, делались отличные декорации, много снимали на натуре, а озвучание шло при помощи официальных или пиратских записей знаменитых певцов и самых лучших оркестров. Хорошо известно, как трудно подобрать молодого стройного тенора или юную прелестную сопрано, чтобы и вокальное, и драматическое мастерство их украсило фильм. Великий Карузо был маленьким и толстым. Лучшее современное сопрано мира — Монсеррат Кабалье, но она же в экран не влезает. Паваротти — тучен, Каррерас — строен, но мал ростом. Стройный и высокий Доминго при любом гриме не сойдет за молодого. А заставить истинного знатока приобрести кассету можно только вокалом мирового класса. Поэтому приходилось комбинировать.

Алина Вазнис начала подрабатывать в студии сначала на эпизодах, потом ей доверили роли второго плана. Полина в «Пиковой даме», Амнерис в «Аиде», Алиса в «Лючии ди Ламмермур». После того как удалось записать «Трубадура», поставленного в «Метрополитен Опера» с Лючано Паваротти и Миреллой Френи, Дегтярь задумал сделать и этот фильм. На центральную женскую роль молодой красавицы Леоноры пригласили пробоваться Алину Вазнис, а на вторую женскую роль, старой цыганки Азучены, — Зою Семенцову. Зое было уже хорошо за сорок, от неумеренного употребления алкоголя внешность ее давно потеряла свежесть, и на роль старой цыганки она подходила, как говорится, «более чем». И вдруг, как гром среди ясного неба, к Дегтярю заявилась Алина Вазнис и сказала такое, от чего у Леонида Сергеевича искры из глаз посыпались.

— Я хочу играть Азучену, — заявила девушка.

— Чего ты хочешь играть? — переспросил худрук, он же режиссер «Трубадура», решив, что ослышался.

— Я хочу играть Азучену, — повторила Алина.

— Ты больна? У тебя голова не в порядке? Какая Азучена? Это старая цыганка, прочти либретто, если не знаешь. Ее будет играть Зоя.

— Я читала либретто, и поэтому хочу играть Азучену. А Леонору я играть не буду. Она мне не интересна. Любит одного, и чтобы не выходить замуж за другого, готова принять постриг и уйти в монахини. А когда любимому предстоит умереть, выпивает яд, чтобы не пережить его. Цельный характер, все просто, как пряник. Что тут играть-то?

— Вот это и играть, цельный характер. Я не понимаю, чего ты хочешь, — развел руками Леонид Сергеевич.

— Мне неинтересно играть Леонору, — упрямо повторила Алина. — Отдайте мне Азучену.

— Но я не понимаю...

— Знаете, мне трудно рассказывать. Я лучше напишу вам трактовку роли, и вы сами убедитесь.

На следующий день она принесла Дегтярю несколько листков, исписанных четким крупным почерком. Прочтя их, режиссер был сильно озадачен. Действительно, Алина увидела в образе старой цыганки то, что обычно проходило мимо глаз, по крайне мере, ТАКОЙ трактовки он нигде не встречал. И тут же представил себе, как можно все это передать при помощи изобразительного ряда... Картина получалась заманчивой, и фильм при таком подходе обещал быть неординарным, не просто очередной «картинкой», иллюстрирующей лучшие голоса мира, а полным драматизма и истинной трагичности. Но если отдать роль Азучены молодой Вазнис, то возникает сразу два вопроса. Кто будет играть Леонору? И что делать с Зоей Семенцовой, уже прошедшей пробы и утвержденной на роль? Ну, положим, замену самой Алине найти можно, молодых красивых актрисулек — пруд пруди. Ведь Алина, в сущности, права, роль Леоноры совсем не сложная. А вот Зоя...

С Зоей Семенцовой все обстояло куда сложнее. Она пережила страшную трагедию, попав в автокатастрофу вместе с мужем и дочерью. В живых осталась только она. Выйдя из больницы, она начала пить «по-черному», и с крепких профессиональных актрис второго плана быстро скатилась до «эпизодниц», а потом и вовсе сидела без работы. С ней не хотели связываться, зная ее алкогольную ненадежность и истеричность. Потом Зоя долго лечилась и вроде бы выправилась. Азучена была первой ролью, которую ей доверили после долгого перерыва. Доверили с опаской, после ее многочисленных просьб и заверений, что теперь она «в порядке». Зою жалели, да и актрисой она была очень неплохой. И как теперь отнять у нее роль, которую она с таким трудом, путем таких унижений вымолила себе? Как сказать ей, что Азучену она играть не будет? В «Трубадуре» есть еще только одна женская роль, совсем уж «эпизодная», но она для молодой женщины. Зоя на эту роль ну никак не «катит».

Короче, скандал был ужасный. Зоя орала как резаная, грозилась «удавить эту соплячку», плакала, умоляла, чуть не в ногах валялась. Ведь это был ее шанс доказать, что она снова может работать. И этот шанс у нее отобрали. Причем как отобрали! Утвердили на роль, а потом передумали. Слухи-то какие пойдут, пересуды! После этого уже ни один режиссер ей ничего не предложит. Будут думать: что́ эта алкоголичка еще вытворила, что ее с роли сняли? Нет уж, от греха подальше с ней связываться.

В общем, Азучену сыграла Алина Вазнис, и это получилось действительно здорово. Фильму сделали грамотную рекламу, и все кассеты вмиг разошлись, пришлось дважды дополнительно тиражировать.

После «Трубадура» Дегтярь решил ставить «Риголетто», использовав известную запись с Марио дель Монако и Райной Кабаиванской. И пригласил Алину сыграть, естественно, Джильду, в глубине души ожидая, что она сейчас опять что-нибудь выкинет, например, скажет, что Джильда ей не интересна, а вот совсем небольшую роль Маддалены она с удовольствием сыграет. Но Алина и тут повела себя неожиданно, не произнеся ни слова о Маддалене.

— Я с удовольствием буду играть Джильду, — заявила она. — Но только так, как я ее понимаю, а не так, как всегда было принято.

— И как же это? — подозрительно спросил Леонид Сергеевич.

— Ну... Мне трудно объяснять, я лучше напишу.

И написала. В общем, с «Риголетто» история получилась такая же, как и с «Трубадуром». Кассеты нарасхват, и три дополнительных тиража...

— А что Семенцова? — вернулась Настя к интересовавшей ее теме.

— Да ничего. Почти все время в простое. После того случая с Азученой снова начала пить, потом снова лечилась... Недавно ее пробовали на эпизод, но неудачно. Не взяли. Но Алину она с тех пор ненавидела жутко. Что ж, ее можно понять.

— Леонид Сергеевич, а вас не удивляло, что свои трактовки Алина не могла объяснить, а приносила вам в письменном виде?

— Что вы имеете в виду? Что кто-то за нее все это сочинял? Да нет, уверяю вас. Алина действительно была, как бы это помягче выразиться... гигантом мысли, но не гигантом речи. Вот так приблизительно, если вам понятно, что я имею в виду. Она очень плохо говорила, речь была совершенно не развита. Память у нее была отличная, роли учила легко и произносила тексты без запинки, но вот собственные мысли выразить — это всегда было для нее проблемой. Как будто ступор какой-то на девочку находит, мямлит что-то, слова повторяет, фразу до конца выстроить не может, чтобы подлежащее не потерять. Очень плохо говорила. А вот письменная речь — отменная. Знаете, это довольно часто встречается, правда, как правило, в обратном варианте. У человека может быть прекрасная, яркая, образная речь, а как дело доходит до бумаги и ручки — куда только все девается? Сухие казенные фразы, читать тошно. Но у Алины было наоборот. Да вы можете сами убедиться, у меня сохранились ее записи по Азучене и по Джильде. Хотите, я вам дам их почитать?

— Конечно, Леонид Сергеевич. Большое вам спасибо. Вы вообще хорошо знали Алину?

— Как вам сказать... Она снималась у меня на протяжении трех лет, пока ее Андрюша Смулов не забрал. Тому уже года четыре будет. В эти четыре года я видел ее часто, все-таки в одном объединении работаем, а общались мы с ней мало. Но я вам скажу откровенно, рядом с Андрюшей она очень выросла как актриса. В ней была бездна таланта, но... Тут как с устной речью. Что-то все время ей мешало раскрыться полностью. Ресурс, я чувствовал, огромный, а заперт в чулане, и как открыть замок — она не знает. Такое впечатление, что она стеснялась публики. Съемки в павильоне всегда проходили отменно, а вот как только выйдем на натуру — все, конец. Алина как замороженная. В павильоне-то все свои, а на натуре почти всегда толпа любопытствующих собирается. Андрей сумел с этим справиться, честь и хвала ему. Бился он с ней долго, но у него получилось. Такая актриса погибла! И только-только самый расцвет у нее начался... Андрюшу жалко безумно. Он ведь не только любил ее, она была ЕГО актрисой. Без Алины он уже ничего толкового снять не сможет, и это сейчас, когда у него второе дыхание открылось... Жаль.

Он пододвинул Насте пепельницу.

— Курите, не стесняйтесь, я же вижу, как вы мучаетесь, все на пепельницу посматриваете. Меня дым не раздражает.

Настя благодарно кивнула и с наслаждением закурила. Ей нравилось сидеть здесь, в этой квартире с выломанными перегородками между комнатами, превращенной в один большой зал, со стенами, увешанными фотографиями знаменитых музыкантов и певцов. Краем уха она слышала бессмертную музыку Верди, и уходить отсюда ей не хотелось, хотя приличия требовали сворачивать визит — шел одиннадцатый час.

— Расскажите мне о Зое Семенцовой, — попросила она Дегтяря.

— Что вам рассказать? Вас, как я понимаю, интересует вопрос, могла ли она убить Алину?

— Вы очень прямолинейны, Леонид Сергеевич.

— А вас это пугает? Так вот, я отвечу вам: да, могла. По состоянию души, психики, если вам так больше нравится, — могла. Вполне. А по физическим данным — вряд ли. Алина, конечно, не баскетболистка, но и не кроха, она — нормального женского среднего роста, примерно метр шестьдесят девять. Это я еще с тех пор, как снимал ее, помню. И весила она килограммов шестьдесят пять — шестьдесят восемь. А Зоя — маленькая, худющая, как большинство пьющих, ножки как палки, ручки как спички. Застрелить — да, отравить — тоже да. Но не задушить.

— А если предположить, что Алина Вазнис была в бессознательном состоянии? Спала, пьяна, в обмороке?

— Ну тогда конечно, — развел руками Дегтярь. — А что, есть данные, что она умерла, находясь в бессознательном состоянии?

— Пока нет, — призналась Настя. — Результаты вскрытия будут только завтра. Это я так спросила, на всякий случай. И что же, вы полагаете, что Семенцова столько лет копила обиду? Ведь тогда, пять лет назад, ее обида и ненависть были,

наверное, намного острее, чем сейчас? Почему же не тогда? Почему именно теперь?

— Э-э, голубушка, вот именно что теперь. В этом-то весь и фокус, что теперь, когда Алина на взлете, когда на небосклоне маячит всемирная известность. Когда она из подающей надежды стала звездой. Вот тут-то самая острота и начинается. Уснувшая ненависть оживает. Чаю хотите?

— Да неудобно мне, Леонид Сергеевич, уже поздно, вы нездоровы, а я вас мучаю. Мне, наверное, уже пора оставить вас в покое, хотя вопросов у меня осталось еще много.

— А вы не стесняйтесь, — улыбнулся Дегтярь. — Я сейчас один, жена с внуками и собакой на даче, так что вы никого не обеспокоите. И потом, если вы сейчас уйдете, то как же «Травиата», которую вы якобы любите?

Он лукаво подмигнул и рассмеялся.

— Давайте уж запишем ее до конца, заберете кассету, потом как-нибудь при случае вернете мне чистую взамен этой.

— Тогда спросите меня снова, хочу ли я чаю, и я честно вам признаюсь, что хочу кофе.

Насте чем дальше, тем больше нравился этот скрюченный радикулитом человек, и его предложение задержаться она восприняла с радостью. Однако как же она будет возвращаться домой так поздно? Анастасия Каменская вовсе не была храброй и отчаянной, какими принято рисовать работников уголовного розыска. И темных улиц она боялась точно так же, как любая другая женщина тридцати пяти лет, может быть, даже чуть больше, потому что сводки происшествий читала ежедневно, а вот быстро бегать и метко стрелять не умела совсем. И тут в голову ей пришла неожиданная мысль.

— Леонид Сергеевич, у вас есть телефон вашего начальника службы безопасности?

— Владислава Николаевича-то? Обязательно. У каждого сотрудника «Сириуса», вплоть до уборщицы, есть номер, по которому можно с ним связаться в любое время суток. Сотовая связь.

— Позвоните ему, пожалуйста, я хочу с ним поговорить.

СТАСОВ

Он ехал домой усталый и злой, потратив несколько часов на выяснение того, где вчера поздно вечером шлялась непутевая жена шефа. Узнал он совсем немного, и это ему не нравилось. С утра Ксения была дома часов примерно до двух, потом пила кофе в баре Киноцентра. Ну, наверное, пила она не только кофе, во всяком случае, видели ее там часов до пяти примерно. Потом — провал до без четверти восемь, когда она встретилась со своей приятельницей возле станции метро «Красные ворота», чтобы взять у той очередной рецепт на транквилизаторы. Приятельница работала в психоневрологическом диспансере и снабжала Ксению рецептами, которые выписывал по ее просьбе знакомый врач. Встреча была назначена на девятнадцать тридцать, но Мазуркевич, как водится, опоздала примерно минут на пятнадцать. И после этого — снова провал, уже до ее возвращения домой в пять минут четвертого утра.

Тело Алины Вазнис было найдено со следами удушения, но Стасов слишком долго работал в уголовном розыске, чтобы схватиться за одну версию и не замечать других. Сразу же после получения информации о встрече Ксении с приятельницей из диспансера он связался с Мазуркевичем и попросил проверить сумочку супруги. Ни рецепта, ни купленных по нему лекарств в сумке не оказалось. В тумбочке возле кровати, в спальне, новых упаковок тоже не обнаружилось. Конечно, все это ничего не доказывало, мало ли где Ксения могла хранить рецепт и лекарства. Может, она использует рецепт в качестве книжной закладки, а таблетки носит в кармане. Но все-таки, все-таки... А что, если выяснится, что Алину Вазнис отравили? Правда, таблеток для этого нужна хренова туча, но кто сказал, что у Ксении их не было? Девка из диспансера долго упиралась, но призналась все-таки, что один рецепт был на 50 таблеток, другой — на 30. А причина убить Алину Вазнис у Ксении Мазуркевич была, и еще какая! Вот черт, невезуха.

Стасов свернул с Садового кольца на Брестскую улицу, и в это время заверещал телефон.

— Владислав Николаевич, это Дегтярь беспокоит, из музыкальной студии, — послышался в трубке неуверенный голос. — Ничего, что я так поздно?

— Ничего, я еще не дома. Что у вас случилось, Леонид Сергеевич?

— У меня тут... В общем, в гостях как бы... Сотрудник уголовного розыска, Каменская Анастасия Павловна. Она хочет с вами переговорить.

— Давайте.

Каменская. Стасов много слышал о ней, когда работал на Петровке. Слышал всякое, и удивленно-восхищенное, и откровенно грязное. Что будто мозги у нее работают как компьютер, и усталости не знает, и память феноменальная. И что она — любовница начальника отдела по борьбе с тяжкими насильственными преступлениями, что не работает наравне со всеми, все в основном в кабинетике посиживает да кофеек попивает. И будто лапа у нее волосатая есть в Министерстве, в главке, не кто иной, как сам генерал Заточный, человек влиятельный и могущественный. Уж спит там она с ним или не спит — вопрос третий, а вот то, что видели их вместе рано поутру прогуливающимися по парку, да чуть ли не под ручку, — это было. Каменская...

— Добрый вечер, — донесся из телефонной трубки приятный низкий голос. — Это Каменская.

— Добрый, — хмуро откликнулся Стасов. — Чему обязан?

— Убийству, чему же еще, Владислав Николаевич. Я могу с вами встретиться?

— Когда?

— Чем скорее, тем лучше. Можно прямо сейчас.

— А на часы вы смотрите или пренебрегаете такой ерундой? — сердито поинтересовался он. — У меня ребенок дома один.

— Извините, — мягко сказала она. — Я не знала. Если так, то назначьте мне удобное для вас время.

— Завтра в десять утра вас устроит?

— Спасибо. Завтра в десять. Где?

— В «Сириусе». Я предпочитаю официальную обстановку.

— Хорошо. Еще раз прошу извинить меня. Всего доброго.

Стасов вырулил на Сущевский вал и погнал машину в сторону Савеловского вокзала. На душе после разговора с Каменской остался неприятный осадок. Может, зря он так? Лилей прикрылся, как квочка-служащая, которая никогда не остается поработать сверхурочно, дескать, дети у нее, и хоть трава не расти. А почему бы ему и не встретиться с Каменской? Убудет от него, что ли? Устал? Так ведь и она не отдыхает. Неужели ему хватило всего четырех месяцев, прошедших с момента его увольнения на пенсию, чтобы забыть своих бывших коллег? Перестать им сочувствовать? Стать равнодушным?

Он набрал номер своего домашнего телефона, будучи уверенным, что Лиля все равно еще не спит. Так оно и оказалось, дочка сняла трубку после первого же гудка.

— Ты почему не спишь?

— Но завтра же воскресенье...

— Ладно, читай, я сегодня добрый. Кстати, что ты читаешь?

— «Анжелику».

— Тебе рано еще. Читай лучше Конан-Дойла.

— Я про Шерлока Холмса уже все прочитала.

— Ну про любовь почитай, у него и про любовь есть, например «Открытие Рафлза Хоу».

— «Анжелика» тоже про любовь, — возразила Лиля.

— Тебе рано, — категорически отрезал Стасов. — Закрой и поставь на место.

— Ну папа...

— Все, котенок. Не обсуждается. Ты поела?

— Да, бульон и сосиски с салатом.

— Молодец. Не скучаешь?

— Не очень.

— Не боишься?

— Нет. А ты скоро придешь?

— Видишь ли, у меня есть еще одно дело, но если ты очень хочешь, я отложу его до завтра и приеду сразу же.

— Что ты, папа, не откладывай. Со мной все нормально.

— Ладно, тогда еще немножко можешь почитать и ложись.

Стасов по достоинству оценил деликатность своей дочери, тем более что в деликатности этой была изрядная доля детской хитрости. Пусть отец занимается своими делами, зато она сможет еще почитать про Анжелику не сорок минут, а целых два часа. Если не уснет, конечно.

Он вздохнул и снова набрал номер, на этот раз номер Дегтяря.

— Леонид Сергеевич, Каменская еще у вас?

— Да, передаю ей трубку.

— Вот что, — сказал Стасов, услышав ее глуховатое «Да, Владислав Николаевич». — Если вы не передумали, мы можем встретиться сейчас.

— Спасибо.

— Выходите из дома через двадцать минут, я подъеду.

— Спасибо, — повторила она.

— Пока что не на чем, — буркнул Стасов.

Через двадцать минут он подъехал к дому, где жил руководитель музыкальной студии, и сразу увидел высокую худощавую фигуру в темной куртке и джинсах. Он напряг память, но так и не вспомнил, как выглядит Каменская, которую он

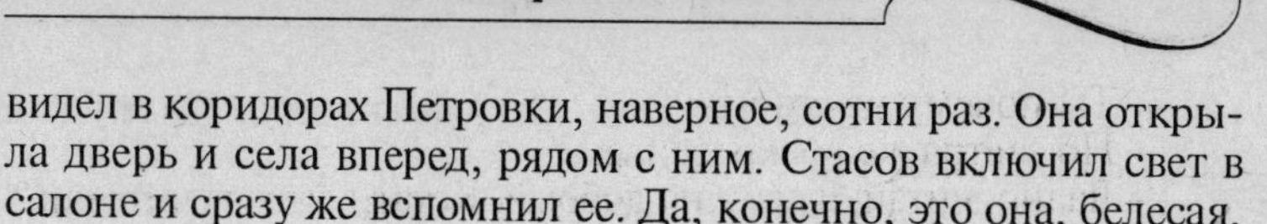

видел в коридорах Петровки, наверное, сотни раз. Она открыла дверь и села вперед, рядом с ним. Стасов включил свет в салоне и сразу же вспомнил ее. Да, конечно, это она, белесая, невзрачная, с длинными стянутыми на затылке волосами. Интересно, как у нее с мужиками? «Небось, старая дева», — подумал он.

— Добрый вечер, меня зовут Анастасия, можно просто Настя и на «ты».

— Владислав. Можно Влад или Стас, как больше нравится.

— А Слава?

— Тоже годится, — улыбнулся Стасов. — И, разумеется, тоже на «ты».

Ему вдруг стало легко и спокойно. Он сразу понял, что никакая она не любовница полковника Гордеева. И вообще ничья она не любовница в том смысле, какой принято вкладывать в это слово, когда говорят о служебных отношениях. И если ее что-то и связывает с самим генералом Заточным, пусть даже и интим, то за этим стоит что-то совсем другое. Не просто постель для удовольствия, а интеллектуальное партнерство и дружеская симпатия. Женщины с такой внешностью и такой манерой держаться не бывают просто любовницами, уж это-то Стасов знал совершенно точно. А то, что гадостей много про нее говорят, свидетельствует лишь о ее достоинствах. Не обсуждают только тех, кто ничего из себя не представляет.

— Куда едем? — спросил он, разворачивая машину.

— На Щелковское шоссе.

— А там что?

— А там я живу. Если ты не возражаешь, мы поднимемся ко мне, выпьем чаю и поговорим.

— Слушай, я тебя сегодня уже спрашивал, смотришь ли ты на часы хотя бы иногда. Смотришь?

— Угу, — кивнула Настя. — Смотрю и вижу, что до утра остается все меньше и меньше времени, а вопросов у меня возникает все больше и больше. А мне к утру надо иметь хотя бы минимально четкое представление о ситуации.

— Ты что, совсем не спишь по ночам?

— Сплю, еще как сплю. Но могу и не спать, если есть о чем подумать. Сверни налево, дворами проедем, так ближе получится.

Было уже больше половины двенадцатого, когда они поднялись в лифте на девятый этаж. Открывая дверь, Каменская вдруг начала хохотать.

— Ты что? — оторопел Стасов.

— Знаешь, я сегодня уже во второй раз принимаю дома постороннего мужчину, в то время как мужа нет. Хорошие свидетельские показания можно скроить из этого, а? Достаточно одной глазастой соседки — и прощай, репутация. А ведь ни сном ни духом, вот что обидно. Проходи, раздевайся.

— Разве ты замужем? — машинально спросил Стасов прежде, чем успел прикусить язык.

— А что? Не похоже? Ты думал, я старая дева?

— Мысли читаешь? — усмехнулся он, пытаясь скрыть смущение от собственной неловкости.

— Не все, только банальные. Да ты не смущайся, на мою внешность все попадаются как на удочку, и ты не исключение. Тихая, забитая серая мышка — очень удобно, никто тебя всерьез не воспринимает.

— А на самом деле ты зубастая щучка?

— На самом деле я злобная свирепая крыса. Да не стой ты как истукан, проходи в кухню. Ты что пьешь, чай или кофе?

— Чай. Какой кофе на ночь-то.

Он огляделся. Кухня в квартире у Каменской была крошечная, но наметанным глазом Стасов сразу определил, что она любовно и тщательно обустроена для длительного времяпрепровождения. Над столом — бра с яркой лампой, сразу видно, что здесь не только едят, но и читают. Мебель расставлена так, чтобы можно было, сидя на стуле, дотянуться до плиты, рабочего стола и мойки. Все компактно, функционально, ничего лишнего. У самого Стасова кухня была устроена безалаберно, но привести ее в порядок все руки не доходили.

— Ты знакома с Заточным? — вдруг спросил он ни с того ни с сего.

— С Иваном Алексеевичем? Знакома, — ответила Настя, ловко управляясь с длинным белым батоном и солидным брикетом сыра, из которых мастерила гренки.

— И как он тебе?

— Профессионал экстра-класса. А то ты сам не знаешь. Ты же под ним работал, разве нет?

Анастасия была права, Стасов действительно работал в Управлении по борьбе с организованной преступностью, а

Заточный был одним из руководителей соответствующего главка в Министерстве.

— Работал, — согласился он. — Но мне интересно твое мнение.

— Да брось ты.

Она повернулась к нему лицом и встала, опираясь спиной на длинный узкий шкаф-пенал, точь-в-точь такой же, какой стоял на кухне у самого Стасова, только другого цвета.

— С чего бы тебя заинтересовало мое мнение? Я что, Ванга? Джуна? Наслушался ты всякого дерьма про меня и Ивана, вот и спрашиваешь. Думаешь, я не знаю, что меня считают его бабой? Знаю я прекрасно. И хочется мне, Стасов, послать тебя подальше, поконкретнее и погрубее. Но поскольку неудовлетворенное любопытство хуже больного зуба, я тебе отвечу. Я никогда не спала с генералом Заточным. Ни-ко-гда. А то, что он мне нравится, — это да. Это есть. Скажу тебе больше, ровно за месяц до своей собственной свадьбы я влюбилась в него, правда, всего на несколько дней, у меня это бывает. Знаешь, прибьет эдак, и что хочешь — то и делай. Но проходит быстро, самое большее — за две недели. Дольше двух недель в моей влюбчивой душе ни один мужик еще не продержался. Единственное исключение составил Чистяков, так и то я за него замуж в результате вышла. Тебя удовлетворил мой ответ?

— Извини, — просто сказал Стасов. — Я не хотел тебя обижать. Но мне правда было любопытно. Все-таки Заточный — это фигура. Вас вместе видели...

— И еще много раз увидят. На всякий случай скажу тебе заранее, что два раза в месяц по воскресеньям мы ходим рано утром гулять в Измайловский парк. С семи до девяти утра. Это такая традиция, что-то вроде ритуала.

— Господи, да о чем же вы разговариваете с Иваном? Кто он — и кто ты... Тоже мне, парочка.

— Тебе не понять, — сухо ответила Настя, аккуратно складывая на сковороду куски белого хлеба с сыром. — Люди могут и не разговаривать. Просто сама по себе ситуация приводит их в определенное душевное состояние. В первый раз мы пошли вот так рано утром гулять, когда я занималась одним убийством, а у Заточного сотрудник оказался в этом замешан. Ходили мы с ним по парку, вслух вычисляли, от кого идет утечка информации, а сами потихоньку друг друга подозревали. Противно было, тяжко — аж зубы сводило.

А потом оба не выдержали и объяснились. Дескать, я вам не верю потому-то и потому-то, а я, со своей стороны, вам не верю. В общем, поговорили. И как камень с плеч. Так хорошо нам стало, тепло, надежно... Теперь вот встречаемся рано утром и ходим, молчим, а на душу благодать снисходит.

Стасов молчал, вспоминая, как четыре месяца назад ходил по улицам рядом с Татьяной, с которой только что познакомился, и умирал от восторга и какой-то необъяснимой нежности.

— Эти ваши прогулочки посильнее постели, пожалуй, будут, — заметил он. — Если бы мне сказали, что на мою любимую женщину снисходит благодать, когда она гуляет по парку с другим мужчиной, я бы сдох от ревности. Уж лучше бы она с ним просто спала, это хоть не так обидно. Быть плохим любовником не стыдно, это уж кому что дано. А вот понимать, что ты скучен и неинтересен — это совсем другое. Тут уж вешаться впору.

— Приятно, что ты это понимаешь, — усмехнулась Настя.

Она налила Стасову чай, себе — растворимый кофе, поставила на стол большую плоскую тарелку с гренками и села напротив него.

— А теперь, — сказала она, сделав маленький глоток и поставив чашку на блюдце, — ты меня спросишь, с чего это я перед тобой так открываюсь. Да? Вроде впервые разговариваем, только-только познакомились, а я с тобой так откровенничаю. Подозрительно?

— Ну, в целом... Конечно, подозрительно. Туфту гонишь? Проверяешь?

— Нет, правду говорю. Но у меня, Стасов, выбора нет. А когда выбора нет, тогда все просто. Есть один путь, по нему и топай, хочется тебе или нет, но топай. Мне убийство надо раскрыть, а для этого мне нужен ты. И темнить с тобой, врать и, как ты выразился, туфту гнать опасно. Ты можешь уличить меня в неискренности, и тогда ничего у нас с тобой не получится. Мне с тобой дружить надо.

Стасов внутренне поежился. Насквозь она видит, что ли? Но, с другой стороны, такая простая, открытая...

— Будем дружить, — кивнул он. — Пойми меня правильно, я в «Сириусе» работаю всего месяц. С одной стороны, я заинтересован в том, чтобы убийство Алины было раскрыто, неважно кем, вами, или мной, или вместе. Важно, чтобы убийца был разоблачен. Потому что если этого не случится,

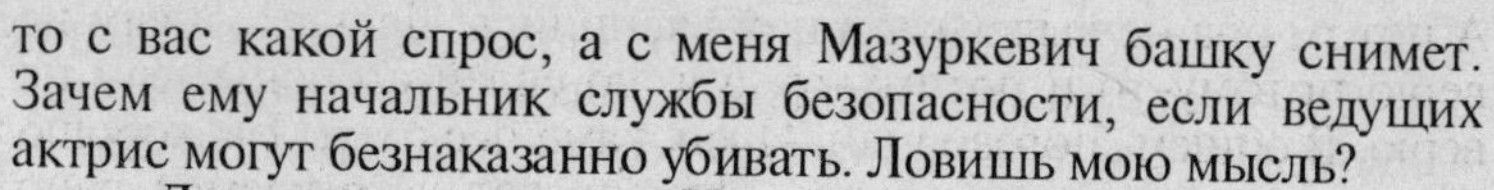

то с вас какой спрос, а с меня Мазуркевич башку снимет. Зачем ему начальник службы безопасности, если ведущих актрис могут безнаказанно убивать. Ловишь мою мысль?

— Догоняю, — ответила Настя, чуть усмехаясь.

— С другой стороны, я за этот месяц еще мало во что вник, людей знаю плохо, и вообще... Одним словом, помощник из меня слабоватый получится. Но можешь рассматривать меня просто как дополнительную рабочую силу. Считай, что я — еще один опер в вашей группе. И можешь на меня полностью рассчитывать.

— Не могу, — вздохнула Настя. — Есть одно «но». И сейчас придет твоя очередь открываться. И выбора у тебя, Слава, тоже не будет, как и у меня. Тебя очень сильно звал к себе на работу президент киноконцерна РУНИКО Борис Рудин. Он предлагал тебе зарплату по меньшей мере в два раза выше, чем ты получаешь в «Сириусе» у Мазуркевича. Но ты тем не менее работаешь именно в «Сириусе». И это наводит меня на мысль, что тебя с Мазуркевичем связывает что-то личное или, напротив, что-то финансовое, деловое. Поэтому, если в процессе следствия будут затронуты интересы Мазуркевича или его жены, ты не будешь мне помогать. Более того, ты начнешь мне мешать. Развей, пожалуйста, мои сомнения. И не надо мне рассказывать о том, что Рудин — любовник твоей бывшей жены, поэтому, мол, тебе не хочется у него работать. Для меня это не аргумент, тем более что разница в деньгах очень заметная и ради нее можно и плюнуть на жену, тем паче бывшую.

Вот это номер! Каменская, оказывается, неплохо подготовилась к знакомству с ним, Стасовым. Бьет не глядя, но попадает точно. Попробуй тут соврать, черт ее знает, как глубоко она копнула, а попадаться на вранье не хочется, да и глупо. Он нужен ей. Но и она нужна ему. Но она ошиблась, выбор у него есть, и ему придется его сделать, выбор этот, прямо сейчас, здесь, на этой самой кухне. Он должен решить, покрывать ли ему Ксению Мазуркевич. Если убийство Алины Вазнис совершила она и начальник службы безопасности выведет жену своего шефа на чистую воду, то начальник этот останется без работы на всю оставшуюся жизнь. Тут все понятно. Кому охота пригревать на груди змею и жить на пороховой бочке. А если будет ее выгораживать, давая милиции заведомо ложную информацию? Своих-то коллег бывших обмануть можно, не фокус, и Ксению вытащить можно, а вот

дальше-то что? Мазуркевич будет знать, что он, начальник службы безопасности Владислав Стасов, вполне профессионально водит за нос уголовный розыск и укрывает убийц от правосудия. Завтра он с кем-нибудь поделится этой информацией, послезавтра она уйдет гулять по самой широкой общественности, а еще через два дня по его, Стасова, душу явятся крутые дяденьки с требованием, чтобы он шел работать на них. Пойти — влипнуть в такой криминал, из которого уже не вывернешься, сядешь в ближайшие же полгода, а то и не просто сядешь, а под «вышак» подлетишь. Не пойти — проживешь максимум часа два, ну три от силы. Нет, выходит, Каменская все-таки права, надо с ней дружить и искать убийцу Алины, кто бы этим убийцей ни оказался. Лучше уж остаться без работы, но живым, чем с работой, но покойником.

— Я расскажу тебе, почему я не люблю Борю Рудина и не хочу у него работать. И еще я расскажу тебе о том, как меня вызвал сегодня Мазуркевич и просил проверить алиби его жены Ксении...

АЛИНА ВАЗНИС
ЗА ПЯТЬ ЛЕТ ДО СМЕРТИ

«Леонид Сергеевич! Вы, наверное, хорошо знаете сюжет «Трубадура» и музыку, но никогда не слушали эту оперу на русском языке. Потому что если бы слушали, то обратили бы внимание на слова Азучены в финале. Собственно, этими словами заканчивается вся опера. Глядя из окна, как казнят ее приемного сына Манрико, она восклицает: «Отомщена родная мать!» И эти слова переворачивают все представление об образе старой цыганки.

Что есть Азучена? Цыганка из табора. Когда-то, много лет назад, ее мать схватили в замке графа ди Луна и сожгли на костре по обвинению в колдовстве. За что? За то, что ее застали возле постели одного из сыновей графа, и ребенок после этого стал чахнуть и болеть. Можем ли мы считать, что мать Азучены ни в чем не виновна? Точно ли мы можем быть уверены, что болезнь ребенка носила случайный характер и не была спровоцирована злонамеренными действиями цыганки? Ведь если она не хотела ничего плохого, зачем пробралась в замок, зачем стояла возле кроватки младенца? Я склонна всетаки считать, что мать Азучены была виновна, может быть, в отравлении, может быть, в каком-то экстрасенсорном воздей-

ствии, но безусловно виновна. И наказана вполне заслуженно, хотя и неоправданно жестоко.

Что происходит дальше? Азучена, желая отомстить за смерть матери, пробирается в замок графа и похищает одного из его сыновей, совсем маленького. Похищает для того, чтобы сжечь на костре в отместку за смерть матери. Убить младенца? Невинное дитя? Даже и в отместку, но, Леонид Сергеевич, согласитесь, это все-таки не по-христиански. Это против бога. И горящую праведным гневом Азучену это никак не украшает и не оправдывает.

Далее. Азучена, сама недавно ставшая матерью (что, кстати, подчеркивает ее абсолютную жестокость — иметь на руках ребенка и не пожалеть чужого малыша), приносит похищенное дитя к костру, на котором только что казнили ее мать, чтобы его сжечь. Но, будучи в сильном волнении, бросает в огонь собственного сына вместо сына ненавистного графа ди Луна. И после этого, отплакав и отрыдав свое, берет похищенного младенца и начинает растить его как собственного ребенка. Почему, спрашивается? Если уж ты так сильно ненавидишь графа, так брось его сына в лесу, пусть его волки съедят. Или сожги в том же костре, благо он еще, наверное, не догорел. Но нет, Азучена испытывает жалость к ребенку и, по-видимому, раскаяние. Только что лишившись собственного сына, она понимает весь ужас того, что собиралась натворить с графом, а сделала в результате с самой собой. Логично было бы после этого вернуть ребенка в замок, чтобы не причинять графу страдания, которые только что испытала она сама. Но она и этого не делает! Стало быть, не жалость и не сострадание руководили ею в тот момент. Тогда что же?

Мне представляется, что Азучена оставила маленького графа у себя с одной-единственной целью — заполнить внезапно образовавшуюся пустоту. С момента рождения собственного ребенка все ее существо приготовилось жить в режиме заботы, опеки, нежности, безграничной любви к крошечному существу. Механизм запущен, и вдруг оказывается, что он должен работать вхолостую. Душа, подобно железам, вырабатывает вещество, состоящее из нежности, любви, стремления защитить, и вещество это предназначено для того, чтобы окутывать ребенка. А ребенка нет. И оно разъедает душу и уничтожает ее, оставляя страшные язвы. Азучена производит механическую подмену объекта. Раз нет больше своего ребенка — возьмем чужого. Какая разница? Лишь бы с ума не сойти.

Она забирает малыша в табор, дает ему имя Манрико, и он растет среди цыган, ни о чем не подозревая. Что же происходило с Азученой все эти годы? Привязалась ли она к Манрико, привыкла ли считать его своим сыном? И да, и нет. Да, потому что переживает за его судьбу и помогает в его борьбе, насколько это вообще в ее силах. И нет, потому что, даже теряя его, даже видя, как его лишают жизни, она помнит о мести за свою сожженную на костре мать. И не рвет на себе волосы, а торжествует и потрясает морщинистыми старческими руками. И мне кажется, Леонид Сергеевич, что на протяжении всей оперы в Азучене происходит постоянная внутренняя борьба между привязанностью к юноше, которого она вырастила, и неотмщенной обидой за мать.

Можем ли мы считать, что с годами Азучена сделалась мудрее и все реже вспоминала о мести? Вряд ли. Если бы она сделалась мудрее, она бы подумала в первую очередь о том, что мать ее была наказана справедливо, и, стало быть, вопрос о мести вообще неправомерен. Поскольку она этого так и не поняла до самой старости, можно считать, что жажда мести с годами не стала менее острой. Отношение же к Манрико, напротив, с годами должно было становиться все более мягким, ведь даже между врагами происходит притирание и привыкание, если они много лет живут вместе. А они отнюдь не были врагами. И чем дальше, тем больше раздирало ее душу это страшное противоречие между стремлением отомстить за мать и любовью к приемному сыну. Наверное, самый пик этой душевной борьбы как раз и пришелся на те события, о которых повествует опера. Манрико ведет свою борьбу со старшим сыном графа ди Луна, то есть со своим родным братом, о чем, естественно, и не подозревает. Но Азучена-то знает, прекрасно знает, что Манрико поднял руку на родного брата, что, между прочим, тоже противоречит божескому канону. И взирает старая цыганка на это безобразие вполне равнодушно, ее совершенно не пугает тот факт, что Манрико по неведению поступает, мягко говоря, не совсем правильно. Она, поощряя войну, которую ведет Манрико со своим родным братом, косвенно мстит семье ди Луна, радуясь их поражениям и потерям. Более того, она поощряет Манрико и в его любви к Леоноре, на которой хочет жениться сам его старший брат. Чего же Азучена желает для Леоноры, между прочим,

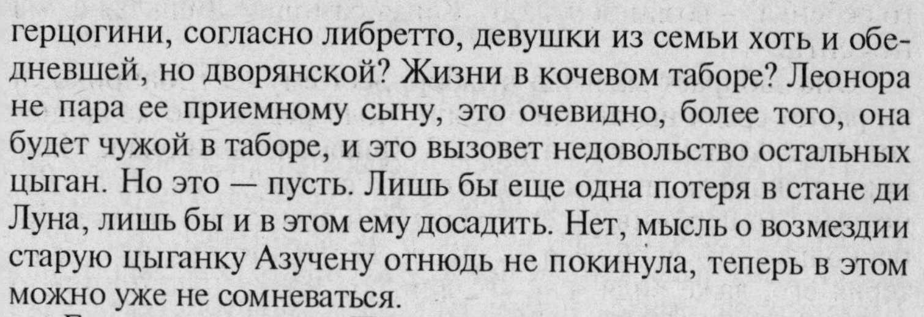

герцогини, согласно либретто, девушки из семьи хоть и обедневшей, но дворянской? Жизни в кочевом таборе? Леонора не пара ее приемному сыну, это очевидно, более того, она будет чужой в таборе, и это вызовет недовольство остальных цыган. Но это — пусть. Лишь бы еще одна потеря в стане ди Луна, лишь бы и в этом ему досадить. Нет, мысль о возмездии старую цыганку Азучену отнюдь не покинула, теперь в этом можно уже не сомневаться.

Еще один момент. По ходу действия Азучена имеет возможность общаться с графом, братом Манрико. Разве воспользовалась она возможностью остановить братоубийство, открыв ему глаза на происхождение его заклятого врага? Нет. Она дождалась, пока Манрико казнят, и только после этого злорадно сообщает графу: «Видишь, что ты наделал? То брат твой родной!» Вот он, момент ее наивысшего торжества.

И последнее. Когда Азучена попадает в плен к графу ди Луна, один из его военных командиров, Феррандо, опознает в ней дочь старой цыганки, двадцать лет назад сожженной на костре. Опознает спустя двадцать лет! Вам это ни о чем не говорит, Леонид Сергеевич? Я специально посмотрела несколько постановок «Трубадура» и в оперных театрах, и в записях, и всюду Азучена — морщинистая патлатая старуха. А сколько же ей лет на самом деле? Самое большее — пятьдесят, но на самом деле наверняка меньше, едва-едва сорок. Это во-первых. Во-вторых, если Феррандо узнал ее спустя двадцать лет, стало быть, она не так уж сильно изменилась, во всяком случае, совершенно точно, она не превратилась из молодой цветущей женщины, только что родившей своего первого ребенка, в ужасную костлявую, горбатую старуху. Иначе никакой Феррандо не смог бы ее узнать, вспомнить ее лицо через двадцать лет.

Подводя итог всему, что я здесь написала, хочу сказать: Азучена — персонаж безусловно отрицательный, исходя из логики ее поступков, но автор оперы ей явно симпатизирует, это недвусмысленно следует из музыки. И я, если вы мне позволите, буду играть именно эту двойственность, неоднозначность ее образа. Внешность же Азучены должна соответствовать ее реальному возрасту, это яркая сильная женщина, еще не утратившая своей красоты...»

Глава 3

КОРОТКОВ

Пока Анастасия Каменская прорабатывала «женские» линии, пытаясь установить, почему же покойную Алину Вазнис так люто ненавидели вышедшая в тираж актриса Зоя Семенцова и жена президента «Сириуса» Ксения Мазуркевич, Юрий Коротков занимался неким Николаем Харитоновым, работавшим в киноконцерне администратором.

Харитонов был типичным неудачником, одним из тех, кому категорически противопоказано заниматься бизнесом и кто тем не менее упорно стремится сделать «быстрые» деньги, вложив рубль и через два дня «наварив» тысячу. Все его проекты проваливались один за другим, но он настойчиво, не успев вылезти из предыдущего долга, втягивался в следующий. В январе 1995 года он попросил в долг у Алины три тысячи долларов на четыре месяца под пятнадцать процентов в месяц — именно столько платил Алине тот банк, где она держала свои сбережения. Четыре месяца истекли 15 мая, но Харитонов деньги не отдал. Более того, он начал вроде бы даже избегать Алину.

Все лето Алина провела в экспедициях, снимаясь в новом фильме Андрея Смулова «Безумие», действие которого в большей своей части проходило на морском побережье. 15 сентября, по истечении еще четырех месяцев, ее терпение лопнуло и она потребовала вернуть всю сумму вместе с процентами, что в итоге составило уже не три, а шесть тысяч шестьсот долларов. Для Харитонова это оказалось неприятной неожиданностью. Он знал Алину давно и прекрасно представлял себе перспективы: Алина никогда ни с кем не выясняла отношений, не умела требовать и настаивать, и он очень надеялся, что она будет терпеливо ждать, пока он соберется вернуть долг, и не станет хватать его за горло. Не такова, однако, оказалась Алина Вазнис. Правда, она не собралась с духом поговорить с Харитоновым сама, но зато подослала к нему своего любовника Смулова, который и передал ему в самых недвусмысленных выражениях, что пора и честь знать и деньги вернуть немедленно. Такого поворота бедняга Харитонов не ожидал.

— И что же вы сделали после звонка Смулова? — спросил

Коротков, которому этот Харитонов с каждой минутой делался все более противен.

— Ну что, что... Кинулся по знакомым деньги собирать.

— Собрали?

— Собрал, — с тяжким вздохом подтвердил Харитонов. — Куда ж я денусь. С Алиной я бы, может, еще договорился бы, но с Андреем Львовичем связываться — себе дороже.

— И потом что?

— Отвез Алине. Рассчитался подчистую.

— Когда это было? В котором часу?

— Вечером уже, часов, наверное, в десять.

— Вы уверены?

— В чем? Что вечер был?

— И что вечер уже был, и что деньги отдали. Уверены?

— Конечно, я же не сумасшедший.

— Беда в том, Николай Степанович, что в квартире Вазнис этих денег не оказалось.

— Как это? Как это не оказалось, когда я сам лично ей привез всю сумму? Может, она их сразу в банк снесла?

— В десять вечера? Побойтесь бога, Николай Степанович. Неладно у нас с вами получается. Либо деньги взял убийца, либо вы их вообще не отдавали. Алина-то Валдисовна теперь уж не подтвердит, привозили вы ей деньги или нет. Есть и третий вариант: вы же ее и убили, чтобы долг не отдавать. Конечно, это уж крайний случай, и верить в такой поворот мне не хочется, поэтому наша с вами задача — установить, кто видел, что вы действительно приходили к Вазнис около десяти вечера и что после вашего ухода она была еще жива. И желательно найти человека, которому она сказала, что, мол, Коля приходил Харитонов, деньги наконец-то все полностью вернул.

Этот прием часто помогал Юре Короткову. Не таить от человека своих подозрений, говорить ему все начистоту, сокрушаться и предлагать помочь в сборе оправдывающих подозреваемого сведений. Если человек невиновен, то он сам выполнит за сыщиков львиную долю работы, а уж если виновен, то все равно проколется, и чем активнее будет действовать, тем быстрее сделает ложный шаг и разоблачит сам себя.

— Да вы что? — неподдельно испугался Харитонов. — Вы думаете, что это я Алину?..

— Мне не хочется так думать, Николай Степанович, — с

10 Зак. 689

притворной мягкостью отозвался Коротков. — Но обстоятельства — сами видите. Не в вашу пользу, одним словом. Если бы деньги нашлись в квартире у Вазнис, так и вопрос бы не возник. Где же они? Давайте уж вместе попробуем снять с вас подозрение. Припомните, кто видел вас возле ее дома или квартиры? Кто может подтвердить, что вы к ней приходили? Начнем хотя бы с этого...

Харитонов мучительно напрягал память, потел, нервничал, но так ничего и не вспомнил. Зато он назвал полный перечень людей, у которых «перехватывал» суммы в тот день с обещанием вернуть в самое ближайшее время. Расставшись с Харитоновым, Коротков разыскал этих людей, всего их было четверо, и выяснил два обстоятельства. Во-первых, вся требуемая сумма была собрана в интервале от часу дня до пяти часов вечера. И во-вторых, всем своим кредиторам Харитонов обещал вернуть деньги в течение недели. И эти два обстоятельства майору Короткову очень не понравились. Почему, если все деньги были собраны уже к пяти часам, Николай Степанович повез их Алине только в десять вечера? Чего он ждал? Почему тянул? И с каких это таких доходов собирался он возвращать деньги в течение ближайшей недели? Если у него маячили крупные поступления, он мог бы договориться с той же Алиной, клятвенно пообещав вернуть весь долг через неделю и не ввязываясь в мороку со срочным сбором шести с половиной тысяч долларов. Почему же он этого не сделал?

Как сказала бы его коллега Настя Каменская, ответов может быть только два. Или он уже в тот момент рассчитывал принести деньги Вазнис (пусть пересчитает и успокоится), убить ее и деньги снова положить в свой карман. Или есть некое обстоятельство, в силу которого он и не пытался объясниться ни с Алиной, ни со Смуловым. Что же это может быть за обстоятельство?

Коротков решил, что, пожалуй, озадачит этим Каменскую, а сам поедет наконец к режиссеру Андрею Львовичу Смулову. Вчера, в субботу, поговорить с ним толком не удалось — он был совершенно раздавлен случившимся, плохо понимал смысл задаваемых вопросов и отвечал невпопад. Сегодня, наверное, уже можно попытаться получить от него какие-нибудь сведения.

* * *

Короткову достаточно было одного взгляда на режиссера Смулова, чтобы понять, что такое настоящее, неприкрытое страдание. Сорокалетний Андрей Смулов был настолько красив, что неизменно должен был вызывать жгучую неприязнь у представителей мужского пола, но в это же самое время он вызывал не менее жгучее сочувствие. Ему было больно и тяжело, это было видно невооруженным глазом.

Жил Смулов в большой удобной квартире, обстановка которой свидетельствовала о его гостеприимстве. Мягкие кресла, диванчики, низкие столики в огромной гостиной были, несомненно, предназначены для одновременного приема большого количества людей. Вообще квартира была обставлена и отделана со вкусом и любовью, и было понятно, что хозяин ею гордится.

Смулову удалось взять себя в руки, и к приходу Короткова он уже мог вполне внятно и последовательно отвечать на вопросы. Он усадил оперативника в удобное кресло в своей нарядной гостиной, принес чай и пепельницы — отдельно себе и гостю.

— Начнем, Юрий Викторович, — сказал он, стараясь говорить ровным голосом. — Спрашивайте.

Обо всем, что касалось непосредственно утра 16 сентября и обнаружения трупа Алины Вазнис, Смулов был допрошен еще вчера дежурным следователем, выезжавшим на место происшествия. Сегодня перед Коротковым стояла другая задача — узнать как можно больше об Алине Вазнис. Ведь помощник режиссера Елена Альбикова совершенно определенно заявила вчера, что Андрей Смулов был самым близким Алине человеком, и лучше него покойную не знал никто.

— Да, я знал ее лучше других, — кивнул Смулов. — Но вы не должны обольщаться, Юрий Викторович, даже я не знал ее до конца. Алина была невероятно «закрытой». И очень ранимой. Мы были вместе четыре года, и на протяжении всех этих четырех лет я постоянно наталкивался на мысль, на ощущение, что я, оказывается, совсем ее не знаю.

— Если можно, поконкретнее, пожалуйста, — попросил Коротков. — И с самого начала.

— С самого начала... Что ж, можно и с самого начала. Я «нашел» Алину в нашей музыкальной студии, у Лени Дегтяря. И влюбился. Сразу, в одночасье, влюбился так, что дыха-

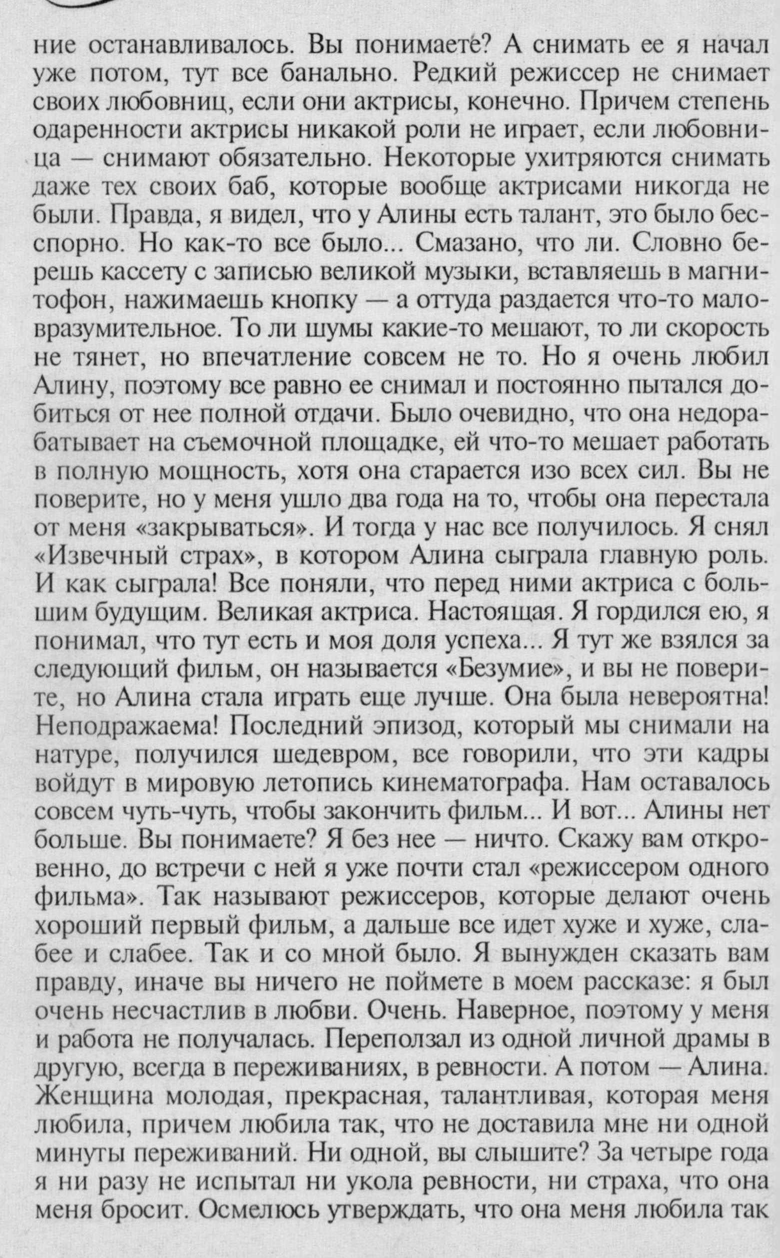

ние останавливалось. Вы понимаете? А снимать ее я начал уже потом, тут все банально. Редкий режиссер не снимает своих любовниц, если они актрисы, конечно. Причем степень одаренности актрисы никакой роли не играет, если любовница — снимают обязательно. Некоторые ухитряются снимать даже тех своих баб, которые вообще актрисами никогда не были. Правда, я видел, что у Алины есть талант, это было бесспорно. Но как-то все было... Смазано, что ли. Словно берешь кассету с записью великой музыки, вставляешь в магнитофон, нажимаешь кнопку — а оттуда раздается что-то маловразумительное. То ли шумы какие-то мешают, то ли скорость не тянет, но впечатление совсем не то. Но я очень любил Алину, поэтому все равно ее снимал и постоянно пытался добиться от нее полной отдачи. Было очевидно, что она недорабатывает на съемочной площадке, ей что-то мешает работать в полную мощность, хотя она старается изо всех сил. Вы не поверите, но у меня ушло два года на то, чтобы она перестала от меня «закрываться». И тогда у нас все получилось. Я снял «Извечный страх», в котором Алина сыграла главную роль. И как сыграла! Все поняли, что перед ними актриса с большим будущим. Великая актриса. Настоящая. Я гордился ею, я понимал, что тут есть и моя доля успеха... Я тут же взялся за следующий фильм, он называется «Безумие», и вы не поверите, но Алина стала играть еще лучше. Она была невероятна! Неподражаема! Последний эпизод, который мы снимали на натуре, получился шедевром, все говорили, что эти кадры войдут в мировую летопись кинематографа. Нам оставалось совсем чуть-чуть, чтобы закончить фильм... И вот... Алины нет больше. Вы понимаете? Я без нее — ничто. Скажу вам откровенно, до встречи с ней я уже почти стал «режиссером одного фильма». Так называют режиссеров, которые делают очень хороший первый фильм, а дальше все идет хуже и хуже, слабее и слабее. Так и со мной было. Я вынужден сказать вам правду, иначе вы ничего не поймете в моем рассказе: я был очень несчастлив в любви. Очень. Наверное, поэтому у меня и работа не получалась. Переползал из одной личной драмы в другую, всегда в переживаниях, в ревности. А потом — Алина. Женщина молодая, прекрасная, талантливая, которая меня любила, причем любила так, что не доставила мне ни одной минуты переживаний. Ни одной, вы слышите? За четыре года я ни разу не испытал ни укола ревности, ни страха, что она меня бросит. Осмелюсь утверждать, что она меня любила так же сильно, как и я ее. Одним словом, я был счастлив с ней. Очень счастлив. И на этом душевном подъеме я и снял «Извечный страх», и он у меня получился! Не у меня — у нас, у нас с Алиной. Я переродился, я стал другим, я понял, что могу делать первоклассные фильмы. Но только пока она рядом со мной. Без нее я — ничто. Ноль. Творческий импотент.

Смулов повторил те же слова, которые уже говорил вчера. Без Алины он работать не сможет.

— Андрей Львович, а почему вы не поженились? — спросил Коротков. — Ведь вы оба были свободны. Что же вам мешало?

— Ничего. Нам ничего не мешало. Но перед Алиной встала перспектива стать настоящей звездой, а звезда хороша, пока она свободна. Это старая истина, она всем понятна в наших кругах. Звезда должна или не состоять в браке, или постоянно менять супругов, чтобы у зрителя в подсознании все время жила мысль о том, что эта звезда теоретически доступна. Если бы Алина находилась в прочном стабильном браке, зрители, по крайней мере мужчины, потеряли бы интерес к ней. А в том, что наш с ней брак был бы прочным и стабильным, я ни минуты не сомневался. Мы очень любили друг друга.

— Вы были женаты раньше, Андрей Львович?

— Был. Очень давно, очень недолго и очень неудачно. Я же говорил вам, я был несчастлив в любви, меня это преследовало с самого детства. Поэтому Алина значила для меня так много...

— А Алина? У нее были серьезные романы до встречи с вами?

— Юрий Викторович, я ведь уже предупреждал вас: я знал Алину лучше других, но все равно недостаточно. Она говорила, что серьезных длительных романов у нее не было, хотя мужчины, конечно же, были, она этого и не скрывала. Но повторяю — это она говорила. Как было на самом деле — я не знаю. Я не особенно в это вникал, потому что это ведь не имело никакого значения. За четыре года она не дала мне ни одного повода для ревности. Ни одного.

— Какая она была? Добрая, злая, мягкая, жестокая? Лживая, искренняя? Расскажите мне о ней побольше, Андрей Львович.

Смулов отвернулся к окну, и по тому, как напряглись

мышцы на его шее, Коротков понял, что режиссер пытается справиться со слезами.

— Мне трудно говорить об этом, — начал он наконец каким-то сдавленным голосом. — Знаете, так бывает, когда понимаешь, что человек, которого ты любишь, сделал что-то недостойное, а ты ничего не можешь с собой поделать и продолжаешь его любить. Впрочем, лучше Соммерсета Моэма об этом все равно никто не написал еще. Помните «Бремя страстей человеческих»? Только, ради бога, не поймите меня буквально, в том смысле, что Алина была тупой безнравственной шлюхой. Ни в коем случае! Нет и нет! Она была... Как бы это сказать... Эмоционально тупой, что ли. Есть, кажется, в психиатрии такой термин — эмоциональная тупость. Нравственная глухота. Вот один только пример. Как-то меня скрутило, тоска такая навалилась, хоть плачь — хоть вешайся. И мне так необходимо было услышать от Алины какие-то теплые, нежные слова... Время — первый час ночи, я сижу в своей квартире сам не свой, мечусь, как волк в клетке, тоска меня душит. Звоню Алине, спрашиваю: «Лина, ты меня любишь?» Да мне всего-то и нужно было, что услышать от нее: «Конечно, милый, я очень тебя люблю. Очень люблю». Вот и все. Меня бы сразу отпустило.

— А что Алина вам сказала?

— А она сказала: «Совсем обалдел со своими глупостями? Я сплю уже». И трубку повесила. И ведь она так сказала не потому, что не любила меня, просто ей такие переживания были недоступны. Она не умела их слышать и понимать. А мне так больно стало тогда... Ведь понимаете, я все ее недостатки видел, я же не слепой, не юный глупый влюбленный, а все равно любил ее. Чем больше видел — тем сильнее любил.

— Андрей Львович, а, кроме вас, ее недостатки вообще видел кто-нибудь? Или вы были единственным, к кому Алина поворачивалась негативными сторонами?

— Ну что вы, Юрий Викторович, конечно, я не был единственным. В Алине, знаете ли, была одна особенность. Она очень плохо говорила. Речь монотонная, невыразительная. Для меня-то это никакого значения не имело, я любил ее такой, какая она есть, и меня ее полудетская речь даже трогала, умиляла как-то. Но из-за этого неумения говорить, излагать свою точку зрения, настаивать на своем, ссориться, скандалить, доказывать, требовать Алина и производила на окружающих впечатление мямли, бесхарактерной и безответной

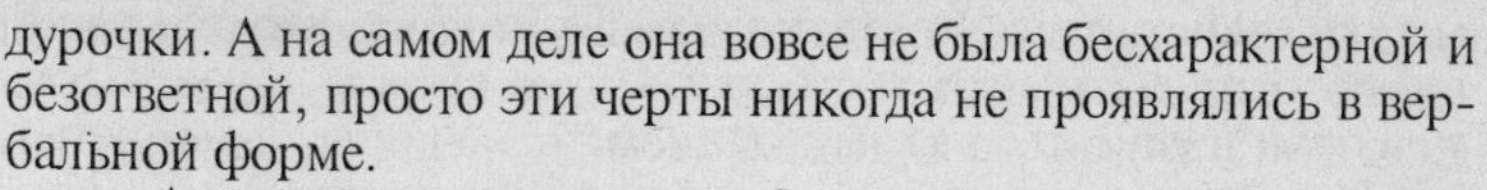

дурочки. А на самом деле она вовсе не была бесхарактерной и безответной, просто эти черты никогда не проявлялись в вербальной форме.

— А в чем же они проявлялись? — заинтересовался Коротков.

— В поступках, Юрий Викторович, в поступках. Это для многих было неожиданным. Именно поэтому, как я подозреваю, у Алины было столько врагов. Именно поэтому ее так ненавидели многие.

Коротков сделал «стойку», как охотничий пес. Неужели ему удалось нащупать что-то важное? Мотив ненависти и враждебности пока просматривался только у Семенцовой и Мазуркевич. Но это и все. А Смулов говорит — многие...

— Люди не любят чувствовать себя обманутыми, это одна из основных истин. Обманутый чувствует себя униженным, потому что обманщик оказался умнее и хитрее, а человек, нормальный человек, не любит убеждаться в том, что он глуп и простодушен. Если с самого начала знать, что, к примеру, Иван Петрович Сидоров — негодяй и подонок, то ты и ведешь себя соответственно, подстраховываешься, стараешься поменьше с ним общаться, а когда он все-таки делает тебе подлянку, вздыхаешь, мол, чего еще от него ждать-то. А вот с такими, как Алина, все иначе. Ее держат за мягкотелую безмозглую дурочку, а когда эта дурочка выкидывает фортель, ты чувствуешь, что тебя ловко провели. Ну, есть у нас на киностудии парочка известных сплетниц, и все, что от них исходит, принято делить на семнадцать или на сорок пять, они вечно все преувеличивают, придумывают детали на ходу. К их рассказам вообще никто всерьез не относится. Сказали — ну и сказали, даже не обижается никто, хотя сплетни бывают ох какие гнусные. А уж если Алина про кого-то что-то нелестное скажет — это уже удар ниже пояса. Надо же, гадюка, змея подколодная, молчальница, слова из нее не выдавишь — и на тебе. И это при том, что Алина может сказать чистую правду, пусть неприятную, но правду, а вовсе не сплетню.

— Пример можете привести, Андрей Львович? Кого Алина таким образом обидела, настроила против себя?

— Самый свежий пример — Харитонов. Впрочем, о нем вы, наверное, уже знаете. Вы бы слышали, как он удивился, когда я ему позвонил по просьбе Алины. То есть такое было искреннее удивление, словно ему инопланетянин позвонил. Он-то, когда у нее деньги брал, наверняка рассчитывал, что она постесняется напоминать и будет терпеть и ждать. Она, кстати, действительно стеснялась. Понимала, что все равно ничего строгого и жесткого сказать не сможет, будет слова жевать и извиняться за настойчивость... Удивительное в ней было сочетание внутренней холодности и жесткости и внешней мягкости, вялости какой-то, даже, пожалуй, неуверенности. Еще пример: недавно у меня «пробовалась» Зоя Семенцова, роль крошечная, эпизодик, но все-таки. В общем, показала она себя плохо, но знаете, мы все Зою жалеем, она перенесла такую трагедию... Вам рассказывали?

— Да-да, я в курсе. Продолжайте, пожалуйста.

— В общем, я решил Зою взять на этот эпизод. Из жалости. И потом, если вы в курсе истории с «Трубадуром», то, наверное, понимаете: у меня постоянное чувство неловкости перед Зоей. Никакой моей вины тут нет, я даже вообще в «Сириусе» еще не работал, когда это случилось, но раз я люблю Алину, то я вроде как делю с ней все, в том числе и неприязнь, которую к ней испытывают другие люди. Не знаю, понятно ли вам... Короче говоря, я знал, что Алина отобрала у Зои роль, и как близкий друг Алины чувствовал себя ответственным за отношения с Семенцовой. Хотел их сгладить... А Алина взвилась. Нет и все, категорически! Дескать, там, где речь идет об искусстве и большом успехе, не должно быть места никчемной жалости. Зоя — спившаяся, потерявшая человеческий облик сумасшедшая, ну и все в таком же роде. Господи, как она кричала! И конечно, стала всем рассказывать, что я беру Зою на эпизод из жалости, потому что пробы откровенно плохие, и Зоя загубит работу... Ну и так далее. Все, что Алина говорила, было чистой правдой. И пробы плохие. И брал я Семенцову из жалости. И спившаяся она, страшная и старая. Но зачем же было всем это рассказывать? И Зоя, конечно, узнала. Некрасиво вышло.

— Как давно это случилось?

— На прошлой неделе. Совсем недавно. Зоя впала в такую ярость! Припомнила, конечно, что Алина отняла у нее Азучену — ее последний шанс сделать роль второго плана. В общем...

Смулов как-то неловко махнул рукой с зажатой в пальцах сигаретой, от резкого движения столбик пепла сломался и упал на ковер, но режиссер, казалось, даже не заметил этого, погруженный в свои переживания.

— Зато в истории с Ксенией Алина вся как на ладони. Весь ее характер виден. Вам уже рассказали?

— Да, мне говорили, что Ксения Мазуркевич грубо оскорбила Алину на людях. Но что было дальше, я не знаю.

— В том-то и дело, что ничего не было. Алина даже не попыталась ей ответить, не остановила ее, не пресекла эту гадость. Молча выслушала, стоя за спиной у Ксении. Та, кстати, даже не подозревала, что Алина ее слышит, пьяная была, как всегда, и выступала на публику. Так вот, Алина дослушала тираду до конца и ушла, не сказав ни слова. Народ тут же, конечно, заволновался. Ксении объяснили, что та говорила слишком громко и Алина ее слышала. Ну, с нее-то как с гуся вода, ей всю жизнь все с рук сходило, весь «Сириус» ее дружно покрывал. Она и осталась в убеждении, что никто и на этот раз ее не тронет, хотя говорила она такую мерзость, что уши вяли слушать. А Алина на следующий же день занялась поисками телефона Козырева, отца Ксении. Понимаете? О похождениях жены президента знали все, ее сто раз видели в самых пикантных ситуациях, но все мы молчали, потому что реноме Ксении — это наша работа и наши деньги. А вот Алина решилась. Представляете? Не ответила Ксении при всех, не устроила скандал, этого она совсем не умела, я вам уже говорил. А спокойно на следующий день начала действовать исподтишка. Алину можно понять, оскорбление было очень грубым, непростительно грубым, а она теперь — звезда, что ей деньги Мазуркевича. Она и без них проживет, ее вон уже Рудин пасет, проходу не дает, миллионные контракты предлагает.

— Но как же так, Андрей Львович, — удивился Коротков. — Ведь деньги Мазуркевича — это и ваша работа, а не только работа для Алины. Пусть она от этих денег уже не зависит, но вы-то! Что же, она о вас совсем не подумала? Ей безразлично, что вы не сможете снимать свои фильмы?

— Ну что вы. — Смулов слабо улыбнулся, впервые за все время, что Коротков беседовал с ним. — Конечно же, ей это не могло быть безразлично. Я просто не стал акцентировать это, мне, право, неловко... Я ведь тоже звезда. И даже в известном смысле больше звезда, чем Алина. Потому что «Извечный страх» прославил ее впервые, а меня — во второй раз. Я уже был однажды звездой, после моего первого фильма, правда, это было больше десяти лет назад, но меня еще помнят, особенно поклонники жанра. И люди Рудина из концерна РУНИКО стали предлагать мне контракты даже раньше, чем Алине. Так что, даже если Мазуркевич потеряет источники дохода, я без работы не останусь.

— Я могу узнать, почему вы все-таки остались в «Сириусе»? Почему не ушли к Рудину?

— Какое это имеет отношение к смерти Алины? Ну не ушли — и не ушли, какая разница почему.

— Андрей Львович, я настаиваю на том, чтобы вы мне ответили.

— Ну хорошо. У Рудина, видите ли, очень плохая репутация. Минувшим летом он организовал и провел кинофестиваль «Золотой орел», вы, наверное, слышали о нем.

Коротков молча кивнул.

— Так вот, на фестивале один за другим погибли четыре человека — две актрисы, актер и режиссер. И Рудин Борис Иосифович, вместо того чтобы после первого же убийства закрыть работу фестиваля и добиться, чтобы из Москвы прислали самых лучших следователей, преспокойненько довел фестиваль до победного конца, получив в результате еще три жертвы. Служба безопасности у него организована из рук вон плохо, но не это главное. Главное — он абсолютно безнравственный тип, он, понимаете ли, не захотел ссориться со спонсорами, которые собирались получить за время работы фестиваля большие прибыли за счет размещения рекламы. Между прочим, и наш начальник службы безопасности отказался работать в РУНИКО, он тоже в курсе этой отвратительной истории с фестивалем. В общем, кинематографическая общественность как бы объявила бойкот Рудину и его киноконцерну. Поэтому и мы с Алиной...

Он не договорил, только судорожно сглотнул и глубоко затянулся сигаретой. Смулов очень много курил, прикуривая одну сигарету от другой, руки его дрожали, голос иногда прерывался, но держался он все-таки мужественно, вызывая у Короткова не только сочувствие, но и уважение.

— И последнее, Андрей Львович. Давайте еще раз вернемся к пятнице, 15 сентября. Вспомните все, что касается Алины.

— Тогда нужно начать с предыдущего дня, с четверга. Шел рабочий просмотр отснятого материала, после него все кинулись поздравлять меня и Алину за тот эпизод, в котором она так удачно сыграла. Ну тот, где она бледнеет и сереет на глазах. Мастерство невероятное! Но я уже говорил, Алина — актриса с великим будущим. То есть могла бы быть... Да, простите. Так вот. Все поздравляют, говорят хвалебные слова, аплодируют. Алина взбудоражена, она ведь и не подозревала, что ей удалось так сыграть, а тут своими глазами увидела. Она уехала домой, а я остался, мне нужно было с Леночкой Альбиковой подготовиться к завтрашней съемке. Проработали мы примерно до половины девятого, потом я позвонил Алине. Мы решили, что мне нет смысла приезжать к ней ночевать. Алина очень внимательно относилась к своей форме, я имею в виду профессиональную форму. Если утром рано предстояла съемка, мы никогда не ночевали вместе. Наверное, не нужно мне вам это говорить, но чтобы вы поняли... В общем, Алина, как правило, не очень хорошо выглядела, если мы проводили ночь вместе. Мы обычно очень долго не засыпали, и утром у нее под глазами залегала синева, появлялись морщинки. Ей обязательно нужно было спать не меньше десяти часов, чтобы хорошо выглядеть и хорошо играть. Так она была устроена. В четверг, когда я ей позвонил, мы прикинули, что если ей нужно встать в шесть утра, то надо уже ложиться. А встать нужно было даже раньше, потому что утром ей к семи надо было быть уже в павильоне. У нас всю неделю были утренние съемки, с семи до часу дня, а с часу дня в павильоне работал уже другой режиссер с другой киностудии. У нас ведь нет собственного павильона, мы арендуем, покупаем съемочные часы то на Мосфильме, то на бывшей студии имени Горького. То есть маленькие павильоны у нас есть, если нужно снять сцену в квартире, в кабинете или, скажем, в купе поезда, то тут мы обходимся своими силами. А если нужно большое пространство и объемные декорации, то, конечно, приходится в ножки кланяться и клянчить. Вся минувшая неделя была как раз такая, с семи до тринадцати в арендованном павильоне.

— Я понял, Андрей Львович, продолжайте, пожалуйста. Вы позвонили Алине в четверг часов около девяти вечера и...

— И мы решили, что мне лучше поехать домой, иначе к семи утра Алина будет как мороженый судак. Это ее собственное выражение. Я поговорил с ней и уехал домой. На следующее утро, в пятницу, мы встретились в павильоне на съемке. Я удивился, что Алина выглядела не очень хорошо несмотря на то, что рано легла спать. Она сказала, что вчерашний просмотр так ее взбудоражил, что она долго не могла уснуть, проворочалась без сна почти до рассвета. И играла она в то утро явно не в полную силу, это вся группа наша заметила. Короче, до часу дня мы отработали, а потом я попросил Алину привести себя в порядок. Я все понимаю, мировая слава, премия «Оскар», секс-символ русского кино — это, конечно, будоражит кровь и лишает сна, но работа есть работа, тем более работа в арендованном павильоне. У нас оставались только суббота и воскресенье, в воскресенье срок аренды кончался, а денег на продление срока пока нет. Так что, если актриса не в форме и мы не сумеем хорошо отснять все запланированные эпизоды, возникнут новые трудности. Поэтому я предложил Алине сразу же после окончания съемки поехать домой, принять что-нибудь успокоительное и уснуть. Во всяком случае, отдыхать, лежать и, по возможности, ни с кем не общаться, чтобы не обсуждать то, что ее так волнует, и не будоражить нервную систему. Алина пообещала мне так и сделать.

— После того, как она уехала домой, вы ей звонили?

— Один раз. Это было примерно часов в семь вечера. Она сказала, что приняла какое-то успокоительное лекарство, не то валерьянку, не то пустырник, и валяется в постели, подремывает. Я предупредил ее, что больше звонить не буду, на тот случай, если вдруг она будет спать, чтобы не будить ее. Она попрощалась со мной до завтра, то есть до утра субботы. В субботу в семь утра снова была съемка. Ну а дальше вы знаете.

— Да, — подтвердил Коротков. — Дальше я знаю. У меня еще один вопрос, совсем маленький, и на сегодня я оставлю вас в покое. Скажите, пожалуйста, имела ли обыкновение Алина прятать деньги и ценности в каком-то особом месте? И если да, то что это за место?

— Я не знаю, — покачал головой Смулов. — За четыре года мне ни разу не довелось видеть ничего такого. Деньги всегда вынимались или из кошелька, или из ящичка в мебельной стенке. Драгоценности Алина держала в шкатулке, которая стояла на полке в той же самой стенке. Стояла совершенно открыто, хотя и была заперта на ключ. Ключик висел на общей связке вместе с ключом от квартиры и почтового ящика. На этой же связке Алина носила и запасные ключи от своей машины и от гаража. Но это ведь только то, что происходило на моих глазах. Чем дольше я знал Алину, тем больше допускал, что совсем не знаю ее. Впрочем, это я, кажется, уже говорил...

— Андрей Львович, а откуда у Алины такие драгоценности? Вы сказали, что в шкатулке обычно лежали два кольца, одно золотое с большим бриллиантом, другое из платины и тоже с бриллиантом. Три пары серег — и снова золото, платина, бриллианты, изумруды. Два колье, одно другого толще и дороже. Пять браслетов, в том числе один — из платины, в пару к кольцу. — Коротков закрыл блокнот, глядя в который он перечислял Смулову похищенные у Алины ценности. — Откуда все это?

— От покойной матери, — пояснил Смулов. — Отец Алины был, собственно и есть, человек сухой и лишенный сантиментов, Алине было в кого вырасти такой холодной. Но разницу между первой и второй женой он видел четко. Первая жена Софья, Сонечка, — мать Алины и двух его сыновей, и оставшиеся после нее драгоценности должны были перейти только к Алине. Инга, ее мачеха, к ним даже прикоснуться не имела права. Алина мне как-то рассказывала, что ее отец поднял голос на Ингу только один раз. За то, что та, протирая пыль, обтерла шкатулку, да и заглянула в нее. Отец застал ее за разглядыванием Сониных украшений. Ох, что было... Отец был вне себя от ярости. Кричал, что эти драгоценности принадлежали той, которая родила ему троих детей, и в будущем будут принадлежать его дочери, которая родит ему внуков. А она, Инга, если хочет иметь бриллианты, должна для начала родить ребенка, чтобы доказать свое право на них. Сонечка же, Алина рассказывала, была из очень богатой семьи. Теперь все ее родственники по линии матери уже в Израиль уехали, так что у Алины вообще одна латышская родня осталась. А это все равно что никого.

— Почему? Я что-то не понял, — нахмурился Коротков.

— Да потому, что... Не хочу я повторять те гадости, которые Ксения про Алину наговорила, но зерно правды в них есть. Кто у Алины отец и мачеха? Латыши с хутора. Русских ненавидели всю жизнь, все русское им поперек горла стояло. Вам не рассказывали, как Валдис Вазнис женился на Сонечке Швайштейн? Соня с родителями отдыхала в Прибалтике. И сделался у нее роман с местным хуторянином. Дело молодое, ночи звездные... А потом беременность. Валдис, как человек порядочный, конечно, руку и сердце предложил, но ведь о том, чтобы девушка из богатой еврейской семьи уехала из Москвы в латышский хутор, и речи быть не могло. Валдис, как настоящий мужчина, конечно, уступил, пошел навстречу, переехал в Москву сам. Пока Соня была жива, в семье еще как-то поддерживался дух цивилизованности и русской культуры. А потом, когда в дом вошла Инга, — все, конец. Нет, ради бога, я ничего не хочу сказать против нее, тем более что и сама Алина никогда ее худым словом не поминала. Но... Но. Все русское — плохо. Все московское — плохо. Читать можно было только Вилиса Лациса, Яна Райниса или Пятраса Цвирку. Смотреть только фильмы Рижской киностудии, музыку слушать только Раймонда Паулса и только в исполнении Ольги Пирагс. Никакой Аллы Пугачевой. Когда Алина сказала, что поступила во ВГИК, в семье это было воспринято как обещание после окончания вуза сниматься на Рижской киностудии. А когда выяснилось, что Алина снимается в русских фильмах, Валдис и Инга перестали с ней разговаривать. Братья, конечно, не такие чумовые, как старшее поколение. Младший, Алоиз, вообще нормальный, вполне «новый русский». Имеет собственный бизнес, женился на девице из Хельсинки, живет то тут, то там. Старший, Имант, конечно, по духу близок Валдису, деятельность Алины не одобрял. Особенно его раздражало, что мы живем с ней вне брака. Я как-то краем уха услышал, как он называет ее шлюхой и проституткой, которая с самого детства только и думает, что о мужских ширинках. В общем, с Валдисом, Ингой и Имантом Алина отношений практически не поддерживала. Более или менее тепло она общалась только с Алоизом, но и то он подолгу в Москве не бывает. Алина, знаете ли, Юрий Викторович, была очень, очень одинока. Осмелюсь утверждать, что на всем свете у нее только и были, что я да брат Алоиз. Ну а если уж совсем по-честному, то только я один.

АЛИНА ВАЗНИС
ЗА ЧЕТЫРЕ ГОДА ДО СМЕРТИ

«Почему все делают из Джильды невинное дитя, чистое и непорочное? Глупости это все, Леонид Сергеевич. Прочтите еще раз либретто «Риголетто», вдумайтесь в каждое слово, и вы сами увидите то, что увидела я.

Когда происходит действие оперы? Во времена короля Франциска Первого. Вы хоть помните из курса истории, что это были за времена? Вы читали книги Дюма? Слышали о Бенвенуто Челлини? О том, что такое девственность, при Франциске Первом даже и не вспоминали. Нравы были более чем свободные. И, кстати, то, что вытворял герцог Мантуанский, не было ничем из ряда вон выходящим. Так вели себя все герцоги в Италии того времени, это было нормально и общепринято. Но если так вели себя все, то на психологии женской части населения это не могло не сказаться. А теперь вернемся к Джильде.

Где она познакомилась с герцогом? В церкви. И что она об этом рассказывает, помните? «В храм я вошла смиренно богу принесть моленье, и вдруг предстал мне юноша, как чудное виденье. Слова я с ним не молвила, но взоры сказали страсть мою». Каково, Леонид Сергеевич, а? Да вы вдумайтесь хоть на секунду в эти слова, и вам все станет ясно. Вы можете представить себе, как все вышеописанное происходит с целомудренной, чистой девицей, которая пришла в церковь помолиться? Не смешите меня. Зато напрашивается совсем другое: юная Джильда, нормальная веселая девушка, которая прекрасно знает, откуда дети берутся, сидит дома, потому что тиран-отец запрещает ей выходить на улицу. Единственное исключение — церковь, отец разрешает ей ходить только туда, а больше — ни-ни. Разумеется, запрет этот не соблюдается, Джильда прекрасно общается с подружками, бегает на разные свидания и находится вполне в курсе современных сексуальных проблем. Есть служанка Джиованна, которой Риголетто велит присматривать за дочерью. Но по ходу оперы мы видим, что Джиованна (тоже, между прочим, нормальная и весьма далекая от идеала женщина) берет деньги от герцога и помогает ему устроить свидание с Джильдой. Как мы с вами можем быть уверены, что Джиованна взяла деньги впервые? Да она их брала уже десятки раз от каждого поклонника Джильды и устраивала им встречи в саду. Докажите мне, что это не так!

Итак, Джильда приходит в церковь и, будучи молодой, веселой и привлекательной, начинает стрелять глазами. Ну и конечно же, попадается на глаза герцогу, который в одежде простолюдина тоже пришел в церковь «пострелять», авось какая-нибудь курочка и попадется. Безмолвная игра глазами, в которой Джильда уже хорошо натренировалась, — и знакомство состоялось. Вот это и означает: «Слова я с ним не молвила, но взоры сказали страсть мою». Для того чтобы взоры могли «сказать страсть», нужны как минимум два условия: испытать эту самую страсть и суметь передать ее глазами. Для опытной кокетки задача ерундовая, а для девицы, которая никогда... и ничего... и ни в одном глазу? Да сумеет ли она глаза-то поднять на объект своей безумной страсти, даже если и сможет эту страсть внезапно испытать? Сомневаюсь.

Идем дальше. Герцог-простолюдин приходит (при помощи Джиованны) на свидание к Джильде. А что же наша девица? Она скрывает от отца, что познакомилась с молодым человеком и он назначил ей свидание. Почему? Потому что знает: поступает нехорошо. Знает, но все равно делает. Иными словами, мы не можем утверждать, что Джильда — невинная жертва обмана, не ждала ничего плохого, а с ней вон как обошлись. Ждала она плохого, очень даже ждала, потому и отцу ничего не сказала.

В итоге люди герцога Джильду похищают и доставляют прямо в покои вышеупомянутому герцогу. Джильда проводит там довольно длительное время. После того как она оттуда выходит, заметьте себе, не в порванной одежде и без синяков и следов насилия, Риголетто клянется отомстить. Джильда, вполне естественно, умоляет отца смягчить гнев. Почему? Потому что она любит герцога. Так написано в либретто. А теперь, Леонид Сергеевич, откинем условности, присущие оперному жанру, и обратимся к правде жизни. Джильда провела с герцогом в постели довольно много времени, причем никаких следов физического насилия на ней нет. Вывод очевиден: она вовсе не чувствует себя изнасилованной и опозоренной. Напротив, ей все это доставило огромное удовольствие, и она, пытаясь быть честной, старается уговорить отца не гневаться. А теперь представьте себе целомудренную девушку, которая вообще никогда... ничего... и так далее, и которую внезапно похищают, связывают, а развязывают уже в постели у мужчины, да мужчина этот еще и половой акт с ней совершает. Дефлорирует ее, между прочим. Вы можете себе представить девушку, которой бы все это так понравилось, что она бы потом жизнь за этого мужчину отдала? Да не забудьте еще и то обстоятельство, что мужчина-то ее обманул: назвался бедным студентом Гвальтьером Мальде, а оказался герцогом Мантуанским. Иными словами, невинности лишил, а про жениться не может быть и речи, и будет она теперь на всю оставшуюся жизнь обесчещенная, опозоренная, а то и, не приведи господь, с ребенком незаконнорожденным на руках. И за все за это Джильда его преданно любит? Не обманывайте себя, Леонид Сергеевич. Нет таких девушек. Для того чтобы Джильда вела себя так, как она ведет себя по ходу оперы, она должна быть совсем другой. Безусловно опытной. Кокетливой. Влюбчивой. Страстной и темпераментной. И очень порядочной в то же самое время. Потому что даже тогда, когда герцог изменяет ей с Маддаленой, в ней (Джильде) не вспыхивает такая ревность, которая просит смерти изменнику. Ей больно, неприятно, но она прекрасно понимает, что не герцог

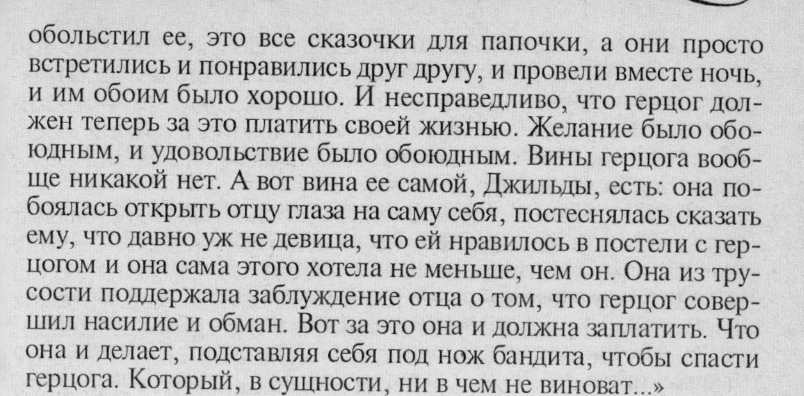

обольстил ее, это все сказочки для папочки, а они просто встретились и понравились друг другу, и провели вместе ночь, и им обоим было хорошо. И несправедливо, что герцог должен теперь за это платить своей жизнью. Желание было обоюдным, и удовольствие было обоюдным. Вины герцога вообще никакой нет. А вот вина ее самой, Джильды, есть: она побоялась открыть отцу глаза на саму себя, постеснялась сказать ему, что давно уж не девица, что ей нравилось в постели с герцогом и она сама этого хотела не меньше, чем он. Она из трусости поддержала заблуждение отца о том, что герцог совершил насилие и обман. Вот за это она и должна заплатить. Что она и делает, подставляя себя под нож бандита, чтобы спасти герцога. Который, в сущности, ни в чем не виноват...»

Глава 4

КАМЕНСКАЯ

Осенний ранний холод внезапно сменился теплым бабьим летом с ярким солнцем и приятно прохладными ночами. Настя не обманула Стасова, когда сказала, что дважды в месяц по воскресеньям ходит рано утром гулять в Измайловский парк в компании с генералом Заточным. И нынешнее воскресенье выпало как раз таким, «прогулочным». В последнее время к Насте и Ивану Алексеевичу присоединился сын генерала Максим, который учился уже в выпускном классе и готовился поступать в школу милиции, а для этого нужно было иметь хорошую физическую форму — нормативы на вступительных экзаменах по физподготовке были весьма жесткими. Настя с Иваном Алексеевичем медленно бродили по аллеям, а Максим носился туда и обратно, отмеряя то стометровки, то пятисотметровки, то пятикилометровые кроссы.

— Ну как, пап? — подбежал к ним запыхавшийся юноша.

Заточный взглянул на секундомер, который нес в руке.

— Ничего, прилично, — скупо похвалил он. — Можешь заканчивать на сегодня с бегом, приступай к силовым упражнениям. Вон там турник стоит, видишь? Двигай к нему, пять серий по двадцать подтягиваний.

— Ужас какой! — охнула Настя. — Да вы садист, Иван Алексеевич! Зачем ребенка истязаете? Куда ему столько подтягиваний?

— Впрок, — усмехнулся генерал. — Лишними не будут.

— А по нормативам сколько требуется?

— Двенадцать.

— Тогда зачем сто? Вы не перебарщиваете?

— Ничуть. Мало ли как жизнь сложится к следующему лету. А вдруг он в день экзамена заболеет, будет плохо себя чувствовать? Схватит ангину, например, или грипп, или упадет неудачно и получит травму. И из-за этого не выполнит норматив, не поступит, пропустит целый год. Ну уж нет, нельзя так рисковать. Если сейчас натаскивать его на двенадцать подтягиваний, то малейший сбой — и он пролетит мимо зачета. А если он сможет выполнить пять серий по двадцать, то даже при очень плохой физической форме в день экзамена уж свои-то двенадцать всяко вытянет.

— Разумно, — согласилась Настя. — Хотя и жестоко.

Они присели на скамейку неподалеку от турника. Заточный следил за сыном, а Настя вновь углубилась в размышления об убитой Алине Вазнис. Итак, замкнутая, «закрытая», подруг не имела. Или имела, но не в «Сириусе». Плохо развитая устная речь, зато очень бойкое перо. Вдумчивая, не склонная следовать шаблонам и проторенным путям, имеющая свою точку зрения, свой взгляд. Эмоционально холодная. Наверное, еще какие-то детали станут известны после того, как Коротков побеседует с режиссером Смуловым, пока что все Настины построения основаны на информации, полученной в субботу.

Из квартиры Вазнис исчезли ее драгоценности. Денег, которые должен был привезти ей Харитонов, тоже нет. А что есть? Есть следы. Следы самой Алины, следы Смулова, который на протяжении четырех лет бывал у нее как минимум три-четыре раза в неделю, все равно что жил там. И есть участки поверхностей с явными следами уничтожения отпечатков. Затертости, замывание. В посудном шкафу на кухне две чашки вымыты особенно тщательно, с содой и чистящей пастой, так, во всяком случае, утверждает эксперт Олег Зубов. Из одной чашки пил, по-видимому, убийца. А из другой? Сама хозяйка? Тогда зачем ее так тщательно мыть? Ответ очевиден: в чашке могут остаться следы постороннего вещества. Но была ли Алина Вазнис чем-то отравлена, станет ясно только в понедельник, раньше понедельника результаты вскрытия вряд ли можно будет получить. Еще протертыми оказались ручки входной двери, кнопка звонка, ручки и дверцы холо-

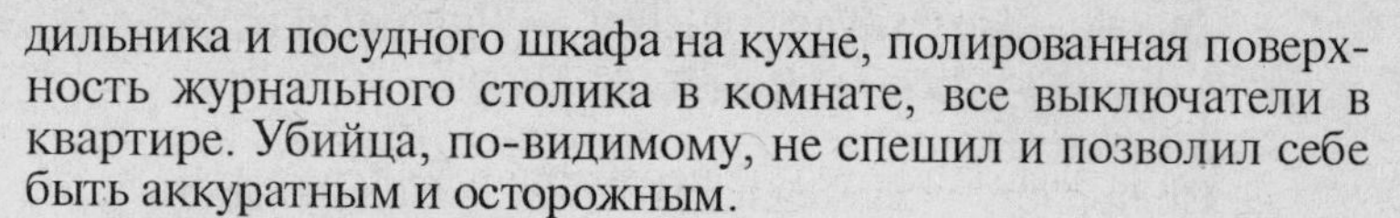

дильника и посудного шкафа на кухне, полированная поверхность журнального столика в комнате, все выключатели в квартире. Убийца, по-видимому, не спешил и позволил себе быть аккуратным и осторожным.

Так, что еще? Записи, которые дал ей, Насте, Леонид Сергеевич Дегтярь, со всей очевидностью показывали, что Алину Вазнис очень занимали две вещи: проблема вины и проблема мести. Не любовь, не ревность, не предательство. А только вина и месть. Может быть, нужно поискать здесь?

— Иван Алексеевич, а вы злопамятны? — внезапно спросила она сидевшего рядом генерала.

— Откуда такой вопрос? — удивился тот.

— Ну а все-таки, — настаивала Настя.

— Да нет, пожалуй, не особенно. То есть на память я не жалуюсь, обиды не забываю, но запал посчитаться с обидчиком проходит быстро. У меня, Настенька, слишком много ежедневных проблем и забот, чтобы отвлекаться на эмоции. Голова все время занята чем-то.

— А если чувствуете себя в чем-то виноватым, вас это долго потом мучает?

— Не знаю, не пробовал, — улыбнулся Заточный. — У меня правило: провинился — немедленно признайся, извинись, загладь вину, если можешь. А такого, чтобы сделать что-то плохое и потом жить с этим, — нет, не приходилось. Наверное, для меня осознание собственной вины совершенно непереносимо, поэтому я сразу же принимаю меры. Вы, Настенька, занялись изучением моей личности? Или это по работе?

— По работе. У меня потерпевшая какая-то скрытная, никто о ней толком ничего не знает, близких подруг не было. Или были, но она их почему-то тщательно прятала. Вот пытаюсь разобраться...

— Может быть, у нее криминальное прошлое? — предположил Заточный.

— Да нет, не похоже. Школа, потом ВГИК, актриса. Откуда взяться криминалу-то? Кстати, Иван Алексеевич, хотела у вас спросить: вы случайно не знакомы со Стасовым?

— С Владиславом-то? Который недавно на пенсию ушел?

— С ним.

— Знаком. Хороший мужик. А что, столкнулись?

— Угу, — кивнула она. — Он теперь начальник службы безопасности в киноконцерне «Сириус», где и работала моя потерпевшая.

— Ну, считайте, что вам повезло. Влад — толковый парень и очень приличный во всех отношениях.

— А поподробнее?

— Не пойдет, — засмеялся генерал. — Сплетнями не занимаюсь. У вас должно быть собственное мнение. Я могу оценивать его только как профессионала, а уж какой он человек — сами разбирайтесь.

— Вредный вы, да?

— Принципиальный.

— Между прочим, ваш приличный во всех отношениях Влад пытался выяснить у меня, не являюсь ли я вашей любовницей.

— Ну и что? Выяснил?

— По-моему, он мне не поверил. Хотя я ему все честно объяснила.

— Да оставьте вы эти глупости, Настенька. Вы — здравый человек, умеете логично мыслить, вы же не можете не понимать, что в это все равно никто не поверит. Не унижайтесь, не объясняйте вы никому ничего, бессмысленно это.

— А репутация?

— Чья? Ваша?

— Да моя-то — черт с ней, кому я нужна. Я о вашей репутации говорю.

— А мне это не вредит. — Заточный улыбнулся своей знаменитой солнечной улыбкой, отчего его желтые тигриные глаза вмиг превратились в два теплых солнышка, осветивших и его сухое скуластое лицо, и, казалось, все пространство вокруг него. — Сколько я в милиции служу, столько за мной какой-нибудь шлейф тянется. То жены замминистров, то известные актрисы, то дамы, занимающиеся политикой, — кого только мне в любовницы не навязывали. А я, вместо того чтобы отбрыкиваться и с пеной у рта доказывать свою нравственную чистоту, просто не обращаю внимания, не спорю, а потом извлекаю из этого пользу. Советую вам поступать так же.

— Господи, да какую же пользу вам может принести слух, что я ваша любовница?

— У-у, еще какую. Например, о том, что мы с вами по воскресеньям гуляем в этом парке, знает уйма народу. И не только те, кто работает в нашем министерстве или у вас на Петровке. И если я назначаю конфиденциальную встречу с доверенным человеком на утро воскресенья где-нибудь поблизости, то те, кому небезразличны мои передвижения и

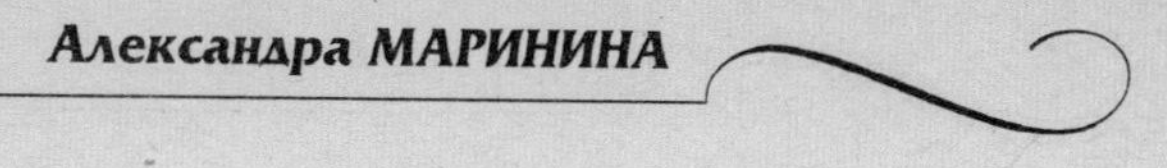

контакты, относятся к этому совершенно спокойно. Заточный в воскресенье с утра пораньше вышел из дома и отправился в парк? Да это же он со своей бабой гулять пошел, ничего интересного, можно не напрягаться. А тут-то как раз самое интересное и происходит. Понятно?

— Значит, вы мной прикрываетесь?

— А как же. И вы мной прикрывайтесь, кто вам мешает? Вот ваш муж, например, знает о наших прогулках?

— Конечно. И даже поощряет. Он считает, что я совсем не бываю на воздухе, и очень доволен, что хотя бы два раза в месяц я по два часа гуляю.

— Ну вот видите. Поэтому, если вы решите ему изменить, у вас будут совершенно законные два часа по воскресеньям. И никаких подозрений. Скажете ему, что мы с вами решили гулять каждую неделю.

— Я подумаю, — серьезно ответила Настя. — Мне это как-то в голову не приходило.

— А это потому, что вы замужем недавно, у вас стаж еще небольшой. Вы небось привыкли распоряжаться своим временем, как вам самой удобно, в таких маленьких хитростях надобности не было. Со временем оцените мои советы, когда муж начнет вам надоедать.

— Пап, — раздался голос Максима. — Я уже четыре серии отмахал, может, хватит на сегодня?

— Нет, сынок. Не ленись, работай как следует.

— Я устал.

— Ну отдохни. Походи, разомнись, попрыгай. И потом — последнюю двадцаточку.

Настя сочувственно посмотрела на Максима. Хорошо, что во времена ее юности девушек в школу милиции еще не принимали и она училась в университете. Ей бы эти чертовы нормы физподготовки сдать наверняка не удалось.

СТАСОВ

Зою Семенцову он знал в лицо, но домой к ней попал впервые. Пришел — и удивился, до какой степени обстановка в ее квартире не соответствовала тому впечатлению, которое производила на окружающих сама Зоя. Просто поразительно, насколько эта рано постаревшая женщина сумела создать в своем жилище антураж настоящей кинодивы. Несколько букетов с живыми цветами, по стенам — огромные фотографии самой Семенцовой в разных ролях, относящиеся ко временам ее молодости и активной актерской деятельности. Кругом — чистота и идеальный порядок, на столике между тремя креслами — оригинальная пепельница и две початые бутылки с французским коньяком и ирландским молочным ликером. Трудно было поверить, что здесь живет та самая Зоя, которую на студии видели растрепанную, с глубокими морщинами, одетую в какие-то немыслимые тряпки с чудовищным сочетанием цветов и фасонов. Принимая у себя дома начальника службы безопасности, она была сама любезность и светскость.

— Зоя Игнатьевна, — начал Стасов осторожно, пытаясь срочно выработать новую тактику беседы, отличную от той, которой он вооружился, полагая, что разговаривать придется с опустившейся несчастной пропойцей. — Не могли бы вы припомнить в деталях пятницу, 15 сентября.

— Зачем? — высокомерно спросила Семенцова, усаживаясь в кресло и закидывая ногу на ногу.

Стасов почувствовал неловкость и острую жалость к этой женщине. Густо накрашенные ресницы и щедро покрытые тенями веки не могли скрыть морщин, на голове был, совершенно очевидно, парик, изображающий пышные белокурые локоны. Жидкая пудра еще больше подчеркивала неровную кожу, а блестящие колготки привлекали внимание к ногам, которыми уже давно пора было перестать гордиться. Когда-то Зоя Семенцова была стройной миниатюрной статуэточкой с точеными ножками и изящными ручками. Теперь же она вся словно усохла, алкоголь и бесчисленные лекарства, которыми ее пичкали наркологи, будто выжгли ее изнутри, оставив пустую обвисшую оболочку. И тот жест, которым она закидывала ногу на ногу, мог бы лет пятнадцать-двадцать назад выглядеть вызывающе сексуальным, а сегодня был смешон и жалок.

— Мы пытаемся установить все передвижения Алины в тот день. Поэтому нам так важно выяснить, кто, где и когда ее видел или хотя бы разговаривал с ней по телефону. Вы могли бы сообщить мне что-нибудь об этом?

— Нет, не могла бы. Я в пятницу Алину не видела.

— Припомните, пожалуйста, Зоя Игнатьевна, может быть, кто-нибудь говорил вам, что видел Алину? Или кто-нибудь ей звонил? Нам важна любая деталь, хотя бы намек на возможный источник информации. Подумайте как следует.

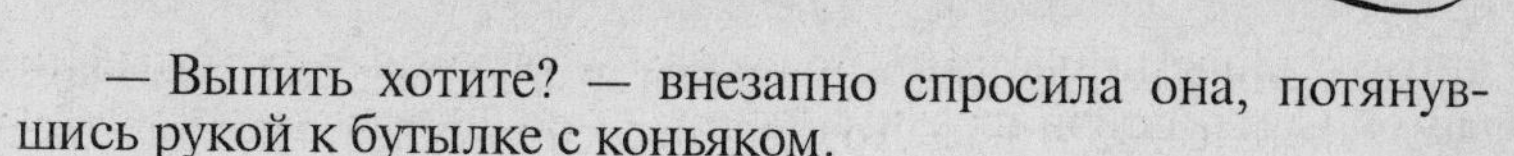

— Выпить хотите? — внезапно спросила она, потянувшись рукой к бутылке с коньяком.

— Нет, благодарю вас.

— А я выпью. — Она вызывающе вскинула голову.

Достав с нижней полки столика рюмку, Семенцова налила себе коньяк и выпила одним глотком.

— Что вы так смотрите? Да, я пью, и по утрам тоже. Но я пью только тогда, когда нет работы. Когда идет съемка — я трезвая. Хоть у кого спросите. Никто Зою Семенцову на съемочной площадке пьяной не видел. А что я делаю у себя дома, никого касаться не должно.

Эффект от рюмки коньяка сказался моментально, и Стасов понял, что Зоя действительно больна. Ее «забирало» сразу же. Впрочем, не исключено, что она начала «принимать внутрь» еще до его прихода, а теперь только добавляла. Щеки ее порозовели под толстым слоем пудры, глаза заблестели.

— Если бы не эта сучка, я бы сейчас вовсю снималась, — заявила она звенящим от возбуждения голосом. — Ей скажите спасибо, что я пью. Это все она... Она...

Зоя снова налила коньяк и залпом выпила.

— Ну, так что вы хотели узнать, Славик?

Стасова покоробила ее фамильярность, но он решил не обращать внимания. Ей хочется чувствовать себя его ровесницей? Пусть. Лишь бы сказала что-нибудь дельное.

— Давайте мы с вами вспомним минувшую пятницу, всю, шаг за шагом. В котором часу вы встали?

— Я встаю очень рано. Я — актриса, рабочая лошадка, а не какое-то там богемное существо, которое до утра веселится и потом до вечера спит.

— Я понял, Зоя Игнатьевна, но все-таки, в котором часу вы встали? — терпеливо повторил Стасов.

— Ну... часов, наверное, в восемь. Нет, в половине восьмого. В восемь я уже была на улице.

— И куда вы ходили?

— Какая разница? Гулять ходила.

«Понятно, — подумал Стасов. — Бегала за бутылкой с утра пораньше».

— Как долго вы гуляли?

— Полчаса примерно.

— Потом вернулись домой?

— Да, домой. Я, видите ли...

Медленно, словно преодолевая какие-то немыслимые

препятствия, он двигался по часам и минутам, то и дело возвращаясь назад, что-то уточняя, переспрашивая, подсчитывая временные интервалы. С половины восьмого утра и до половины второго дня все сходилось, как в рекламе банка «Империал», с точностью до минуты. В половине второго Зоя Семенцова появилась в офисе киноконцерна «Сириус» — в уютном особнячке на одной из тихих московских улочек в центре города. Зоя пришла за сценарием фильма, в котором Андрей Смулов собирался снимать ее в маленьком эпизоде. Неделю назад она прошла кинопробы, и ей сказали, что она утверждена на роль. На лестнице она столкнулась с гримером Катей, которую знала много лет.

— Ой, Зоенька, ну ты подумай, какая же все-таки стерва эта Алина! — тут же заверещала Катя, чмокая приятельницу в щеку. — Андрею Львовичу так неудобно, он прямо сам не свой ходит.

— Ты о чем? — подозрительно спросила Семенцова, сразу же почуяв недоброе.

— Ну как же! Смулову твои пробы не понравились, но все равно он хотел тебя снимать, потому что знает, что ты — хорошая актриса. А Алина стала всем рассказывать, что пробы плохие и Андрей Львович берет тебя на роль из жалости, потому что всем известно, что ты сильно пьешь, так он тебя морально поддержать хочет. Ты понимаешь, он с ней поделился как с близким человеком, а она тут же понесла по всем студиям. И кражу какую-то припомнила столетней давности. Якобы ты у кого-то что-то украла. Конечно, дошло до Зарубина, тот вызвал к себе Смулова и запретил тебя снимать.

Зарубин был коммерческим директором фильма, он отвечал за то, чтобы смета расходов на производство не превысила определенного процента от суммы ожидаемой прибыли. Он придирчиво считал каждую копейку, выискивая, где можно сэкономить, чтобы фильм вышел как можно дешевле. Но, надо отдать ему должное, никогда не скупился, если дополнительно вложенные деньги сулили увеличение прибыли. Снимать Семенцову, по его разумению, не было никакого резона. Она много лет назад получила звание заслуженной артистки, и, стало быть, платить ей, даже и за эпизод, полагалось по довольно высокой ставке. Зачем, когда на роль можно взять никому не известную актрису и заплатить ей намного меньше? Кроме того, если Смулову пробы не понравились, то не исключено, что и сыграет Семенцова плохо. Эпизод, конечно,

но ведь и одна фальшивая бусина может испортить все ожерелье. К чему такой риск?

Дрожа от ярости, Зоя дошла до комнаты, в которой собиралась взять сценарий. Навстречу ей попадались знакомые актеры, администраторы, реквизиторы, и у всех на лицах было написано: «Да, то, что рассказала Катя, — правда». У одних выражение лица было сочувственное, у других — откровенно злорадное, но все они, Зоя была уверена, уже знали о том, как ее «бортанули». И не кто-нибудь — эта стерва Вазнис. Во второй раз.

Этот разговор на лестнице с гримершей и последующий проход по коридорам особняка был последним, что Зоя Семенцова смогла изложить более или менее внятно. Дальнейший ее рассказ был путаным и неуверенным. Она не помнила, с кем разговаривала, куда заходила, кому звонила. Всплывали только какие-то обрывки сведений. Она, например, помнила, как решила поговорить со Смуловым и стала выяснять, где он. Ей сказали, что до часу дня он снимал в арендованном павильоне и примерно часам к трем должен приехать в офис, привезти отснятый материал.

— Вы его дождались? — спросил Стасов, уже догадываясь, что, услышав неприятное известие, Зоя тут же начала прикладываться к рюмке. По-видимому, спиртное она постоянно носила с собой в сумке. Это объясняло «провалы» в ее памяти. Единственное, в чем она была уверена, — она была в офисе. Это точно. Ее видело множество людей, она с ними разговаривала, но деталей разговоров не помнит.

Но могло быть и другое объяснение. Никаких провалов памяти у Зои не было. Просто она пытается что-то скрыть от Стасова. И ему нужно быть очень осторожным и внимательным с этой женщиной, чтобы, с одной стороны, не обидеть ее, а с другой — не насторожить.

— Я... Нет, не дождалась. Он, вероятно, где-то задержался, а мне нужно было спешить.

— Куда? — невинно поинтересовался он.

— По делам.

Семенцова метнула в него быстрый взгляд и тут же налила себе новую порцию алкоголя.

— Хорошо, пойдем дальше, Зоя Игнатьевна. Значит, из офиса вы ушли примерно... в пять? В шесть?

— Около пяти.

— И куда направились?

— Послушайте, Славик, там, куда я направилась, не велись и не могли вестись разговоры об Алине. Обо всем, что происходило в офисе, я вам рассказала. Алину я там не видела и по телефону ей не звонила. А то, что я слышала о ней, говорило только о том, что она жестокая, безжалостная и глупая самка. Я понимаю, что ей на меня наплевать, кто я ей? Никто. Бывшая соперница. Так это когда было! Но как она могла так поступить с Андреем Львовичем? Он с ней поделился, разоткровенничался, а она так его подставила. Ему же в глаза мне теперь стыдно смотреть.

— И все-таки, Зоя Игнатьевна, куда вы отправились около пяти часов?

— В парикмахерскую.

— И сколько вы там пробыли?

— Часов до семи, я думаю. Знаете, теперь все очень долго в этих парикмахерских. Технология модных причесок сложная — химия, меллирование, все требует времени.

— А после парикмахерской?

Чем ближе к рассказу о вечере пятницы, тем явственнее ощущалась паника, которая охватывала Семенцову. Стасов припомнил вчерашний разговор с Каменской: Дегтярь, по ее словам, ни секунды не сомневался, что Зоя по своим психическим данным вполне могла убить Алину Вазнис. А что до физических кондиций, то тут, конечно, сомнения есть, и немалые, но только если Алина не была в бессознательном или беспомощном состоянии. А если была? Что-то уж очень сильно Зоя нервничает.

— После парикмахерской я поехала к массажистке...

У нее был готов ответ на все вопросы, касающиеся ее местопребывания вплоть до десяти часов вечера, когда она, по ее словам, вернулась домой и легла спать. И ответы эти были куда более гладкими, нежели ее сумбурный рассказ о трех с половиной часах, проведенных в особняке «Сириуса». Стасову это совсем не нравилось.

— Зоя Игнатьевна, у меня такое чувство, будто вы чего-то недоговариваете, пытаетесь что-то скрыть от меня. Я прав?

Реакция Семенцовой оказалась настолько бурной, что Стасов даже немного испугался.

— Ничего я от вас не скрываю! Слышите? Ничего! Что мне скрывать? О моем позоре и так уже знают все поголовно. Все знают! Все! Эта Вазнис — просто ненасытная дрянь. Ей мало того унижения, через которое мне пришлось пройти пять лет назад, когда она спихнула меня с роли Азучены. Я ведь домой к ней ходила, рыдала, умоляла отказаться от Азучены, сыграть Леонору, как и планировалось с самого начала. Я же все ей объяснила, все! И про то, как важно для меня было получить эту роль. И про то, что я пережила, когда моя семья погибла! И как меня мучительно лечили! Я же все ей сказала! А она? Выслушала меня, ничего не ответила, а сделала по-своему. Если бы вы только знали, чего мне стоило наступить себе на горло и пойти к ней просить. К ней, к девчонке сопливой, студентке! А я, заслуженная артистка, в ногах у нее валялась, лицо потеряла, плакала, умоляла. Разве такое можно простить? Она заслужила свою смерть, вот что я вам скажу. Кто бы ее ни убил, ему памятник надо при жизни поставить.

Зоя тряслась как в лихорадке, брызгала слюной, и Стасову показалось, что сейчас с ней случится припадок.

— Зоя Игнатьевна, успокойтесь. — Он ласково взял ее за руку и легонько сжал. — Не волнуйтесь вы так. Я все понимаю, Алина вас очень обидела, но ведь столько лет прошло, все уже и забыли о той истории, и вам пора забыть. Ну успокойтесь же, прошу вас...

От Семенцовой он ушел с тяжелым чувством, которое всегда возникало у него при виде жалких обиженных людей. Зоя не развеяла его сомнений, но, по крайней мере, дала отправную точку для дальнейшей работы. Теперь нужно проверять ее рассказ, адреса и имена парикмахерши, массажистки и всех остальных, кого упоминала Зоя, он записал. Дай бог, если все подтвердится. Ну а уж если нет...

АЛИНА ВАЗНИС
ЗА ДЕСЯТЬ ЛЕТ ДО СМЕРТИ

За эти годы она смирилась. Он продолжал появляться, возникал неожиданно на ее пути, когда вокруг было темно и безлюдно. Алина старалась не ходить по вечерам одна, но все равно иногда приходилось идти по темной пустынной улице, и он, словно специально поджидал ее, тут же подходил. Теперь она уже знала смысл и значение всех тех слов, которые он нашептывал ей, глядя прямо в глаза. Одной рукой он держал ее за руку, другой трогал ее густые каштановые волосы, гладкие и шелковистые. И говорил, говорил, говорил... Ей было страшно, ей было противно, но она терпела. О том, чтобы закричать, позвать на помощь или хотя бы попытаться вырваться, она и подумать не могла. Он ведь жил где-то по соседству, и она не сомневалась — свою угрозу, которую он всегда повторял, прежде чем уйти, он выполнит тут же.

Она привыкла считать себя нечистой. С того самого дня, когда подружка в детском саду сказала ей, что она испорченная и заразная. Рядом с Алиной тогда не оказалось человека, который объяснил бы ей, что никакой ее вины тут нет, что она такая же, как все остальные дети. Не оказалось рядом с ней взрослого, который пошел бы в милицию и заявил о том, что где-то поблизости проживает молодой человек, пристающий к детям. Она носила свой страх в себе, и в ее детской душе росло и крепло чувство собственной вины и горького одиночества.

Со временем она сумела заметить, что появления страшного человека (про себя она называла его Психом) имеют некоторую периодичность. Во всяком случае, подходил он к ней не чаще одного раза в два-три месяца. Поэтому после каждой встречи с ним Алина вздыхала свободнее, ибо знала: теперь пять-шесть недель она может ходить по улицам спокойно, не вздрагивая и не оглядываясь. Проходило около двух месяцев, и она начинала ждать. Скорей бы уж, тоскливо думала она, пережить это, перетерпеть, а потом снова почти два месяца мирной жизни. Доходило до того, что, когда ожидание ужаса становилось невыносимым, она специально выходила из дома вечером и сидела в скверике неподалеку. Это почти всегда срабатывало. Псих появлялся откуда-то из-за ее спины, садился рядом, отвратительно осклабившись, запускал руку в ее длинные шелковистые волосы и начинал нашептывать свои обычные мерзости о том, как он спустит с нее трусики, будет гладить и ласкать ее пальцами... Она старалась не слушать, думать о чем-нибудь постороннем, например о школе, об уроках, о мачехе и братьях. Алина знала: нужно внутренне зажмуриться и перетерпеть. Зато потом — два месяца относительного покоя. Или три, если повезет.

К пятнадцати годам она уже понимала каждый его жест, знала, почему ближе к концу своего тихого сладострастного рассказа он отнимал руку от ее волос и клал себе между ног. Знала, почему он вдруг прерывался на полуслове, замолкал на две-три секунды, а потом глубоко и как-то хрипло вздыхал. Она отдавала себе отчет в том, что происходило с этим чело-

веком, сидевшим на скамейке рядом с ней, и не чувствовала ничего, кроме ужаса и отвращения. Но ужас стал привычным, и отвращение стало привычным. И чувство вины. И одиночество.

У нее не было подруг, и она так и не научилась общаться с людьми. Алина произносила про себя длинные пылкие монологи, разговаривая с воображаемыми собеседниками, рассказывала им о прочитанных книгах и увиденных кинофильмах, спорила, что-то доказывала, объясняла. Жаловалась сама и утешала в ответ на их жалобы. В ее головке существовал целый мир, населенный добрыми умными людьми, которым она была интересна и небезразлична, которые заботились о ней и волновались за нее в дни экзаменов. Но стоило ей открыть рот, как ее сковывал какой-то мертвенный холод. Ей казалось, что никому до нее нет дела, она никому не нужна вместе со всеми своими мыслями и переживаниями. И потом, она боялась. Детский опыт оказался слишком горьким и болезненным, и с тех пор Алина Вазнис ужасно боялась, что каждое сказанное ею слово будет обращено против нее же.

Учителя ничего не замечали. Обладая прекрасной памятью, она свободно отвечала уроки, выученные по учебникам, а нормально развитый интеллект позволял ей без труда решать задачи по физике, математике и химии. Единственным исключением была учительница литературы, которая имела обыкновение задавать вопросы не по учебнику. Выслушав ответ ученика на тему «Образ Наполеона в романе Толстого «Война и мир», она могла спросить:

— Ну а как ты сам думаешь, был ли Наполеон жестоким человеком? Ты же читал роман, какое у тебя самого сложилось впечатление?

Если такие вопросы задавались Алине, она начинала мямлить, выдавливать из себя слова, которые ни в малейшей степени не могли передать того, что она думает. Да, у нее было собственное мнение, но она панически боялась излагать его вслух. А вдруг опять что-то выйдет не так? И снова от нее все отвернутся.

— Это просто поразительно, — говорила в таких случаях учительница. — Алина, ты же пишешь такие блестящие сочинения, почему же ты так плохо говоришь?

«Потому что мои сочинения читаете только вы, — мысленно отвечала ей Алина. — А мой ответ услышат все в классе. Потому что я вам доверяю, вы никогда не опозорите меня

перед всеми, даже если в моем сочинении будет что-то не так. А если я скажу что-нибудь смешное или неправильное, одноклассники меня засмеют и будут презирать».

Спасибо брату Иманту, который внушил ей панический страх перед произнесенным словом. К пятнадцати годам она уже знала и понимала все, что полагается знать и понимать девушке ее возраста. И, разумеется, она знала, что нет таких слов, от которых во рту вырастают лишаи. Но детские страхи жили в ней, пустив ветвистые корни и прорастая с годами все глубже и глубже. Она по-прежнему боялась людей и сторонилась их, следовательно, мало разговаривала вслух, зато много думала и говорила про себя.

Она твердо решила, что будет актрисой. И двигали ею отнюдь не те полудетские побуждения, которыми руководствуется подавляющее большинство девушек, подающих документы во ВГИК или ГИТИС. Меньше всего она думала о славе, известности, красивой жизни и зарубежных гастролях. Ей хотелось говорить и быть услышанной, хотелось донести до людей тот океан мыслей, чувств, переживаний, оценок, которые копились в ней много лет. Но сделать это не от своего имени, не от имени Алины Вазнис, а как бы от лица тех героинь, которых она будет играть. Этот океан рвался наружу, раздирал на части ее неокрепшую психику подростка, но был заперт в ней извечным страхом оказаться неправильно понятой и отвергнутой. А с придуманного персонажа какой спрос?

Глава 5

КАМЕНСКАЯ

В понедельник после утренней оперативки Настя Каменская и Юрий Коротков стали составлять план действий. С самого утра Настя успела поинтересоваться заключением судебных медиков, проводивших вскрытие трупа Алины Вазнис. Причина смерти — асфиксия, то есть умерла Алина оттого, что ее задушили. Но вот в крови обнаружены следы сильнодействующих транквилизаторов, причем в довольно больших количествах.

— Ну и что мы имеем с гуся? — грустно спросил Коротков. — Транквилизаторы были у Ксении Мазуркевич, не менее восьмидесяти таблеток, и совершенно непонятно, куда она их де-

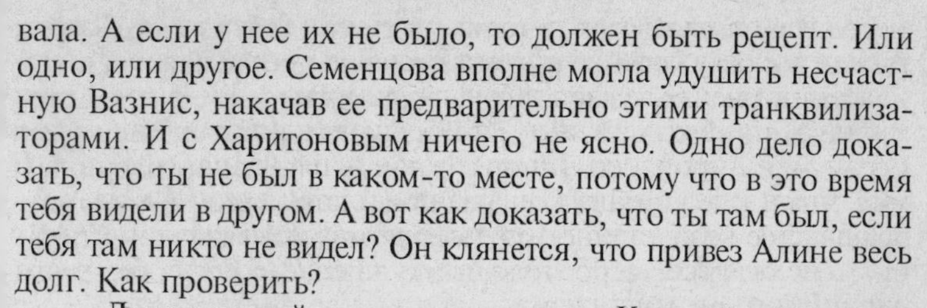

вала. А если у нее их не было, то должен быть рецепт. Или одно, или другое. Семенцова вполне могла удушить несчастную Вазнис, накачав ее предварительно этими транквилизаторами. И с Харитоновым ничего не ясно. Одно дело доказать, что ты не был в каком-то месте, потому что в это время тебя видели в другом. А вот как доказать, что ты там был, если тебя там никто не видел? Он клянется, что привез Алине весь долг. Как проверить?

— Ладно, не ной, не так все страшно. Ксенией пусть занимается следователь, он ее допросит и про рецепт, и про таблетки. Кстати, надо бы нам с тобой проверить, не являются ли Ксения и Зоя Семенцова близкими подругами.

— Ты что? — Коротков вскинул на Настю удивленные глаза. — Думаешь, они могли вместе Алину убить?

— А что? Каждая — за свое. Причина была у обеих, а у одной еще и таблетки в придачу. Заметь себе, алиби нет ни у той, ни у другой. Стасов занимался передвижениями Ксении в пятницу и ничего не обнаружил. После девяти вечера — ни малейшего следа, никто ее не видел и не слышал. Правда, ее саму пока что никто не спрашивал, может, она и сказала бы, где была, но это мы оставим следователю. А что с Семенцовой?

— Ничего. В парикмахерской она не была, у массажистки тоже не была, это все вранье. Более того, Стасов нашел людей в «Сириусе», которые утверждают, что звонили вечером Зое домой в районе десяти-одиннадцати часов. Знаешь, оказывается, когда у тебя случается неприятность, находится куча людей, которые хотят спросить у тебя, правда ли это. И вечером ей позвонили по меньшей мере две приятельницы, чтобы узнать, правда ли, что Смулов хотел взять ее на эпизод, а Зарубин запретил, и правда ли, что случилось это по инициативе самой Алины Вазнис. Одна из них звонила в начале одиннадцатого, другая — почти в одиннадцать, а около половины двенадцатого снова позвонила первая. Видать, уж очень сильно ей хотелось посмаковать чужую беду.

— И Семенцовой, конечно, дома не было?

— Конечно, не было. Во всяком случае, трубку никто не снял. А Стасову она сказала, что пришла домой около десяти. Ася, ты вроде не в себе сегодня.

— Почему ты решил? — искренне удивилась Настя. — Настроение у меня нормальное, чувствую я себя отлично, ничего не болит, никто меня не обидел. Что ты выдумываешь-то?

— Я не выдумываю, а только я сижу у тебя уже полчаса, а ты еще ни разу кофе не выпила и мне не предложила.

Настя расхохоталась. Юрка был ее давним и близким товарищем и прекрасно знал, что без чашки кофе она не может прожить и двух часов. Многолетние наблюдения говорили о том, что после утренних оперативных совещаний Настя, возвращаясь в свой кабинет, первым делом включала кипятильник и делала себе огромную чашку крепкого кофе, без этого она работать не начинала.

— Надо понимать, что главное в твоей фразе — последняя часть. Ты вежливо намекаешь на то, что я тебя не угощаю.

Она достала кипятильник, налила воду из графина в большую керамическую кружку, достала из тумбочки две чашки, банку с растворимым кофе и коробку с сахаром.

— Ну так что, вымогатель, делать-то будем? Ксению Мазуркевич отдадим следователю?

— Отдадим, — согласно кивнул Коротков.

— А Семенцову? Стасов выжал из нее все, что смог, имеет ли смысл ему и дальше с ней работать?

— Ладно, Семенцову я возьму на себя. Конечно, Стасову не с руки проявлять жесткость, они же вроде как сотрудники одной фирмы, а мне все можно, я для нее чужой.

— Значит, так и порешим. Следователь будет проверять алиби Ксении Мазуркевич, ты — алиби Зои Семенцовой, я займусь выяснением вопроса о том, не являются ли эти милые дамы близкими подругами. У нас провисает Харитонов, — задумчиво сказала Настя. — Колобок обещал разобраться с текучкой и дать нам кого-нибудь в помощь. Видно, не получается. Что-то он молчит.

Колобком в их отделе любовно называли начальника, Виктора Алексеевича Гордеева, за коренастую крепкую фигуру и круглую лысую голову. Гордеев о своем прозвище знал, но не обижался — оно приклеилось к нему так давно, что Виктор Алексеевич рассматривал его как свое второе имя.

— И еще одно, Юрочка. Надо нам с тобой выяснить, не имела ли Алина Вазнис обыкновения принимать транквилизаторы. А то мы с тобой тут сейчас наворочаем версий, а окажется, что она сама регулярно принимала препараты. Ты позвони Смулову прямо сейчас, чтобы мы уже внесли ясность и не мучились.

Коротков покорно снял телефонную трубку и набрал номер Смулова. Тот, к счастью, оказался дома.

— Транквилизаторы? Нет, никогда. У Алины были на редкость крепкие нервы, она вообще никогда ничего такого не принимала. И даже в пятницу, когда я посоветовал ей побыть дома и успокоиться, она пила только настойку пустырника. Так она сама мне сказала. Единственное успокоительное, которое я у нее видел, — это валерьянка в таблетках. Алина, видите ли, очень боялась зубных врачей, и от страха ее даже наркоз плохо брал. Поэтому ей посоветовали предварительно принимать несколько таблеток, чтобы обезболивание было более эффективным.

— И вы никогда не видели у нее дома никаких препаратов?

— Нет, — твердо ответил Смулов. — Никогда.

Коротков положил трубку и отхлебнул кофе.

— Номер не прошел, — прокомментировал он. — Наша потерпевшая психотропными препаратами не баловалась, и вообще нервная система у нее была отменная. Боялась только зубных врачей и пила только валерьянку в таблетках. Изредка — настойку пустырника. Это все.

— Жаль, — огорченно вздохнула Настя. — Значит, придется заниматься Мазуркевич и Семенцовой. А мне так не хотелось...

— Да? А почему?

— Да ну их. — Она вяло махнула рукой. — С женщинами всегда трудно. Врут, врут, одно на другое нalепляют, потом разлепить невозможно. Тем более одна — алкоголичка, другая — с бешенством матки. Такие в жизни ни одного слова правды не скажут, будут голову морочить до помрачения рассудка. Знаешь, почему с мужиками проще? Если его припереть к стенке и доказать, что он сказал неправду, у него руки опускаются сразу. После этого с ним работать — одно удовольствие. А бабы — они по-другому устроены. Им не бывает стыдно, когда их уличаешь во лжи, у них прямо азарт какой-то просыпается, до того им хочется тебя обмануть, лапшу тебе навешать. Ты им, мол, неправда ваша, тетенька, а они тебе в ответ: нет, правда, и не знаю я, кто вам сказал такую глупость, кто меня уличил во лжи. А есть и посложнее вариант: да, я сказала вам неправду, но это потому, что... И дальше загоняет тебе еще большее вранье. А когда ты ее и во второй раз уличишь, она начинает рыдать и рассказывать тебе страшную историю про какую-нибудь кошмарную тайну, которую ни в коем случае нельзя разглашать, поэтому она и

1 Зак. 689

говорила неправду все это время. Во имя сохранения тайны, так сказать. Ох, Юрочка, бабы — страшная штука.

— Можно подумать, — фыркнул Коротков. — А сама-то ты кто будешь?

— Я, миленький, не баба, — улыбнулась Настя. — Я — сыщик женского пола. Две большие разницы и одна маленькая.

* * *

«Сливки» Настя сняла сразу, позвонив Стасову и попросив его выяснить, не являются ли Ксения Мазуркевич и Зоя Семенцова близкими приятельницами. Ее вопрос показался Стасову более чем странным.

— Да что у них может быть общего? — удивился он. — Жена президента и спившаяся актриса.

— Я тоже так думаю. Но ты все-таки узнай, ладно? Может, они в школе вместе учились, или в институте, или в молодости время проводили в одной компании. Может, в больнице вместе лежали. Знаешь, всякое бывает. Слава, ты пойми меня правильно, мне на данном этапе не нужна правда, мне нужно общественное мнение. Я хочу понять, официально считается, что они хорошо знакомы или что они не имеют друг к другу никакого отношения. А уже потом я буду шагать дальше.

— Ах это, — с облегчением ответил Стасов. — Ну это я быстро. Минут через десять перезвони мне.

Через десять минут Настя услышала от него примерно то, что и ожидала: когда девять лет назад создавался «Сириус», заслуженная артистка Зоя Семенцова была одной из первых, кого пригласили для подписания контракта. У нее была хорошая репутация добросовестной и трудолюбивой актрисы, не замеченной в склоках и интригах. Пригласили ее по инициативе Леонида Сергеевича Дегтяря, который знал Зою давно и которому для его фильмов-опер нужна была актриса среднего возраста. В операх для женщин такого плана пишут партии меццо-сопрано и контральто: Графиня в «Пиковой даме», Флора в «Травиате», Ульрика в «Бале-маскараде». Ксения никакого интереса к личности Семенцовой не проявляла и даже, когда у той случилось несчастье, не сочла нужным выразить ей соболезнование, хотя все в «Сириусе» без исключе-

ния ходили к Зое в больницу или присылали цветы и записки. Одним словом, Ксения Семенцову знать не знала.

Что же до самой Семенцовой, то она никогда никому не говорила и даже не намекала, что близко знакома с женой президента. Встречаясь на сборищах и тусовках, премьерах и презентациях, они вежливо кивали друг другу и расходились.

— Слушай, Слава, а тебе это не напоминает застарелую вражду? — спросила Настя, выслушав отчет Стасова.

— Нет, мне это напоминает Лабрюйера, — усмехнулся тот в ответ. — Если не ошибаюсь, это он написал: когда мужчина и женщина, встретившись на людях, расходятся по разным углам, не поднимают друг на друга глаз и не обмениваются ни словом, все сразу понимают, что это означает.

— Ну, в общем, ты прав, — согласилась Настя. — Так или иначе, факт давнего знакомства придется проверять. Сильно подозреваю, что наши дамы его старательно скрывают. Кстати, как девичья фамилия Ксении?

— Козырева. Я же тебе говорил, она дочь банкира Козырева Валентина Петровича. Забыла?

— Нет, я помню, но иногда дети носят фамилию матери или ее второго мужа, поэтому я и спросила.

— Послушай, Анастасия, ты чертовски предусмотрительна, — с невольным уважением сказал Стасов. — На воду дуешь?

— Ага. Знаешь, сколько раз обжигалась. Однажды с таким фокусником столкнулась — в страшном сне не приснится. Он находил нуждающихся женщин, платил им приличные деньги за то, чтобы они с ним расписались и через месяц развелись. При регистрации брака брал фамилию жены, быстренько получал новый паспорт, после развода бежал в милицию, писал заявление, что паспорт потерял, или ограбили его, или еще что-нибудь, получал новый, с фамилией разведенной жены, поскольку при разводе фамилию не менял, потом снова женился, и вся процедура сначала. К тому моменту, как мы его отловили, у него было четыре подлинных паспорта на разные фамилии. Подлинных! А уж сколько он дел наворотил с этими паспортами — ни в сказке сказать, ни пером описать. У него, между прочим, подельница была, так он как только разведется, так давай скорей на ней жениться. Она тоже фамилию меняла, и тоже в милицию бегала с заявлениями, а паспорта в тумбочку складывала. Их по всей России лет восемь ловили, они раз двадцать, наверное, за это время через милицейские руки проходили. Искали Иванова и Сидорову, а они предъявляют документы на имя Петрова и Тютькиной, или Бубликова и Кругликовой, посылают запросы, проверяют — все чисто, паспорта подлинные, фотографии совпадают, извиняйте, дяденька и тетенька. Так что насчет фамилий у меня всегда сомнения есть.

— Ничего себе! — выдохнул Стасов. — Так это, выходит, ты Корягина поймала? Черт, я же знаю эту историю, но я не думал, что это ты...

— Не преувеличивай, Слава, я его не поймала. Я вообще в жизни еще ни одного преступника не поймала. Я этого не умею. Я его вычислила. Догадалась насчет того, что он фамилии каждый раз законным путем менял. Это же так просто на самом деле. Только по жизни бывает редко, поэтому никому и в голову не приходит, что мужчина возьмет фамилию жены. Он на это и рассчитывал. Тогда я всех его жен вычислила, а уж когда мы получили полный перечень фамилий в его документах, тогда все само собой сделалось. А поймал его, кстати, Юрка Коротков.

Итак, к полудню понедельника у Насти Каменской сложились следующие версии убийства Алины Вазнис.

Первая. Алину убил Николай Степанович Харитонов, чтобы не отдавать ей долг, который для него оказался непомерно большим.

Вторая. Убийство совершила Ксения Мазуркевич, подсыпав Алине в чай или кофе огромную дозу транквилизаторов, а когда та стала вялой и ее начало клонить ко сну, просто задушила ее подушкой. Следов борьбы в квартире не было, синяков и ссадин на шее потерпевшей тоже нет.

Третья. Способ убийства тот же, убийца — Зоя Семенцова.

Четвертая. То же самое, но убийц двое: Ксения и Зоя.

Была и пятая версия. Ее Настя Каменская еще не придумала, но знала точно, что она наверняка есть. Она нутром чуяла такие дела, когда все время появляются новые и новые подозреваемые. Появления пятой версии она ждала с минуты на минуту.

И оказалась права.

СТАСОВ

Он не успел еще ничего сделать для проверки биографий Ксении Мазуркевич и Зои Семенцовой, когда его вызвал к себе сам Мазуркевич. Стасов поднялся на третий этаж, где на-

ходился кабинет президента, и толкнул тяжелую дубовую дверь.

Мазуркевич с расстроенным лицом сидел за своим столом, а напротив него в креслах для посетителей Стасов увидел Андрея Львовича Смулова и пожилого мужчину с грубо вытесанным тяжелым лицом.

— Вот, Владислав Николаевич, — проговорил Мазуркевич как-то растерянно, — знакомьтесь, это Валдис Гунарович, отец Алины.

— Я по поводу наследства, — тут же произнес Вазнис, не поворачивая головы. — Пусть он откроет квартиру Алины, мы заберем все вещи. У него ключи есть, я знаю.

Под «ним» Вазнис подразумевал Смулова, но не счел нужным хотя бы назвать его по имени.

— Это невозможно, Валдис Гунарович, — как можно мягче сказал Стасов. — Пока не закончено расследование обстоятельств ее смерти, в квартиру могут входить только работники милиции. Во всяком случае, если вы хотите что-то забрать, то вам нужно получить разрешение у следователя. Ни Михаил Николаевич, ни я, ни тем более Андрей Львович не вправе впускать вас в квартиру Алины. Поймите это.

— Я имею право, — сухо ответил Вазнис, словно не слыша объяснений Стасова. — Я являюсь законным наследником дочери и имею право на все ее имущество.

— Безусловно, право вы имеете. Но чуть позже, не сейчас.

— Но мне нужно взять одежду, в которой Алину будут хоронить. Я же не могу положить ее в гроб в этом...

Он презрительно скривился, и Стасов вспомнил, что мертвую Алину обнаружили лежащей на диване в почти прозрачном пеньюаре, накинутом поверх соблазнительно коротенькой ночной сорочки с кружевами и на тоненьких бретельках.

— Это другой разговор. Но все равно нужно получить разрешение у следователя. С вами поедет кто-нибудь из работников милиции, и вы возьмете все, что нужно для похорон.

— Пусть он отдаст ключи, — упрямо повторил Вазнис, глядя куда-то в пространство.

— Но у меня их нет, — подал голос Смулов. — Их забрали работники милиции. Так что вам в любом случае нужно обращаться к ним, а не к нам.

Вазнис медленно поднялся с кресла, и Стасова поразило, какого он оказался огромного роста. Самому Стасову до двух метров не хватало четырех сантиметров, и он уже давно, еще со времен детства, забыл, как можно стоять и смотреть человеку в глаза, не наклоняя при этом голову вниз. Старый латыш смотрел на Стасова в упор своими маленькими серыми глазками, и тому в какой-то миг стало жутко от той враждебности, которая выплеснулась на него через эти серые щелочки. Затем Вазнис неторопливо повернулся к Мазуркевичу, окатив и его холодным взглядом. И наконец перевел глаза на Смулова, неподвижно сидевшего в кресле у стола.

— Это ты ее убил, — сказал он громко и внятно. — Если бы ты не снимал ее в своих сраных фильмах с этими сраными ужасами, она была бы жива. Это ты виноват. Ты.

Все оцепенели от неожиданности, и никто даже не заметил, как Валдис Вазнис покинул кабинет Михаила Николаевича Мазуркевича.

* * *

— Что Вазнис имел в виду? — спросил Стасов, усаживаясь поудобнее и закуривая. — В чем он считает вас виноватым?

Они со Смуловым спустились на второй этаж в кабинет Стасова, все еще находясь под впечатлением последней реплики отца Алины.

— Видите ли, он вообще был против того, чтобы Алина снималась в русских фильмах. А уж в триллерах-то тем более. Валдис — человек старой закваски, он этого жанра не понимал. Он считал, что нельзя своими руками создавать ужасы, творить их, иначе эти ужасы остаются в реальной жизни и губят человека. Понимаете, он верил в это. Он ведь почти не разговаривал с Алиной последние годы.

— Не разговаривал, а за наследством прибежал, — заметил Стасов. — Что, у Алины были какие-то ценности? Сбережения? Дорогие вещи?

— Ничего особенного, — пожал плечами Смулов, — кроме бриллиантов матери. Так ведь они пропали, Валдис не может этого не знать. Я думаю, здесь рука Иманта, старшего брата. Он был очень недоволен, что оказался самым нищим в семье.

— Да? — сразу встрепенулся Стасов. — А почему так вышло?

— Драгоценности первой жены Валдис определил Алине с самого начала. Потом средний, Алоиз, как-то встал на ноги, удачно женился, завел собственное дело. А Имант так и остался с десятью классами и профессией токаря. Из троих детей высшее образование было только у Алины. Но Алоиз сумел пробиться, он вообще парень напористый и энергичный, а Имант — он какой-то... Туповатый, что ли. В прошлом году собрал все свои сбережения и купил акции «МММ», когда они еще стоили тысячу четыреста рублей. Цена акций, если вы помните, росла очень быстро, котировку объявляли два раза в неделю, и он дважды в неделю чувствовал, что становится богаче и богаче. Имант запасливый, у него на черный день деньги были отложены, миллион рублей, вот он на весь этот миллион купил тысячу акций, даже еще занимал у Алины четыреста тысяч, это при мне было. Когда акции стали стоить по сто тысяч за штуку, он уже чувствовал себя миллионером, планы начал строить, как откроет собственное дело, ну и так далее. А потом, когда цена акций поднялась до ста двадцати пяти тысяч, все рухнуло в один момент. Понимаете? Вот вчера только у него было сто двадцать пять миллионов, а сегодня — пшик. Он чуть с ума не сошел, бедняга. А впрочем, может быть и сошел, — задумчиво добавил Смулов. — Но чужой достаток ему покоя не давал. Алина рассказывала, что он неоднократно требовал у нее поделить драгоценности матери. В общем, его можно понять. Почему Алине досталось все, а ему — ничего? Потому что отец так решил? А с чего он принял такое решение? Чем Алина лучше его, Иманта?

— Значит, вы говорите, Имант претендовал на драгоценности матери?

— Да. Алина часто об этом говорила.

— Очень любопытно. Вы не возражаете, если я сообщу Юрию Викторовичу о том, что вы мне только что рассказали?

— Да ради бога, если это поможет...

КОРОТКОВ

Вазнисы жили в этом доме больше тридцати лет. Сначала, сразу после свадьбы Сонечки и Валдиса, молодые жили с родителями Сони, которые тут же начали строить кооператив для любимой дочки и ее мужа. Первый сын, Имант, родился, когда Соня и Валдис еще не отделились от тещи с тестем, но второго, Алоиза, из роддома принесли уже в новую квартиру, большую, четырехкомнатную. Родители у Сонечки были людьми состоятельными и для дочки не скупились.

Когда-то этот дом, наверное, был предметом зависти множества «бесквартирных» москвичей: с улучшенной (по тем временам и стандартам) планировкой, лоджиями, большими квадратными прихожими и встроенными шкафами, которые позволяли не загромождать пространство монстроподобными трехстворчатыми гардеробами. Лучше этого дорогого кооперативного дома были только дома ЦК и Совмина. Но все это было давно, и теперь от былого величия мало что осталось. Дом, судя по всему, не был на капитальном ремонте и впечатление сейчас производил несколько убогое. Хотя Коротков, который жил в крошечной двухкомнатной квартирке с женой, сыном и парализованной тещей и не имел ни малейших перспектив улучшить жилищную ситуацию, был бы счастлив, если бы жил в таком доме, как Вазнисы.

Дверь Короткову открыла моложавая статная женщина с невыразительным лицом и подтянутой фигурой. «Мачеха, — сразу понял Коротков. — Что ж, тем лучше».

— Проходите, — сказала она с сильным акцентом, словно и не прожила в Москве почти двадцать лет. — Это вы нам звонили? Насчет Алины?

— Да. Вы — Инга?

— Инга, — подтвердила женщина, глядя на Короткова в упор немигающими глазами, отчего ему стало не по себе. — Нас уже вызывал следователь. Что вы еще хотите?

— Я хотел бы поговорить с вами о детстве Алины, — соврал Коротков.

Но не объяснять же ей, что он пришел поговорить о ее старшем приемном сыне Иманте. Разговор на Иманта он сам выведет, лишь бы начать. Но начинать нужно с безобидного.

— О ее детстве? Зачем?

— Чтобы понять ее характер. Вот, например, говорят, что у нее не было близкой подруги. Странно, правда? Как так может быть, чтобы у молодой женщины не было задушевной подруги? Другое дело, что на работе могли этого не знать, а вы — ее семья, вы наверняка знаете больше.

Коротков хотел польстить Инге, но вышло как раз наоборот. Глаза женщины гневно вспыхнули.

— Семья? Алина была сама себе семья. Она нас презирала, считала нас недалекими и некультурными. Мы ей были не ровня. Она всегда считала себя выше нас всех.

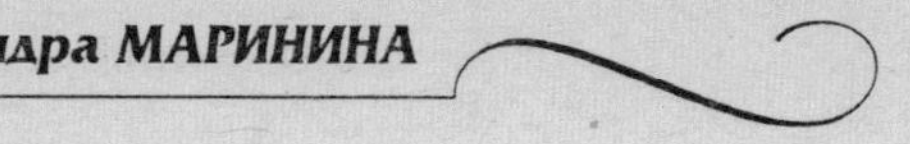

— Ну почему вы так говорите, — попытался Коротков сгладить неловкость. — Алина всегда очень тепло отзывалась обо всех вас, она вас любила. Напрасно вы...

— Откуда вы знаете? — подозрительно спросила Инга. — Вы что, знали ее?

— Нет, я не был с ней знаком. Но Андрей Львович мне говорил...

— Андрей Львович! — Инга презрительно фыркнула. — Этот развратник! Режиссеришка! Мало чего он вам наговорил. Если бы он был приличным человеком, он бы женился на Алине и не снимал ее в этих отвратительных фильмах, да еще почти голой. Совести у него нет, да и у нее тоже, раз жила с ним и позволяла раздевать себя на глазах у всего народа.

— Послушайте, Инга, ведь Алина умерла, и не просто умерла, а была убита. Неужели вам совсем не жалко ее?

— Жалко? Да, жалко. Может быть. — Она как-то странно посмотрела на Короткова. — Она никогда не была мне родной. Имант — да. Алоиз — да. Они были мне как сыновья, любили меня, уважали, слушались. Советовались. А она всегда была мне чужой. Она так и не приняла меня после смерти матери. Она меня ненавидела.

— Но почему, Инга? Почему вы так считаете? Алина никогда не сказала про вас худого слова.

— Вот! — Она торжествующе подняла палец. — Вот именно. Она вообще не сказала ни одного слова, ни про меня, ни мне самой. Она меня вообще не замечала. Даже когда маленькой была, ни разу не подошла ко мне, чтобы я ей бант завязала или платьице застегнула. Всегда сама мучилась, пыхтела, а не подошла ни разу. Я как-то сама предложила, давай, мол, помогу, она на меня так зыркнула, будто испепелить хотела. Не надо, говорит, спасибо, тетя Инга, я сама. Вежливая была, что и говорить, а внутри — холод. Пустота. Души в ней не было. Чужая она была нам всем.

— Ну хорошо, пусть чужая, — сдался Коротков. — Но ведь и чужого человека жалко, когда он погибает таким молодым. Это же несправедливо, разве нет?

Неожиданно Инга расплакалась. Она плакала так горько, как умеют плакать только дети, опустив голову и закрыв лицо руками. Коротков терпеливо ждал, когда она успокоится.

— Я виновата, теперь я понимаю, что виновата.

Инга отняла руки от опухшего заплаканного лица, было видно, что она совсем не стесняется постороннего человека.

— Я думала — пятерки приносит, не болеет, школу не прогуливает, значит, и ладно. Все в порядке. Меня в дом взяли хозяйство вести, Валдис больше детей не хотел, и так уже трое. Хоть он и женился на мне, но все равно я была как домработница. А когда он на меня закричал, чтобы я не смела Сонины бриллианты трогать, что они принадлежат только Алине, я поняла свое место в этой семье. Соня — да, жена. А я — домработница с пропиской. Меня только Имант в этой семье любил, только он один. Алоиз рано от дома отбился, все дела какие-то у него, деньги начал рано зарабатывать, самостоятельным стал. А Алина... Она меня не замечала. Она никого не замечала. Молчаливая была, замкнутая, никогда ничего не расскажет, не поделится. А мне только-только девятнадцать исполнилось, когда меня сюда привезли и к Валдису в жены пристроили. И сразу — квартира огромная, четыре человека, и всех накормить, обстирать, квартиру в чистоте содержать. Думаете, легко? Я не то чтобы к работе непривычная была, нет, на хуторе в четыре утра вставала, к первой дойке, мы коров держали, поросят. Хозяйство было большое, я работы-то не боялась. Но ведь целый день... Пока все переделаешь — уже и ночь на дворе. А каждому ребенку в душу заглянуть — времени не оставалось. Вот только Имант... Он домашний всегда был, тихий, помогал мне. Алоиз из школы прибежит, покушает, переоденется — и на заработки, машины мыть. Валдис с работы вернется злой, усталый, грязный, помоется, поест — и к телевизору с газеткой усядется, слова от него доброго не услышишь. Алина в своей комнате запрется, уроки делает, даже еды не попросит, если к столу не позовешь. А Имант со мной и на кухне сидел, и в магазины мы вместе ходили, он сумки нес, продуктов-то много нужно: мясо, картошка, капуста — тяжелое все, и со стиркой помогал. Разговаривал со мной. Если бы не он, я бы вообще разговаривать разучилась в этой вашей Москве. А теперь что вышло? Алоиз в Финляндии, процветает, Алина — миллионерша. А Имант ни с чем остался.

Подозрение кольнуло Короткова, когда он, слушая сбивчивые объяснения Инги, оглядывал стены большой уютной комнаты. Стены были оклеены светлыми, холодных тонов, обоями. И прямо напротив Короткова висело единственное украшение — большая семейная фотография, на которой были все пятеро: мрачный хмурый Валдис, Алина с непроницаемо спокойным лицом, обаятельно улыбающийся светло-

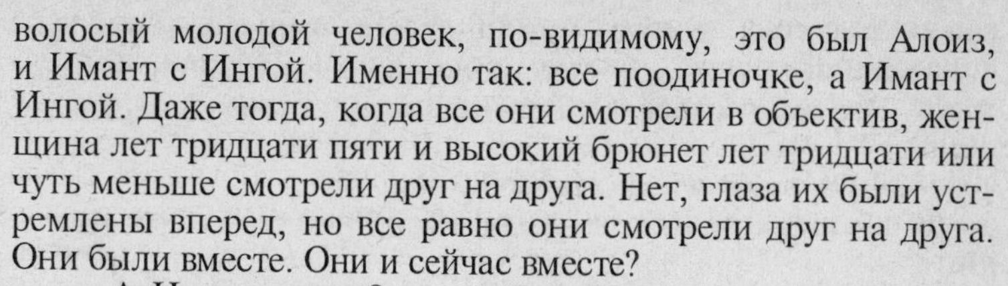
волосый молодой человек, по-видимому, это был Алоиз, и Имант с Ингой. Именно так: все поодиночке, а Имант с Ингой. Даже тогда, когда все они смотрели в объектив, женщина лет тридцати пяти и высокий брюнет лет тридцати или чуть меньше смотрели друг на друга. Нет, глаза их были устремлены вперед, но все равно они смотрели друг на друга. Они были вместе. Они и сейчас вместе?

— А Имант женат? — спросил Коротков и понял ответ еще до того, как услышал.

— Нет. Мы так и живем втроем, — уже совсем спокойно ответила Инга. — Валдис, Имант и я.

Она сказала правду, внешне совершенно обычную, ну, живут себе отец, неженатый сын и мачеха одной семьей, что тут необычного, даже если мачеха всего на шесть лет старше этого неженатого приемного сына. Но она сказала и другую правду. Они действительно живут втроем, но только Валдис этого не знает.

— Скажите, Инга, а Иманту никогда не было обидно, что бриллианты матери достались Алине?

— Не знаю, — сухо обронила Инга. — Он не обсуждал это со мной.

— Подумайте, Инга, вспомните. Ведь вы всегда были близки со старшим сыном. — Коротков умышленно назвал Иманта сыном, чтобы не дать понять ей, что догадался. — Разве он не делится с вами всеми своими проблемами?

— Не знаю, — повторила она еще суше. — Мы это не обсуждали.

— А вы не пытались поговорить с мужем, убедить его, чтобы он изменил свое решение? Ведь это действительно несправедливо: Алине все, а сыновьям ничего.

— Он Алину любил больше. Она была последняя, младшая. Валдис говорил, она на жену его очень похожа. Валдис говорил, мужчинам помогать не надо, на то они и мужчины, чтобы самим всего добиваться. А Алина — девочка, если родители о ней не позаботятся, то кто же?

— Хорошо, так считал Валдис. А вы? Лично вы как считали? Вы были согласны?

Инга опустила глаза и стала разглядывать узор на паласе.

— Никого не касается, как я считаю. Я, во всяком случае, на эти бриллианты не претендовала. Зачем они мне? Как Валдис решил — так и правильно.

Интересное дело! Не далее как полчаса назад она взахлеб

говорила о том, что решение мужа было неправильным, несправедливым. Алина — миллионерша, а Имант ни с чем остался. Это же ее слова. Отыгрывает назад, поняв, что сказала лишнее?

— Инга, а где сейчас Имант?

В ее глазах вспыхнул страх, и она не успела его притушить.

— На работе, наверное.

— Когда он вернется?

— В семь, наверное, как обычно. Он не предупреждал, что задержится.

— Вам не кажется странным, что он продолжает как ни в чем не бывало ходить на работу, когда сестра погибла? Ведь послезавтра ее похороны, с этим всегда много хлопот.

— Этим занимается Валдис. У него сегодня выходной. У Иманта на работе строго, отгулы только за свой счет. Мы и так каждую копейку считаем, Валдис на пенсию вышел и продолжает работать, но это же гроши.

— А Алоиз? Он знает о несчастье? Приедет на похороны?

— Не знаю.

— То есть как?

— Он сейчас в Финляндии. Звонить дорого, мы не можем себе позволить. Если только он сам позвонит...

Из квартиры Вазнисов Коротков уходил с камнем на сердце. Эта семья не была похожа ни на одну семью, которую он знал. Жадные? Скупые? Или просто привыкли экономить, потому что никогда не было особого достатка? От Инги он узнал, что пока родственники первой жены Валдиса еще были в Москве, они постоянно подбрасывали деньжат «на детей Сонечки». Скоропалительная повторная женитьба Валдиса оскорбила их чувства, и общаться с Валдисом они перестали, деньги переводили по почте. Но родственники эти уже давно за границей, они уехали еще в восемьдесят втором году. Ну хорошо, бедность бедностью, но должны же быть какие-то человеческие чувства! Не сказать родному брату о том, что трагически погибла его младшая сестра, только лишь потому, что международные звонки стоят дорого? Это не укладывалось в голове. Какие они, эти Вазнисы? Скупые на проявления эмоций? Или просто холодные и бездушные? Во всяком случае, про Алину говорили именно это. И ее мачеха, и ее коллеги по «Сириусу» были единодушны: вежливая и холодная. Внешне доброжелательная, но равнодушная, скрытная и жестокая.

Несомненно, Инге было обидно, что Имант остался ни с чем. Имант — ее единственная отдушина в этом чужом городе, в чужой культуре, в чужой стране. Бесправная домработница, которую лишили возможности родить собственного ребенка, но вынуждали регулярно исполнять супружеский долг, нашла утешение в молодом парне, всего на несколько лет моложе себя. Близкие отношения между мачехой и пасынком, так же, как и между отчимом и падчерицей, не являются редкостью, совсем наоборот. Просто говорить об этом не принято, да и пишут мало. Дело обычное. Мог ли Имант убить собственную сестру ради бриллиантов? Мог. А если Харитонов действительно принес деньги, то, кроме драгоценностей, убийце «обвалилось» еще и шесть с лишним тысяч долларов. А Инга? Могла ли она сделать это ради единственного близкого ей человека? И она могла.

Коротков слишком давно работал в уголовном розыске, чтобы доверять суждениям типа: он не мог этого сделать, он не такой человек. На вопрос «мог или не мог» он всегда отвечал с точки зрения физических кондиций подозреваемого. Толстый человек не мог пролезть в форточку. Человек маленького роста не мог нанести высокому человеку удар по голове сверху, если не стоял при этом на табуретке. Человек не мог совершить наезд, если он даже не знает, как завести машину. Все остальные рассуждения, опирающиеся на оценки характера и психики, он отбрасывал. Юрий хорошо знал, что человек может все. В самом буквальном смысле этого слова. И самые добрые и мягкие могут озвереть. И самые жестокие и агрессивные могут проявить жалость и сентиментальность. Все бывает на этом свете.

А что касается алиби, то Валдис Вазнис в ночь с 15 на 16 сентября, когда была убита его дочь Алина, находился на работе. Выйдя на пенсию, он подрабатывал вахтером «сутки через трое», заступил в шесть вечера в пятницу и сменился в шесть вечера в субботу. Инга и Имант были дома вдвоем. Замечательное алиби, мечта сыщика! Классика детективного жанра, черт его дери.

Из автомата у метро Коротков позвонил Насте.

— Аська, только не убивай меня сразу, я тебе еще двух подозреваемых несу.

— С мотивом?

— И с мотивом, и с возможностями, и без хорошего алиби. Они составляют алиби друг другу, но они оба заинтересованы. Мне возвращаться в контору или заняться Семенцовой?

— Если можешь, приезжай сюда, расскажешь мне все подробно. Потом займешься Семенцовой, а я пока думать буду.

Коротков вышел из телефонной будки и только тут понял, как сильно проголодался. Он огляделся и заметил неподалеку киоск, торгующий горячими сосисками. Взяв три сосиски с сомнительным на вид салатом из помидоров и огурцов, он запил это гастрономическое великолепие бутылкой пепси, сел в машину и поехал на Петровку.

АЛИНА ВАЗНИС
ЗА ТРИ ГОДА ДО СМЕРТИ

Наконец-то жизнь улыбнулась ей. Наконец-то нашелся человек, которому она не была безразлична, которому было интересно не только то, какая она снаружи, но и что у нее внутри. Андрей Смулов.

Она сразу, с первого же момента, поняла, что режиссер влюбился в нее, но в этом не было ничего необычного. В нее и раньше влюблялись точно так же, с первой встречи. Необычным было другое — он вел с ней долгие разговоры, внимательно слушал, а потом снова и снова спрашивал, и снова слушал...

— А что ты думаешь о...?

— А почему тебе нравится...?

— А почему не нравится...?

— Тебе бывает грустно, когда...?

— Ты видишь цветные сны?

И так до бесконечности.

Алина была признательна Смулову. Он был терпелив, и когда на съемочной площадке что-то не получалось, никогда не ругал ее, не злился, а объявлял перерыв, отводил ее в сторонку и, пытливо заглядывая в глаза, спрашивал: почему? Почему ты не можешь сделать так, как нужно? Что тебе мешает? Тебе это что-то напоминает? Что-то неприятное? Расскажи мне, говорил он, и давай попробуем вместе справиться с этим. Не держи в себе, не таись, затаенное страдание разъеда-

ет твою душу и мешает тебе играть, выплесни его наружу, раскройся.

Ей было уже двадцать два года, и она превратилась в форменную неврастеничку. Псих появлялся в ее жизни с ужасающей регулярностью вот уже шестнадцать лет. Он стал частью ее жизни, а жизнь стала кошмаром. Иногда она пыталась заставить себя пойти в милицию и заявить на него, но мысль о том, что придется перед чужими, не отличающимися деликатностью мужчинами рассказывать все с самого начала, повторять те мерзкие слова, которые Псих говорил ей, повергала ее в ужас. Алина была уверена, что сама во всем виновата, и именно это ей и скажут в милиции. Она нечистая. Она порочная и испорченная. Она терпела это шестнадцать лет? Так ей и надо. Рассказать им, как она, не вынеся напряженного ожидания неизбежной встречи, сама выходила в скверик, чтобы ЭТО уже скорее случилось? Разве они поймут? Они выставят ее на позор и посмешище.

Впрочем, в последнее время все стало по-другому. Псих появлялся, но близко не подходил. Она стала уже взрослой, и подходить к ней и брать за руку стало опасно. Он шел ей навстречу и смотрел в глаза. Подойдя вплотную, ухмылялся, оскаливая гнилые зубы, шепотом бросал несколько слов и проходил мимо. Но Алине и этого было достаточно, чтобы снова испытать страх и отвращение. Иногда он поджидал ее в темном подъезде дома, где она жила. Если она шла одна и в подъезде больше никого не было, он протягивал руку, касался ее волос и протяжно стонал:

— Сладкая моя, сладенькая...

Алина опрометью бежала к лифту, стараясь не смотреть на Психа, но успевала увидеть знакомую картину: его рука между ног.

Каждый раз после такой встречи она облегченно вздыхала: еще два месяца передышки. Но проходило шесть-семь недель, и она начинала ждать. Она теряла сон, не могла работать, плохо сдавала экзамены в институте, скованная ожиданием предстоящего страха, ожиданием встречи, которая могла состояться каждую минуту. С девятнадцати лет она стала принимать транквилизаторы. Чем дольше затягивалось ожидание, тем большие дозы ей требовались. Под влиянием препаратов она становилась вялой, безразличной, и в ее игре не было страсти, живости, настоящих чувств. Амитриптилин «отшибал мозги», и ей было трудно учить роли.

Да, Андрей Смулов был терпелив. Он долго и трудно завоевывал ее доверие, но все-таки пробил стену молчания. Алина рассказала ему все. И как она была счастлива, когда он не стал говорить о ее вине и испорченности, а в ужасе всплеснул руками:

— Бедная моя, бедная моя девочка, и с этим кошмаром ты жила столько лет? Как же ты выдержала? Как у тебя сил хватило? Теперь я понимаю, что тебе мешает. Ты привыкла все скрывать, привыкла молчать. Поэтому ты и на площадке не можешь раскрыться до конца. Но ничего, милая, ничего, мы с этим справимся. Главное — мы теперь знаем причину.

Она испытала огромное облегчение. Все получилось именно так, как и обещал Андрей. Она стала играть с каждым днем все лучше, это замечали все. Смулов не отпускал ее от себя ни на шаг, отвозил по вечерам домой, и если не оставался ночевать, то приезжал за ней по утрам.

— Ты не должна больше бояться, — говорил он. — Я же все время с тобой. Никто к тебе не подойдет, когда я рядом. А я буду рядом всегда.

Она относилась к Смулову как к божеству, высшему существу, которому одному только дано понять ее, выслушать и пожалеть. Она смотрела на него снизу вверх и тихо обожала.

Но она все равно боялась. Страх стал привычным, отравил все ее существо. И она по-прежнему продолжала принимать лекарства.

А потом Андрей уехал на три месяца на натурные съемки в горы. Алину не взяли, в «горных» эпизодах ее героиня не участвовала. Через три месяца Смулов вернулся и понял, что нужно начинать все сначала. Алина была на грани нервного срыва. Псих за это время появлялся почти ежедневно. Она уже отделилась от семьи и жила в собственной квартире, но он и тут ее нашел. Смулов впал в отчаяние...

Глава 6

КАМЕНСКАЯ

Все-таки Коротков оказался прав, она действительно с самого утра была не в себе, но причину поняла только в середине дня. Именно сегодня, в понедельник, открывалась международная конференция, которую организовывал и проводил институт, в котором работал Алексей. И Настя нервничала, потому что конференций таких на ее глазах за последние годы прошло великое множество, и она прекрасно знала, сколько неожиданных накладок и неприятностей может возникнуть в любой момент. В оперативной типографии сломается ризограф, и тираж сборников тезисов не будет готов в срок. Водитель, посланный в аэропорт встречать иностранного гостя, застрянет по дороге с поломкой. На теплоцентрали произойдет авария, и в гостинице института, где расселят высоких гостей, не будет горячей воды. Перед самым началом пленарного заседания в актовом зале откажет техника. А еще случаются совершенно замечательные ситуации, когда какой-нибудь самолет не прилетит вовремя, кто-то из докладчиков не успеет прибыть к началу заседания, и тогда нужно срочно делать перестановки выступающих, одновременно обрывая телефон, чтобы выяснить, вылетел ли ученый муж и имеет ли смысл ждать его с этим опаздывающим рейсом или он остался дома. А дом этот зачастую находится далеко за океаном. Однажды у Алексея такое уже произошло, а закончилось весьма неожиданно. Профессор из Норвегии, известный своим склочным характером, заявил, что в отсутствие своего коллеги из Канады он выступать не будет, ибо его выступление посвящено дискуссии по поводу той научной доктрины, которую проповедует канадец, и без доклада последнего ему, дескать, делать на трибуне нечего. Но выступать на секционных заседаниях он тоже не намерен, он согласен только на пленарное. Так что если опаздывающий коллега из Канады не появится в институте до окончания пленарного заседания, то он, норвежский профессор, покинет конференцию и вернется домой. Канадский ученый, к сожалению, вовремя не успел появиться, и с норвежским математиком дело дошло чуть не до скандала.

Настя то и дело посматривала на часы, чтобы не упустить момент, когда можно будет позвонить Леше. С десяти утра до тринадцати тридцати — пленарное заседание. Потом до пятнадцати часов — обед. Вряд ли Лешка появится в своей лаборатории, он должен будет торчать на обеде вместе с гостями. После обеда и до семнадцати часов — продолжение заседания. Вот, пожалуй, в интервале от четверти шестого до шести можно попробовать. Если после заседания все отправятся на банкет по случаю открытия конференции, то Лешка должен будет забежать к себе за курткой или плащом. Но это, конеч-

но, при условии, что он пришел в институт не в одном костюме. А с него станется...

До четверти шестого было еще много времени, и Настя снова занялась анализом информации, полученной об Алине Вазнис, ее жизни и окружении.

Подруг не имела. Пожалуй, она действительно их не имела. Версию о том, что подруги были, но Алина их не афишировала, можно пока оставить про запас. Судя по словам ее мачехи, одинокой и замкнутой она была с самого детства.

Эмоционально холодная, по оценке Смулова. Никто, по словам помрежа Альбиковой, не испытывал на себе ее доброты. Не склонная к сантиментам и жалости, судя по истории с Зоей Семенцовой. Не прощающая обид, но готовая мстить исподтишка, о чем свидетельствует ее поведение в ответ на оскорбление, нанесенное Ксенией Мазуркевич. Одержимая идеей мести, возмездия, что проявилось в ее записях об образе Азучены из «Трубадура».

Не подвержена порывам, хорошо контролирует свое поведение. Молодая красивая женщина, в последние два года — звезда экрана, и не дала своему любовнику Смулову ни малейшего повода для ревности. В то же время озабочена проблемой вины, это уже из записей о Джильде. И не особенно верит в невинность и целомудрие, если судить по этим записям.

Что же она за человек? Монстр, бессердечный и глубоко циничный?

Настя бросила взгляд на часы — половина пятого.

Так, что еще мы знаем об Алине? Неразвитая устная речь. Бойкое перо.

Дневник! У нее должен быть дневник! Господи, это же было так очевидно! Куда подевался Коротков? Нужно срочно его найти.

Но Настя понимала, что найти Юру не так-то просто. Ладно, можно попробовать договориться со следователем. Жаль, что убийство Вазнис ведет не Ольшанский, с этим следователем Настя всегда могла найти общий язык.

— Борис Витальевич, — торопливо заговорила она, когда дозвонилась наконец до следователя Гмыри. — Нужно еще раз осмотреть квартиру Вазнис. У нее должен быть дневник.

— Откуда сведения? — коротко спросил Гмыря, который не признавал никаких «вычислений» и опирался только на достоверные факты.

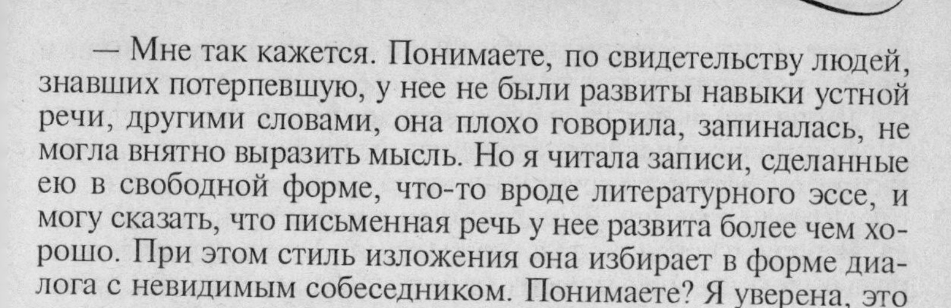

— Мне так кажется. Понимаете, по свидетельству людей, знавших потерпевшую, у нее не были развиты навыки устной речи, другими словами, она плохо говорила, запиналась, не могла внятно выразить мысль. Но я читала записи, сделанные ею в свободной форме, что-то вроде литературного эссе, и могу сказать, что письменная речь у нее развита более чем хорошо. При этом стиль изложения она избирает в форме диалога с невидимым собеседником. Понимаете? Я уверена, это следствие давней привычки вести дневники.

— Если бы дневники были в квартире, мы бы их изъяли, — сухо ответил следователь. — Не считай всех дураками.

— Борис Витальевич, не поймите меня превратно, но на труп Вазнис дежурная группа выезжала около девяти утра. Это же конец суточной смены, все устали, внимание притуплено, могли и пропустить. Я никого не хочу обидеть, но...

— Ладно, — неожиданно сдался Гмыря, и Настя поняла, что он торопится куда-то и хочет побыстрее от нее отделаться. — Завтра с утра пораньше съездим, до работы.

— А сегодня? Никак нельзя? — робко попросила она.

— Сегодня никак. Все, до завтра. В семь тридцать у дома Вазнис.

Не повезло, огорченно подумала Настя. Теперь придется ждать до завтра. Можно было бы, конечно, схулиганить и съездить туда без следователя. Но вся беда в том, что ключи от квартиры находятся у него. Оба комплекта: и те, что лежали в прихожей на тумбочке и принадлежали самой Алине, и те, что отдал Смулов.

Ладно, ничего не поделаешь. Но раз уж завтра они поедут на место преступления, надо извлечь из этого максимальную пользу. Во что была одета Алина Вазнис, когда ее убили? В ночную сорочку и пеньюар. О чем это говорит? Либо о том, что визит убийцы был неожиданным, либо о том, что она ждала хорошо знакомого человека, любовника или подругу. Харитонов утверждает, что предварительно позвонил Алине и предупредил, что заедет, привезет деньги. Могла она открыть ему дверь в таком виде? Нет, женщина, которая за четыре года не дала Смулову ни малейшего повода для ревности, не могла принимать постороннего мужчину в столь легкомысленном одеянии. Что из этого следует? Два варианта. Первый: Харитонов лжет, он не звонил Алине, заявился без звонка. Но если врет, то зачем? Бессмысленно. Какая разница, звонил он ей или нет? Сказал бы правду. Второй вариант: Харитонов по-

звонил, Алина встретила его вполне одетая, взяла деньги, и он ушел. А убил ее кто-то другой и сделал это гораздо позже, когда она уже разделась и собралась ложиться.

Вернемся к первому варианту: Харитонов заявился без звонка около десяти вечера. Алина открыла ему дверь в полупрозрачном одеянии. Зная Алину не первый день, он понимает, что, предупреди он ее о своем визите, — она бы непременно оделась. Девушка строгих правил. Он убивает ее, придумывает ложь о предварительном звонке, рассчитывая на то, что Настя или какой другой сыщик будет рассуждать именно так, как она сейчас и рассуждает. А сами не догадаются — можно и подсказать, бросить ненароком, что, мол, Алина была в брюках и в свитере. А коль нашли ее мертвой в пеньюаре, то, стало быть, убийца — не он. Правда, чтобы до такого додуматься, нужно иметь хорошие мозги, но кто сказал, что у Харитонова они плохие? Неудачник в делах не означает «дурак». Просто неудачник. Вот и объяснение тому факту, что деньги он собрал уже к пяти часам вечера, а к Вазнис приехал только в десять.

Настя открыла блокнот и быстро отыскала телефон Николая Степановича Харитонова. Телефон был служебным, принадлежал «Сириусу», и ей долго объясняли, что Харитонов вышел куда-то, может быть, на третий этаж, может быть, на первый, а может, его и вовсе нет уже, время-то — шестой час.

Настя попросила оставить ему записку со своими телефонами и снова принялась накручивать диск. Она чуть было не пропустила время, когда можно было начинать искать Алексея.

В институте все время было занято, и Настя, машинально набирая номер раз за разом, придумывала, что бы еще такое проверить, находясь в квартире убитой. В тот момент, когда в трубке наконец раздались обнадеживающие длинные гудки, она подумала, что у Вазнис наверняка были видеокассеты с фильмами, в которых она снималась. Надо будет их забрать и дома посмотреть. Может быть, это как-то поможет дополнить ее портрет, понять ее характер.

Слава Богу, у Лешки все оказалось благополучно. Она правильно рассчитала, он действительно собирался на банкет вместе со всеми участниками конференции и забежал к себе за курткой.

— Когда ты появишься? — спросила Настя.

— А что, соскучилась уже? Или есть нечего?

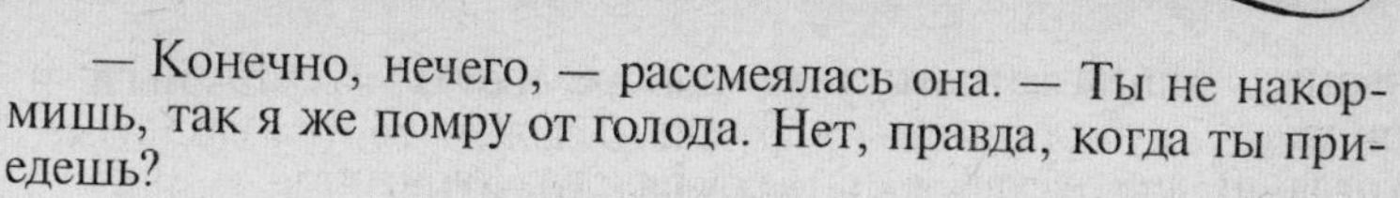

— Конечно, нечего, — рассмеялась она. — Ты не накормишь, так я же помру от голода. Нет, правда, когда ты приедешь?

— Конференция заканчивается в четверг, так что раньше — вряд ли. Но если срочно...

— Ничего срочного, солнышко, просто хочу знать, чтобы быть готовой. Хлеба куплю, мужиков всех из-под кровати повыгоняю, водочные бутылки выброшу. Следы замету, короче говоря.

— Понял. До пятницы можешь пить-гулять свободно. Потом я приеду и разгоню твоих бесчисленных любовников. Да, кстати, ты к моему приезду ничего не готовь и не покупай. У родителей в среду сорок лет совместной жизни исполнится, они собирают своих друзей, мать планирует какие-то невероятные кулинарные изыски. Все, что останется, как водится, — наше. Так что я в пятницу привезу тебе полную машину мисочек и кастрюлек.

Поговорив с мужем, Настя почувствовала себя намного спокойнее и снова переключилась на убийство Алины Вазнис. При этом ее грызло чувство вины перед своими коллегами: убийство актрисы было далеко не единственным делом, которым занимались сотрудники отдела по борьбе с тяжкими насильственными преступлениями, и у Насти была куча работы и по другим убийствам. Но ее «заклинило» именно на Алине. Это случалось довольно часто: из всего множества убийств Настя вдруг выделяла какое-то одно, из-за которого теряла покой, сон и аппетит. Она, как правило, не могла сказать определенно, почему именно это преступление так ее терзает, что в нем особенного, необычного, опасного. Но она думала о таком убийстве постоянно, оно вытесняло из ее головы все другие мысли. Как раз таким и оказалось убийство Алины Вазнис.

Около семи часов объявился Харитонов.

— Это милиция? — затравленно спросил он. — Мне передали, чтобы я позвонил.

— Меня зовут Анастасия Павловна, — вежливо сказала ему Настя. — Я работаю в уголовном розыске и занимаюсь убийством Алины Вазнис. И у меня к вам появились вопросы, Николай Степанович.

— Мне нужно куда-то приехать? — обреченно отозвался он.

— Да нет, что вы, можно по телефону. Скажите, в чем

была одета Вазнис, когда открыла вам дверь в пятницу вечером?

— В чем одета? — явно растерялся Харитонов. — В юбке, кажется, и в блузке. Нет, не в блузке, в майке.

— Поподробнее, пожалуйста, вспомните. Из какой ткани юбка, какого цвета?

— Ну, это... Цветастая такая юбка, длинная, свободная. Кажется, зеленая или пестрая какая-то, но зеленое там точно было.

— А майка?

— Обычная трикотажная белая майка с коротким рукавом, впереди на пуговичках. В первый момент кажется, что это блузка, а потом понимаешь, что майка.

— Хорошо, Николай Степанович. Вот вы позвонили в дверь, Алина вам открыла. Дальше как было?

— Да я же рассказывал уже десять раз! — с досадой сказал Харитонов. — Вы что, не записываете показания?

— Николай Степанович, не нужно раздражаться. Отвечайте, пожалуйста, на мои вопросы.

— Я вошел в прихожую, сразу вынул из кейса деньги в конверте, протянул Алине. «На, — говорю, — считай. Шесть шестьсот». Она так посмотрела на меня удивленно, как будто я ей не доллары, а рубли принес. «Шесть шестьсот?» — спрашивает. «Ну а сколько же? Восемь месяцев по пятнадцать процентов — сто двадцать процентов. Сто двадцать процентов от трех тысяч — три шестьсот. Итого шесть шестьсот». Она улыбнулась. «А, — говорит, — ну да, конечно, я не подумала». Ну вот, я ей конверт отдал, она его на тумбочку в прихожей положила и смотрит на меня. В общем, понятно было, что чаю она мне предлагать не собирается. Да я и не хотел. Поблагодарил Алину за то, что выручила, попрощался и ушел. Вот и все.

— Вы говорите, Алина конверт взяла и на тумбочку сразу положила. Она не пересчитала деньги?

— Нет. Даже в конверт не заглянула.

— Вас это не удивило? Или Алина была чрезмерно доверчивой?

— Ну знаете ли, — задохнулся от возмущения Харитонов. — Я все-таки не жулик и не проходимец. Если я сказал, что в конверте шесть тысяч шестьсот долларов, то за мной можно не проверять. Мы же в одном объединении работаем, если я ее обману, как же я потом встречаться с ней буду?

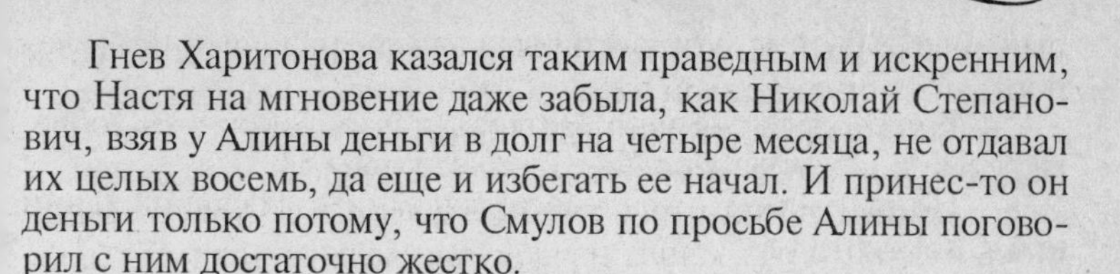

Гнев Харитонова казался таким праведным и искренним, что Настя на мгновение даже забыла, как Николай Степанович, взяв у Алины деньги в долг на четыре месяца, не отдавал их целых восемь, да еще и избегать ее начал. И принес-то он деньги только потому, что Смулов по просьбе Алины поговорил с ним достаточно жестко.

— И сколько времени вы провели в квартире Вазнис?

— Не больше десяти минут. Скорее даже, минут пять.

— Находились только в прихожей?

— Да. Алина не пригласила пройти, да мне и не нужно было.

— У вас не сложилось впечатления, что в это время в квартире находился кто-то еще? Припомните, Николай Степанович, не выглядело ли поведение Алины так, словно она не хотела, чтобы вы входили в комнату и кого-то увидели. Может быть, она была напряжена? Слишком торопилась вас выпроводить? Посматривала на часы, потому что кого-то ждала и не хотела, чтобы вы столкнулись?

— Да нет, пожалуй, — задумчиво произнес Харитонов. — Ничего такого мне не показалось. Она была совершенно спокойна, как обычно. А то, что не пригласила пройти в комнату, так она вообще не была особо приветливой. Никогда никого в гости к себе не приглашала. И сама, по-моему, ни к кому не ходила.

Положив трубку, Настя удовлетворенно подумала, что рассказ Харитонова дает хоть какую-то пищу для проверки. Она твердо знала: главное — начать, сдвинуться с места, а потом, по мере движения, станет ясно, в том ли направлении нужно идти. Отрицательный результат ничем не хуже положительного с точки зрения анализа и познания, это Настя Каменская усвоила давно, еще с детских лет.

СТАСОВ

Всю вторую половину дня они вместе с Юрой Коротковым разбирали по косточкам биографии Ксении Мазуркевич и Зои Семенцовой, попутно выясняя, где же обе они провели вечер пятницы и почему так отчаянно врут, говоря об этом вечере. Результат их кропотливого и весьма интенсивного труда оказался ошеломляющим и в то же время смешным до колик. Оказалось, что Ксения и Зоя были вместе. Да еще как вместе! Просто-таки в одной «постели», правда, в качестве постели выступал салон автомобиля и подмосковный лесок.

Ксения действительно никогда не встречалась с Зоей Семенцовой до того момента, как та появилась в «Сириусе». Впервые они столкнулись уже после того, как Зоя, отлечившись в первый раз, снова начала прикладываться к бутылке. В один прекрасный день Ксения случайно наткнулась на Зою, когда «отлавливала» очередного водителя. На мужиков, с которыми можно поладить, у жены президента «Сириуса» был отменный нюх и точный глаз, нужное ей лицо она замечала с расстояния метров в сто. В тот раз она стояла на Большой Дмитровке, в прошлом Пушкинской улице, когда заметила Зою, выползавшую из захудалого сомнительного кафе-бара. Семенцова была пьяна и, похоже, мало что соображала.

— Зоя! — окликнула ее Мазуркевич, озаренная внезапной идеей. — Семенцова!

Зоя повернулась на голос и нетвердой походкой двинулась навстречу Ксении. По ее лицу можно было догадаться, что Ксению она никак не может узнать, хотя отчаянно пытается вспомнить, кто же эта холеная дама, которая кажется ей такой знакомой.

— Добрый вечер, — вежливо поздоровалась Зоя, пытаясь изобразить достоинство.

— Давай я тебя подвезу, — сразу же предложила Ксения. — Все равно «левака» ловлю.

Через несколько минут Мазуркевич увидела «его». Дядька под полтинничек, лысеющий, оплывший, с быстрыми блестящими глазками, которые сразу выдавали в нем бывшего сердцееда и донжуана среднего пошиба. Ксения всегда выбирала недорогие отечественные автомобили. И вовсе не потому, что была патриоткой и признавала только продукцию российского машиностроения. Она вполне здраво рассуждала, что толстеющий, лысеющий, некрасивый мужик может иметь сколько угодно длинноногих молоденьких телочек с гладкой кожей, если у него много денег. А вот если денег мало, о чем свидетельствует и «прикид», и марка автомобиля, а за спиной активное сексуальное прошлое, с воспоминаниями о котором расстаться нет моральных сил, то... Вот эти-то и нужны были Ксении.

Выбор ее оказался, как всегда, точным, и уже через три минуты они с Зоей сидели в «Жигулях». Ксения, естественно, впереди, рядом с водителем, Зоя — сзади. Еще через десять минут все акценты были расставлены, и водитель уверенно гнал машину в сторону Кольцевой автодороги. Ксения с трудом сдерживала нарастающее возбуждение, пришедшая ей в голову идея казалась великолепной. У нее давно уже возникли проблемы по части секса, неуправляемое желание гнало ее на улицы в поисках случайных водителей, ибо нравилось ей только одно: шофер, машина, чувство невероятной опасности, когда в любую секунду могут появиться посторонние. Но в последнее время даже этот сценарий перестал ее удовлетворять. Шофер и машина должны были присутствовать обязательно, без этого Ксения не могла даже возбудиться, но нужно было что-то еще... Еще какая-нибудь деталь, которая выполнила бы роль хлыста, катализатора, стимулятора. Такой деталью в этот раз должна была стать Зоя Семенцова, в прошлом заслуженная артистка, а ныне — спившаяся «эпизодница».

— Давай, дружочек, начинай с нее, — сказала Ксения водителю, когда доехали до места. — А я посмотрю. Потом, когда я скажу, оставишь ее и займешься мной. Договорились?

— А она как же? — удивился водитель, решив проявить благородство. — Ей же тоже нужно...

— Она обойдется, — холодно оборвала его Ксения. — Давай, приступай, не тяни время. И включи свет в салоне.

Водитель послушно опустил спинки передних сидений, заблаговременно расстегнул брюки и потянулся к Зое, которая тихонько дремала, свернувшись калачиком на заднем сиденье и скинув туфли на пол. Зоя сначала сопротивлялась и никак не могла взять в толк, почему вместо подъезда собственного дома ее разбудили где-то в лесу и чего этот шофер от нее хочет. Потом, услышав стандартный набор ласковых эпитетов типа «красавица», «ласточка», «сладкая», «кошечка», разомлела и не без удовольствия включилась в процесс. В самый ответственный момент, когда Зоя уже приготовилась было испытать приятное, но нечасто выпадающее на ее долю чувство, Ксения похлопала водителя по спине:

— Все, дружок, хватит, теперь я.

Она бесцеремонно вытащила из машины субтильную худенькую Семенцову и, задрав широкую плиссированную юбку, под которой белья, естественно, не оказалось, легла на разложенные сиденья.

Получилось все очень здорово! Именно так, как хотела Ксения Мазуркевич.

Слегка удивленный, но тем не менее вполне удовлетво-

ренный водитель развез своих странных партнерш по домам. На следующий день Ксения несколько напрягалась, ожидая, что может позвонить протрезвевшая Зоя. Кто знает, как она себя поведет? Вдруг начнет скандалить? Будет угрожать, что расскажет отцу Ксении? Станет требовать ролей или денег? Или, что тоже не лучше, будет набиваться в подружки?

Но прошел день, другой, третий, неделя, а Зоя Семенцова не сделала ни малейшей попытки связаться с Ксенией, с которой ее свело столь пикантное и, прямо скажем, грязноватое приключение. Ксения сначала успокоилась, потом начала недоумевать. А потом муж повел ее в Киноцентр на просмотр какого-то оскаровского лауреата, кажется, это был «Основной инстинкт», и там Ксения увидела Семенцову, которая прошла мимо, вежливо кивнув президенту «Сириуса» и его супруге. На лице у Зои не отразилось ничего — ни узнавания, ни воспоминания, ни неловкости, ни стыда, ни презрения. Вообще ничего. И Ксения поняла, что Зоя просто-напросто ничего не помнит. Обыкновенная алкогольная амнезия.

Примерно через месяц Ксения встретила Семенцову в офисе «Сириуса». Та была уже навеселе, но еще вполне адекватна. Ксения разыграла любезность и участие, повела Зою в питейное заведение неподалеку и принялась ее обрабатывать. Оказалось, что Зоя кое-что все-таки помнит, например, она помнит, как вышла из бара, как Ксения ее окликнула и предложила подвезти, как сели в машину. А потом она уснула — и все, полный провал. Прочухалась только утром у себя дома. Ксения, действуя решительно и в то же время осторожно, просветила актрису в части того, что случилось после того, как она уснула. Разумеется, рассказ ее был довольно далек от истины, по ее версии получалось, что инициатива принадлежала Зое, и с водителем договаривалась Зоя, и вообще Семенцова вела себя как сексуальная маньячка. Зоя умирала от стыда и, слушая рассказ Ксении, пила рюмку за рюмкой. А потом Ксения снова посадила ее в машину и увезла за город. На этот раз Зоя кое-что соображала, и ей понравилось. Хотя на следующий день она снова ничего не помнила. То есть она помнила, о чем они с Ксенией договорились, зачем та ловила машину и куда они вместе поехали. Но что произошло на самом деле — нет, этого она совершенно не помнила.

С тех пор так и повелось. На людях они делали вид, что знакомы только шапочно. И периодически, примерно раз в месяц, Ксения поила Зою до беспамятства, сажала в машину и увозила. Мазуркевич проявила творческий подход к ситуации и уже не только смотрела, как случайные водители занимаются любовью с Зоей, но и активно участвовала, подключалась к процедуре, занимаясь то мужчиной, то Зоей, то самой собой.

И в пятницу, 15 сентября, Ксения Мазуркевич и Зоя Семенцова снова были «на выезде». Ксения молчала по вполне понятной причине, а Зоя лгала о том, где была в пятницу, просто потому, что абсолютно не помнила этого. Но признаться в том, что ты спилась до такой степени, что не помнишь, где провела несколько часов, — означает поставить на себе крест. И потом, она действительно не помнила, где была, и ужасно боялась: а вдруг она ходила к Алине? А вдруг ее там видели? А вдруг она действительно ее...?

К счастью, Зоя жила в том же доме, где располагалась крупная фирма, сильно радеющая за свою безопасность. До такой степени сильно, что посадила у окна специального мальчика с компьютером, в задачу которого входило фиксировать номера всех автомобилей, останавливающихся возле дома. В этом, конечно, был смысл: отслеживать, не зачастили ли к офису фирмы некие люди, которым здесь вроде бы делать нечего. Да и случись что, даже самое нехорошее, вплоть до убийства, номер машины внесен в компьютер, а это куда лучше, чем искать случайных очевидцев и просить их вспомнить номер машины.

Коротков быстро сумел договориться с мальчиком, работавшим в ночь с пятницы на субботу, получил распечатку номеров машин, подъезжавших к дому в интересующее его время, и подчеркнул несколько строчек. На этих строчках рядом со временем и номером стояла пометка: «высадил женщину и уехал». Таким образом, довольно быстро был найден любвеобильный водитель, который совершенно не думал стесняться того, что произошло, напротив, казалось, даже гордился тем, что сумел в свои-то годы удовлетворить двух дам одновременно. Он хорошо помнил их внешность и адреса, по которым развозил своих случайных партнерш. Дальнейшее было делом психологии, напористости и техники. Часам к одиннадцати вечера, в понедельник, подозрение с Ксении Мазуркевич и Зои Семенцовой было снято. Хотя один бог ведает, каких усилий, какого напряжения это стоило Юрию Короткову и Владиславу Стасову.

— Сейчас позвоню Аське — и домой, — сказал Коротков,

зевая и сладко потягиваясь. — День совершенно сумасшедший получился, такое впечатление, что сегодняшнее утро было в прошлом году.

Они сидели в машине Стасова перед офисом «Сириуса». Последний разговор с Ксенией было решено провести вдвоем, так им показалось более правильно из тактических соображений, поэтому в целях экономии бензина к Мазуркевич они ехали на одной машине, а «Жигули» Короткова оставили перед особнячком, который занимал «Сириус».

— Пойдем ко мне в кабинет, — пригласил Стасов. — Ты позвонишь, а я пока барахло соберу.

Они поднялись на второй этаж, и Стасов открыл свою обитую вишневым кожзаменителем дверь. Коротков немедленно плюхнулся в вертящееся кресло у письменного стола и схватил телефонную трубку.

— Ася? Это я. Вычеркивай наших девушек... Ага, они со случайным знакомым в лесочке трахались... Обе, конечно... Нет, не вдруг, они, оказывается, этим уже года три промышляют, и всегда по пятницам. Говорят, по пятницам водители никуда не торопятся, им на следующий день на работу вставать не надо... Рецепт? Показала. Цел и невредим. Она его носила в бумажнике, в отделении для проездного билета. Вместо проездного у нее календарик вставлен, а под ним — рецепт. Муж не догадался там посмотреть... Сучки, конечно, кто же спорит. Но не убийцы. Ага... Ага... Да она не помнит ничего, бедная. Ей сейчас скажи, что она президента США застрелила, она и в это поверит. Алкоголь, что ж тут... Ладно, Асенька, подробности завтра, поеду я спать, а то глаза уже слипаются и язык не ворочается... Чего? В семь тридцать? Садюга ты, это ж мне во сколько вставать придется! Ладно... Ладно... Все, целую, до завтра.

Стасов краем уха слушал разговор и разбирал огромное количество папок, которые вытащил из несгораемого шкафа. Это были документы, оставшиеся от предшественников, и Стасов понимал, что рано или поздно все равно нужно будет все их просмотреть, чтобы получить полное представление о проблемах, возникающих в связи с обеспечением безопасности в киноконцерне «Сириус». Эту противную, но необходимую работу нельзя откладывать до бесконечности.

На конец сентября планировался выезд нескольких человек из «Сириуса» на кинофестиваль «Киношок», поэтому Стасов и остановил свой выбор на трех толстых папках с на-

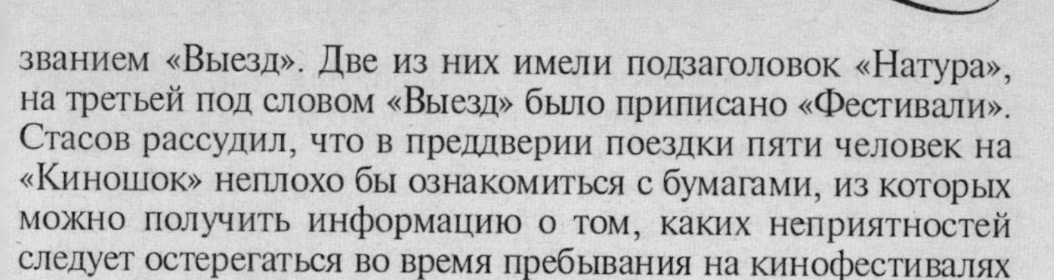

званием «Выезд». Две из них имели подзаголовок «Натура», на третьей под словом «Выезд» было приписано «Фестивали». Стасов рассудил, что в преддверии поездки пяти человек на «Киношок» неплохо бы ознакомиться с бумагами, из которых можно получить информацию о том, каких неприятностей следует остерегаться во время пребывания на кинофестивалях и какие превентивные меры рекомендуется принимать в целях обеспечения безопасности.

Они спустились вниз, пожали друг другу руки, сели каждый в свою машину и разъехались по домам.

Открыв дверь своей квартиры в начале первого ночи, Стасов с неудовольствием убедился, что Лиля и не думает спать. Она лежала в постели, грызла засахаренный арахис и читала очередной любовный роман.

— Это что такое? — грозно спросил Стасов, подходя и отнимая у нее книжку. — Как я должен это понимать?

— Я завтра в школу не иду, — спокойно объявила Лиля. — Можно почитать подольше.

— Почему это ты не идешь в школу? — подозрительно прищурился Стасов, готовый услышать что-нибудь вроде «училка заболела» или «сбор металлолома объявили».

— Потому что у меня ангина.

— Как это?.. Почему ангина? — растерялся Стасов.

Он ужасно боялся, когда Лиля чем-нибудь болела. Ему казалось, что он обязательно сделает что-нибудь не так, даст не то лекарство, что-то напутает, а в результате у ребенка будет осложнение.

— У меня болит горло, и оно красное, я смотрела в зеркало, — деловито пояснила Лиля. — По-моему, там даже пробки. И температура тридцать семь и восемь.

— Но надо же что-то делать. Ты не помнишь, что мама тебе давала при ангине?

— Помню. Пап, ты не волнуйся, я уже все сделала. Горло полощу каждый час, панадол принимаю, лимон с сахаром ем.

Стасов внимательно вгляделся в лицо девочки. Она действительно была бледновата, глаза сухо блестели, рука была горячая и чуть влажная.

— Чем, интересно, ты горло полощешь? У меня же нет ничего.

— Йодом с солью. Очень противно, но помогает.

— А панадол откуда?

— В аптеке купила. У меня горло еще утром заболело, и я, когда из школы шла, все купила, что нужно.

Стасов мысленно выругал себя. Его девочка целый день лежит дома с температурой, а он бросил ее на произвол судьбы. Конечно, она чуть не с пеленок привыкла быть дома одна и выросла вполне самостоятельной, но это никак не оправдывает его, Стасова.

— Почему ты не позвонила мне? — сердито спросил он Лилю. — Почему сразу не сказала, что заболела?

— А зачем?

Она вскинула на отца огромные темно-серые глаза, в которых явственно читалось искреннее недоумение.

— Я бы приехал...

— Зачем? — повторила она. — Ты что, не доверяешь мне? Ты думаешь, я сама не знаю, как лечить ангину? Тоже мне, событие! Подумаешь!

— Ну все равно, — продолжал настаивать Стасов. — Я бы врача вызвал.

— Какого врача? — удивилась Лиля. — Я же у мамы прописана, а не у тебя, и поликлиника моя там, в Сокольниках. Из твоей районной поликлиники врач ко мне не придет.

Стасов досадливо поморщился. Действительно, он совсем забыл, что здесь, в Черемушках, поликлиника к Лиле врача не пришлет, здесь нет ее карты.

— А как же школа? Им же нужна справка от врача, иначе получится, что ты прогуливаешь.

— Подумаешь! — снова произнесла Лиля с очаровательным детским высокомерием. — Ты им напишешь записку, что я действительно болела, и этого будет достаточно. Я же отличница, все учителя знают, что я никогда не прогуливаю просто так.

Стасов разогрел себе ужин, погасил свет в комнате у Лили и принялся за еду, одновременно перелистывая находившиеся в «выездных» папках документы. То и дело ему попадались листы с загадочным заголовком «Перекрыть». Он внимательно изучил их и понял, что это список людей, от встреч с которыми хотели бы оградить себя те, кто работал в «Сириусе». Да, пожалуй, это понятно. Живя в гостинице, человек становится уязвимым и досягаемым. Кто угодно может войти в гостиницу, подняться на этаж, где ты живешь, и постучать тебе в дверь. И в двери этой никогда нет глазка, поэтому каждый раз, открывая ее, ты не знаешь, какой «сюрприз» тебя ожида-

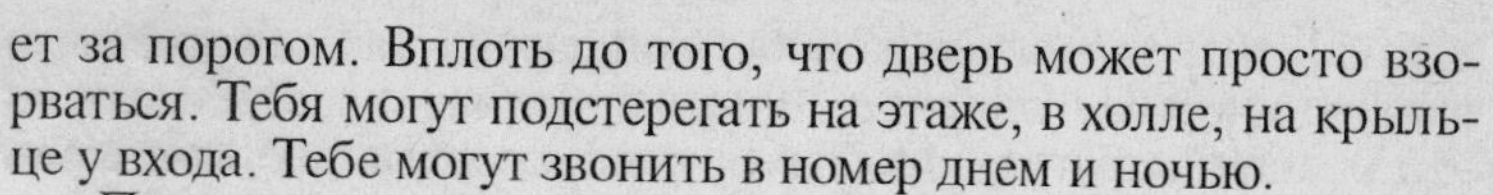

ет за порогом. Вплоть до того, что дверь может просто взорваться. Тебя могут подстерегать на этаже, в холле, на крыльце у входа. Тебе могут звонить в номер днем и ночью.

Поэтому актеры и режиссеры, особенно известные, обязательно подают в службу безопасности список лиц, преследования со стороны которых они опасаются. Некоторые поступают наоборот, подают список тех, с кем непременно должны встретиться, и помечают внизу, чтобы больше никого не пропускали и номер телефона и комнаты никому не давали. Так или иначе, но за семь лет существования «Сириуса» скопилось немало документов, из которых было видно, от кого прятались, с кем не хотели встречаться люди, работающие у Мазуркевича.

К числу такого рода «нежелательных элементов» относились, например, не только навязчивые поклонники и особенно поклонницы, но и настырные журналисты, известные своей злобностью и недоброжелательностью, и администраторы конкурирующих фирм, желающие вести переговоры о подписании контракта, и актеры, которые хотят, чтобы их снимали хотя бы в крошечных эпизодиках, а некоторые требуют себе главную роль, полагая, что в силу тех или иных причин имеют на это право. Кроме того, если речь идет не о натурной съемке, а о кинофестивале, обычно начинается мышиная возня вокруг совета директоров, спонсоров, рекламодателей и прочих держателей финансов.

Стасов доел отбивные с гречкой, вымыл тарелку, налил себе огромную чашку кипятку, бросил в нее два пакетика чая «Липтон» и четыре куска сахару и принялся более внимательно изучать документы. Первым делом он выбрал из папок и разложил на отдельные кучки списки тех, кого «не пропускать!», и тех, кого пропускать нужно обязательно. Потом расположил документы в каждой кучке в хронологическом порядке. И только после этого принялся сличать фамилии.

Работа оказалась увлекательной. Впрочем, Стасову, который имел солидный стаж работы в подразделениях по борьбе с организованной преступностью и коррупцией, к работе с документами было не привыкать. И работу эту он любил, она ему никогда не надоедала и не вызывала злобного раздражения. Наоборот, его манило сладостное чувство, которое возникало каждый раз, когда из обрывочных сведений и разрозненных сухих документов, из балансовых отчетов, проводок, копий платежных поручений вдруг вырастала яркая и выпуклая картина злоупотреблений и хищений, мошенничества и взяточничества. Конечно, организованная преступность — это боевики, трупы, взрывы, оружие, сверхскоростные автомобили и самая совершенная техника, а борьба с этой преступностью — это риск, кровь, пот, многосуточные засады, стрельба, погони, смерть. У Стасова было два ранения — ножевое и огнестрельное, он находился в прекрасной физической форме, быстро бегал, высоко прыгал, метко стрелял. Но ни один задержанный собственноручно преступник не вызывал у него такого чувства, как восстановленная по документам картина преступления. И он знал, почему так происходит. Он в глубине души казался сам себе немного глуповатым. Что, собственно, и было отражено в одной из его служебных характеристик: «Дисциплинирован, исполнителен. Табельным оружием владеет отлично. Постоянно совершенствует свою физическую подготовку, является мастером спорта по легкой атлетике, лыжам, плаванию. В качестве недостатков можно отметить слабый творческий подход к порученному делу. Капитан В. Н. Стасов (а тогда он еще был капитаном) не всегда способен принять самостоятельное решение, выходящее за рамки ранее поставленной задачи. Вывод: занимаемой должности соответствует». Прочитав такую аттестацию, Стасов впал в уныние. Яснее не скажешь: сила есть — ума не надо. И он начал доказывать сам себе, что мозги у него все-таки есть. Ушел из уголовного розыска и несколько лет проработал в ОБХСС, где сила нужна бывает обычно во вторую очередь, поднаторел в работе с документами, влез в экономическую теорию, а как только создали службу по борьбе с организованной преступностью, тут же перешел туда.

Карьера его двигалась умеренно, но вполне успешно, и все это время, получая результат не от применения силы, а от напряжения мозгов, он испытывал почти детский восторг: «Я сумел! Я сделал это!»

Вот и сейчас, сидя далеко за полночь в кухне своей холостяцкой квартиры и сличая документы, он тихонько радовался, когда обнаруживал, что какого-то человека сначала ждали как желанного гостя, а потом включили в «черный список» и велели «не пущать». Помечал на бумажке период времени, в который произошла такая метаморфоза, чтобы потом выяснить у Мазуркевича или кого-то другого, в чем суть конфликта. Выписывал на отдельный листок имена тех, от кого прятались одни сотрудники «Сириуса» и кого в то же время привечали другие. Составлял отдельный список тех, кто появлялся в «запретиловках» наиболее часто. Каждого из них нужно будет потом отработать, приглядеться к ним повнимательнее, может быть, провести индивидуальную беседу на тему о хорошем воспитании и тщетности приставаний к звездам.

В какой-то момент ему показалось, что Лиля застонала. Стасов отодвинул бумаги и метнулся в комнату дочери. Но нет, Лиля спала, уткнувшись носом в подушку. Дыхание ее было тяжеловатым, рот открыт, видно, нос заложен. Стасов включил бра, взял со столика рядом с диваном флакон галазолина и осторожно закапал лекарство Лиле в нос. Потушил свет, постоял несколько минут, прислушиваясь. Наконец звук дыхания изменился, девочка во сне пошмыгала носом и задышала тише и ровнее.

Он вернулся на кухню, снова сел за документы. Нескольких минут, что он отсутствовал, оказалось достаточно, чтобы посмотреть на списки свежим взглядом. В перечне тех, кто чаще всего встречался среди нежелательных гостей, в глаза бросалась фамилия Шалиско. Этот Шалиско был прямо-таки чемпионом среди преследователей, его фамилия встретилась уже восемнадцать раз, в то время как остальные — раз по пять — восемь.

Стасов быстро перелистал списки с заголовком «Перекрыть». Рядом с каждой фамилией незваного гостя стояла фамилия сотрудника «Сириуса», к которому этот гость может прийти. Рядом с фамилией Шалиско постоянно стояла фамилия Вазнис. Все восемнадцать раз. Куда бы ни выезжала Алина, на натурные ли съемки или на кинофестиваль, она обязательно подавала в службу безопасности записку с категорическим запрещением пропускать к ней некоего Павла Шалиско.

Стасов аккуратно сложил списки обратно в папки, но уже в том порядке, который был удобен для работы ему самому. На такой результат он и не рассчитывал. На сегодня хватит, можно идти спать, а завтра с утра он свяжется с Коротковым или с Анастасией, и они займутся этим загадочным Павлом Шалиско, который на протяжении пяти с лишним лет преследовал Алину Вазнис.

12 Зак. 689

АЛИНА ВАЗНИС
ЗА ДВА ГОДА ДО СМЕРТИ

И все-таки он добился своего. Все-таки Смулов сумел избавить ее от извечного страха. Более того, он дал ей возможность наконец заявить о своем страхе в полный голос, рассказать о нем без стыда и без утайки. Он поставил специально для Алины триллер, который так и назвал: «Извечный страх».

Алина расцветала на глазах. И точно так же на глазах у всех расцветал ее роман с Андреем Смуловым. Она перестала пить таблетки, сделалась значительно спокойнее, чаще улыбалась и реже впадала в глухую тоску.

«Извечный страх» сделал ее по-настоящему знаменитой. Ее фотографии запестрели на обложках журналов и на разворотах популярных газет, публикующих статьи о киноискусстве. Ее стали приглашать на телевидение для интервью и участия в ток-шоу. Правда, после двух-трех заходов телевизионщики от этой идеи отказались: с Алиной Вазнис нужно было проводить большую предварительную работу, чтобы ее ответы на вопросы звучали более или менее связно и внятно. Зато она была очень эффектна, появляясь в разных передачах, где нужно было только показаться и вручить приз. Желательно без слов. Публика встречала ее громом аплодисментов, самых настоящих, а не записанных на пленку.

В знак полного выздоровления Алина и Андрей отправились в автосалон покупать ей машину.

— Теперь, когда я совсем не принимаю никаких лекарств, я могу смело садиться за руль, — говорила Алина, прижимаясь к Смулову и целуя его в щеку. — А то обидно, с таким трудом учила правила, сдавала экзамен на права, и не вожу машину.

Они выбрали для нее темно-зеленый «Сааб», потом с энтузиазмом занялись поисками гаража и радовались, когда удалось найти место в кооперативном охраняемом гараже, в котором были, в частности, собственные мойка и автомастерская. И самое главное, гараж этот находился всего в двух автобусных остановках от дома Алины. Это была неслыханная удача!

Алина постепенно входила во вкус «нормальной» жизни, не отравленной постоянным ежеминутным страхом. Горячо любивший ее Смулов сумел разрушить ее детские представле-

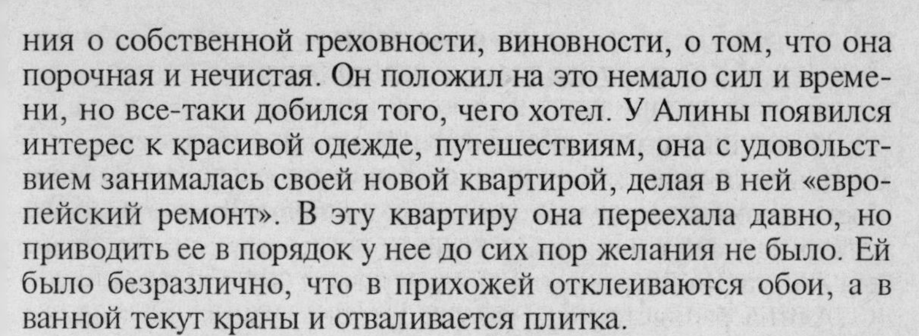

ния о собственной греховности, виновности, о том, что она порочная и нечистая. Он положил на это немало сил и времени, но все-таки добился того, чего хотел. У Алины появился интерес к красивой одежде, путешествиям, она с удовольствием занималась своей новой квартирой, делая в ней «европейский ремонт». В эту квартиру она переехала давно, но приводить ее в порядок у нее до сих пор желания не было. Ей было безразлично, что в прихожей отклеиваются обои, а в ванной текут краны и отваливается плитка.

На этой радостной волне Андрей задумал следующий фильм, «Безумие». Он сам написал сценарий, имея в виду, что главную роль будет играть, конечно же, Алина. Мазуркевич выбил из спонсоров деньги «под двух звезд», Алину и Смулова, обещая, что «Безумие» будет не менее прибыльным, чем «Извечный страх», а может быть, даже более. Съемки были начаты и пошли хорошим темпом, фильм действительно получался великолепным...

Глава 7

КОРОТКОВ

Он с удивлением вспоминал, как вчера вечером назвал Настю «садюгой» за то, что по ее милости ему придется снова вставать ни свет ни заря. Сегодня он лежал в постели и молил бога о том, чтобы эти самые свет и заря наступили побыстрее.

Когда он вернулся домой вчера вечером, то снова нарвался на скандал. У него не было сил сердиться на жену, потому что Юра прекрасно понимал, как ей трудно. И устает она не меньше, чем он сам. И жизнь в тесной квартирке, пропитанной запахами тяжелого лежачего больного, никак не прибавляла жизнерадостности. Тещу парализовало через год после рождения сынишки, она была еще сравнительно нестарой, сердце у нее работало отменно, и все понимали, что это означает. Юрина жена, конечно, не считала, что муж в чем-то виноват. Кроме одного: она полагала, что Короткову давно уже пора было оставить работу в милиции и уйти в частный бизнес. И сколько Юрий ни объяснял ей, что жизнь и честь дороже, она была непреклонна, апеллировала к примерам знакомых и незнакомых людей и требовала, чтобы муж начал наконец зарабатывать приличные деньги и купил большую квартиру. Сын подрастал, и с каждым днем им становилось все теснее в четырнадцатиметровой комнате, потому что вторую, восьмиметровую, безраздельно занимала мать жены.

Часто после таких скандалов Коротков разворачивался и уезжал ночевать к своему товарищу и коллеге по работе Коле Селуянову, который после развода жил один. Но вчера он пришел очень поздно, и он так устал... Уснуть Юре удалось лишь ненадолго. Часов с четырех утра он тихонько лежал без сна рядом с женой и чувствовал, что даже спящая она источает волны враждебности и недовольства.

Около шести часов выдержка ему изменила, и он осторожно встал, на цыпочках прокрался на кухню, поставил чайник и начал собираться. Уйти скорее отсюда, уж лучше на улице торчать, чем снова вести с утра бесплодные и бессмысленные, на его взгляд, разговоры.

К дому Алины Вазнис Коротков подъехал, когда еще не было семи. Припарковал машину, включил печку, закурил и стал задумчиво смотреть на моросящий снаружи осенний дождь. В тепле ему сразу захотелось спать, и он, чтобы не поддаться искушению, опустил стекло, вытянул руку под дождь и, когда ладонь стала влажной, отер лицо. Стало легче.

В двадцать минут восьмого он заметил медленно бредущую Каменскую. Она шла без зонта, глубоко засунув руки в карманы и низко надвинув широкий капюшон, полностью скрывавший ее лицо. Коротков открыл дверцу со стороны пассажирского места и посигналил.

— Привет, — удивленно поздоровалась Настя. — А я думала, что буду первой. Чего ты так рано? Не спится?

— «Не спится, няня... — весело подтвердил Коротков, — мне так грустно, открой окно и сядь ко мне, поговорим о старине...»

— Ух ты!

Настя откинула капюшон и забралась в машину.

— А некоторые, не будем указывать пальцем, образованность все хочут показать. Как хорошо у тебя, тепло, накурено. Рай.

Она полезла в сумку, вытащила пачку сигарет с ментолом и с наслаждением закурила.

— Опять со своей поцапался? — сочувственно спросила она, выпуская дым.

— Догадалась?

— А то. Тебе Стасов звонил в половине седьмого, а тебя уж и след простыл.

— А что Стасов хотел? Мы с ним вчера расстались в двенадцатом часу, вроде все обсудили.

— У нас троих сегодня ночью дружно сделалась бессонница. Стасов откопал какого-то Павла Шалиско, который на протяжении многих лет преследовал Алину, причем, судя по всему, безуспешно. Баланс — минус два, плюс один.

— То есть? — нахмурился Юрий.

— Двух дам мы отбросили, зато один мужчина появился. Так что в итоге мы имеем четырех подозреваемых: Харитонов, Имант и Инга Вазнисы и в перспективе — неудачливый поклонник. Голову даю на отсечение, у этого Шалиско тоже не окажется алиби, зато найдутся и мотив, и возможности.

— Да, дела...

Следователь Гмыря появился без двадцати восемь, даже и не думая извиняться за опоздание.

— Пошли, — бросил он сквозь зубы, проходя мимо машины Короткова.

Уже поднимаясь в лифте, он вдруг спросил:

— Понятых будем звать?

— Да зачем, Борис Витальевич? Мы же не улики ищем, а вещь, принадлежавшую потерпевшей. Никакого значения не имеет, где мы найдем дневник, если вообще найдем.

— Ну смотри, — неопределенно хмыкнул Гмыря.

Следователь не был ярым поборником соблюдения буквы закона и, если было можно, сокращал процедурные тонкости до минимума.

В квартире Алины после пребывания работников милиции в субботу никто не прибирался, и сейчас она напоминала разоренное гнездо. Особенно неприятным был вид дивана с очерченным мелом контуром трупа.

— Борис Витальевич, к вам отец погибшей вчера не обращался насчет ключей? — спросил Коротков, тщательно вытирая ноги о коврик в прихожей. — Он хочет вещи забрать и квартирой распорядиться.

— Нет, вчера не обращался. Ну что, как искать будем?

— Разделимся, — предложила Настя. — Две комнаты и кухня, как раз на троих. Потом ванная, туалет и прихожая.

Они искали долго и тщательно, но, к сожалению, безре-

12 Зак. 639

зультатно. Никаких дневников они не нашли. Кроме дневников, они искали белую трикотажную майку с пуговичками и зеленую пеструю юбку. Майку Настя обнаружила в стиральной машине в куче грязного белья, а длинная свободная юбка из зелено-коричневого шелка висела на крючке на внутренней стороне двери ванной комнаты, там же, где и теплый махровый халат. Таким образом, подозрения в адрес Харитонова делались совсем шаткими. Для того чтобы описать эту одежду, он должен был видеть ее на Алине. Если бы он убил ее, когда она была уже в пеньюаре, и захотел бы «скроить» версию о своем более раннем и предваренном звонком визите, то скорее всего открыл бы платяной шкаф и выбрал для описания то, что в нем висит. Маловероятно, что он полез бы в стиральную машину.

Но дневники... Неужели Настя ошиблась?

— Слушай, а у Смулова ты спрашивала? — тихонько спросил Коротков, стараясь, чтобы следователь не услышал.

— Спрашивала, — вздохнула Настя. — Говорит, что никогда не видел, чтобы Алина вела дневник. Но тут же оговорился, что мог и не знать об этом. Вазнис была до такой степени скрытной, что даже перед ним полностью не раскрывалась.

— Бедняга, — покачал головой Юра. — Тяжело ему с ней было, наверное. И любил ее сильно, и все время чувствовал, что она... чужая, что ли. И мачеха про нее так говорит.

— Борис Витальевич, — громко позвала Настя, — я возьму кассеты, ладно?

— Зачем тебе? — отозвался Гмыря, оглядывая полки встроенного шкафа в прихожей.

— На них фильмы Смулова, в том числе те, в которых снималась Алина. Попробую посмотреть, вдруг что в голову придет.

— Да что тебе может в голову прийти от этих фильмов! — насмешливо отозвался следователь. — Глупость всякая.

— Так я возьму?

— Бери, бери, только потом отдай Смулову или родственникам Вазнис. Эта семейка за пустую банку удавится.

— Вы тоже заметили? — подал голос Коротков.

— А как же. У них на лицах все написано, только слепой не увидит. Когда я в первый раз старого Вазниса допрашивал, это еще в субботу было, так он меня не про убитую дочку

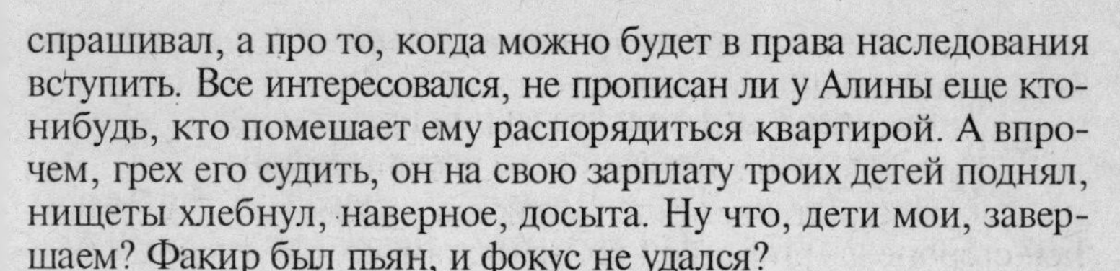

спрашивал, а про то, когда можно будет в права наследования вступить. Все интересовался, не прописан ли у Алины еще кто-нибудь, кто помешает ему распорядиться квартирой. А впрочем, грех его судить, он на свою зарплату троих детей поднял, нищеты хлебнул, наверное, досыта. Ну что, дети мои, завершаем? Факир был пьян, и фокус не удался?

Коротков с облегчением перевел дыхание. Следователь не сердился за то, что его подняли в такую рань, а оказалось — напрасно. Борис Витальевич в свои сорок шесть лет оставался мужиком незанудливым, обладал неплохим чувством юмора и очень хорошо помнил те годы, когда сам работал в уголовном розыске. Семи пядей во лбу он, вообще-то, не был, но зато сыщикам работалось с ним легко. В этом смысле Гмыря был полной противоположностью старшему следователю прокуратуры Ольшанскому, с которым больше всего нравилось работать Насте. У Ольшанского характер был невыносимым, оперативники и эксперты боялись его и тихо ненавидели, хотя и признавали его высокий профессионализм. Но зато Ольшанский был человеком, во-первых, умным, во-вторых, мужественным. Хотя эти качества достаточно успешно скрывались за его внешностью неухоженного растяпы. Эх, был бы сейчас на месте Гмыри Ольшанский, подумал Коротков, он бы мертвой хваткой вцепился в Аськину идею о том, что у такого замкнутого и одинокого человека, как Алина Вазнис, обязательно должна была быть какая-то отдушина, будь то дневник или тщательно скрываемая приятельница. Или не менее тщательно скрываемый любовник. Но то — Ольшанский, а то — Гмыря. Гмыря не верит в психологические построения, ему нужны факты: свидетельские показания, вещи, документы, следы. То, что можно увидеть и услышать, пощупать и зафиксировать. А вовсе не что-то эфемерное и бездоказательное.

— У нас еще один фигурант появился, Борис Витальевич, — сказала Настя, натягивая куртку и засовывая в огромную спортивную сумку добрый десяток видеокассет. — Если вы не очень торопитесь, то...

— Очень тороплюсь. — Гмыря посмотрел на часы. — У меня на десять тридцать люди вызваны. А ты чего хотела-то?

— Думала, вы с нами подъедете к нему, если, конечно, он не в бегах.

— И не проси, времени в обрез. Давайте-ка сами, я потом подключусь, если нужно будет.

— Тогда подождите еще две минутки, я позвоню.

Она сняла трубку висевшего на стене телефона.

— Коля? Это я. Что с Шалиско?.. Давай, я запомню... Так... Так... Это где? На Сретенке?.. Далеко от метро?.. Ага, ладно, спасибо. Тебе Коротков не нужен случайно? А то он здесь рядом стоит... Даю.

Она протянула трубку Короткову.

— На, просись на ночлег, пока Коля себе ничего романтического не запланировал на вечер.

Юра хмыкнул и подмигнул Насте:

— Дуэнья ты моя! Что бы я без тебя делал.

Все вместе они спустились вниз. Гмыря, размахивая кейсом, помчался к метро, а Настя и Коротков уселись в машину.

— Наш Шалиско живет в Чертаново, а работает в редакции журнала «Кино», это где-то на Сретенке. По домашнему телефону никто не отвечает, на службе сказали, что непременно должен вот-вот появиться. Поехали?

— Поехали, — вздохнул Коротков. — Только поесть бы, а? А то я из дому в седьмом часу выскочил, пустой кофе в себя залил — и все.

— Ладно, — согласилась Настя. — Смотри по сторонам, увидишь что-нибудь подходящее — поедим.

Они остановились возле какого-то киоска, взяли по куску горячей пиццы и снова спрятались от дождя в машину.

— Слушай, — внезапно сказала Настя, — а давай позвоним Смулову, спросим про этого Шалиско. Вдруг он скажет что-нибудь интересное?

Коротков с тоской посмотрел в окно. Дождь стал сильнее и уже не моросил, а вовсю прыгал по тротуарам. Ну что за собачья работа, подумал он привычно и беззлобно, никого не интересует, когда ты последний раз поел, сколько часов ты спал за последний месяц и помогают ли тебе таблетки от головной боли. И если у тебя язва, а от постоянного напряжения и недосыпа все время болит голова и не помогают уже никакие из имеющихся в аптеках лекарства, то это проблемы твои и только твои. Как и дорожающий бензин, и вечно протекающие ботинки, и пропахшая мочой и болезнью конура, которую выспренно именуют «двухкомнатной квартирой в панельном доме», с совмещенным санузлом и без лифта. Это

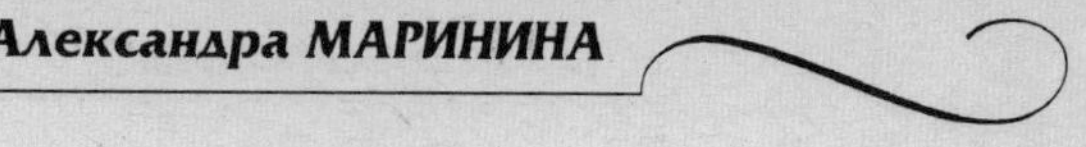

твои проблемы, и никто, ни государство, ни твое собственное начальство, их решать не собирается.

Видно, выражение лица у Юры было очень уж красноречивым, потому что Настя добавила:

— Ты посиди здесь, я сама позвоню. Вон автомат рядышком, жетончик у меня есть.

Юра благодарно улыбнулся. Настя пошла звонить и, по-видимому, сумела застать Смулова, потому что разговаривала долго. Коротков даже успел задремать в тепле, откинувшись на высокую спинку сиденья. Очнулся он только тогда, когда Настя хлопнула дверцей.

— Забавно получается, Юрик. Смулов знает этого Шалиско. Он, оказывается, когда-то работал в «Сириусе» помощником осветителя и учился во ВГИКе на вечернем. Был безответно влюблен в Алину. Одно время она его даже привечала, а потом, когда появился Смулов, дала отставку. А бедный Шалиско никак в толк взять не мог, что его отвергли, цветы ей носил, записки писал, подарки какие-то делал. Проходу не давал. Звонил постоянно, даже когда она выезжала из Москвы. А иногда и приезжал следом за ней. Смулов знает, что Алина всегда подавала в службу безопасности записку с фамилией Шалиско, чтобы ему не давали номер ее телефона. Называла его назойливым поклонником. Смулов, во всяком случае, серьезно его не воспринимал, и о ревности тут и речи быть не может. Кстати, этот безнадежно влюбленный уже года три как ушел работать в редакцию журнала «Кино», но от Алины не отступился. Вот ведь любовь, а?

— Наверное, этот Шалиско — такой смешной очкарик, — отозвался Коротков, выруливая на Садовое кольцо. — Знаешь, типичный неудачливый влюбленный, худенький, сутулый, некрасивый интеллектуал. Глупо подозревать его в убийстве, ты не находишь?

— Не нахожу, — резко ответила Настя. — Во-первых, не забывай, Алина его поначалу привечала, то есть дала надежду, и вполне обоснованную. Он не неудачливый влюбленный, а отвергнутый возлюбленный, а это уже совсем иной поворот. А во-вторых, именно такие худенькие очкастенькие интеллектуалы очень часто оказываются самыми изощренными преступниками. Поворот не пропусти. На Сретенке движение одностороннее, свернуть надо у светофора, а дальше переулками проедем.

— Это тебя Селуянов проинструктировал? — усмехнулся Юра, притормаживая у светофора.

Редакцию они нашли легко, Коля Селуянов действительно объяснил все очень толково и дал точные ориентиры. Внизу сидела бабуська — божий одуванчик, которая пропустила их, не задав ни одного вопроса и не спросив документов. На втором этаже они быстро нашли комнату 203, в которой, по сведениям того же Селуянова, было рабочее место Павла Шалиско. В комнате было полно народу, стоял гвалт и висел плотный сигаретный туман. Настя тронула за локоть девушку, стоявшую ближе всех к двери.

— Извините, нам нужен Шалиско, — тихо сказала она.

— Паша! — вдруг крикнула девица так громко, что Настя вздрогнула. — Павлик! К тебе пришли!

Из тумана вынырнул человек и подошел к ним.

— Вы ко мне?

Коротков поежился от недоброго предчувствия. Похоже, все разворачивается совсем не так, как они с Настей ожидали. Шалиско оказался широкоплечим красавцем с мужественной челюстью и смеющимися глазами. Никакой худобы. Никакой сутулости. Никаких очков. Если это и есть отвергнутый влюбленный, то он вполне мог задушить Алину. Но почему? У таких красавцев редко бывает, чтобы свет сходился клином на одной женщине, они с легкостью находят замену и утешаются с другой.

— Где бы нам поговорить в спокойной обстановке? — сухо произнес Коротков, представившись.

— Если вы готовы подождать минут десять, то можно будет поговорить здесь. У нас только что закончилась «летучка», сейчас все покурят и разойдутся по заданиям, здесь никого не останется.

Ни малейших признаков волнения, испуга, напряжения. Все это Короткову не нравилось. Но Шалиско не обманул, через несколько минут народ из комнаты стал рассасываться, и вскоре они остались втроем. Павел тут же открыл настежь оба окна.

— Проветрю немножко, а то глаза щиплет, до того накурено, — пояснил он. — Так я вас слушаю. Вы по поводу Алины?

Коротков присел за чей-то стол рядом с креслом, в котором устроился Павел. Настя осталась где-то у него за спиной.

Он понял, что Селуянов, по-видимому, сумел узнать даже такую деталь, как то, какой из восьми письменных столов принадлежит Шалиско, и Настя держится к этому столу поближе. Небось глазами шарит, подумал Юра.

— Вы давно видели Алину Вазнис в последний раз?

— Давно.

— А точнее?

— Очень давно. С полгода, наверное.

— А по телефону с ней в последнее время разговаривали?

— Сейчас скажу точно. — Шалиско задумался. — Она уезжала на натуру в середине июля, дня за два до отъезда позвонила мне, сообщила, где и в какой гостинице будет жить.

— Зачем?

— Что — зачем? — не понял Шалиско.

— Зачем она вам это сообщала?

— Чтобы я туда позвонил.

— Зачем вы должны были звонить ей в гостиницу?

— Ах это! — Шалиско усмехнулся. — Да это же все розыгрыш, создание имиджа. Неужели вы сами не поняли?

— Представьте себе, не понял, — холодно ответил Коротков. — Я жду ваших разъяснений, желательно правдивых.

Глаза Шалиско мгновенно превратились в льдинки, лицо окаменело.

— У вас нет оснований ни в чем меня подозревать. И помоему, я вас еще ни разу не обманул. Во всяком случае, на лжи вы меня пока не поймали. Так что выбирайте выражения, будьте любезны.

Коротков понял, что непростительно расслабился, выбрал неправильный тон и отпугнул собеседника. Или насторожил? Но он так устал, и так болит голова...

— Прошу извинить, — примирительно произнес он. — Но разъяснения ваши все равно нужны.

— Ладно, — Шалиско смягчился. — У нас с Алиной был роман, но очень давно, она еще в музыкальной студии снималась. Роман такой, знаете ли... Одним словом, не очень страстный. Алина была холодновата для страстей. Расстались мы друзьями. И вот однажды Алина мне говорит: «Паша, а я, оказывается, много потеряла, перестав встречаться с тобой». Выяснилось, что ей кто-то сказал, дескать, у настоящей звезды должны быть постоянные поклонники, которые домогаются ее внимания и осыпают цветами. А у начинающей звезды, так сказать восходящей, должен быть хотя бы один. Понимаете, я очень красиво за ней ухаживал, цветы там, подарки всякие, встречания-поджидания и все такое. Ну, мы с ней посмеялись, конечно, и я предложил в память о наших нежных отношениях помочь ей с имиджем звезды. Периодически приходил на студию, где шла съемка, с букетом. Обязательно подарки ко дню рождения и ко всем праздникам. А когда она куда-нибудь выезжала, я обязательно звонил в гостиницу и требовал ее номер телефона. Мне его, конечно, не давали, не зря же она меня в «черные списки» вносила, но зато все знали, что Павел Шалиско страдает от неразделенной любви, а Алина Вазнис изнемогла от его ухаживаний. Вот и все.

— Вы можете хоть как-нибудь подтвердить свой рассказ?

— Да как же? — развел руками Шалиско. — Ну разве что тем, что моя жена об этом знает. Она была знакома с Алиной. Вы же понимаете, в наше время ничего просто так не делается. Я в интересах Алины играл роль назойливого поклонника, а Алина за это подбрасывала моей жене материал для заметок. Светские сплетни, новости со съемочных площадок и так далее. Жена моя в газете «Вечерний клуб» работает.

«Так он еще и женат», — удрученно подумал Коротков. Нет, на роль несчастного отвергнутого любовника, убивающего неверную возлюбленную, Павел Шалиско никак не тянул. Как сказала бы Аська, ну просто ни в одном глазу. А такая версия была хорошая!

— Юра, — услышал он за спиной голос Каменской, — подойди сюда, пожалуйста.

Коротков тяжело встал со стула и подошел к ней. Один из ящиков стола, возле которого стояла Настя, был выдвинут, и Юра увидел толстую тетрадь в клеточку в дерматиновой коричневой обложке. В мгновение ока Шалиско оказался рядом.

— Что вам нужно в моем столе? — сердито спросил он.

— Это ваша тетрадь? — спросила Настя.

— Нет. — Он растерянно замолк. — Впервые вижу. Откуда это?

Настя, не вынимая тетрадь из ящика, ногтем поддела обложку и подняла ее. Страница была исписана крупным округлым почерком, сверху стояла дата «17 ноября».

— Почерк узнаете?

— Это почерк Алины. Я ничего не понимаю... Я впервые это вижу!

Настя резким движением задвинула ящик и с ужасом посмотрела на Короткова. Вот влипли! Идиоты! Ведь ехали к Шалиско, подозревая его в убийстве, и совсем забыли про эти проклятые дневники! Что же делать? Ни следователя, ни понятых. Потом Шалиско скажет, что дневник ему подбросила сама Каменская, и будет прав. Тысячу раз прав! Ну надо же было так непрофессионально проколоться!

— Вызывай следователя, Юра, — тихо сказала Настя. — Будем оформлять выемку. А вас, — она повернулась к Шалиско, — я попрошу сесть и написать подробно все, о чем вы только что нам рассказали. И напишите заодно о том, как была обнаружена эта тетрадь. Вы же сидели ко мне лицом, правда?

— Да, я вас видел, — подтвердил Шалиско.

— Вот и напишите обо всем, что видели.

— Я не понял...

— Ну, вы видели, например, что я достала эту тетрадь из своей сумки и сунула в ваш стол?

— Да ничего подобного. Вон ваша сумка, у двери стоит, что вы из меня идиота-то делаете! — возмутился Павел.

— Вот и славно, — улыбнулась Настя. — Так и напишите. А кстати, вы не знаете, случайно, как тетрадь к вам попала?

— Я уже сказал, я впервые ее вижу.

— И об этом напишите.

Коротков отошел к телефону звонить Гмыре и грустно думал о том, что сегодняшний день не задался не то что с самого утра, а просто-таки со вчерашнего вечера. Одно хорошо: Гмыря сам бывший опер, волну поднимать не будет. Но если подозрения в адрес Шалиско подтвердятся, то адвокат им за Аськину самодеятельность таких гвоздей в задницу навтыкает! О господи, хоть бы обошлось.

КАМЕНСКАЯ

Вечером Настя, наспех поужинав, стала просматривать кассеты с фильмами Смулова. По-видимому, Алина Вазнис хранила у себя все работы своего возлюбленного, и это свидетельствовало о ее несомненном уважении его таланта. Впро-

чем, фильмы, в которых Алина снималась в главных ролях до встречи с Андреем Львовичем, тоже были в полном составе. Всего кассет было двенадцать: пять фильмов Смулова, в которых Алина еще не снималась, четыре фильма-оперы, а также три детектива-триллера, которые Смулов делал уже вместе с Алиной.

От прошедшего дня у Насти осталось ощущение горечи и собственной вины. Ну как она не совладала с собой! Просто непростительно. Гмыря, конечно, ничего не сказал, сам, видно, бывал в таких передрягах, и не один раз. Только головой укоризненно покачал. Тетрадь изъяли и отправили экспертам, а самого Шалиско увезли на Петровку. Настя, конечно, тут же побежала к эксперту Олегу Зубову и, покаянно бия себя в грудь, во всем призналась.

— Олежка, я так лопухнулась! Можешь втаптывать меня в грязь, но сделай побыстрее, а? Пока ребята трясут этого Шалиско. Если на тетради есть его пальцы, то и слава богу, пусть тогда его задерживают. А если нет, надо быстро думать, что это означает. Тогда, может быть, его под подписку Гмыря отпустит. Понимаешь, если окажется, что он эту тетрадь не трогал, нет оснований его в камеру запихивать.

— Чего ты так трепыхаешься? — хмуро бормотал Зубов, обрабатывая дневник. — Подумаешь, делов-то. Мало, что ли, народу задерживают, а потом выпускают? Дело житейское, как говорил Карлсон. Не ты первая, не ты последняя. Посидит в камере пару дней, подумает о бренности земного существования, это тоже полезно. Ты чего, Настасья? Прокурора, что ли, забоялась?

— И его тоже, — призналась Настя. — Но больше, конечно, Колобка боюсь. Перед ним стыдно.

— О! Вот это правильно, — одобрительно крякнул эксперт. — Бояться стыдно. Стыдиться — полезно. Очищает душу. Да не стой ты у меня над душой, Каменская, иди к себе.

— Ну да. Только я за порог — ты отвлекаться начнешь, знаю я тебя. Олеженька, мне каждая минута дорога.

— Не приставай. Сказал же, сделаю. Иди отсюда, не отсвечивай.

Настя тогда ушла к себе, с тревогой прислушиваясь к шагам в коридоре и вздрагивая каждый раз, когда хлопала дверь соседней комнаты, где Гмыря вместе с Коротковым выжима-

ли показания из Павла Шалиско. Наконец около семи вечера к ней зашел измученный Юра.

— Все, — выдохнул он, усаживаясь на стул у окна и сжимая виски ладонями. — Выпустили под подписку. Нет там его пальцев. Обложка тщательно протерта, а внутри на листках — только пальцы Вазнис. Черт знает что.

— Но если обложка протерта, это не доказывает, что он не брал дневник. По-моему, наоборот, — осторожно сказала Настя.

— По-твоему, по-твоему, — передразнил Коротков. — А по-моему, если ты крадешь дневник, то только потому, что там про тебя написано что-то нелицеприятное. И чтобы об этом узнать, надо этот дневник прочитать хотя бы раз. Если Шалиско его читал, должен был внутри оставить отпечатки. А их нет.

— Ну да, — задумчиво подтвердила Настя. — А если он, даже когда читал, был предельно осторожен и старался не наследить, то и за дерматиновую обложку не стал бы хвататься голыми руками. Ладно, это все домыслы. Надо просто прочитать этот дневник, и все станет понятным. Где он, кстати?

— Гмыря с собой забрал. Сказал, на ночь почитает вместо сказок. Но знаешь, Аська, не похож этот Шалиско на убийцу. Зол, раздражен, негодует, но не боится. Или он великий актер, или он искренне считает, что произошло недоразумение.

— Ну что ж, может быть, и актер, — вздохнула Настя. — И даже, может быть, великий...

И вот теперь, сидя дома и наблюдая за «экранной» Алиной Вазнис, Настя все время возвращалась мыслями к ее дневнику и к Павлу Шалиско.

На первой из выбранных для просмотра кассет оказался тот самый пресловутый «Трубадур». Настя хорошо помнила записи Алины о роли старой цыганки Азучены и с любопытством наблюдала за тем, как мысли Алины воплощались в сценическом образе. Да, Вазнис была настойчива, она ни на йоту не отступила от того, что написала в своем «сочинении» Дегтярю. Каждый раз, когда старая цыганка вспоминала о том, как собиралась отомстить за казнь матери, на лице актрисы появлялось мечтательное выражение, граничащее со сладострастным. А когда Азучена рассказывала о совершенной ею роковой ошибке, в глазах ее был не ужас и отчаяние, а

откровенная злоба. Настя пропускала сцены, в которых Алина не участвовала, поэтому с «Трубадуром» справилась довольно быстро.

Следующим был фильм, который снимал Смулов. Это был крепко сколоченный детектив с элементами мистики, правда, мистика ближе к концу находила свое вполне земное объяснение. Фильм, на ее взгляд, был очень неплох, и она даже удивилась, почему Смулов считал, что «выработался». Одна сцена привлекла ее внимание. «Ты меня любишь?» — спрашивает один из героев ленты у своей невесты, а та в ответ хохочет: «Ничего остроумнее не мог спросить? Лучше бы денег дал, у меня пальто нет на зиму». Настя несколько раз слушала магнитофонную запись беседы Короткова с Андреем Львовичем и хорошо помнила, как он рассказывал о нечуткости и эмоциональной холодности Алины. Видно, та история так сильно его задела, что обида выплеснулась в сценарий, и Смулов невольно, как говорят психологи, спроецировался.

Однако, когда Настя стала смотреть следующий фильм Смулова, она поняла, что происходило. Фильм был очень похож на тот, что она посмотрела только что. Та же расстановка акцентов, те же персонажи — мрачный непонятый красавец, на которого сразу же падает подозрение и который в конце оказывается жутко положительным, и веселый рубаха-парень, которого все любят, который активно помогает следствию, а в результате оказывается убийцей. И снова мотив неразделенного душевного порыва: «Скажи мне что-нибудь ласковое» — «Да иди ты... Вот разнылся, хлюпик». Настя поморщилась. Все понятно, Андрей Львович повторялся из фильма в фильм.

В этот момент, когда она уже собиралась вынуть кассету и поставить следующую, с фильмом «Извечный страх», ей пришла в голову неожиданная мысль. Она перемотала пленку и снова включила воспроизведение, попав как раз на титры. Фильм был сделан в 1990 году. Любопытно! В 1990 году Смулов еще не был знаком с Алиной Вазнис, и, следовательно, еще не было того ранившего его разговора. А в обоих фильмах этот мотив звучит очень выразительно. Что это? Интуиция, подсказывающая талантливому человеку, что если и найдется женщина, которая его полюбит, то она будет именно такой, не тонкой и не чуткой? Гениальное предвидение? Или...

Или. Настя судорожно выхватила кассету из магнитофона

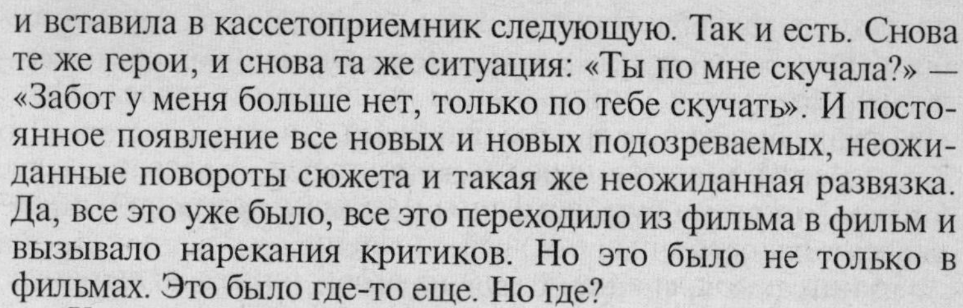

и вставила в кассетоприемник следующую. Так и есть. Снова те же герои, и снова та же ситуация: «Ты по мне скучала?» — «Забот у меня больше нет, только по тебе скучать». И постоянное появление все новых и новых подозреваемых, неожиданные повороты сюжета и такая же неожиданная развязка. Да, все это уже было, все это переходило из фильма в фильм и вызывало нарекания критиков. Но это было не только в фильмах. Это было где-то еще. Но где?

К двум часам ночи Настя отчетливо поняла, что все, что она только что увидела в пяти фильмах Андрея Смулова, снятых до знакомства с Алиной Вазнис, и еще в двух картинах, снятых уже с Алиной в главной роли, — так вот, все это ей довелось пережить самой. Прямо сейчас, в течение четырех последних дней. Все повторялось с точностью до деталей.

Ни о каком гениальном предвидении не могло быть и речи. Вся ситуация с убийством Алины и расследованием была придумана и срежиссирована той же рукой. Тем же мастером. Андреем Львовичем Смуловым. Но зачем? Боже мой, зачем?!

Погубить актрису, когда до окончания великолепного фильма осталось всего несколько шагов? Фильма, который наверняка принесет новый всплеск славы и получит престижные премии. Погубить актрису, без которой никогда уже не сможешь снять ничего настоящего? Поставить крест на себе как режиссере? В голове не укладывается.

Должна быть причина, очень и очень веская причина. И где эту причину искать, Настя Каменская даже и не догадывалась.

АЛИНА ВАЗНИС
ЗА ДЕСЯТЬ ДНЕЙ ДО СМЕРТИ

Начало сентября на морском побережье было теплым и солнечным, начинался «бархатный сезон». Работа над фильмом шла к концу, картина получалась необыкновенно удачной, все говорили, она будет даже лучше, чем «Извечный страх», и Алина каждый день выходила на съемочную площадку в приподнятом настроении, переполненная радостным желанием работать.

В тот день снимали сцену на пляже, и площадку обступила плотная толпа любопытствующих курортников. Андрей работал быстро, он всегда уделял много внимания репетициям, чтобы обходиться минимальным количеством дублей. Первый дубль был отснят вполне прилично.

— Десять минут — перерыв, и повторим, — весело сказал Смулов, открывая бутылку фанты и наливая оранжевую пенящуюся жидкость в пластиковый стаканчик.

Алина подошла к нему, села на песок, блаженно вытянула ноги.

— Ну как? Нормально получилось?

— Отлично, ты умница. В самый острый момент сожми руку в кулак, я скажу Жене, чтобы взял крупным планом, когда ты будешь разжимать руку, а на ладони — следы от ногтей. Будет хорошо.

— Ладно, сделаю.

Через десять минут Алина снова встала в центр круга, эпизод начался. По сценарию она должна была медленно обводить взглядом людей, составлявших массовку. И вдруг она увидела ЕГО. Психа. Она не могла ошибиться, это было то же лицо с безобразным родимым пятном на щеке, те же страшные глаза, те же тонкие мокрые губы. Но этого не могло быть! Не могло! Его не было почти два года. Он умер.

Алина на какое-то мгновение забыла, что идет съемка. Она снова была во власти страха, который вернулся к ней спустя два года...

— Гениально! — услышала она голос Андрея.

И тут же к нему присоединились другие голоса.

— Потрясающе!

— С ума сойти!

— Алина, ты — гений!

Она с трудом стряхнула с себя оцепенение. Рано она радовалась, болезнь, видно, зашла слишком далеко. Нельзя годами безнаказанно принимать психотропные препараты. Ей казалось, что она выздоровела, а кошмар снова вернулся к ней, на этот раз в виде галлюцинаций. Что же с ней будет? Господи, что же будет теперь? Пожизненная психушка? Инвалидность? Жалость окружающих? Все ее поздравляют, думая, что она гениально сыграла испуг, а что будет, когда все узнают, что никакая она не талантливая актриса, а обыкновенная сумасшедшая, мучимая галлюцинациями, охваченная острым психозом?

Она постаралась взять себя в руки и ничем не выдавать своего отчаяния. Больше всего ей хотелось, чтобы Андрей ничего не заметил. Он так долго возился с ней, избавляя ее от страха, столько сил и времени потратил на нее, нельзя, чтобы он узнал, что все напрасно. Он этого не переживет. Такой удар для него!

Алина смогла заставить себя «сохранять лицо», пока добиралась до гостиницы вместе с Андреем и помощником режиссера Леной Альбиковой. Из последних сил она держалась во время обеда, но потом сослалась на усталость и заперлась у себя в номере. Она не могла плакать. Ее трясло, как в лихорадке, руки ходили ходуном, зубы стучали. Оставалось последнее средство — таблетки, которые она продолжала возить с собой. Не то чтобы она брала их намеренно, просто они лежали в ее дорожной аптечке еще с тех пор, когда она пила их регулярно. Лежали вместе с аспирином, лекарствами от головной боли, от простуды, перекисью водорода и пластырем.

Она сунула под язык три таблетки феназепама, и через двадцать минут ее стало «отпускать». Алина прилегла на кровать, укрылась двумя одеялами, хотя на улице было двадцать пять градусов, и заставила себя расслабиться и уснуть. Вечером она даже смогла выйти на ужин и погулять со Смуловым по набережной. Его не насторожило, что она была молчаливой, это было ее обычное состояние. На следующий день с утра снова предстояла съемка, и Андрей не стал оставаться у нее на ночь. Утром она опять приняла лекарство и вышла на площадку. Ей удалось отработать так, что никто ничего не заметил, хотя один бог знает, каких усилий ей это стоило. Хорошо, что это был уже последний съемочный день. Они возвращались в Москву.

В Москве она стала понемногу успокаиваться. Приступ больше не повторялся, галлюцинации не возвращались, и Алина почувствовала себя увереннее. А потом был рабочий просмотр отснятого материала. Запустили пленку с эпизодом на пляже, сначала первый дубль, потом второй. И во весь экран снова возникло это жуткое лицо с родимым пятном и страшными глазами. Алина стиснула зубы, чтобы сдержать стон. Опять! Опять это случилось!

Но она была слишком сильной и трезвомыслящей, чтобы сдаться без боя. Медленно оглядела зал. Да, в нем все так, как и должно быть, все сидят на тех же местах, ни у кого не выросло по две головы или по пять рук. Значит, она не больна, значит, это не галлюцинация. Псих действительно был там, на пляже. И попал в кадр.

Она решила проверить сама себя, она никогда не была паникершей и всегда билась до последнего. Она попросила механика повторить второй дубль. Андрей глянул удивленно, но просьбу поддержал. К нему, по счастью, присоединились и остальные сидящие в зале.

— Конечно, давайте посмотрим еще раз! Это бесподобно! Этот кадр войдет в анналы мирового кинематографа!

Снова засветился экран. На этот раз Алина старалась контролировать себя, не терять самообладания. И опять увидела Психа. Он лишь мелькнул в череде лиц, мелькнул на короткое мгновение, но она его узнала безошибочно. Она слишком хорошо знала это лицо, чтобы не узнать его даже через тысячу лет.

Вернувшись домой, Алина попыталась спокойно все обдумать. И поздно вечером позвонила Смулову.

Глава 8

СТАСОВ

Он приехал к Каменской около восьми утра, Короткова еще не было. Настя открыла ему дверь в джинсах и тонком свитере, бодрая и собранная. Но синева под глазами и запавшие щеки выдавали бессонную ночь. Стасов напряг память, вспоминая, сколько ей лет, кажется, хорошо за тридцать, ну да, конечно, раз она майор.

— Что за пожар? — спросил он, снимая куртку.

Настя позвонила ему в половине седьмого утра, и голос у нее был странный. Она попросила Стасова приехать к ней как можно скорее, но ничего толком не объяснила. Сказала только, что Коротков тоже приедет.

— Это не пожар, а скорее тихое помешательство, — скупо улыбнулась она. — Я сейчас буду вам рассказывать кое-что, а ваша задача — разгромить меня в пух и прах, наглядно объяснить мне, что я — дура и выдумщица.

— Интересное кино! — недовольно протянул Стасов. — У меня, между прочим, ребенок болеет, я хотел с утра в мага-

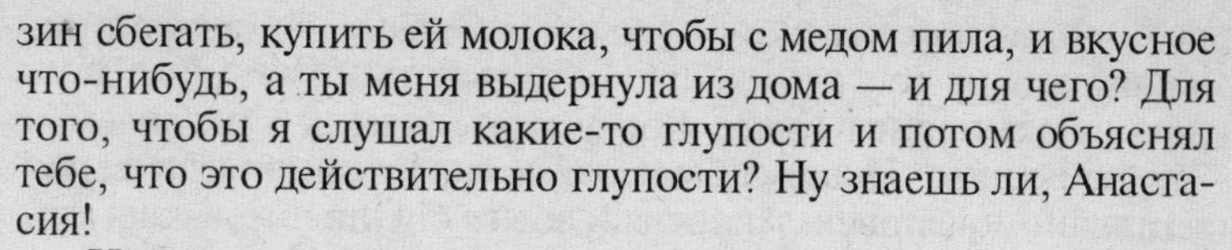

зин сбегать, купить ей молока, чтобы с медом пила, и вкусное что-нибудь, а ты меня выдернула из дома — и для чего? Для того, чтобы я слушал какие-то глупости и потом объяснял тебе, что это действительно глупости? Ну знаешь ли, Анастасия!

Настя смутилась, глаза ее сердито сверкнули.

— Извини, пожалуйста, — сухо сказала она. — Ты мог бы сразу сказать мне об этом, когда я только позвонила. Я бы не настаивала.

Стасов почувствовал неловкость. Она права, она же не могла знать, что у Лили ангина. Зачем же он сейчас ее упрекает? В конце концов, даже если бы он купил это дурацкое молоко, Лиля все равно не стала бы его пить, она терпеть не может молочные продукты. Ей проще полоскать горло ядовитой смесью воды с йодом и солью, чем влить в себя хотя бы стакан молока или кефира.

Он хотел как-то смягчить свою резкость и начал подыскивать примиряющие слова, но в это время пришел Коротков, и вопрос сгладился сам собой. Юра явился веселый и полный сил, чмокнул Настю в щеку, скинул ботинки и сразу же прошлепал в одних носках на кухню. Было видно, что он бывал здесь часто и хорошо изучил привычки хозяйки — по утрам пить много кофе, непременно сидя на кухне.

— Ну что, Настасья? Очередной бред придумала? — спросил Коротков, доставая чашку и наливая себе чай. — Давай рассказывай, повесели старика.

Они уселись вокруг стола, заставленного чашками и тарелками, — Каменская, ожидая гостей, сумела преодолеть свою легендарную лень и приготовила обильный завтрак. Коротков с одобрением оглядел аппетитные гренки, желто-красно-зеленую яичницу с помидорами и луком, большую миску с кукурузными хлопьями и высокую картонную упаковку с молоком.

— О, вот это дело. Сразу видно, что ты вышла замуж и наконец взялась за ум, — поддел он.

— Убью, — спокойно пообещала Настя. — Значит, так, я буду рассказывать, а вы слушайте внимательно, только не кричите сразу, что я идиотка, а ищите аргументы «против». Ладно? Я сама понимаю, что это полный бред, но пока я с ним не разделаюсь, я не смогу думать ни о чем другом. Договорились?

12 Зак. 689

— Многообещающе, — хмыкнул Стасов. — Начинай уже, не томи душу-то.

— Ладно, а вы ешьте. Вот скажите мне, что мы знаем об Алине Вазнис? Что она была очень скрытной, и даже самый близкий ей человек, Андрей Львович Смулов, признает, что за четыре года не сумел изучить ее как следует, до конца понять ее характер, ее душу. Верно? Дальше. Мы знаем, что она поступила не очень красиво по отношению к Зое Семенцовой, когда предала огласке истинные причины, по которым Смулов собирался снимать Зою в какой-то второстепенной роли. При этом она, мягко говоря, подставила и самого Смулова. Люди, работающие в «Сириусе», утверждают, что Андрей Львович был очень расстроен таким бестактным и жестоким поведением Алины. Что еще? Мы знаем, что она предпочитала действовать исподтишка, не ответила сразу на оскорбление, нанесенное ей женой Мазуркевича, а стала искать возможность связаться с отцом Ксении, банкиром Козыревым, который ставил свои денежные дотации «Сириусу» в прямую зависимость от способности самого Мазуркевича повлиять на разнузданную шлюху-жену и призвать ее к порядку. То бишь к приличному поведению. Пока все верно?

— Валяй дальше, — кивнул Коротков, с удовольствием поедая яичницу вприкуску с гренками.

— Мы знаем, что Алина не отличалась чуткостью и душевной теплотой, на это нам пожаловался тот же Смулов. Мы знаем, что у нее были крепкие нервы и она никогда не принимала транквилизаторы и прочие препараты, воздействующие на психику. Об этом тоже говорил Смулов. И еще мы знаем, что она потребовала у Николая Степановича Харитонова срочно вернуть долг, причем довольно большой. Я ничего не упустила?

— Вроде нет, — откликнулся Стасов, который никак не мог уловить смысл происходящего. Почему нужно было вскакивать с утра пораньше и нестись сюда сломя голову, если Каменская собирается просто подвести итог собранной информации? Что в этом срочного? Она сказала, что собирается «нести полный бред», но пока что излагала только фактуру.

— А теперь давайте посмотрим на эти факты с другой стороны, — продолжала Настя, словно услышав мысли Стасова. — Откуда нам известно, что Алина искала телефоны Козырева? От Смулова. И еще от некоторых людей, которые тоже, в свою очередь, узнали об этом от него. Откуда мы узнали, что Алина подняла скандал из-за утверждения Семенцовой на роль? Тоже от Смулова. Никто этого скандала не слышал, зато все помнят, как Андрей Львович ходил расстроенный и всем рассказывал, мол, ну надо же, какая Алина безжалостная, он, дескать, хотел взять Семенцову на эпизод, а Алина страшно кричала, что этого делать нельзя, что Семенцова — пропойца и воровка. После этого пошли разговоры, дошли до некоего Зарубина, и тот запретил тратить деньги на ненадежную Семенцову. Но первоисточником информации и тут был Смулов. Он сумел сделать так, что создалось общественное мнение, об этом узнала Зоя, и к нашему появлению на сцене ее ненависть к Алине достигла апогея. Что и позволило нам ее подозревать. Далее. Кто звонил Харитонову с требованием срочно, в тот же день вернуть долг? Опять Смулов. Он ссылается на то, что это Алина его попросила позвонить, якобы у нее не хватит жесткости, чтобы заставить Харитонова привезти деньги. А помните, что рассказывал сам Харитонов? Когда он передавал Алине конверт с деньгами, то назвал ей сумму, которую составил первоначальный долг — три тысячи долларов, — плюс сто двадцать процентов. А Алина удивилась. Я прошу вас обратить на это внимание. Она удивилась! И только потом, когда Харитонов при ней вслух посчитал, что это будет ровно шесть тысяч шестьсот, она взяла деньги. А теперь подумайте хорошенько. Если человек обеспокоен тем, что ему долго не возвращают долг, то он обязательно подсчитывает, сколько ему должны. Обязательно. Он никогда не будет прикидывать приблизительно, мол, мне должны три тысячи плюс еще какие-то там проценты. Для того чтобы Алина решилась попросить Смулова разобраться с Харитоновым, она должна была хотя бы один раз подсчитать размер долга на текущий момент. Почему же она так удивилась, когда Харитонов назвал ей сумму? Да потому, что она и не думала ее подсчитывать. Потому что она вообще не просила Смулова звонить, это была его инициатива. Да, я понимаю, он солгал Харитонову, сославшись на Алину, это вполне естественно. Но зачем он солгал нам всем, а?

— Черт, как же это я не заметил, — пробормотал Коротков. — Ведь ты, мать, права. Продолжай.

— Смулов тебе, Юрочка, рассказал душераздирающую историю о том, как он в тяжелую минуту позвонил Алине и

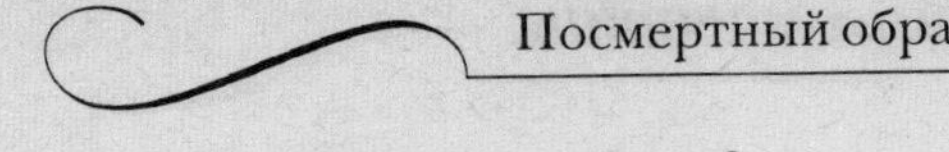

спросил: «Ты меня любишь?», а она послала его подальше с его глупостями и посетовала на то, что он ее разбудил. Рассказывал?

— Ну да.

— Я сильно подозреваю, что он тебе сказал неправду. Не было такого. Во всяком случае, с Алиной Вазнис. Это было гораздо раньше и с кем-то другим. И ранило его так сильно, что он невольно вставлял похожий эпизод во все свои фильмы. Если вы мне не верите, я могу вам показать. Я до самого утра смотрела нетленные творения Андрея Львовича. Зачем эта ложь? Вы можете дать мне членораздельное объяснение?

— А у тебя, судя по всему, такое объяснение уже есть, — заметил Стасов. — Я прав?

— Ты прав, — кивнула Настя. — Смулов создавал посмертный образ Алины. Создавал специально для нас, и делал его таким, чтобы в ее убийстве подозревали как можно большее число людей. Он сам навязал нам Семенцову, Ксению и Харитонова. Он, и никто другой, утверждал, что старший брат Алины требовал свою долю от бриллиантов матери. Ведь насколько я помню, Инга Вазнис этого не подтвердила. Да, недовольство решением старого Вазниса было, но никаких претензий и требований вслух не высказывалось. Во всяком случае, доказательств этого у нас нет, кроме показаний того же Смулова. И еще одно. Шалиско. Тут два варианта — либо Павел Шалиско лжет, либо нет. Если он лжет, если он действительно был влюблен в Алину и преследовал ее, то Смулов не мог не реагировать на это, не ревновать. Это вполне естественно. А что говорит нам Смулов? Что Алина за четыре года не дала ему ни малейшего повода для ревности. Не получается. Другой вариант — Шалиско говорит правду. Тогда Смулов не мог не знать, что все ухаживания, цветы и звонки были лишь игрой, притворством, невинной забавой с целью поддержания имиджа звезды и преданного поклонника. Почему же он не сказал нам об этом? Получается, и в том и в другом случае Андрей Львович говорил неправду. Зачем? Затем, чтобы подсунуть нам еще одного подозреваемого, Павла Шалиско.

— Погоди, а дневник? — удивился Коротков. — Дневник-то мы нашли у Шалиско.

— Ну и что? Мало ли чего мы с тобой нашли. Мы прошли в редакцию, без труда нашли комнату, где стоит стол Шалиско, и если бы не стали его искать, нашего присутствия вообще никто не заметил бы. Я специально выясняла, комната запирается только на ночь, когда все уходят с работы. А стол, если ты помнишь, стоит у самой двери. Заходи, клади что хочешь, бери что хочешь, никто тебе и слова не скажет, дверь целый день нараспашку, даже когда в комнате никого нет.

— Ты хочешь сказать, что дневник подбросил Смулов? — переспросил Стасов, которому все рассказанное Настей и в самом деле стало казаться бредом.

— Я хочу сказать, что Шалиско вполне может не иметь к этому дневнику никакого отношения. Я скажу даже больше: поскольку я человек нахальный, особенно когда у меня такой пожар, как сегодня, я уже успела с утра позвонить Гмыре и спросить, что написано в дневнике Алины. Кое-что я даже записала под его диктовку. Вот такой, например, пассаж: «Все-таки Паша — на редкость милый человек. Я каждый раз порываюсь отдать ему деньги за те роскошные розы, которые он мне приносит на глазах у изумленной публики, а он каждый раз отказывается. Мне так неудобно, что он тратится, а он хохочет. Я говорила об этом Андрюше, он со мной согласился, что нехорошо «выставлять» Павлика ради нашей затеи, ведь все это нужно мне, а не ему. Андрюша сказал, что в следующий раз сам отдаст ему деньги за цветы, это будет прилично, и у меня душа болеть не будет». Так что же, милые мои? Выходит, Андрей Львович прекрасно знал, что никакой Шалиско не безнадежно влюбленный, не преследовал он Алину, не домогался, не обрывал телефон. И нет в этом дневнике ничего такого, что могло бы заинтересовать Павла, заставить его красть этот дневник у Алины и прятать на работе. Вы посмотрите, что получается: в деле фигурируют шестеро подозреваемых — шестеро! — и все они стали подозреваемыми только потому, что нам их подсунул сам Смулов. Вот. Я все сказала. Теперь убедите меня, что я свихнулась, и я спокойно начну работать дальше. Давайте, ребятки, громите меня.

За столом воцарилось молчание. Стасов допивал остывающий кофе и думал о том, что найти аргументы, опровергающие только что услышанное, будет непросто. Но их нужно найти обязательно, иначе... Что — иначе? Придется смириться с необъяснимым? Смулов не мог убить Алину Вазнис. В его положении это все равно что убить самого себя, загу-

бить лучший свой фильм, прекратить режиссерскую деятельность. Зачем ему убивать Алину? Зачем?

— Зачем? — невольно повторил он вслух.

И Коротков откликнулся как эхо:

— Зачем? Асенька, зачем Смулову убивать Алину? Ты видишь причину?

— Нет, — покачала она головой. — Причины я не вижу. Поэтому и боюсь, что все это полный бред. Остается дневник. Может быть, в нем есть хоть что-нибудь, хоть намек, хоть полслова. Я поеду к Гмыре, возьму этот дневник и буду читать, пока не выучу наизусть. Но чует мое сердце, что это бесполезно. Если бы там было что-нибудь, изобличающее преступника, он не подбросил бы дневник Шалиско. Он же понимал, что если мы выйдем на Павла, то и дневник найдем, и прочитаем, что в нем написано. Кроме того, Гмыря сказал, что записи относятся к периоду с ноября 1993 по март 1995 года. Если причина убийства возникла позже, то в дневнике об этом вообще нет ни слова и быть не может. Одна надежда: там есть какой-нибудь нюанс, который поможет хоть что-то понять. В первую очередь, понять саму Алину, настоящую, а не ту, которую нам нарисовала кисть гениального художника. Знаете, что еще я поняла из фильмов Смулова? Он нас с вами ни в грош не ставит. Он считает нас дураками.

— С чего ты взяла? — вскинул брови Стасов. — Разве это как-то проявилось?

— В жизни — нет, а в фильмах проявилось. У него все преступления раскрываются не сыщиками, а кем-нибудь из заинтересованных персонажей. Супругами погибших, детьми, братьями, друзьями. Кем угодно, только не сыщиками и не следователями. По-видимому, он считает милиционеров недалекими и глуповатыми, и если это так, то наверняка где-то ошибся, чего-то недоглядел, полагая, что в тонкости мы все равно не вникнем. Любой человек, занимающийся творчеством, проецируется в своих произведениях. Хочет он этого или нет, но проецируется. Поэтому и фильмы Смулова так похожи были друг на друга. Он их снимал про одно и то же, про то, что у него сильнее всего болело. Правда, только до «Извечного страха». Потом с ним что-то произошло. В «Сириусе» считают, что это был расцвет их любви с Алиной, ведь и Алина с того момента стала играть намного лучше. Может, следует здесь поискать?

— Вряд ли, — хмуро откликнулся Коротков. — Два года — многовато для причины убийства. Ведь все утверждают, что в последние два года у них все стало совершенно замечательно. Что же, они притворялись целых два года, скрывая от всех медленно зреющий конфликт? Нет, не похоже.

— Не похоже, — согласилась Настя. — Предлагай другое направление поисков, я на все согласна.

— Ага, как что, так сразу мне решение принимать, — возмутился Коротков. — Хитрая ты больно. Не могу я ничего придумать, огорошила ты меня, Настасья. Знаешь, что я предлагаю? Давай сделаем перерыв. Ты поезжай к Гмыре, возьми у него дневник Алины и читай, а я сегодня займусь другими делами. На мне еще четыре убийства висят помимо нашей кинозвезды. Между прочим, если мы с тобой собираемся не опаздывать на работу, то нужно выдвигаться, уже четверть десятого.

— Да-да, Юрик, сейчас поедем. Ну а ты, Слава? Что ты все молчишь? Скажи что-нибудь.

Стасов поймал себя на том, что, слушая Настю, думает о Татьяне. До чего же они похожи! Нет, конечно, они совсем разные, эта Каменская худая и бледная, а Таня — полная, крупная, кровь с молоком. Каменская — оперсостав, Татьяна — следователь. Анастасия недавно вышла замуж в первый раз, а Татьяна уже дважды побывала замужем и, бог даст, скоро вступит в третий брак с ним, Стасовым. Они совсем разные, но в то же время чем-то неуловимо похожи. Может быть, своей способностью увлекаться тем, что делают. Правда, Каменская день и ночь думает о работе, а Татьяне ее следственные дела давно уже осточертели, она тянет лямку только ради милицейской пенсии, а истинное удовольствие получает от творчества, книги пишет. Как он соскучился...

— Что я могу сказать? — грустно ответил он. — Если тебе нужны аргументы «против» твоей теории, я могу попробовать их собрать. Если хочешь, я сегодня еще раз поговорю со всеми и уточню, кто был первоисточником информации о Семенцовой и о поисках контактов с Козыревым. И вообще, кто, что и когда слышал от Смулова об Алине Вазнис. Тогда либо твои домыслы подтвердятся, либо нет. Больше ничего придумать не могу.

Настя ласково улыбнулась.

— Спасибо тебе.

КАМЕНСКАЯ

Дневник Алины она читала целый день, запершись в своем кабинете на работе. Гмыря был прав, записи относились не к последнему периоду, они начинались 17 ноября 1993 года и заканчивались 26 марта 1995 года. Никаких намеков на конфликт со Смуловым. Наоборот, если Алина и писала о нем, то в каждом слове звучало безграничное уважение и благодарность к нему.

Судя по записям, у Алины частенько случались резкие перепады настроения, она впадала в тяжелую тоску, хандрила. Иногда ей снился какой-то неприятный сон, и после этого она долго переживала. Вот, например, запись от 8 декабря 1993 года:

«Он опять пришел ко мне во сне. То же лицо с большим родимым пятном, те же глаза, те же тонкие губы. Странно, что за столько лет он совсем не изменился. Мне кажется, что лицо его осталось таким же, каким было много лет назад, когда я увидела его впервые. Как хорошо, что можно больше не бояться...»

Сон про «то же лицо» упоминался далее 2 января 1994 года, 15 февраля, 7 мая, 20 сентября и в последний раз — уже 2 марта 1995 года. Совершенно очевидно, что он беспокоил Алину все реже и реже.

Иногда мелькали записи о Павле Шалиско, в основном речь шла о том, «какой Паша молодец, не забыл позвонить в гостиницу». Но фактических обстоятельств, или, как говорят, — фактуры, в дневнике было совсем мало. Алине не нужен был дневник, чтобы рассказывать в нем о повседневных событиях своей жизни. Он был нужен для того, чтобы думать, анализировать, делиться переживаниями. Например, целых двенадцать страниц были посвящены старому французскому фильму «Двое в городе» с Жаном Габеном и Аленом Делоном:

«Я уже второй месяц хожу больная после этого фильма. И я хочу понять, ЧТО в нем такого, что я не нахожу себе покоя. Я хочу понять, ЧТО сделал Жан Габен, КАК он это сделал? Я смотрю «Двое в городе» каждый день и открываю все новые и новые оттенки его игры, все новые нюансы, жесты... А может

быть, здесь соединилось все — и режиссура, и музыка? Но я должна понять, я не успокоюсь, пока не пойму, почему я болею этим фильмом...»

И далее на двенадцати страницах — подробный анализ фильма, кадр за кадром. Это было очень похоже на те записи, которые Настя получила от Леонида Сергеевича Дегтяря.

Чем больше Настя читала дневник Алины, тем больше убеждалась, что никакой ценности он для убийцы представлять не мог. Даже если допустить, что она чудовищно ошиблась и что Алину убил все-таки Шалиско, ему незачем было красть эту коричневую тетрадку. Ничего опасного для него в ней не было.

Но вставал и другой вопрос. Неужели Алина Вазнис вела дневник только в период между ноябрем 1993 и мартом 1995? Да нет же, она должна была делать это много лет, может быть, всю жизнь. Тогда где остальные тетради? Если она, Настя, правильно поняла характер актрисы, то дневники Алина скорее всего не хранила. Тетрадь заканчивалась, и Алина ее выбрасывала. Достаточно было записей за полтора года, чтобы Настя смогла ясно увидеть: манией величия Алина Вазнис не страдала. Стало быть, не считала, что ее дневники будут представлять какую-то ценность для грядущих поколений, как дневники Достоевского или Чарльза Чаплина. Она делала записи для себя, словно разговаривала с невидимым собеседником, выдвигала аргументы, ставила вопросы и искала на них ответы. Выговаривалась — и все. Словно в ямку пошептала и песочком присыпала. Больше дневник не был нужен. Да и страницы той тетради, которая сейчас лежала перед Настей, красноречиво свидетельствовали о том, что их не перечитывали по многу раз. Листы были свежие, не затрепанные, тетрадь не открывалась сама в определенных местах, как бывает, когда ее часто открывают на одних и тех же страницах. Ведь ни одному здравому человеку не придет в голову вести магнитофонную запись своих бесед с близкими друзьями, чтобы потом снова и снова их слушать. Глупость!

Но в то же время, если привычка вести дневник сложилась за много лет, вряд ли Алина ни с того ни с сего бросила

это занятие. Тогда должна быть тетрадь с более поздними записями. Где она?

Ответ напрашивался сам собой: у Смулова. И бриллианты Алининой матери тоже должны быть у него. И деньги, которые принес Харитонов.

Да нет же, оборвала Настя сама себя. Чушь. Подозрение пало на Смулова сразу же после обнаружения трупа, убийство любовницы из ревности — самая расхожая версия, которую проверяют в первую очередь, тем более что у него были ключи от квартиры Алины. У него дома сразу же произвели обыск, она помнила это точно. Никаких бриллиантов там не нашли. И шести тысяч шестисот долларов купюрами по пятьдесят долларов там тоже не было. Правда, это не доказательство, деньги и бриллианты могут быть спрятаны и вне дома. И последняя тетрадь с записями — тоже. Если не дома, то где?

И вообще, имеет ли смысл их искать? Если Смулов действительно все это устроил, то где бы ни нашлись деньги и драгоценности, это не позволит его ни в чем обвинить. Уж он наверняка позаботился о том, чтобы не оставить следов и «привязок». Более того, теперь Настя была уже совершенно уверена, что бриллианты и конверт с деньгами кому-то подброшены, чтобы навлечь подозрения еще на одного человека, как подброшен был Павлу Шалиско дневник Алины. Если Алину убил Смулов, то он сделал это не из корысти, в этом можно не сомневаться. Успех «Безумия», если бы фильм был закончен, принес бы режиссеру куда большие деньги, чем те, которые пропали у Алины. Настя интересовалась гонорарами Вазнис, и выходило, что с этих гонораров она никак не могла бы купить себе квартиру и машину с гаражом. Наверняка часть драгоценностей была продана, и даже немалая их часть. Стоило ли ради этого убивать актрису, вместе с которой уверенно идешь к вершинам славы, а значит, и к достатку? Чушь.

Итак, искать пропавшие ценности, конечно, можно, но только для того, чтобы вернуть их законным наследникам. Для раскрытия преступления это ничего не даст. Появится новый подозреваемый, уйдут силы и время на его изобличение, и все окажется впустую. Если Алину Вазнис убил Смулов, то сделал он это не из-за денег. Но из-за чего? Из-за чего?!

* * *

Она решила поехать к Вазнисам. Конечно, завтра похороны Алины, им не до разговоров, но все-таки... Дело есть дело, в конце концов. Нужно еще и еще раз заставить их вспоминать все, что они знают о жизни Алины в последние два года. Любую мелочь, любое слово.

Насте не повезло. Дверь ей никто не открыл, а соседка сказала, что все они уехали на кладбище, где похоронена мать Алины, договариваться о подзахоронении.

— Вы же понимаете, нужно памятник снять, оградку, чтоб все аккуратненько. А то за этими пьяницами кладбищенскими не проследишь, они такого там наворотят, — говорила соседка, выразительно округляя глаза.

Настя решила подождать. Она вышла из подъезда и нашла неподалеку симпатичный скверик, заросший кустами и деревьями. Усевшись на скамейку, она вытащила сигареты, закурила и снова углубилась в дневник Алины. Может, она была недостаточно внимательной и что-то пропустила?

Из задумчивости ее вывел знакомый голос.

— Аська? А ты что тут делаешь? Тебя Колобок тоже подвязал?

Из кустов вынырнул не кто иной, как Коля Селуянов.

— Привет, — удивилась Настя. — Куда меня Колобок должен был подвязать? Ты о чем?

— Как о чем? Об убийстве Волошина. Сегодня на оперативке о нем говорили. Это здесь, в соседнем доме. Я думал, он тебе поручил, обрадовался.

— Нет, Коленька, я по другому делу. У меня киноактриса.

— Ах эта, — раздосадованно протянул Селуянов. — Юрка мне вчера рассказывал, пока я его ужином травил. Она что, здесь где-то жила?

— Давно. Здесь осталась ее семья. Я с ними поговорить хотела, а их дома нет. Жду вот.

— Я тоже с тобой посижу, пожалуй.

Николай присел рядом, вытянул ноги, откинулся на жесткую неудобную спинку.

— Убегался я сегодня. Этот Волошин нигде не работает, живет с матерью. Мать пенсионерка, уехала в пятницу к старшей дочери на дачу, вернулась вчера вечером, а сынок мертвый лежит. Уже пахнуть начал. Дня три, наверное, пролежал.

— Чем его? — вяло поинтересовалась Настя только для

того, чтобы не обижать Колю и поддержать разговор. Ей совсем не интересен был какой-то там Волошин, пролежавший три дня...

— Чем-то тяжелым по голове. Эксперты точнее скажут. Смотри, как его уделали.

Николай достал несколько фотографий и протянул Насте. Та взяла, глянула вскользь безразличными глазами и уже собралась было отдавать обратно, как вдруг... Большое родимое пятно на щеке. Тонкие губы. Где-то она видела это лицо. Но где?

— Коля, кто он — этот Волошин? Мне кажется, я его где-то видела. Он по нашим делам никогда не проходил?

— Вроде нет, — пожал плечами Селуянов. — Я запрос делал, к уголовной ответственности не привлекался, приводов не имел.

— Может, он свидетелем проходил?

— Ну уж это... — Коля картинно развел руками. — Требуешь невозможного, Анастасия Павловна. Да вряд ли ты с ним встречалась, контингент не твой. Вот, смотри. — Он достал из кармана блокнот. — Разнорабочий, грузчик, неработающий, ночной приемщик в молочном магазине, снова неработающий, потом опять грузчик. Потом уезжал куда-то почти на два года, мать говорит, в Сибирь, недавно вернулся. Я туда запрос направил, интересно, чего он там два года делал.

— Да, — ответила Настя дрогнувшим голосом, — действительно интересно.

Два года! Два года... Ну конечно, это лицо с родимым пятном и тонкими губами было описано в дневнике Алины Вазнис. Это лицо ей снилось, и как раз два года назад она написала, что может больше не бояться его. Два года назад все заметили, что она стала лучше играть. И два года назад этот Волошин, человек с родимым пятном и тонкими губами, живший по соседству от дома, где она выросла, уехал куда-то в Сибирь. А потом оба они, и Алина и Волошин, были убиты почти одновременно. Неужели совпадение?

СЕЛУЯНОВ

На следующий день Николай вылетел в Красноярск, оттуда на допотопном «Ан-2» еще два с половиной часа добирался до райцентра, а потом трясся в милицейском «уазике» до

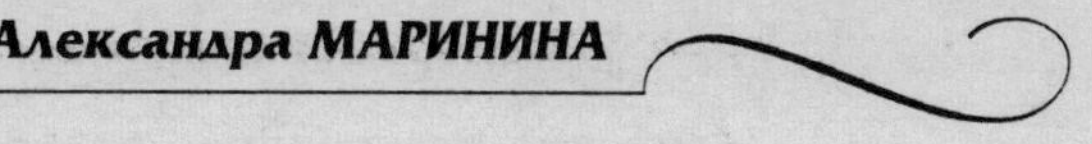

места, где шло строительство какого-то газпромовского объекта. Именно на этой стройке и проработал почти два года разнорабочим Виктор Волошин, убитый несколько дней назад в Москве.

Первым делом Селуянов нашел дом, в котором жил Волошин. Дом принадлежал молодой крепкой бабенке, приехавшей откуда-то из-под Тюмени, работавшей на строительстве и купившей этот дом по вполне приемлемой цене у стариков, перебиравшихся в Красноярск к детям. Николая она встретила приветливо, но, услышав фамилию Волошин, сразу перестала улыбаться.

— С ним что-то случилось? — испуганно спросила она, глядя на Николая слишком жирно подведенными глазами.

Потом она долго плакала, перемежая всхлипывания обрывочными фразами вроде: «И чего ему не жилось здесь...», «Поехал на свою голову». Наконец она проплакалась и начала рассказывать более или менее связно.

Первое время Виктор жил в бытовке вместе с другими рабочими, потом познакомился с ней, Раисой, и переехал в ее дом. Он был немного странный, дикий какой-то, то и дело в лес уходил, говорил, лес его успокаивает. Вообще природу очень любил. Виктор говорил, он потому и Москву бросил, чтобы, значит, к тайге поближе. Но вообще-то он мужик хороший был, не пил совсем, не гулял. Только вот странный. Собирались пожениться, начали вещи в дом покупать — телевизор дорогой, видеомагнитофон, а то какие ж тут, в тайге, развлечения. Несколько раз ездили вместе в Красноярск, Раису с ног до головы одели, ему кое-какую одежку прикупили, начали понемногу спиртное к свадьбе запасать.

Однажды в начале июня Волошин сказал Раисе, что должен уехать. Дело у него есть в Москве, и пока он его не сделает, ни о какой свадьбе и речи быть не может. Уж как она просила его не ездить, как плакала — нет. Сказал — сделал. Собрал вещи и уехал.

— Он все вещи собрал? — спросил Селуянов.

— Да нет же, какое там все. Только на дорогу. У него ж мать в Москве и сестра, жить есть где. Да он и собирался-то недели на две. Обещал, что не больше. Вот и вышло...

Она снова собралась заплакать, но Коля быстро отвлек ее новым вопросом:

— Скажите, Раечка, у вас заработки большие на стройке?

3 Зак. 689

— Не жалуемся. — Она отерла глаза и шмыгнула носом. — Я — мастер участка, у меня зарплата, конечно, побольше была, чем у Вити. Он же разнорабочим был.

— И его не смущало, что он фактически сидел на вашей шее? На чьи деньги вы дорогие вещи-то покупали?

— Так на его!

Раечка так удивилась Колиному предположению, что кто-то вообще может сидеть на ее шее, что даже забыла плакать.

— На какие это «его»? На зарплату разнорабочего?

— Да нет же! Он из Москвы раз в три месяца большие деньги получал. Витя рассказывал, что одолжил своему товарищу большую сумму в рассрочку на несколько лет, и тот раз в три месяца отдавал частями. Витя регулярно переводы получал.

— И большие были части?

— Знаете, в переводе всегда суммы стояли какие-то некруглые. Витя говорил, что товарищ отдает ему по пятьсот долларов в рублях по курсу на день отправки.

— С ума сойти, — расхохотался Селуянов. — Где б мне такого приятеля взять, чтобы раз в три месяца полтыщи долларов присылал. Раечка, а корешки переводов у вас не сохранились?

— Лежат, — вздохнула женщина. — Витя их выбрасывать хотел, да я не дала.

— Почему? Пусть бы выбросил, чего мусор копить.

— Да вы что! — искренне возмутилась Раиса. — Это же долг. Разве упомнишь, сколько раз он деньги присылал? Так и просчитаться недолго. Нет уж.

— Ну, в общем, вы правы, — согласился Селуянов. — Давайте-ка я заберу у вас эти корешки, посмотрим, что это за товарищ у вашего Виктора.

— Вы думаете, это он его?.. Чтоб долг не отдавать?

— А что? Всякое бывает в нашей жизни, — философски заметил Николай. — И заодно покажите мне его вещи.

Раиса ушла в соседнюю комнату и вскоре вернулась, держа в руках шесть корешков от почтовых переводов. Суммы везде были разные и действительно «некруглые». Коля прикинул в уме, получалось и в самом деле каждый раз по пятьсот долларов. Неплохо устроился этот Волошин, если учесть, что в долг он никому дать не мог, не такие у него были заработки, когда в Москве жил. Если только украл... Надо будет

проверить все нераскрытые кражи, грабежи и разбойные нападения за период, предшествовавший его поспешному бегству из столицы. Может, тайна его убийства в том, что он с подельником чего-то не поделил? А Аськина актриса тут вовсе ни при чем?

Николай открыл платяной шкаф и стал перебирать висевшие на плечиках вещи Волошина — костюм, полушубок, дубленка, дорогой английский плащ, две пары новых джинсов, несколько хороших сорочек. Проверил на всякий случай карманы — ничего, ни записок, ни забытых писем и телеграмм.

— Раечка, а Виктор книги читал?

— Читал, а как же. У нас тут библиотеки нет, так он в райцентр ездил, покупал. Вот они все стоят.

Она указала на книжную полку, висевшую над изголовьем широкой двуспальной кровати. Николай начал вытаскивать книги по одной и неторопливо листать.

— Что вы ищете-то? — не выдержала Раиса. — Вы скажите, может, я знаю, где лежит.

— Да я сам не знаю, Раечка, — честно признался Селуянов. — Ищу просто так, вдруг что найдется.

— Ну как знаете, — сухо сказала она, поджав губы. — Обедать будете со мной или как?

— Сначала буду, а потом «или как», — весело подмигнул Коля. Он понял, что нечаянно обидел женщину, отвергнув ее помощь, а ведь она так хотела быть полезной тому, кто искал убийцу ее несостоявшегося мужа.

По тому, как держалась Раиса, Николай понял, что она слишком хорошо успела в своей жизни узнать животное породы «мужик». Когда Волошин не вернулся ни через две, ни через четыре, ни через шесть недель и даже не дал о себе знать, она быстро сообразила, что ее и на этот раз «прокатили». Волошин уехал в середине июня, с тех пор прошло уже три месяца, и неунывающая Раечка давно уже вычеркнула странного и диковатого Виктора из своей жизни, перестала его ждать и забыла о намечавшейся свадьбе. Таких несостоявшихся свадеб, наверное, было в ее жизни немало, и она привыкла относиться к ним легко и без истерик. Поэтому известие о гибели Виктора она не восприняла как трагедию, разрушившую ее жизнь, а просто поплакала, по-бабьи горюя о хорошем мужике, прожившем с ней полтора года и вложившем в ее хозяйство три тысячи «зеленых».

Он открыл очередную книгу под названием «1001 вопрос про «это», и на пол выпал листок. Николай нагнулся и поднял его. Это была сложенная вчетверо половинка обложки журнала «TV Парк» от 1 июня 1995 года с портретом Алины Вазнис.

— Вы не знаете, зачем Виктор это хранил? — спросил он у хлопотавшей на кухне Раисы.

— Не знаю. — Она пожала крепкими округлыми плечами. — Я это впервые вижу.

КАМЕНСКАЯ

И снова наступил понедельник. Убийство Алины Вазнис потихоньку отошло на второй план: в Москве продолжали убивать — в том числе банкиров, политиков, журналистов, известных адвокатов, — сотрудники уголовного розыска судорожно метались от одного преступления к другому, делая первые неотложные шаги, ничего не успевали и быстро забывали о том, что произошло неделю назад.

В субботу вернулся Коля Селуянов, привезя с собой новые сведения о Викторе Волошине, шесть корешков от денежных переводов и сложенную вчетверо страницу обложки с портретом кинозвезды. Переводы отправлялись из разных почтовых отделений Москвы, и пришлось слезно умолять шестерых начальников этих отделений, чтобы в воскресенье кто-нибудь из их подчиненных вышел на работу и поднял подшивки квитанций.

Селуянов позвонил Насте поздно вечером. Ничто — ни голод, ни усталость, ни бессонница не могли заставить его перестать балагурить, такой уж у него был нрав.

— Как было сказано в одном похабном анекдоте на историческую тему, «моча герцога Орлеанского, почерк королевы», — заявил он без предисловий.

— А попроще нельзя?

— Можно и попроще. Адрес и фамилия отправителя всюду разные и всюду липовые, а почерк один и тот же.

— Чей?

— Ну, голубушка, это ты хватила, — засмеялся он. — Ты мне образцы дай для сравнения, а потом спрашивай.

В понедельник с утра Настя положила на свой рабочий стол корешки переводов и дневник Алины. Ее версия руши-

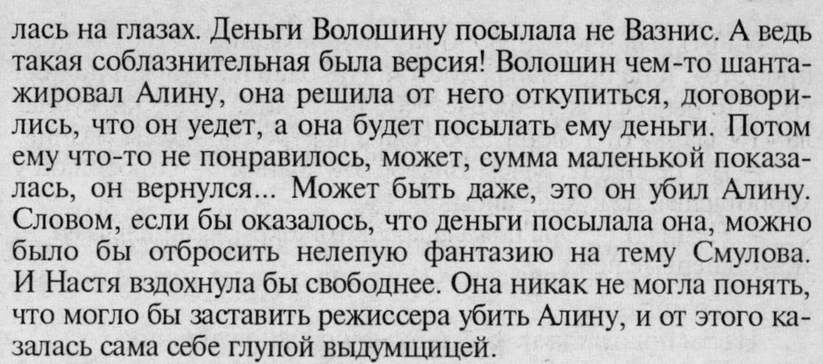

лась на глазах. Деньги Волошину посылала не Вазнис. А ведь такая соблазнительная была версия! Волошин чем-то шантажировал Алину, она решила от него откупиться, договорились, что он уедет, а она будет посылать ему деньги. Потом ему что-то не понравилось, может, сумма маленькой показалась, он вернулся... Может быть даже, это он убил Алину. Словом, если бы оказалось, что деньги посылала она, можно было бы отбросить нелепую фантазию на тему Смулова. И Настя вздохнула бы свободнее. Она никак не могла понять, что могло бы заставить режиссера убить Алину, и от этого казалась сама себе глупой выдумщицей.

За тупым разглядыванием корешков денежных переводов ее и застал Коротков.

— Чего грустишь, старушка? Опять обвал?

— Полный, — грустно подтвердила она. — Знаешь, я в глубине души, наверное, надеялась, что мои домыслы насчет Смулова не подтвердятся. Уж больно он... Не знаю даже, как сказать. Талантливый. Красивый. И причины для убийства нет. Во всяком случае, я ее не вижу.

— А что это он тебе написал?

— Где?

— Да вот же.

Он сделал несколько шагов от порога в сторону стола и наклонился, разглядывая прямоугольники плотной бумаги.

— Это же его почерк. Что за бумажки?

— Корешки переводов Волошину. Коля Селуянов привез из Красноярска. Погоди, погоди, Юрочка, ты уверен, что это рука Смулова?

— Очень похоже.

Он взял два корешка, поднес к самым глазам.

— Очень похоже, — повторил он задумчиво. — Я же отбирал у него объяснение в тот день, когда обнаружили труп Вазнис. Оно у Гмыри в деле лежит, можно отправить экспертам для сравнения. На глазок, конечно, ничего точно не скажешь, но вот эта петелька у букв «д» и «з» очень характерная, я на нее внимание обратил.

Настя быстро набрала номер Гмыри. Тот пообещал вынести постановление о производстве экспертизы и вместе с образцом текста, выполненным рукой Смулова, прислать с нарочным на Петровку.

— Ты свои бумажки в конверт подложишь — и тащи Светке Касьяновой, я ей позвоню, чтобы побыстрее сделала. Да не забудь дневничок туда же сунуть, я насчет Вазнис тоже вопрос поставлю экспертам, пусть посмотрят. Мало ли что. Может, это все-таки она переводы отправляла, а почерк меняла.

— И делала его похожим на почерк Смулова? — недоверчиво переспросила Настя.

— Вот сразу видно, что у тебя детей нет, — хохотнул в трубку следователь. — Закон жизни, знаешь какой? Кого любим, тому и подражаем. Особенно если не только любим, но и восхищаемся.

Настя положила трубку и включила кипятильник.

— Слушай, а у Гмыри есть дети? — спросила она Короткова.

— Пятеро. Он у нас отец-герой. А ты что, не знала? Он потому и ушел из розыска, говорил, что, если с ним что-нибудь случится, жене одной пятерых не поднять.

До конца дня Настя переделала кучу работы, помогая коллегам анализировать собранную по разным убийствам информацию, составляя схемы и просчитывая варианты. Она с ужасом думала о том, что двадцатое число миновало, а она так и не представила начальнику ежемесячную справку о совершенных в Москве убийствах и изнасилованиях. Составление таких справок уже несколько лет было ее обязанностью, и теперь на каждый звонок внутреннего телефона ее сердце отзывалось неприятным сбоем: а вдруг Гордеев вспомнил и сейчас потребует документ?

Конверт от Гмыри она получила около пяти часов и сразу же помчалась к экспертам искать Касьянову. Гмыря по-дружески назвал ее Светкой, но Касьянова на самом деле была вальяжной дамой средних лет, в волосах которой было много незакрашенной седины, а на лице, казалось, навечно застыло выражение брюзгливое и недовольное. Но внешность, к счастью, оказалась обманчивой, улыбалась Светлана Михайловна обаятельно, а хохотала оглушительно.

— Ох, Борька! — приговаривала она, быстро читая постановление. — Забрался на свою многодетную колокольню и считает теперь, что если у кого не пятеро детей, а только двое, то это люди свободные, как птицы в полете. Ладно, ладно, не вздрагивайте, у меня дети, в отличие от Борькиных, уже взрослые, за ними приглядывать не надо, я, между прочим, бабка уже. Вы ждать будете или до завтра потерпите?

— Буду ждать, сколько нужно, — горячо поблагодарила Настя. — У меня все равно работы еще много.

Она вернулась к себе и взялась за справку, не переставая думать о странной связи актрисы Алины Вазнис и разнорабочего Виктора Волошина. Выходит, Алина знала Волошина много лет, и знакомство это не было особенно приятным. Волошин снился ей в тяжелых снах, и после таких снов она впадала в депрессию. Потом, года два назад, Волошин уезжает в Сибирь, и Алина об этом знает, потому что вздыхает свободно и считает, что может больше не бояться. Не бояться... Почему же она его боялась? Он ей угрожал? Шантажировал? Но ведь если они знакомы много лет, еще с тех времен, когда жили на соседних улицах, то почему родственники Алины ничего об этом не знают? А они ведь не знают. Коротков ездил к ним после похорон Алины, называл фамилию Волошин, показывал фотографию. Они не были с ним знакомы и никогда его не видели, во всяком случае, лица его не помнили.

В течение двух лет Волошин, живя в Сибири, регулярно получает солидные денежные переводы из Москвы. А потом он возвращается. И через три месяца после его возвращения трагически погибает Алина Вазнис, а еще через два дня — и он сам. Что же произошло? И какое отношение ко всему этому имеет режиссер Андрей Львович Смулов?

А отношение он имеет, это несомненно. Стасов выполнил свое обещание, и уже в субботу Настя знала, что «информационная волна» о некрасивых, жестоких и бестактных поступках Алины распространилась всего за один день, 15 сентября. Смулов утверждает, что в этот день, в пятницу, Алина работала не в полную силу, объяснив свое состояние неожиданным успехом рабочего просмотра и последующей бессонницей, вызванной радостным волнением. В час дня съемка в арендованном павильоне закончилась, и Смулов якобы посоветовал ей поехать домой, успокоиться, отоспаться, чтобы к утру субботы быть в хорошей форме. В субботу снова предстояла съемка с семи утра и до часу дня. В пятницу же, пока еще шла съемка, в воздухе пронеслись первые веяния, которые должны были возбудить отрицательное отношение к Алине. Во время перерывов Смулов без конца кому-то звонил, правда, никто не слышал, о чем шла речь, он говорил вполголоса. А уж когда съемка закончилась и Алина уехала домой, мелкая водная рябь превратилась в настоящий шторм. Итак, совершенно очевидно, что Смулов готовил убийство Алины. Но пока не станет ясно, для чего он это затеял, пока не будет убедительных доказательств того, что у Смулова была причина, был мотив для убийства, пытаться разоблачить его бесполезно. Нет ни одной прямой улики, только косвенные. И значит, нужно во что бы то ни стало заставить его рассказать все самому. А сделать это можно только одним способом: раздавить его знанием деталей и истинных событий.

Время шло незаметно, и Настя страшно удивилась, посмотрев на часы и увидев, что уже почти девять. В десятом часу наконец позвонила Касьянова.

— Адреса на почтовых переводах выполнены той же рукой, что и объяснение, подписанное Смуловым, — сообщила она.

— Спасибо вам, Светлана Михайловна. Вы какие конфеты любите?

— Со своих не беру, — оглушительно рассмеялась в трубку эксперт. — Конфеты не ем, лишнего веса много, а хорошую бутылку с Борьки стребую.

Значит, все-таки Смулов. Но почему?

Глава 9

КОРОТКОВ

Аська права, что-то должно было случиться накануне, 14 сентября, чтобы Смулов начал в течение следующего дня создавать общественное мнение об Алине Вазнис, лепить ее посмертный образ. Коля Селуянов занялся тем, что «примерял» Смулова к убийству Виктора Волошина, а Юра заново опрашивал сотрудников «Сириуса», восстанавливая час за часом жизнь Алины в четверг, 14 числа. С семи утра до часу дня шла съемка на территории бывшей студии имени Горького, как и всю ту неделю. Потом Алина вместе со Смуловым ездила куда-то обедать. Потом она, видимо, поехала домой переодеваться, потому что присутствовавшая на рабочем просмотре помреж Альбикова заметила, что на просмотр Алина явилась в красивом канадском костюме, тогда как на утренние съемки она, как обычно, приехала в брюках и свитере — все равно ведь переодеваться.

Рабочий просмотр начался в пять часов вечера, закончился в семь. После этого Алина попрощалась и уехала. Судя по всему, поехала она домой, потому что нашлись люди, звонившие ей между двадцатью и двадцатью тремя часами. В это время она была дома. Если на просмотр Вазнис пришла в прекрасном расположении духа, то те, кто разговаривал с ней по телефону вечером, отмечали некоторую ее нервозность. Она была явно не расположена к беседам и старалась как можно быстрее свернуть разговор, ссылаясь на сильную головную боль и усталость.

Итак, если что-то и произошло, то в интервале между пятью и восемью часами вечера. Этот интервал нужно было исследовать досконально, по минутам и секундам. Но выяснилось, что исследовать особенно-то и нечего. С пяти до семи, а если точнее — до без десяти семь, Алина вместе со Смуловым находилась в просмотровом зале и после этого сразу же села в свою машину и уехала домой. Смулов остался в «Сириусе» и до половины девятого вместе с Еленой Альбиковой готовился к завтрашней съемке. Исследовать дальнейшие передвижения режиссера Коротков не стал, так как к половине девятого Алина уже продемонстрировала по телефону свою нервозность и взвинченность. Значит, к этому времени что-то случилось. Но где? По дороге домой? Установить это сейчас невозможно. Ответ дать могла бы только сама Алина. Оставалось искать в промежутке между пятью и семью часами. Но что там искать, когда она сидела в просмотровом зале и смотрела вместе со всеми материал, отснятый во время выезда на натуру.

Коротков тяжело вздохнул и отправился искать Стасова. Через двадцать минут оба они сидели в зале, а механик Володя по очереди крутил им пленки с дублями. Коротков вспомнил, что Каменская просила обратить особое внимание на тот самый дубль, который вызвал столько разговоров и искренних восторженных похвал.

— Черт его знает, Юрик, — задумчиво говорила она, — может быть, Вазнис не такая уж великая актриса. Просто она чего-то ужасно испугалась. Понимаешь? Она испугалась на самом деле, а не по сценарию. Отсюда и эта внезапная бледность, и посеревшие губы, и запавшие глаза. Посмотри повнимательнее, вдруг заметишь что-нибудь в кадре.

Поэтому Юра и попросил начать сразу с того дубля. Лицо

актрисы заворожило его, на нем так отчетливо проступал нарастающий ужас, что Коротков совсем забыл в этот момент о просьбе Насти и не смотрел ни на что, кроме самой Алины. Экран погас, и тут только он спохватился.

— Давайте еще разок, — виновато попросил он.

— Тебе что-то не понравилось? — удивился Стасов. — Зачем еще раз смотреть?

— Да я вообще забыл, что надо смотреть, — с досадой отозвался Коротков. — Впился глазами в Алину, и все мысли из головы вылетели.

Эпизод начался снова. На этот раз он старался не смотреть на актрису, внимательно вглядываясь во все, что попадало в кадр.

— Стоп! — закричал он. — Вот оно!

Перепуганный механик выскочил из своей будочки.

— Что случилось?

— Ничего, — ответил Коротков уже спокойно. — Останавливай машину, просмотр окончен. И приготовь мне яуф с этой пленкой, я ее забираю.

Володя пожал плечами и ушел обратно в будку.

— Ну, что там? — спросил сгоравший от нетерпения Стасов.

— Она увидела Волошина. Знать бы только, почему она так его боялась?

СЕЛУЯНОВ

Мать убитого Виктора Волошина ничего нового сообщить не смогла. Николая особенно интересовал вопрос, почему два года назад Виктор так поспешно сорвался и уехал в Сибирь, но она этого не знала.

— Господи, да я так рада была, что он едет, — говорила она сквозь слезы. — Ведь здесь, в Москве, он ничем толком-то не занимался. Среднюю школу — и ту с трудом окончил, учиться не хотел, профессии в руках никакой нет. Грузчик да разнорабочий — это что, по-вашему, дело для мужика? А то и вовсе не работал. Не могу, говорит, мама, не могу я работать, голова у меня болит. Ничего не могла с ним поделать. А тут собрался в одночасье, поеду, говорит, деньги зарабатывать, жизнь свою устраивать. Я и обрадовалась, думала, за ум взял-

ся наконец. Как раз на ноябрьские праздники уехал. Мы в выходные дни всей семьей собрались, дочка с мужем и детьми пришла, посидели, проводили Витю.

— А когда вернулся, что сказал? Объяснил как-то, почему приехал?

— Да ничего он не объяснил. Повидаться, говорит, приехал, соскучился. Деньги у него с собой были, за три месяца ни копейки у меня не взял, я и подумала, что он там, в Сибири, начал хорошо зарабатывать.

— И чем он здесь занимался? Встречался с кем-то? Или спал целыми днями?

— Все ходил где-то, как уйдет утром, так только вечером вернется. И с каждым днем все злее делался. Сначала-то ничего был, веселый, а потом хмуриться начал. Через два месяца совсем почти разговаривать со мной перестал. Потом уехал куда-то, неделю его не было. Или чуть больше, может, дней десять. Вернулся тихий такой, вроде как умиротворенный, снова разговаривать со мной стал. Несколько дней хорошо было, в пятницу утром ушел, как обычно, вернулся часа в четыре, глаза горят, руки трясутся, как подменили его. Я-то на шестичасовой электричке к дочке на дачу собиралась, его с собой звала: поедем, говорю, Витюша, там хорошо, воздух свежий, погуляешь, с племянниками повидаешься. Он не поехал. Я, говорит, в тайге воздухом на всю оставшуюся жизнь надышался. Так я и поехала одна. Больше уж не видела его живым...

— Скажите, Виктор никогда не рассказывал вам о человеке, связанном с кино?

— О ком? — удивилась женщина.

— Ну, например, о режиссере Смулове.

— Нет. — Она покачала головой. — Не слыхала о таком.

— А об Алине Вазнис?

— Нет, что вы.

— А вы сами-то о ней слышали?

— Ну да, конечно, ее и по телевизору показывали. Красивая девушка.

— А вы знаете, что она двадцать лет жила на соседней улице?

— Да что вы?! — Мать Волошина всплеснула руками. — Это же надо! А я и не знала. А вы почему спрашиваете-то? Что, Витюша мой был с ней знаком?

— Не знаю, — вздохнул Селуянов. — Может, и был. В том-то и загвоздка, что я хочу это выяснить, а никто не знает.

Что ж удивляться, думал Николай, выходя из дома, где жил и был убит Волошин, мы своих соседей по площадке и то не всегда знаем, где уж знать людей с соседней улицы. Пресловутая анонимность жизни в большом городе с многоэтажными многоквартирными домами, где все заняты исключительно своими проблемами и никому ни до кого нет дела.

Он решил попробовать сделать заход с другой стороны и отправился туда, где провел свое детство известный режиссер Андрей Львович Смулов. Может быть, удастся найти каких-нибудь его старых приятелей, которые вдруг да расскажут что-нибудь интересное. Потом Николай так и не вспомнит, с чего это он решил покопаться в детстве Смулова. Не то наитие какое на него снизошло, не то внутренний голос что-то эдакое подсказал, не то просто профессиональный нюх сработал. Но вот поехал он туда, зачем — и сам не знал. Но поехал. Этим и отличался он от Каменской. Анастасия, прежде чем бежать куда-то, долго думала и высчитывала, где какую информацию можно собрать, как ее нужно собирать и что с ней потом делать. Николай, как правило, вообще не просчитывал ситуацию даже на полшага вперед, он руководствовался интуицией, а порой и просто действовал «на авось», особенно когда не знал, что делать дальше.

Начал Селуянов, как водится, с отделения милиции, потому что за долгую работу в розыске почти в каждом отделении мог найти знакомого. Нашелся у него такой знакомый и здесь, в Замоскворечье, в отделении, на территории которого находилась улица, где когда-то жил Андрюша Смулов со своей мамой.

Удача, которая так долго отворачивалась, наконец перестала капризничать и повернула к Коле Селуянову свой светлый прекрасный лик. Приятель был на месте, и Колю он не забыл, и настроение у него было неплохое, во всяком случае, он с удовольствием оставил свои дела и переключился на гостя, даже бутылку из сейфа достал. Звали приятеля Жирафом, то есть по паспорту и милицейскому удостоверению он числился Рафиком Жигаревским, но длинная тонкая шея, плавно перетекающая в длинное тощее туловище, порождала необоримый соблазн использовать не по назначению первые буквы фамилии и имени.

— Смулов? — поморщился он, выпивая залпом треть стакана водки. — Режиссер-то? Противный мужик. Но баба у него — высший класс. Обзавидуешься.

Селуянов сделал большой глоток, но до конца допивать не стал. В груди разлилось блаженное тепло, как бывало у него всегда, когда после долгих бесплодных поисков он чувствовал, что наконец появился какой-то кончик. Теперь бы только не упустить его, кончик этот.

— Ты с ним знаком?

— Не то чтобы... — Жираф смешно дернул длинной шеей. — Опрашивал его как-то раз, года два назад. По трупу.

— Рафик, с меня бутылка, только ничего не перепутай, — взмолился Селуянов.

Он знал, что Жираф свою кличку не любит, и в ответственные моменты, когда нужно было «уважение сделать», обращался к приятелю по имени.

— Да чего тут путать, скажешь тоже. У меня на территории труп, некто Татосов. Ищем, натурально, среди ближайшего окружения. Ничего. Начинаем круги выписывать, сам знаешь. Берем окружение пошире и подальше. Опять ничего. Мужик — всеобщий любимец, бабы по нему умирают, хотя, вот те крест, — посмотреть не на что. Страшненький, неказистый. Но — умирают. И вообще никто о нем худого слова не говорит. Ну что делать? Берем следующий круг — товарищи по институту. Потом пошли в ход одноклассники. Выяснилось, что жена одного из бывших школьных корешей мужа своего бросила и к этому Татосову ушла. Правда, она у него не задержалась, они довольно быстро расстались, да и было-то это лет за десять до убийства, но для порядка, сам понимаешь, одноклассника этого ищем и спрашиваем, где ты, милчеловек, был в тот день и в тот час. У одноклассника — алиби. Был, говорит, у своей любовницы, можете у нее спросить, она вам подтвердит. Мы — к любовнице, она говорит, да, был весь вечер у меня. Ну, спрашивали-то, конечно, больше для проформы, понятно, что мотива нет. Вот и весь сказ.

— Чего — весь сказ? — взвился Селуянов. — А Смулов? Он тут каким боком?

— Чего ты орешь? — обиделся Жираф. — Пей лучше. Смулов и был тот одноклассник, которого жена бросила. Мы его всерьез и не подозревали. Ну ты сам-то подумай своей плешивой головой, жена ушла десять лет назад, а через несколько месяцев она и Татосова этого бросила. Они же не соперники, а товарищи, можно сказать, по несчастью. Это первое. Второе — все-таки десять лет. И третье — когда у тебя такая шикарная любовница, как была тогда у Смулова, ты вообще про всякую ревность забудешь. А тем более десятилетней давности.

— Имя любовницы не помнишь? — спросил Николай с надеждой.

— Не крути, Коляныч, — хмыкнул Жираф. — Мы тоже не пальцем деланные. Это имя по всем сводкам прошло. Вазнис, актриса. Ты же из-за нее сюда притащился, верно?

— Если честно, то я притащился сюда не столько из-за нее, сколько из-за одной никчемной и странной личности. Тебе имя Виктор Волошин ничего не говорит?

— Нет. Это кто такой будет?

— Это человек, который был знаком с Вазнис и которого убили на следующий день после ее гибели.

— Ишь ты, — покачал головой Жираф, всем своим видом выражая сочувствие. — Лихо тебе приходится. Вон какой клубок закрутился. И чего ты хотел выяснить в наших краях?

— Что-нибудь. Сам не знаю. Может, мне поговорить с кем-нибудь, кто хорошо знал Смулова?

— Это вряд ли. Я еще по делу Татосова помню, друзья детства все разъехались, район-то наш старый, все по новостройкам разлетелись. Кто судился, кто женился, кто менялся... Им же всем сейчас лет по сорок, школу четверть века назад закончили. Что они тебе интересного расскажут? Правда, здесь мать Смулова живет. Адресок дать?

— Давай. А кто твоего Татосова-то убил?

— А черт его знает. — Жираф снова дернул шеей и стал удивительно похож на милое тропическое животное.

— Висяк, что ли?

— Что ли. Ты что, совсем не пьешь, Колян? Я ж тебе чуть-чуть налил, а ты и это не допил.

— Пью я, Рафик, — грустно сказал Селуянов. — В том и беда моя, что пью. Но только по вечерам и дома. Днем стараюсь держаться. Мне только волю дай — я ж работать не смогу.

КАМЕНСКАЯ

В картинку добавлялись все новые и новые детали, но вместо ясности получалась какая-то путаница. Насте все время казалось, что вот-вот — и пелена разорвется, все встанет

на свои места и сделается простым и понятным. А туман все сгущался и сгущался, надежно укрывая ответ на такой простой вопрос: зачем понадобилось режиссеру Андрею Смулову убивать актрису Алину Вазнис?

Настя по укоренившейся привычке рисовала схемы, так ей легче думалось. 9 ноября 1993 года был убит некто Михаил Татосов, работавший на малооплачиваемой должности врача-окулиста в районной поликлинике. 8 ноября, то есть за день до убийства Татосова, Виктор Волошин сел в самолет и улетел в Красноярск. 24 ноября сотрудники милиции, занимавшиеся раскрытием убийства Татосова, допросили его бывшего одноклассника Андрея Смулова и выяснили, что в день убийства Смулов был сначала на съемках, а потом у своей любовницы Алины Вазнис.

Виктор Волошин почти два года пробыл в Сибири, при этом раз в три месяца получал из Москвы от Смулова деньги в сумме, эквивалентной пятистам долларам США. 18 июня 1995 года Волошин возвращается в Москву, с 31 августа по 9 сентября находится в Сочи, где в это время проходят съемки фильма «Безумие» и где его видит Алина. Алина почему-то очень сильно пугается.

14 сентября во время рабочего просмотра Алина снова видит на экране лицо Волошина, и от этого у нее резко портится настроение. Странно. Ведь идя на просмотр, она знала, что увидит его, а очевидцы утверждают, что настроение у нее было отличное. Значит, не ожидала, что он попал в кадр? Ну попал. И что? Откуда эта нервозность и взвинченность?

15 сентября Смулов прикладывает титанические усилия, чтобы возбудить негативное отношение к Алине среди сотрудников киноконцерна «Сириус». Поздно вечером того же дня некто (будем пока так считать для чистоты эксперимента) убивает Алину. 18 сентября опять же некто (тот же или другой?) убивает Виктора Волошина.

Чертовщина какая-то. Ничего не складывается. Нельзя пока трогать Смулова, задерживать его оснований нет, а если просто побеседовать, он выкрутится и еще что-нибудь устроит. Мастер жанра, дьявол его возьми...

Настя сидела дома на кухне, забравшись с ногами на маленький диванчик, стоявший перед окном, и разложив перед собой на столе листы с одной ей понятными схемами. В комнате Алексей, приглушив звук, смотрел телевизор. Было уже совсем поздно, но он не ложился спать, ждал ее.

— Лешик! — крикнула она. — Давай поедим чего-нибудь.

Леша появился на кухне, огромный, нескладный, с непокорными рыжими вихрами, которые делали его каким-то несерьезным, совсем непохожим на доктора наук и профессора, каковым он на самом деле являлся.

— Проголодалась?

— Не-а, у меня застой в мозгу. Надо отвлечься. У нас от ужина осталось что-нибудь?

— Картошка с курицей. Будешь?

— Буду.

Она быстро собрала листки и принялась резать хлеб и накрывать на стол, пока Леша разогревал остатки куриного жаркого. Есть ей совсем не хотелось, но горячая еда обычно хорошо помогала в качестве отвлекающего момента.

— Леш, как ты думаешь, чего нормальные люди могут очень сильно бояться?

— Смерти, — быстро ответил он. — Это на первом месте.

— А на втором?

— Привидений.

— Да ну тебя, я серьезно.

— И я серьезно. Вот ты, когда находишься в квартире одна и внезапно слышишь непонятный звук, источник которого находится где-то совсем рядом, разве не пугаешься?

— Пугаюсь, конечно.

— Вот то-то. А теперь сообрази: ты же знаешь, что ты одна в квартире, что больше никого тут нет. Так чего же ты боишься?

— Вообще-то, да... — Она задумчиво покрутила в руках бутылку с кетчупом, раздумывая, лить его в жаркое или не надо. — Если формулировать точно, люди боятся необъяснимого, того, что находится за пределами их понимания. Привидений в том числе.

Алина знает Волошина много лет и боится его. Потом Волошин уезжает, совершенно очевидно, что Алина об этом знает, потому что пишет в своем дневнике, что может больше не бояться его. Вероятно, Смулов заплатил Волошину, чтобы тот уехал и оставил Алину в покое. Пока получается... Волошин возвращается и попадается на глаза Алине. Причем попадается не случайно. Он едет туда, где в настоящий момент идет съемка. Он ищет ее. Зачем? Ладно, это потом. Алина видит его и... Она пугается так, словно видит привидение. Не человека, который ей неприятен и которого она боится, а призрак. На ее лице такой неподдельный ужас, что кажется, будто она находится на грани помешательства. А что такое призрак? Образ умершего человека. Алина считала, что Волошин умер, именно поэтому она была так уверена, что может больше не бояться его. Ведь если он просто уехал, то в любую минуту может вернуться. А в дневнике об этом ни слова. Ни разу, описывая пугающий ее сон, она не упоминает о том, что человек с родимым пятном на щеке и тонкими губами может появиться снова. Нет, она уверенно пишет каждый раз: «Как хорошо, что можно больше не бояться».

— Я поняла, — произнесла она куда-то в пространство.

— Что ты поняла?

— Я поняла, — повторила она, глупо улыбаясь. — Я все поняла. Лешка, курица обалденная. Положи мне еще, пожалуйста.

КОРОТКОВ

К Смулову они поехали втроем — Гмыря, Анастасия и он, Коротков. К разговору готовились целый день, выстраивая последовательность вопросов и ловушек, отвергая один вариант за другим, впадая в отчаяние и снова принимаясь за работу. Гмыря был сторонником лобовой атаки.

— Я считаю, что нужно спросить его сразу, прямо с порога. Он в момент поплывет.

— Да нет же, Борис Витальевич, увидев нас, он, наоборот, сразу насторожится и приготовится к неприятным неожиданностям. Нужно его расслабить, успокоить, отвлечь, — горячилась Настя. — Смулов — человек незаурядного ума, человек талантливый и неординарный. Он нам еще кучу сюрпризов наготовит, если мы с первого раза не попадем «в десятку».

— Да почему ты считаешь, что мы не попадем? — удивлялся следователь. — Или мы не мастера, или мы не снайпера?

— Вам все смешочки, а я вот нутром чую, что нужно придумать что-нибудь такое...

Но какое именно «такое», она не могла сформулировать.

Смулова они нашли в «Сириусе», поймали прямо в коридоре и, мило улыбаясь, спросили, где бы можно было поговорить. Это ненадолго, но чтобы непременно был стол, потому что нужно записывать. Андрей Львович сам облегчил им задачу, предложив кабинет Стасова. Слава, как и договаривались, был на месте, ждал.

— Мне выйти? — вежливо спросил он.

— Ну что вы, Владислав Николаевич, мы буквально на пять минут и никаких секретов. Если мы вам не помешаем, — улыбнулась Настя как можно обворожительнее.

Они устроились поудобнее. Гмыря уселся за стол и приготовился писать протокол, Смулов и Коротков присели напротив него в кресла для посетителей, а Настя вместе со Стасовым примостилась в уголке, где стояли еще два удобных мягких кресла. Следователь начал заполнять бланк, переписывая в него из предыдущих протоколов паспортные данные Смулова.

— Андрей Львович, а вы очень обиделись на свою маму, когда спросили, любит ли она вас, а она в ответ рассмеялась?

Смулов резко дернулся и повернулся к Насте.

— При чем тут это? — зло спросил он.

— Да нет, ни при чем, — спокойно ответила она. — Просто я просмотрела все ваши фильмы и увидела, что этот мотив присутствует во всех ваших работах. В том числе и в тех, которые вы снимали до знакомства с Алиной. А потом наш сотрудник поговорил с вашей мамой. Так что это она, а вовсе не Алина вас так обидела. Зачем же вы нас обманули?

— Я вас не обманул. К сожалению, Алина тоже нанесла мне такую рану. А тот детский эпизод я уж и забыл давно.

Он улыбнулся и постарался сесть посвободнее, закинув ногу на ногу. Руки, до этого свободно лежавшие на коленях, Смулов скрестил на груди, и Коротков понял, что он напрягся, «закрылся», хотя до этого никакой опасности от разговора с ними не чувствовал.

— Что-то с памятью у вас неважно, — вступил Гмыря, не поднимая головы от протокола. — Не далее как два месяца назад вы были у матери и снова завели разговор о том, что она вас никогда не любила. И этот эпизод ей припомнили.

— Но при чем здесь моя мать? Чего вы добиваетесь?

— Да ничего мы не добиваемся, — вполне миролюбиво откликнулась Настя из своего уголка. — Просто хотим понять, почему вы все время говорите неправду. Понимаете, нам сейчас придется задать вам несколько вопросов, и мы, вполне естественно, боимся, что вы опять станете нас обманывать.

— В чем вы видите неправду? Выражайтесь яснее, будьте добры.

— Бог мой, да вы же врете постоянно! — вскипел Коротков, как и предписывалось ему сценарием. — То вы Алину обманули, сказали ей, что убили Волошина, а на самом деле отпустили его на все четыре стороны, да еще и деньги ему посылали, чтоб не возвращался подольше. То вы нам рассказываете, что у Алины были крепкие нервы и она никогда не пила ничего сильнее валерианки и пустырника. Да вы же постоянно лжете.

Теперь по их замыслу должен последовать ряд вопросов совсем «не о том». И отвечая на них, Смулов должен мучиться тем, что они упомянули Волошина. Он должен быстро решить, реагировать на приманку или сделать вид, что не обратил внимания, не услышал, не понял. А они так и не будут возвращаться к этому, пока он не «дозреет». Его нельзя успокаивать и отвлекать, потому что в спокойном состоянии он достойно встретит неожиданный удар, сможет быстро собраться, не растеряется. Мысль о Волошине, наоборот, не даст ему успокоиться, он будет нервничать, потому что нужно одновременно размышлять над опасной, хотя и вскользь брошенной фразой Короткова, и над вопросами, которыми его будет бомбардировать Гмыря. И вот тогда, когда он устанет и ослабеет, можно наносить удар. Совсем не с той стороны, с которой его будет ожидать Андрей Львович.

— Скажите, пожалуйста, на какие деньги была приобретена квартира, в которой проживала Алина Вазнис?..

— На какие деньги была куплена машина?..

— Гараж?..

— Не продавала ли Алина драгоценности матери?..

— Какие именно? Когда? Кому? За какую цену?

— Какие гонорары получала Вазнис за участие в ваших фильмах?

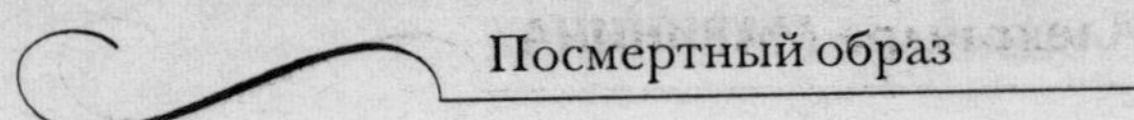

— Кто составлял контракты? Какие суммы ставились в контракт? С каких сумм Вазнис платила налоги?

— В каком банке Алина держала свои сбережения? Почему именно в этом банке? Кто ей посоветовал именно этот вид вклада?

— Почему вы убили Татосова?

АНДРЕЙ СМУЛОВ И АЛИНА ВАЗНИС

Сколько он помнил себя, он ненавидел Мишку Татосова.

Андрюша Смулов все десять лет, проведенные в школе, был первым учеником класса. Он был очень способным, талантливым мальчиком, и учеба давалась ему легко. Учителя постоянно ставили его всем в пример, он побеждал на межрайонных и городских олимпиадах по литературе и по истории.

Мишка Татосов перебивался с троечек на четверки по тем предметам, которые его не интересовали, отличные отметки получал только по химии и биологии, да еще по физике, но только в тот короткий период, когда проходили оптику. Всех остальных разделов физики он не знал и знать не хотел. Андрюшу Смулова учителя хвалили, Мишку они обожали, баловали и все ему прощали, даже откровенное нежелание учить их предмет.

Андрюша Смулов был самым красивым мальчиком среди трех параллельных классов, девочки заглядывались на него, писали ему записки и трепетали в ожидании ответа. Он всегда имел широкую возможность выбора, но когда его придирчивый взгляд останавливался на какой-либо из претенденток, все заканчивалось неожиданно и необъяснимо быстро. Он милостиво приглашал девочку в кино, а в старших классах — на дискотеку, а дня через два она переставала его замечать и даже начинала вроде бы сторониться.

Мишка Татосов был самым низкорослым в классе, некрасивым, веснушчатым. Разумеется, никто на него не заглядывался и записок не подбрасывал. Но если Мишке нравилась какая-нибудь девочка, он начинал действовать. Уж как там он действовал, никто не знал, но только девочка через несколько дней ходила за Мишкой как привязанная, и продолжалось это до тех пор, пока он сам не бросал ее, выбрав себе новый объект для ухаживаний.

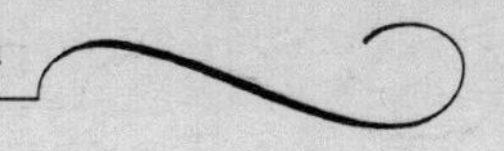

К Мишке на день рождения приходил весь класс. Однажды Андрей тоже решил отпраздновать свой день рождения вместе с одноклассниками, во всеуслышанье пригласил всех, попросил мать приготовить побольше еды. А потом долго ворочался без сна, сжимая кулаки и давясь слезами. К нему пришли только две девочки, одна из которых в тот момент была тихо влюблена в него, а вторая вообще была новенькой.

Все эти годы Андрей мучился одним-единственным вопросом: почему? Почему некрасивого, неказистого троечника Мишку Татосова все обожают, а его, красивого и безусловно одаренного, сторонятся? Почему? Андрей завидовал ему, и за эту зависть ненавидел. Почему так получается, что он, яркая и неординарная личность, вынужден завидовать какому-то примитивному существу!

В девятом классе Андрей сломал руку и, пока не сняли гипс, сидел дома. Навестить его приходил только один человек — Мишка Татосов. Андрей терзался раздиравшими его противоречивыми чувствами — ненавистью к Мише и благодарностью за то, что он приходил. Однажды Мишка пришел вечером, когда мать Андрея была дома. Она «для приличия» зашла в комнату к мальчикам, принесла чай с пирожками, обменялась с гостем парой ничего не значащих фраз и... осталась с ними. Она просидела в Андрюшиной комнате битых два часа, весело болтая с Мишей, хохоча над его шутками, сама что-то рассказывала, глядя при этом на Мишу, а не на сына.

Когда гость уходил, она проводила его, закрыла за ним дверь и вернулась к Андрею.

— Какой хороший парень, — сказала она. — Почему он так редко бывает у нас? Ты ему скажи, пусть заходит почаще.

Андрея передернуло.

— Со мной ты никогда не сидишь по два часа, — с упреком ответил он. — И никогда мне ничего не рассказываешь. Чем он лучше меня?

— Он теплый. По-человечески теплый и очень добрый. С ним хорошо.

— А со мной плохо?

— Сынок, ты ведь никого не слушаешь. Тебе никто не интересен, кроме тебя самого.

С тех пор ненависть стала во сто крат сильнее. Андрей считал, что Мишка Татосов украл у него любовь матери. Отец оставил их давно, мать была красивой молодой женщиной, и у нее, разумеется, были мужчины. Некоторые приходили к ним в гости, но Андрей никогда не ревновал к ним. У взрослой женщины должен быть взрослый мужчина, это сомнений не вызывало. Но похвала Мишке — это совсем другое дело. Для матери на свете должен существовать только один мальчик — он сам. А уж никак не Мишка Татосов.

Они закончили школу и поступили в разные институты Андрей — во ВГИК, Михаил — в медицинский. Жили они по-прежнему в одном районе и частенько сталкивались на улицах или в магазинах. В двадцать шесть лет Смулов женился на девушке, в которую был безумно влюблен, и во время такой вот случайной встречи познакомил ее с Татосовым. Мишка, его ровесник, к этому времени уже начал лысеть и со своим маленьким росточком и глубокими мимическими морщинами напоминал старичка. Но глаза его сверкали по-прежнему весело, а голос был бархатным и обволакивающим.

Через полтора года после свадьбы жена заявила Андрею, что уходит к Татосову.

— Но почему? — кричал Смулов, с трудом сдерживая слезы ярости. — Чем я тебе плох? Чем Мишка лучше меня?

— Всем, — устало отвечала Галина. — Ты — холодный эгоист, ты хочешь от людей только одного — чтобы они тобой восхищались, восхищались твоей красотой и талантом. Люди нужны тебе только для этого. Ты пользуешься ими для того, чтобы смотреть в них, как в зеркало, и любоваться своим превосходством над ними. Ты хочешь, чтобы они глядели тебе в рот, а ты ими помыкал бы. Ты хочешь, чтобы тебя любили, чтобы тебя обожали, но ничего не хочешь давать взамен.

— А он что дает взамен?

— Все. Он отдает всего себя. Он готов слушать людей, сопереживать им, утешать, помогать, даже если они ему совсем чужие. Он теплый, душевно теплый, понимаешь? С ним легко и хорошо. А с тобой холодно и плохо. Я замерзла, живя с тобой. Ты способен это понять?

Но он был не способен. Он страстно хотел, чтобы вокруг него были люди, которые любили бы его, тянулись к нему. Он хотел быть в центре внимания. А вокруг него была пустота.

Галина ушла к Татосову, а через несколько месяцев Михаил ее бросил. У него появилась новая пассия, еще более красивая, чем Галина. Смулов ждал, что Галина вернется, он готовился сначала унизить ее, проучить как следует, а потом проявить благородство и принять в свои объятия. К счастью,

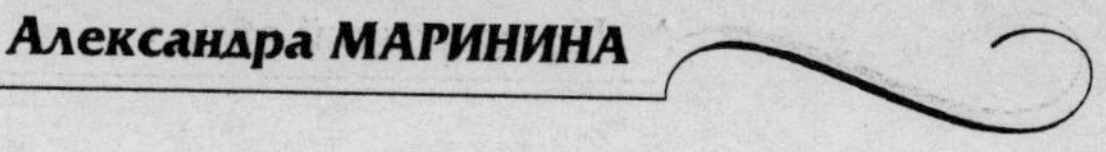

думал он, развод они не оформляли. Но она почему-то не вернулась.

Смулов сам поехал к ее родителям, привез цветы и конфеты и предложил жене возвращаться.

— Нет, — покачала она головой.

— Но почему?

— Я буду ждать. Может быть, он позовет меня обратно.

— Да не позовет он! У него уже новая баба, а после нее будет следующая.

— Все равно. К нему я вернусь, если он позовет. А к тебе — нет.

Любовь к Галине прошла довольно скоро. Ненависть к Татосову продолжала жить, пуская корни все глубже и глубже, расцветая и укрепляясь. Смулов начал делать свой первый фильм, вложив в него всю свою боль. Два главных героя были удивительно похожи на него самого и на Мишу Татосова. Мрачный красавец, которого никто не понимает и все подозревают в совершении убийства, и веселый, добродушный некрасивый миляга, которого все обожают и который в конце фильма оказывается истинным убийцей, жестоким и глубоко безнравственным. Фильм получился хорошим и принес Андрею известность. Но в душе Смулова ничего не изменилось. Он по-прежнему не понимал, почему его никто не любит, почему женщины так быстро и легко расстаются с ним, почему вокруг него гулкая пустота. А он так хотел, чтобы его любили...

В тридцать шесть лет он встретил Алину. Сначала он был влюблен в нее как в красивую женщину, а заниматься ее внутренним миром стал только потому, что хотел заставить ее играть перед камерой так, как ему было нужно. Но совершенно неожиданно встретил в ней восхищение и благодарность. Встретил именно то, чего ему никак не удавалось найти в женщинах. Он был счастлив.

Алина пусть не сразу, но рассказала ему о своих страхах, о человеке, который преследует ее с раннего детства и которого она боится настолько, что теряет способность нормально жить и работать. Андрей уже понимал, что Алина Вазнис — «его» актриса, и сделал все, что было в его силах, чтобы помочь ей обрести душевный покой. Он любил ее потому, что она любила его. Обожала. Смотрела в рот, ловя каждое слово. Считала самым талантливым. Самым лучшим. Но страх ее так и не прошел окончательно. И Смулов начал отчаиваться.

Однажды Алина с горечью призналась:

— Ты так много делаешь для меня, и мне так больно оттого, что все напрасно. Ничего у нас не получится.

— Ну что ты, милая, — уговаривал ее Смулов. — Я же все время с тобой, а пока я рядом, он к тебе не подойдет.

— Ты не сможешь быть рядом со мной всегда. А пока он есть на свете, мне покоя не будет.

Смулов долго вспоминал этот разговор. И в конце концов понял, что, пока есть на свете Мишка Татосов, не будет покоя ему, Андрею Смулову. Ненависть и зависть гложут его, сжигают изнутри, не дают дышать, застилают глаза. Все говорят, что он выработался, что Смулов — «режиссер одного фильма». Это потому, что ненависть к Михаилу заставляет его снова и снова выплескивать в своих картинах то, что он носит в душе. Вопрос: почему? И бесплодные поиски ответа. Он вздохнет свободно только тогда, когда Татосова не будет. Когда некому будет завидовать и некого ненавидеть.

Несколько раз Алина показывала Смулову того человека, который ее преследовал:

— Вон он, смотри. Опять меня караулит.

— Давай заявим на него в милицию, — предлагал Андрей. — Сейчас я его поймаю и отведу в отделение. Напишешь заявление, и его посадят.

— За что? Нет такой статьи в кодексе.

— Ерунда, хулиганство всегда припаять можно. А ему урок будет.

— А что я должна буду написать в заявлении?

— Ну как что? Все как было.

— Нет, — пугалась Алина. — Я не смогу им все это рассказывать. Мне стыдно.

Лицо человека Смулов запомнил хорошо. Зная, что он живет где-то по соседству с родителями Алины, он без труда выследил его.

— Слушай, подонок, — тихо и яростно говорил он. — Я дам тебе денег, только уезжай отсюда навсегда. Ты понял? Я могу тебя в два счета посадить, но мне Алину жалко. Ты ей все нервы истрепал, всю душу исковеркал. Сколько ты хочешь за то, чтобы ни она, ни я тебя никогда больше не видели?

Они разговаривали не очень долго. Волошин назвал сумму, которая Смулову была вполне по карману.

— Вот тебе деньги на билет, — сказал Андрей, доставая

бумажник. — Сейчас же поезжай, возьми билет куда-нибудь подальше. Завтра встретимся здесь же, покажешь мне его.

Волошин взял билет до Красноярска на 8 ноября. И Смулов начал обдумывать свой план. Было 31 октября.

8 ноября Смулов приехал в аэропорт, убедился, что Волошин улетел, и на следующий день отправился в район Замоскворечья, где прошло его детство и где до сих пор жил Михаил Татосов. Он готовился к тому, что придется сделать несколько попыток, пока обстоятельства не сложатся особенно удачно. Но ему повезло. Обстоятельства сложились удачно в первый же день. Смулов стоял в подъезде, вжавшись спиной в глубину неосвещенной ниши между внешней и внутренней входными дверьми, и ждал, когда Татосов будет возвращаться с работы. Михаил шел один, в подъезде в тот момент никого не было, и Смулов одним ударом булыжника раскроил ему череп. Михаил был намного ниже ростом, и бить было легко.

Он сразу же приехал к Алине.

— Я убил его, — сказал он, повалившись на диван и закрывая лицо руками. — Больше эта сволочь не будет тебя пугать. Теперь ты можешь жить спокойно. Только я прошу тебя, милая, если придет милиция и будет спрашивать, где я был сегодня, говори, что я прямо со съемок приехал сюда и пробыл у тебя до завтрашнего утра. Хорошо?

— Конечно, — дрожащими губами прошептала Алина. — Господи, Андрюша, какой грех ты взял на себя! Ты же человека убил.

— Не человека, а скотину, которая отравила тебе жизнь. Бог меня простит, я же сделал это для тебя, для женщины, которую я люблю.

Преданность Алины не знала границ. Андрей пошел на это ради нее. И теперь она его должница до конца своих дней.

Недели через две действительно пришел человек из милиции, смешной, с длинной худой шеей.

— Припомните, пожалуйста, не говорил ли вам Андрей Львович, что у него сложились конфликтные отношения с человеком по имени Михаил Татосов?

— Нет, — твердо отвечала Алина. — Я никогда не слышала этого имени.

— А где был Смулов 9 ноября?

— Мы весь день провели вместе. Сначала на съемках, потом приехали сюда. Он оставался у меня до утра, а утром мы снова поехали на съемку.

Она сделала все так, как просил Андрей. И думала, что это — лишь малая толика того, что она должна сделать для него в благодарность за избавление от извечного страха.

И все переменилось. Их любовь расцвела, скрепленная тайной чужой жизни и смерти. Алина, освободившись от сковывавших ее пут, стала наконец играть в полную силу. Смулов сделал фильм, который их прославил, и тут же принялся за следующий, который обещал стать еще лучше...

И все рухнуло в один момент. 14 сентября 1995 года поздно вечером ему позвонила Алина.

— Я хочу знать, кого же ты убил на самом деле, — сказала она сквозь зубы, словно с трудом сдерживая рвущийся из горла истерический крик.

— Ты о чем? — оторопел Смулов, чувствуя, как по спине пробежал неприятный холодок.

— Он жив. Ты его не убивал. Но ведь милиция приходила и спрашивала, где ты был. Тебе нужно было алиби. Значит, кого-то ты все-таки убил. Я хочу знать кого.

— Подожди, подожди...

Почва уходила из-под ног быстрее, чем он успевал осознавать происходящее.

— Алина, ты ошибаешься. Он не может быть жив. Я убил его. Мы во всем разберемся, я тебе обещаю, только не по телефону. Не дай бог кто-нибудь услышит. Ложись спать и ни о чем не думай, это нервы, вот увидишь. Утром ты успокоишься.

Утром она приехала в павильон бледная, с измученным лицом и больными глазами. Играла из рук вон плохо. На площадке постоянно было много народу, и это избавляло от объяснений. В перерывах он убегал от нее, звонил по телефону, разговаривал с членами съемочной группы. Решение было принято ночью. От Алины нужно избавиться. Убийство Татосова так и не раскрыли, и теперь Алина — единственная, кроме самого Смулова, кто знает правду. Ему достаточно было услышать ее голос вчера по телефону, чтобы понять: она не смирится, она не будет его покрывать. Он был для нее божеством только потому, что взял на себя страшный грех ради ее спасения. А коль это не так, любви и восхищению придет конец. Она его сдаст не задумываясь.

Когда съемка закончилась, он в сопровождении нескольких человек (умышленно, чтобы не нарваться на объяснение) подошел к Алине.

— Ты сегодня что-то не в форме. У нас осталось только два дня в этом павильоне, и мы не можем позволить себе бесконечные дубли. Поезжай-ка домой, милая, выпей чего-нибудь успокоительного и ложись спать. Тебе нужно как следует выспаться.

Он наклонился к ее щеке, поцеловал и тихонько шепнул:

— Я вечером заеду, и мы обо всем поговорим. Ни о чем не волнуйся, все в порядке, я тебя уверяю. Тебе просто показалось.

Вечером, около одиннадцати часов, он приехал к Алине. Все оказалось даже хуже, чем он предполагал.

— Не смей уверять меня, что я сумасшедшая! — кричала Алина. — Не смей говорить, что мне показалось. Я сегодня ездила туда, я видела его, говорила с ним. Он мне рассказал, как ты уговаривал его уехать, как посылал ему деньги. А на самом деле ты убил кого-то другого, какого-то Татосова. Я ведь даже фамилии этого Психа не знала. Милиционеры спрашивали про Татосова, а я-то, дура, думала, это про него спрашивают. Я тебя покрывала! Ты сделал из меня соучастницу! Дрянь, холодная бессердечная дрянь! Ты просто пользовался мной, моей благодарностью и преданностью!

Он сразу, едва войдя в квартиру, понял, что Алина принимала лекарства. Движения ее были вялыми, какими-то заторможенными, речь то и дело делалась бессвязной. Чем дальше, тем больше Смулов понимал, что отступать ему некуда. Ее надо убивать.

— Я ненавижу тебя, — бормотала она, устав от такой длинной речи. — Господи, как же я тебя ненавижу. Ты мне противен. Ты был прекрасен в моих глазах, пока я думала о том, ЧТО ты сделал ради меня. А ты... Я тебя терпела все эти годы, потому что отдавала тебе долг. А оказалось, что я ничего тебе не должна. А ты втянул меня в убийство...

Этого он уже не мог вынести. Он не отнимал подушку от ее лица до тех пор, пока она не замерла, дернувшись в последний раз.

Потом перевел дыхание, стараясь взять себя в руки. Огляделся. Первым делом нашел дневники, он хорошо знал, где они лежат. Надел на руки принесенные с собой лайковые перчатки, осторожно перелистал две тетради, быстро просматривая текст, написанный крупным округлым почерком, искал упоминание о смерти Психа. Одна тетрадь была старая, записи заканчивались в марте, в ней Смулов не нашел ничего

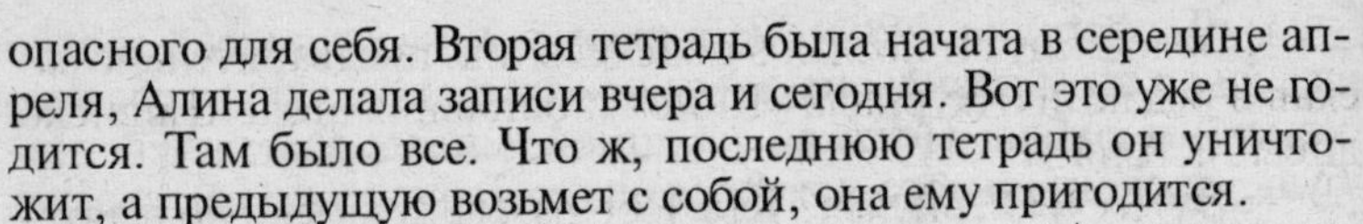

опасного для себя. Вторая тетрадь была начата в середине апреля, Алина делала записи вчера и сегодня. Вот это уже не годится. Там было все. Что ж, последнюю тетрадь он уничтожит, а предыдущую возьмет с собой, она ему пригодится.

Смулов аккуратно обследовал все места, где Алина хранила лекарства, изъял оттуда все транквилизаторы, положил в карман. Без труда нашел конверт с деньгами, которые принес Харитонов. Драгоценности Алина никогда не прятала, она не боялась воров. Она вообще ничего не боялась, кроме того, что было так или иначе связано с Волошиным. Протер некоторые поверхности, в том числе дверные ручки и кнопку звонка. Тщательно вымыл две чашки, взятые наугад с посудной полки. Кажется, все. Полная иллюзия, что в квартире был посторонний, уничтожавший следы своего пребывания здесь. Посторонний, а не Смулов, который бывал у Алины регулярно, все равно что жил у нее. И его следы — по всей квартире, а как же иначе. Про то, что Ксения Мазуркевич балуется огромными дозами препаратов, знают все. Пусть и на нее подозрение упадет. И на Харитонова. И еще бог знает на кого... Только не на него, Андрея Смулова.

Вернувшись домой, сжег новый дневник Алины, пепел спустил в унитаз. Старую тетрадь он в понедельник подбросит Паше Шалиско. Если до Пашки сыщики не докопаются сами, всегда можно «подкинуть» им его кандидатуру. Что делать с деньгами и бриллиантами, он решит позже, пока что пусть полежат в одном «хитром» месте. Посмотрит, как будет идти расследование, может быть, придется их кому-нибудь подсунуть. Драгоценностей было немного, значительную часть их Алина продала, когда покупала квартиру, да и потом тоже, когда делала ремонт. Но зачем сыщикам об этом знать? Он даст полное их описание, если спросят, пусть думают, что убийца позарился на огромные ценности.

В субботу и воскресенье он у всех на глазах изображал убитого горем любовника. Он и в самом деле переживал, ведь он любил Алину, и ее слова о том, что она всего лишь терпела его, отдавая долги, отзывались в нем острой болью. Все оказалось напрасным, все зря. Мишки Татосова нет в живых, а он, Смулов, так и не понял, в чем был секрет его способности вызывать к себе любовь. Так и не понял, почему его, Смулова, никто не любит. Даже Алина... А он так верил ей.

Оставался Волошин. Кто знает, что эта сумасшедшая ему наговорила. С ним тоже надо разобраться.

К Волошину он поехал в понедельник, предварительно заехав в редакцию журнала «Кино» и оставив в столе Шалиско дневник Алины.

— Зачем ты вернулся? Кто тебе разрешил здесь появляться? Какого черта тебе здесь надо?

— Я не могу, — шептал в ответ Волошин. — Я думал, что выдержу. Это преследует меня всю жизнь. Я терпел, сколько сил хватало, даже жениться хотел, женщину нашел там, в Сибири. А потом увидел в журнале портрет Алины и понял, что должен снова... Это наваждение. Я искал ее, ходил возле ее дома, а ее нигде не было. Я думал, что сойду с ума...

— Да ты давно сошел с ума! Ты половой психопат, ты же начал с развращения малолетних! Ей было шесть лет, когда ты стал к ней приставать. Тебе лечиться надо! Я тебя в Кащенко запихну, сволочь!

— Я не могу, — жалобно повторял Волошин.

— Что она тебе сказала? Зачем она встречалась с тобой в пятницу?

— Она думала, что я умер. Она думала, что ты меня убил. Спросила, как моя фамилия... Сказала, что ты убил какого-то Татосова... Я ничего не понял. Я только смотрел на нее...

Что ж, подумал Смулов с каким-то странным безразличием, она и тебе приговор подписала. Сама виновата.

Он вышел из квартиры Волошина, оставив за собой его мертвое тело, поднялся на чердак, спрятал там драгоценности Алины и конверт с деньгами Харитонова. Пусть лежат на всякий случай. Ему они все равно не нужны, а если их здесь найдут, то запутаются окончательно. Может, бог даст, убийство Алины спишут на этого психа. И только выйдя из подъезда, снял перчатки.

«Вот и все, — тоскливо думал он, — медленно шагая по залитым осенним солнцем улицам. — Кончилась любовь, которая четыре года делала меня счастливым. Кончилось творчество, потому что теперь я уже ничего не смогу создать. Нет больше Алины. Нет Мишки Татосова, которого я мог бы ненавидеть и хотя бы благодаря этой иссушающей ненависти чувствовать себя живым. Ничего нет. Одна пустота вокруг. Все было напрасно».

СОДЕРЖАНИЕ

ЧЕРНЫЙ СПИСОК 9
ПОСМЕРТНЫЙ ОБРАЗ 249

СОБРАНИЕ СОЧИНЕНИЙ А. МАРИНИНОЙ

СТЕЧЕНИЕ ОБСТОЯТЕЛЬСТВ
ИГРА НА ЧУЖОМ ПОЛЕ

УКРАДЕННЫЙ СОН

УБИЙЦА ПОНЕВОЛЕ

СМЕРТЬ РАДИ СМЕРТИ

ШЕСТЕРКИ УМИРАЮТ ПЕРВЫМИ

СМЕРТЬ И НЕМНОГО ЛЮБВИ

ЧЕРНЫЙ СПИСОК
ПОСМЕРТНЫЙ ОБРАЗ

ЗА ВСЕ НАДО ПЛАТИТЬ

ЧУЖАЯ МАСКА

НЕ МЕШАЙТЕ ПАЛАЧУ

СТИЛИСТ

ИЛЛЮЗИЯ ГРЕХА

СВЕТЛЫЙ ЛИК СМЕРТИ
ИМЯ ПОТЕРПЕВШЕГО – НИКТО

МУЖСКИЕ ИГРЫ

Я УМЕР ВЧЕРА

РЕКВИЕМ
ПРИЗРАК МУЗЫКИ

СЕДЬМАЯ ЖЕРТВА

Литературно-художественное издание

Маринина Александра Борисовна

ЧЕРНЫЙ СПИСОК
ПОСМЕРТНЫЙ ОБРАЗ

Издано в авторской редакции
Художественные редакторы *А. Стариков, С. Курбатов («ДГЖ»)*
Художник *С. Курбатов*
Технический редактор *Н. Носова*
Компьютерная верстка *Г. Павлова*
Корректор *Г. Гагарина*

Подписано в печать с готовых диапозитивов 02.02.2000
Формат 84 × 108 1/32. Гарнитура «Таймс».
Печать офсетная. Усл. печ. л. 21,84. Уч.-изд. л. 22,7.
Тираж 15 000 экз. Заказ № 689.

ООО «Издательство «ЭКСМО-МАРКЕТ»
Изд. лиц. № 071591 от 10.02.98

ЗАО «Издательство «ЭКСМО-Пресс»
Изд. лиц. № 065377 от 22.08.97
125190, Москва, Ленинградский проспект,
д. 80, корп. 16, подъезд 3.
Интернет/Home page — www.eksmo.ru
Электронная почта (E-mail) — info@ eksmo.ru

Отпечатано с готовых диапозитивов
в полиграфической фирме «КРАСНЫЙ ПРОЛЕТАРИЙ»
103473, Москва, Краснопролетарская, 16.